Selma Lagerlöf:
Die schönsten Sagen und Märchen

Deutscher
Taschenbuch
Verlag

dtv

Von Selma Lagerlöf
sind im Deutschen Taschenbuch Verlag erschienen:
Die schönsten Legenden (1391)
Gösta Berling (1441)
Das Mädchen vom Moorhof/Herrn Arnes Schatz (7103)
Nils Holgerssons schönste Abenteuer mit den Wildgänsen (7280)

Ungekürzte Ausgabe
1. Auflage November 1980
3. Auflage November 1983: 19. bis 24. Tausend
Deutscher Taschenbuch Verlag GmbH & Co. KG, München

ISBN 3-485-00315-8
Aus dem Schwedischen übersetzt von Marie Franzos,
›Eine Herrenhofsage‹ von Pauline Klaiber-Gottschau
Umschlaggestaltung: Celestino Piatti
Gesamtherstellung: C. H. Beck'sche Buchdruckerei, Nördlingen
Printed in Germany · ISBN 3-423-01593-4

Inhalt

Das Heinzelmännchen von Töreby

Ich weiß noch, wie ich einmal als Kind an einem alten Hof vorüberfuhr, von dem man wußte, daß es dort ein Heinzelmännchen gab. Dieser Hof lag sehr einsam an einem flachen Seeufer. Es war kein Garten um das hohe, weiße Wohnhaus; nur ein paar verkrüppelte Bäume standen da. Es war der reizloseste Ort, den ich je gesehen habe. Aber es schien ein reicher Hof zu sein. Die Wirtschaftsgebäude waren wohlgebaut und großzügig angelegt; und auf den Feldern stand die Saat so üppig, daß ich mich noch heute dessen entsinne.

Das merkwürdigste war die Ordnung, die überall herrschte. Ich erinnere mich, daß wir ganz langsam vorbeifuhren, um zu sehen, wie gut die Gräben gezogen waren, wie schnurgerade die Wege liefen und wie fest die Brücken gebaut waren. Wir betrachteten die hübschen bemalten Boote, die sich am Strand schaukelten, und eine lange Waschbrücke, die gerade hinaus in den See lief.

»Wahrscheinlich will das Heinzelmännchen, daß die Wäsche in richtig tiefem Wasser und nicht im seichten Strandwasser gespült wird«, sagten wir.

Niemand zweifelte daran, daß alles auf diesem Hofe dem Heinzelmännchen zu danken war. Aus Angst vor dem Heinzelmännchen durften kein Strohhalm und kein Span auf dem Hofplatz herumliegen; darum war der Viehstall geputzt wie eine gute Stube, und die Felder waren wie Gartenbeete.

Dieses Heinzelmännchen gab es seit undenklichen Zeiten auf dem Hof, und man erzählte sich allerlei Geschichten von ihm. Hier will ich eine berichten, die sich vor etwa zweihundert Jahren zugetragen haben mag.

Es war in einer dunklen Herbstnacht; der Regen goß über die grauen Klotzwände, denn damals war der Herrenhof weder bretterverkleidet noch getüncht, und der Sturm peitschte alle Zweige des hohen Holzapfelbaums gegen den Dachfirst.

Mitten im ärgsten Unwetter kam eine Eule geflogen. Sie hatte ihr Nest oben im Dachstuhl und pflegte durch ein kleines Loch dicht unter der Dachrinne hineinzufliegen. Aber bevor sie die Luke finden konnte, packte sie der Wind, blähte ihr dichtes Federkleid auf, so daß sie wie ein runder Ball aussah, und schleuderte sie ein paarmal gegen die Wand. Da gab der Vogel jeden weiteren Versuch auf, setzte sich auf den Holzapfelbaum und schrie die ganze Nacht hindurch.

Drinnen im Hause war es ganz stumm und still, nur an dem Lichtschein, der durch die Spalten der Fensterläden rieselte, merkte man, daß die Hausbewohner noch nicht zu Bett gegangen waren. Hin und wieder hörte man Lärmen und Lachen, darauf wurde es wieder totenstill.

Gegen elf Uhr nachts trat die alte Haushälterin des Gutshofs auf den Flur. Sie war völlig angekleidet und trug ihre schweren Schlüssel an der Seite, von denen sie sich weder Tag noch Nacht trennte. Die schwere Tür war mit vier verschiedenen Schlössern versperrt, und es dauerte geraume Zeit, bis die alte Frau sie geöffnet hatte. Gleich war der Wind zur Stelle, riß die Tür sperrangelweit auf, warf der Haushälterin einen Regenschauer ins Gesicht und wirbelte die Strohmatten des Hausflurs herum, daß sie sich krümmten wie die Schlangen.

Die alte Frau schloß die Tür hinter sich zu und wanderte in die Nacht hinaus. Sie ging sehr rasch und murmelte unaufhörlich: »Der Herr bewahre uns! Der Herr bewahre uns!«

Sie leuchtete sich mit einer Hornlaterne, aber sie war so in Gedanken, daß sie sich das Licht gar nicht zunutze machte, sondern in Wasserpfützen trat, die sie leicht hätte vermeiden können. Einmal ums andere kam sie in der Verwirrung von dem ausgetretenen Pfad ab. Sie blieb an einer Dornenhecke hängen, die ihr ein Stück aus dem Kleid riß, aber das schien sie gar nicht zu merken. Sie setzte ihre Wanderung unverdrossen fort und murmelte weiter: »Der Herr bewahre uns! Der Herr bewahre uns!«

Endlich kam sie zu dem Stallgebäude. Sie stieg die Bodentreppe hinauf, die klein und schmal war und sich an der Außenseite des Hauses entlangschlängelte, und blieb vor dem Türchen zum Heuboden stehen.

Hinter dem Türchen schimmerte ein Lichtschein. Als die Haushälterin sich vorbeugte, konnte sie in ein kleines Stübchen sehen, dessen Wände mit Pferdegeschirr, Zügeln, Sätteln und Riemen behangen waren. Eigentlich war es gar keine Stube, sondern nur ein Bretterverschlag des Heubodens. Das Heu quoll durch die undichten Bretterwände herein; und mitten auf dem Boden war eine große Klappe, durch die man in den Stall hinunterklettern konnte. Auf einem Bett in der Ecke der Kammer saß der alte Gutskutscher. Er leuchtete sich mit einem Kienspan und las in Gottes Wort. Er saß da, als hätte er nicht die Ruhe gehabt, sich bei diesem schweren Unwetter niederzulegen. Jeden Augenblick hob er den Kopf vom Buch und lauschte dem Sturm, dem Regen und dem Eulenschrei.

Die Haushälterin pochte an, und der Kutscher öffnete ihr. Er begann sich sogleich zu entschuldigen, daß er bei offenem Licht auf dem Boden saß. Er glaubte wohl, daß sie eigens in die Nacht hinausgegangen war, um ihn zu ermahnen, achtsam mit dem Feuer zu sein.

»Ich weiß schon, daß es gefährlich ist«, sagte er, »aber ich meinte, es täte not, daß jemand in dieser Nacht in Gottes Wort liest.«

Die alte Frau gab darauf keine Antwort. Sie setzte sich auf eine Kiste, die voller Lederstücke und altem Eisen war. Ihr lag ein solcher Schrecken in den Gliedern, daß sie sich noch nicht davon erholt hatte. Die Hände zerrten an der Schürze, und die Lippen regten sich zu einem unverständlichen Gemurmel.

Der Kutscher saß da und sah sie an, bis der Schrecken, der auf ihr lastete, sich auch ihm mitteilte. Seine alten Hände und zahnlosen Kinnladen begannen zu zittern.

»Ist dir der Altvater begegnet?« fragte er flüsternd.

Der Altvater war das Heinzelmännchen. Man kannte ihn dort auf dem Hof unter keinem anderen Namen.

»Nein«, sagte die Haushälterin, »und vor dem Altvater würde ich mich wohl auch nicht fürchten. Er will uns nur wohl.«

»Dessen solltest du nicht so sicher sein«, sagte der Kutscher. »Er ist ein gar strenger Herr, und in letzter Zeit haben sich wohl allerhand Dinge auf dem Hof zugetragen, mit denen er nicht einverstanden ist.«

»Wenn er so streng wäre, wie du glaubst, würde er den Rittmeister nicht ungestraft so hausen lassen.«

Der Kutscher suchte sie zu beschwichtigen: »Du darfst nicht vergessen, daß du vom Herrn sprichst.«

»Ich kann darum doch nicht die Augen davor verschließen, daß er sich selbst und den Hof zugrunde richtet«, klagte sie.

»Der Herr Rittmeister ist nun einmal der Herr im Haus. Wir sind nur seine armen Diener«, wiederholte der Kutscher mit wichtiger Stimme. Aber plötzlich schlug die Stimme um, und er fragte in äußerster Angst: »Hat er wieder eine neue Tollheit ausgeheckt?«

»Ich habe den ganzen Abend an der Speisesaaltür gestanden und gehört, wie er all sein Geld verspielt hat«, sagte die Haushälterin. »Als das Geld zu Ende ging, verspielte er Pferde und

Kühe. Als es mit den Tieren zu Ende ging, begann er um den Hof zu spielen. Er setzte Kate um Kate, Wald um Wald, Weide um Weide, Acker um Acker und verlor alles miteinander.«

Der Kutscher hatte sich, als er dies hörte, halb von seinem Platz erhoben, als wollte er forteilen und das Unheil verhindern. Aber dann setzte er sich wieder hin.

»Der Rittmeister ist der Herr«, sagte er. »Er kann mit dem, was sein ist, tun, was er will. Aber ich verstehe nicht, daß der Altvater sich nicht ins Spiel mischt.«

»Er hält sich ja immer hier im Stall auf; er weiß wohl nicht, was sich drinnen bei uns zuträgt«, sagte die Haushälterin.

Lange blieb es auf dem Dachboden still. Endlich sagte der Kutscher: »Wer ist's denn, der heute nacht mit ihm spielt?«

»Es ist der Hauptmann Duwe. Er gewinnt, wenn er nur die Würfel anrührt.«

»Der Kerl ist ebenso arm an Geld und Gut wie an Herz und Gemüt«, sagte der Kutscher nachdenklich. »Von ihm hat der Herr Rittmeister keine Barmherzigkeit zu erwarten.«

»Bald gehört ihm ganz Töreby«, sagte die Haushälterin.

Der Kutscher griff zur Bibel, wandte sich zum Licht und begann wieder zu lesen.

»Ich glaubte, ich müßte den Verstand verlieren, wie ich so dastand und ihnen zuhörte«, sagte die Haushälterin, »so unheimlich war es. Anfangs waren sie lustig, und unser gnädiger Herr lachte, wenn er verlor, aber jetzt sind sie ganz still.«

Über die zitternden Lippen des alten Kutschers kam nichts anderes als: »Kate um Kate, Wald um Wald, Weide um Weide, Acker um Acker.«

»Was hilft es«, sagte die Haushälterin. »Wenn du ein ganzer Kerl wärest, gingest du hinein und brächtest ihn im guten oder bösen dazu, aufzuhören, bevor er noch den ganzen Hof verspielt hat.«

»Ich habe lange genug in diesem Haus gedient; ich weiß, wie schwer es ist, einen Silfverbrandt zum Aufhören zu bewegen, wenn er einmal im Zuge ist. Geradesogut könnte ich versuchen, die Toten aufzuwecken.«

»Ja, dies müßte seine Eltern aus dem Grab wecken«, sagte die Haushälterin.

Der Kutscher schlug das Buch zu. »Das ist das schlimmste an der ganzen Sache, daß er nicht einsieht, daß er auf diesem Hofe kein solches Leben führen kann. Ich weiß noch, wie oft ich zu seinem seligen Vater sagte: ›Gebt Töreby nicht Herrn Henrik, er kann nie ein Herr nach Altvaters Sinn werden. Gebt es seinem Bruder, der ist gesetzt und ernst. Überlaßt Herrn Henrik einen Hof, der keine solche Verantwortung auferlegt.‹«

»Ja, jetzt fällt Töreby weder an Herrn Henrik noch an Herrn August. Jetzt kommt es an diesen Hauptmann Duwe, bis der es wieder an einen anderen verspielt.«

Der Kutscher erhob sich entschlossen. Er knöpfte seine Jacke zu und nahm den Kienspan aus dem Halter. Man sah deutlich, daß es seine Absicht war, zu versuchen, mit seinem Herrn zu sprechen.

Aber als er den Kienspan hob, fiel ein Lichtschein auf die viereckige Öffnung im Boden, durch die er in den Stall hinunter zu klettern pflegte. Und nun sahen beide, der Kutscher und die Haushälterin, daß auf der Leiter ein Heinzelmännchen stand. Es stand auf der obersten Sprosse; klein und grau war es und trug Kniehosen und eine graue Jacke mit Silberknöpfen. Es lauschte mit solcher Bestürzung und Verblüffung, daß es aussah, als sei es völlig versteinert.

Kutscher und Haushälterin wandten sofort den Blick ab. Keines von ihnen verriet auch nur durch eine Miene, daß sie das Heinzelmännchen gesehen hatten. »Ja, nun, glaub ich, ist's das beste, wenn wir alten Leute gehen und uns niederlegen«, sagte der Kutscher in einem möglichst unbefangenen Ton. »Du weißt, in diesem Hof braucht man nachts nicht aufzubleiben, auch wenn ein Unglück droht. Hier ist jemand, der wacht.«

»Ja, du hast recht. Hier ist einer, der wacht«, sagte die Haushälterin unterwürfig. Ohne ein weiteres Wort nahm sie die Laterne vom Boden auf, kroch durch die Luke hinaus und verschwand über die Bodentreppe.

Als die alte Frau ins Haus zurückkam, war es ihre Absicht, sich ungesäumt zur Ruhe zu legen. Einerseits wußte sie, daß das Heinzelmännchen unnötige Nachtwachen nicht leiden mochte, andrerseits glaubte sie, daß die ganze Sache ohnehin in den besten Händen war. Aber sie hatte kaum den schweren Schlüsselbund hingelegt, da überkam sie die Lust, nach den Spielern zu schauen. Leise schlich sie wieder zur Speisesaaltür.

Als sie sich bückte und das Auge an das Schlüsselloch legte, sah sie, daß Rittmeister Silfverbrandt und Hauptmann Duwe noch am Spieltisch saßen. Der Rittmeister sah furchtbar müde und matt aus. Er war bleich und verstört, hatte Säcke unter den Augen, Runzeln auf der Stirn und zitternde Hände. Duwe war rot im Gesicht, und die Augen standen ihm blutunterlaufen aus dem Kopf, aber er verbarg alle Erregung unter frohgelauntem Plaudern und unaufhörlichem Lachen.

Die Haushälterin hatte noch keine zwei Minuten an der Speisesaaltür gelauscht, als Silfverbrandt den Stuhl zurückschob und rief: »Jetzt ist es aus, Duwe. Jetzt habe ich vom ganzen Hofe nur noch die Tanneninsel draußen im See übrig. Die mußt du mir lassen, damit es noch etwas auf Erden gibt, was ich mein nennen kann.«

Duwe lachte, aber er sah unzufrieden drein. »Ewig schade, das Spiel abzubrechen«, sagte er. »Wenn du all das andere gewagt hast, kannst du uns wohl auch um diesen Steinhaufen würfeln lassen.«

Silfverbrandt ging im Zimmer auf und ab. Man sah es ihm wohl an, daß er noch vom Spielteufel besessen war. Er trauerte weniger um den Verlust als vielmehr um das Ende des Spiels.

»Was setzt du gegen die Insel?« fragte er. Duwe bedachte sich einen Augenblick. Die Haushälterin begriff, daß er einen Einsatz ausfindig zu machen suchte, der Silfverbrandt zum Weiterspielen bewegen konnte.

»Ich setze dein Reitpferd«, sagte Duwe.

Silfverbrandt liebte sein Reitpferd über alles auf Erden. Er begann ganz schrecklich zu fluchen. Er fragte Duwe, ob er der leibhaftige Böse wäre, da er ihn solchermaßen versuchte.

Die Haushälterin sah, daß der Rittmeister jedesmal wenn er auf seiner Wanderung zu einer dunklen Ecke des Zimmers kam, wo Duwe ihn nicht sehen konnte, vor Zorn die Hände ballte.

»Das ärgste ist, daß ich weiß, daß ich dich erschlagen werde, wenn ich dich auf meinem Pferd reiten sehe und auf meinem Hof befehlen höre«, sagte er.

»Kannst du es einem armen Kerl nicht gönnen, wenn er es auf seine alten Tage ein bißchen sorgenfrei hat?« fragte Duwe und lachte. »Du bist ja jung und stark; du findest schon bald anderswo Pferd und Hof.«

Die ganze Zeit wunderte sich die Haushälterin, was wohl mit der Türe los sein mochte, die vom Saal in den Flur führte. Einmal ums andere öffnete sie sich ein wenig und schloß sich wieder. Jedesmal wenn Silfverbrandt an dieser Tür vorbeiging, war es, als ob eine kleine Hand ihm zuwinkte.

Silfverbrandt ging mehrere Male an der Tür vorbei, ohne etwas zu merken, aber plötzlich blieb er stehen und starrte die Tür an.

»Na, kommst du jetzt?« fragte Duwe.

»Ich bin im Augenblick wieder da«, sagte Silfverbrandt und ging in den Flur hinaus.

Die Haushälterin glitt stumm wie ein Schatten von der Speisesaaltür fort. Eine Sekunde darauf stand sie in der Vorratskammer, das Gesicht an ein Fensterchen gedrückt, das auf den Flur ging.

Da stand Silfverbrandt über das Heinzelmännchen gebeugt. Altvater hielt eine kleine Laterne in der Hand, die ein wenig Licht in dem dunklen Raum verbreitete.

»Was gibst du mir, wenn ich es so einrichte, daß du den Hof zurückgewinnst?« fragte der Hausgeist.

»Ich gebe dir, was du willst«, sagte Silfverbrandt.

Das Heinzelmännchen fuhr mit der Hand in die Tasche und zog ein paar Würfel heraus. »Wenn ich dir diese Würfel leihe und du heute nacht mit ihnen spielst, gewinnst du den Hof zurück«, sagte es zu Silfverbrandt.

Dieser streckte die Hand aus. »Gib her! Gib her!« sagte er.

»Du bekommst sie nur unter der Bedingung, daß du morgen mit mir um einen Einsatz spielst, den ich selbst bestimme«, sagte das Heinzelmännchen.

Just in diesem Augenblick schrie die arme Eule laut und schaurig. Silfverbrandt sah auf und lauschte.

Die alte Haushälterin sah, daß die Augen des Heinzelmännchens böse und gehässig zu funkeln begannen. Sie wollte schon die Scheibe einschlagen und ihrem Herrn zurufen, auf seiner Hut zu sein und kein voreiliges Bündnis einzugehen, aber im selben Augenblick sah der Hausgeist mit einem furchtbaren Blick zu ihr auf. Sie blieb still und wagte sich nicht zu rühren.

Aber auch Silfverbrandt schien eine Gefahr zu ahnen. Er zog die Hand zurück und schien im Begriff, sich in den Saal zu begeben. Dann blieb er stehen.

»Ich weiß nicht, warum ich dir etwas Böses zutrauen soll, Altvater; du hast ja immer getreulich für dieses Haus gesorgt«, sagte er. »Du willst gewiß nur mein Bestes. So gib mir die Würfel her! Morgen mag es gehen, wie es will, wenn ich nur heute nacht Duwe ebenso arm machen kann, wie er war, da er in diesen Hausflur trat.«

Im Augenblick darauf war Silfverbrandt wieder im Saale. »Jetzt bleibe ich aber nicht länger hier sitzen und höre mir das Eulengeschrei und den Sturm an, ohne zu spielen«, brach Duwe los. »Ich gehe jetzt zu Bett.«

»Willst du mir nicht noch zuerst die Tanneninsel abgewinnen?« fragte Silfverbrandt, indem er sich am Spieltisch niederließ.

Er nahm den kleinen Becher, in dem die Würfel lagen, und schüttelte sie. Dann spielten er und Duwe mehrere Stunden lang, aber Silfverbrandt gewann jedesmal. Unterdessen hörte das Unwetter auf; die Eule fand den Weg in ihr Nest; die alte Haushälterin mußte vor Müdigkeit ihr Lager aufsuchen; Silfverbrandt ging aber erst zur Ruhe, als er Acker um Acker, Weide um Weide, Wald um Wald, Kate um Kate zurückgewonnen hatte und ganz Töreby wieder sein war.

Ein prächtiger Morgen folgte der Unwetternacht: hoher, blauer Himmel, frische Luft und ein spiegelnder klarer See. Die alte Haushälterin wurde zu ihrem Herrn gerufen, während dieser noch zu Bett lag.

Als sie die Schlafkammer öffnete, war es ihr, als ob etwas Kleines und Graues an ihr vorbeihuschte. Sie zuckte zusammen.

Rittmeister Silfverbrandt lag sehr bleich im Bett. »Hat Sie ihn gesehen?« fragte er.

»Nein«, sagte die Haushälterin aus alter Gewohnheit, denn es war dem Heinzelmännchen nicht recht, wenn man sagte, daß man es gesehen hatte.

»Es war der Altvater«, sagte der Rittmeister. »Er ging gerade, als Sie hereinkam. Er war hier und hat mit mir gewürfelt.«

Die Haushälterin stand da und starrte ihren Herrn an.

»Altvater ist mit mir nicht zufrieden«, sagte der Rittmeister. »Er will, daß mein Bruder den Hof bekommt. Und Sie wünscht es sich vielleicht auch.«

Der Rittmeister sah ganz sonderbar aus. Die alte Frau wußte nicht, was sie antworten sollte.

»Ja, den alten Duwe habe ich ja doch vom Hof weggebracht«, fuhr Silfverbrandt fort. »Ich will Altvater die Hilfe lohnen, indem ich es hier auf dem Hof so werden lasse, wie er es haben will. Er setzt wunderliche Dinge im Spiel ein, dieser Kobold. Er ist ärger als Duwe.«

Die Haushälterin begann zu zittern und murmelte wie in der Nacht: »Der Herr bewahre uns!«

»Na, stehe Sie nicht so da, Menschenskind, und mache Sie kein so bekümmertes Gesicht«, sagte Silfverbrandt, »spute Sie sich lieber und putze Sie mir meine Uniform! Poliere Sie das Bandelier, putze Sie die Knöpfe und reibe Sie die Flecken weg! Das Reitpferd soll auch mit dem besten Zaumzeug gesattelt werden. Die Mähne muß gestrählt sein; die Steigbügel müssen blinken und die Lederriemen glänzen!«

Die Haushälterin sah ihren Herrn erstaunt an. Sie ging und kam sogleich mit der Uniform wieder. In Töreby gab es nichts, das nicht geputzt und gestriegelt, poliert und wohlgepflegt gewesen wäre.

So stand denn Rittmeister Silfverbrandt auf, legte die blaue Uniform an, rückte den dreikantigen Hut auf dem Kopf zurecht, schnallte den Säbel an die Seite und zog die langen steifen Stulpenhandschuhe an. Er trat auf die Schwelle und sprang auf sein Pferd.

Zweimal ritt er rings um den Hof, dann schwenkte er zum See hinab zu der langen Waschbrücke, die damals schon stand. Er sah so prächtig und stolz aus, wie er da ritt, daß alles Hausgesinde herauskam, um ihn anzusehen. Und der Kutscher und die Haushälterin sahen beide, wie das Heinzelmännchen sich zur Stalluke hinausbog und dem Gutsherrn nachsah.

Als der Rittmeister zum Seeufer hinabkam, ritt er auf die Brücke hinaus. Er saß hoch und stolz im Sattel wie ein Held, und das Pferd ging mit kurzen, tanzenden Schritten. Als die Brücke zu Ende geritten war, entstand ein kurzer Kampf zwischen Reiter und Pferd. Das Pferd wollte wenden, aber Rittmeister Silfverbrandt zwang es mit Reitpeitsche und Sporen, weiterzugehen. Und mit einem hohen Sprung stürzte sich das Pferd in das Wasser.

Alle, die auf dem Hofe standen, liefen nun zum See hinab, aber als sie hinkamen, waren Reiter und Pferd verschwunden. Sie waren sogleich untergegangen, ohne wieder aufzutauchen.

Die jungen Burschen sprangen in die Boote und ruderten auf den See hinaus. Alle sprachen durcheinander und suchten Rat und Hilfe zu bringen, nur die alte Haushälterin blieb still.

»Es nützt nichts«, sagte sie. »Das ist der Hausgeist. Er hat sein Leben an den Hausgeist verspielt, der ihm heute nacht geholfen hat.«

Als die Menschen, bestürzt und entsetzt, zum Hof zurückkehrten, stand das Heinzelmännchen von Töreby allen sichtbar in der Stalluke und winkte siegesstolz mit seiner roten Mütze.

Denn nun wußte es, daß Ordnung und Stille und ein ernstes Leben wieder auf Töreby einziehen würden.

Die Trollin kam durch den Wald geschlichen. Ihr Junges trug sie in einer Rindenbutte auf dem Rücken. Es war groß und häßlich, mit Haaren wie Borsten, nadelscharfen Zähnen und einer Kralle am kleinen Finger; aber die Trollin glaubte, daß es kein schöneres Kind geben könnte.

Wie die Trollin so einherging, kam sie zu einer Waldlichtung. Über den holprigen Waldweg kamen ein Bauer und sein Weib geritten.

Zuerst wollte die Trollin wieder in den Wald fliehen, damit niemand sie zu Gesicht bekäme, aber plötzlich bemerkte sie, daß die Bäuerin ein Kind auf dem Arm trug, und da wurde sie andern Sinnes. Sie schlich näher zum Weg heran und versteckte sich hinter einem Haselstrauch. »Ich will doch sehen, ob das Menschenkind ebenso schön ist wie meines«, dachte die Trollin. Aber in ihrem Eifer sah sie zu weit aus dem Busch hervor; und als die Reitenden sich näherten, erblickten die Pferde den großen schwarzen Trollkopf. Sie erschraken, stellten sich auf die Hinterbeine, scheuten und gingen durch. Fast wären der Bauer und sein Weib abgeworfen worden. Sie stießen einen Schrei aus, beugten sich vor, um die Zügel anzureißen, und waren im nächsten Augenblick verschwunden.

Die Trollin war wütend, weil sie das Menschenkind kaum zu Gesicht bekommen hatte. Aber plötzlich wurde sie wieder seelenvergnügt, denn da lag ja das Kind vor ihr auf der Erde. Als die Pferde durchgingen, war es der Bäuerin aus dem Arm gefallen.

Das Kind lag auf einem Haufen dürrer Blätter und war ganz unversehrt. Es schrie vor Schreck über den Fall; aber als die Trollin sich darüberbeugte, schien es über den Anblick so belustigt, daß es verstummte und lächelte und das Händchen ausstreckte, um an dem schwarzen Bart der Trollin zu zupfen.

Die Trollin stand ganz verblüfft da und betrachtete das Menschenkind. Sie sah die kleinen Händchen mit den rosenroten Nägeln, die klaren blauen Äuglein und das kleine Mündchen. Sie befühlte das weiche Haar, strich über die Wangen und wußte sich vor Staunen gar nicht zu fassen, daß ein Kind so rosig und weich und fein sein konnte.

Plötzlich riß die Trollin ihre Rindenbutte vom Rücken, holte ihr eignes Junges heraus und setzte es neben das Menschenkind. Als sie nun den Unterschied zwischen den beiden sah, konnte sie es nicht lassen, vor Wut laut aufzuheulen.

Unterdessen hatten der Bauer und sein Weib ihre Pferde wieder gebändigt. Sie kamen nun zurück, um ihr Kind zu suchen. Als die Trollin sie kommen hörte, kamen ihr fast die Tränen, denn sie hatte sich noch lange nicht an dem Menschenkind satt gesehen. Sie blieb sitzen, bis die Reiter fast in Sichtweite waren, dann faßte sie einen raschen Entschluß. Sie ließ ihr Junges am Wegesrand liegen, steckte das Menschenkind in ihre Rindenbutte und lief damit in den Wald.

Kaum war die Trollin in den Wald verschwunden, da kamen der Bauer und seine Frau, um nach dem Kind zu suchen.

Es waren prächtige Bauersleute, reich und geachtet und mit einem schönen Hof am Fuß des Waldhügels. Sie waren schon viele Jahre verheiratet, aber sie hatten nur dieses einzige Kindchen. Man kann sich also denken, wie sehr es ihnen am Herzen lag.

Die Frau war dem Mann um ein paar Pferdelängen voraus und erblickte zuerst das Kind am Wegesrand. Es schrie aus Leibeskräften, um die Trollin zurückzurufen; und die Bäuerin hätte schon an dem Geheul merken können, was für ein Kind das war, aber sie hatte solche Angst ausgestanden, daß sie bei dem Geschrei nur dachte: »Gott sei Dank, daß es am Leben ist.«

»Da liegt das Kind«, rief sie dem Mann zu, glitt aus dem Sattel und lief auf das Trolljunge zu.

Als der Bauer zur Stelle kam, saß die Frau am Wegesrand und drehte das Kind hin und her. Sie glaubte, ihren Sinnen nicht trauen zu können.

»Mein Kind hatte doch keine Stachelzähne«, sagte sie; »mein Kind hatte doch keine Haare wie Schweinsborsten; mein Kind hatte doch keine Kralle am kleinen Finger.«

Der Bauer mußte annehmen, daß sein Weib verrückt geworden sei. Rasch sprang er vom Pferd.

»Sieh das Kind an und sage, ob du begreifen kannst, wie es sich so verändern konnte«, sagte die Frau und reichte es ihm. Er nahm es aus ihren Händen, aber kaum hatte er einen Blick darauf geworfen, da spuckte er dreimal aus und schleuderte es von sich. »Das ist doch ein Trolljunges«, rief er. »Das ist nicht unser Kind.«

Die Frau saß noch immer am Wegesrand. Sie konnte nicht fassen, was sich begeben hatte.

»Aber was tust du denn mit dem Kind?« fragte sie.

»Ja merkst du denn nicht, daß das ein Wechselbalg ist?« sagte der Mann. »Die Trolle haben die Gelegenheit benutzt; als unsere Pferde durchgingen, haben sie unser Kind gestohlen und dafür ein Trolljunges hingelegt.«

»Aber wo ist denn dann jetzt mein Kind?« fragte die Frau.

»Das ist bei den Trollen«, antwortete der Mann.

Nun begriff die Frau endlich das ganze Unglück. Sie erbleichte, und der Mann glaubte, daß sie auf der Stelle ihren Geist aufgeben würde.

»Unser Kind kann ja nicht weit fort sein«, sagte der Mann und versuchte sie zu beschwichtigen, obgleich er selbst nicht viel Hoffnung hatte. »Wir wollen in den Wald gehen und es suchen.« Damit band er die Pferde an einen Baum und begab sich in das Dickicht. Die Frau stand auch auf, um ihm zu folgen, da sah sie das Trolljunge auf dem Boden liegen; es konnte jeden Augenblick von den Pferden totgetrampelt werden, die unruhig waren und einmal ums andre wild nach hinten ausschlugen. Sie schauderte bei dem Gedanken, den Wechselbalg anrühren zu müssen, schob ihn aber doch so, daß die Pferde ihn nicht zertreten konnten.

»Hier liegt die Schelle, die unser Kind in der Hand hatte, als du es fallen ließest«, rief der Bauer aus dem Wald. »Jetzt weiß ich, daß ich auf der rechten Spur bin.«

Die Frau eilte ihm nach; und sie gingen in den Wald und suchten lange und eifrig. Aber sie fanden weder Kind noch Troll; und als die Dämmerung einbrach, mußten sie zu ihren Pferden zurückkehren.

Die Frau weinte und rang die Hände. Der Mann ging mit aufeinandergepreßten Lippen und sagte nicht ein Trostwort. Er war aus einem alten guten Geschlecht, das erloschen wäre, wenn er nicht einen Sohn bekommen hätte. Jetzt zürnte er der Frau, weil sie das Kind hatte zu Boden fallen lassen. Sie hätte es doch festhalten können! Aber als er sah, wie betrübt sie war, brachte er es nicht übers Herz, sie zu tadeln. Der Bauer half der Frau in den Sattel, da fiel ihr der Wechselbalg ein. »Was sollen wir mit dem Trolljungen anfangen?« rief sie.

»Ja, wo ist es denn hingekommen?« fragte der Mann.

»Es liegt dort unter dem Busch.«

»Da liegt es ja ganz gut«, sagte der Mann und lächelte bitter.

»Wir müssen es aber doch mitnehmen. Wir können es doch nicht hier in der Wildnis lassen.«

»Doch, das können wir sehr gut«, sagte der Bauer und setzte den Fuß in den Steigbügel.

Die Frau fand, daß der Mann eigentlich ganz recht hätte, und ließ das Pferd ein paar Schritte machen, aber da sie von weicher und warmherziger Gemütsart war, konnte sie unmöglich weiterreiten.

»Nein, es ist ja doch ein Kind«, sagte sie. »Ich kann es nicht hierlassen, den Wölfen zum Fraße. Du mußt mir den Jungen reichen.«

»Das tu ich nicht«, sagte der Mann. »Er liegt ganz gut, wo er liegt.«

»Wenn du ihn mir jetzt nicht bringst, muß ich heute abend wieder herkommen und ihn holen«, sagte sie.

»Nicht genug damit, daß die Trolle meinen Knaben gestohlen haben«, sagte er, »sie haben auch noch meinem Weib den Kopf verdreht.« Aber dabei hob er doch das Kind auf und reichte es der Frau, denn er hatte eine große Liebe zu ihr und war es gewohnt, ihr gefällig zu sein.

Am nächsten Tag war das Unglück im ganzen Kirchspiel bekannt, und alle, die alt und klug waren, eilten in die Hütte des Bauern, um gute Ratschläge zu geben.

»Wer einen Wechselbalg im Haus hat, muß ihm jeden Tag mit einem derben Stecken Schläge geben«, sagte eine Alte.

»Warum soll ich denn so übel mit ihm umgehen?« fragte die Bäuerin. »Freilich ist er häßlich, aber er hat doch nichts Böses getan.«

»Ja, wenn man das Junge schlägt, bis das Blut fließt, dann kommt schließlich die Trollin herbeigesaust, wirft einem das eigene Kind zu und nimmt ihres mit. Ich weiß viele, die es so gemacht haben, um ihr Kind wieder zu bekommen.«

»Aber diese Kinder sind dann nicht lange am Leben geblieben«, sagte eine andere. Die Bäuerin wußte, daß sie dieses Mittel nicht anwenden würde; es wäre ihr unmöglich gewesen.

In demselben Augenblick kam der Mann mit einem Stock in der Hand in die Stube und fragte nach dem Wechselbalg. Da sah die Frau, daß der Mann den Rat der klugen Frau befolgen und das Trollkind prügeln wollte, um sein eigenes zurückzubekommen. »Es ist gut, daß er es tut«, dachte sie. »Ich bin zu dumm. Ich könnte nie ein unschuldiges Kind schlagen.«

Aber kaum hatte der Mann dem Trollkind einen Hieb

versetzt, da stürzte die Frau herbei und packte ihn am Arm. »Nein, schlag nicht, schlag nicht!« bat sie.

»Du willst wohl dein eignes Kind nicht wiederhaben?« sagte der Mann und versuchte sich loszumachen.

»Freilich will ich es wiederhaben, aber nicht auf diese Art«, sagte die Frau. Der Mann erhob den Arm zu einem neuen Schlag, aber die Frau warf sich auf das Kind, so daß der Hieb ihren Rücken traf.

»Gott schütze mich«, sagte der Mann, »jetzt sehe ich, du willst unser Kind gar nicht wiederhaben, sonst würdest du dich nicht so anstellen.« Er blieb stehen und wartete, aber die Frau blieb liegen und schützte das Kind. Da warf der Mann den Stock fort und ging unmutig aus der Stube. Er wunderte sich später, daß er seinen Vorsatz nicht doch ausgeführt hatte, aber wenn seine Frau da war, bezwang ihn irgend etwas: er konnte ihr nicht zuwiderhandeln.

Ein paar Tage vergingen in Schmerz und Trauer. Was die Bäuerin am meisten quälte, war die Sorge für das Trollkind. Fast nahm es ihr die Kraft, ihr eignes Kind zu betrauern.

»Ich weiß nicht, was ich dem Wechselbalg zu essen geben soll«, sagte sie eines Morgens zu ihrem Mann. »Er will nichts essen – was ich ihm auch vorsetze.«

»Das ist nicht verwunderlich«, sagte der Mann. »Du wirst doch schon gehört haben, daß die Trolle nichts anderes essen als Frösche und Mäuse.«

»Aber du kannst doch nicht verlangen, daß ich zum Froschsumpf gehe und dort das Essen hole«, sagte die Frau.

»Nein, ich verlange nichts dergleichen«, antwortete der Bauer. »Ich finde, es wäre am besten, wenn der Wechselbalg verhungern würde.«

Die Woche verging, ohne daß die Bäuerin das Trolljunge bewegen konnte, irgend etwas zu sich zu nehmen. Es schrie nur in seiner Wiege und wurde ganz elend und mager. Die Bäuerin versuchte es mit allen möglichen guten Speisen; aber der Wechselbalg fauchte und spuckte nur, wenn sie ihn überreden wollte, etwas von den Leckerbissen zu kosten.

Eines Abends, als das Trollkind schon beinahe Hungers gestorben war, kam die Katze mit einer Maus zwischen den Zähnen in die Stube gelaufen. Da riß die Bäuerin der Katze die Maus aus dem Rachen, warf sie dem Kind hin und verließ hastig die Stube, um nicht sehen zu müssen, wie das Trolljunge aß.

Als der Bauer merkte, daß die Frau wirklich Frösche und

Spinnen für den Wechselbalg sammelte, begann er einen solchen Abscheu vor ihr zu empfinden, daß er es kaum verbergen konnte. Er konnte sich nicht überwinden, seiner Frau ein freundliches Wort zu sagen; und wäre nicht jene wunderliche Macht gewesen, die sie über ihn besaß, hätte er sie sogleich verlassen.

Auch die Dienstleute begannen der Bäuerin Ungehorsam und Unehrerbietigkeit zu zeigen, ohne daß der Bauer sich darum kümmerte.

Die Frau merkte bald: wenn sie fortfuhr, den Wechselbalg in Schutz zu nehmen, würde sie es mit ihrem Mann, dem Gesinde und den Nachbarn sehr schwer haben; aber sie war nun einmal so: alles Schwache und Verfolgte mußte sie beschützen. Je mehr sie um des Wechselbalgs willen litt, desto getreulicher wachte sie darüber, daß ihm nichts Böses widerfuhr.

Ein paar Jahre später saß die Bäuerin an einem Vormittag allein in der Stube und nähte Flicken um Flicken auf ein kleines Kinderkleid. »Ach ja«, dachte sie, während sie so nähte, »der hat keine guten Tage, der für ein fremdes Kind sorgen muß.«

Sie nähte und nähte, aber die Löcher waren so groß und so zahlreich, daß ihr die Tränen in die Augen kamen. »So viel weiß ich«, dachte sie, »wenn ich meines eignen Sohnes Kittelchen flickte, würde ich die Löcher nicht zählen.

Ich habe es doch gar zu schwer mit dem Wechselbalg«, dachte die Bäuerin, als sie ein neues Loch entdeckte. »Das beste wäre es schon, wenn ich ihn tief in den Wald führte und ihn dort zurückließe.

Ich brauchte mir gar nicht so viel Mühe zu geben, ihn loszuwerden«, fuhr sie nach einem Weilchen fort. »Ich brauchte ihn nur einen Augenblick ohne Aufsicht zu lassen, dann würde er schon im Brunnen ertrinken oder im Herd verbrennen oder vom Hund gebissen oder von den Pferden gestoßen oder von den Knechten erschlagen werden. Ja, es wäre ein leichtes, ihn loszuwerden, denn ausgelassen und schlimm ist er, und es gibt keinen, der ihn nicht haßte. Ich glaube, wenn ich nicht beständig um ihn wäre, würde ihn gleich jemand umbringen.«

Sie ging hin und sah das Kind an, das in einer Ecke der Stube lag und schlief. Es war inzwischen sehr gewachsen und sah jetzt noch viel häßlicher aus als am Anfang. Es hatte große, wulstige Lippen; die Augenbrauen waren wie zwei steife Bürsten, und die Haut war ganz braun.

»Deine Kleider flicken und über dich wachen, ginge wohl noch an«, dachte sie. »Wenn ich deinetwegen nicht schlimmere Sorgen hätte. Es ist ja fast, als hätte ich den Verstand verloren, da ich so viel um dich leide, wo du doch nur ein widerwärtiger Troll bist. Mein Mann verabscheut mich; die Knechte verachten mich; die Mägde höhnen mich; die Katze faucht mich an; der Hund knurrt, wenn er mir begegnet; und an dem allen bist nur du schuld.

Aber daß Tiere und Menschen mich hassen, ist noch nicht das schlimmste«, fuhr sie nachdenklich fort. »Das schlimmste ist, daß ich mich jedesmal, wenn ich dich ansehe, um so mehr nach meinem eignen Sohn sehne. Oh, mein liebes Kind, mein allerliebstes Goldkind, wo bist du jetzt? Schläfst du bei der Trollin auf Moos und Reisig?«

Da ging die Tür auf. Die Frau begab sich wieder zum Tisch und setzte sich zu ihrer Näharbeit. Es war ihr Mann, der eintrat. Er lächelte und sprach seit langer Zeit endlich wieder einmal mit freundlicher Stimme.

»Heute ist im Nachbardorf Jahrmarkt«, sagte er. »Wie wär' es, wenn wir hingingen?«

»Ach, das wollte ich gar so gerne«, sagte die Frau und wurde sehr froh.

»Nun, dann mach dich rasch fertig«, sagte der Mann. »Wir müssen zu Fuß gehen, denn die Pferde sind bei der Arbeit. Aber wir kommen noch zurecht, wenn wir den Weg über den Hügel nehmen.«

Ein kleines Weilchen später stand die Frau in Feiertagskleidern auf der Schwelle. Das war das Freudigste, was ihr seit Jahren begegnete, und sie hatte das Trollkind völlig vergessen. »Aber«, dachte sie ganz plötzlich, »vielleicht will mein Mann mich nur fortlocken, damit einer der Knechte das Trollkind erschlagen kann.« Sogleich ging sie in die Stube und kam mit dem großen Trolljungen auf dem Arm zurück.

»Kannst du den Wechselbalg nicht daheim lassen?« fragte der Mann, aber er lachte dabei und war ganz sanft.

»Nein, ich traue mich nicht, von ihm fortzugehen«, sagte sie.

»Ja, das ist deine Sache«, sagte der Bauer, »aber es wird dir schwer werden, solch einen Bengel den Hügel hinaufzuschleppen.«

Sie begannen ihre Wanderung. Es ging steil aufwärts. Sie mußten einen hohen Gebirgsgrat erklimmen, ehe sie in das benachbarte Dörfchen kamen.

Die Frau wurde schließlich so müde, daß sie kaum mehr einen Fuß vor den andern setzen konnte. Einmal ums andre suchte sie den großen Burschen zu überreden, selbst zu gehen, aber er wollte nicht.

Der Mann war die ganze Zeit vergnügt und so freundlich, wie er es nie mehr gewesen war, seit sie ihr Kind verloren hatten.

»Jetzt mußt du mir aber den Wechselbalg geben«, sagte er, »ich werde ihn ein Weilchen tragen.«

»Ach nein, ich kann schon«, sagte die Frau, »ich will nicht, daß du durch dieses Trollzeug Beschwerden hast.«

»Warum sollst du dich allein damit abplagen«, sagte er und nahm den Wechselbalg.

Als der Bauer das Kind nahm, war der Weg gerade am allersteilsten. Er führte ganz schmal und schlüpfrig am Rande eines Abgrundes vorbei. Es war kaum Platz, den Fuß aufzusetzen. Die Frau ging hinter ihm und bekam plötzlich große Angst. »Geh hier vorsichtig«, rief sie. Gleich darauf glitt er auch wirklich aus und hätte fast das Trolljunge in den Abgrund fallen lassen.

»Wenn das Kind jetzt gefallen wäre, dann wären wir es für alle Zeit los gewesen«, dachte sie. Aber in demselben Augenblick wußte sie, daß es die Absicht des Mannes war, das Kind hier hinunterzuwerfen und dann zu tun, als wäre ein Unglück geschehen. »Ach«, dachte sie, »er hat das alles nur so eingerichtet, um das Kind beseitigen zu können, ohne daß ich die Absicht merke. Ja, wäre es nicht am besten, wenn ich ihm seinen Willen ließe?«

Wieder rutschte der Mann auf einem lockeren Stein aus; wieder wäre ihm das Kind fast aus dem Arm gefallen.

»Gib mir das Kind, du fällst damit«, sagte die Frau.

»Nein«, sagte der Mann, »ich werde schon aufpassen.«

»Du sollst es mir geben« rief die Frau, »du bist schon zweimal ausgeglitten.«

In demselben Augenblick rutschte der Mann zum drittenmal aus. Er streckte die Arme nach einem Baumast, um sich daran festzuhalten, und das Kind fiel. Die Frau stürzte vor, packte einen Zipfel des Kittelchens und zog das Kind daran wieder auf den Weg.

Da wandte sich der Mann ihr zu. Sein Gesicht war jetzt häßlich und böse. »Als du unser Kind im Walde fallen ließest, warst du nicht so flink«, sagte er zornig.

Die Frau antwortete nicht. Sie saß auf der Erde und weinte

darüber, daß die Freundlichkeit des Mannes nur gespielt gewesen war.

»Warum weinst du?« sagte er hart. »Es wäre wohl kein so großes Unglück gewesen, wenn ich den Balg hätte fallen lassen. Komm jetzt, es wird spät.«

»Ich glaube, ich hab' keine Lust mehr, auf den Markt zu gehen«, sagte sie.

»Na ja, mir ist die Lust auch vergangen«, sagte er.

»Ich will lieber nach Hause«, sagte die Frau.

»Ja, warum sollten wir auch auf den Markt, wenn es uns keine Freude macht«, sagte er und war einig mit ihr.

Auf dem Heimweg fragte sich der Mann, wie lange er es noch mit seinem Weib aushalten könnte. – Wenn er von seiner Macht Gebrauch machte und sie zwänge, das Trollkind zu lassen, dann könnte alles zwischen ihnen wieder gut werden, meinte er; aber so, wie es jetzt war, wollte er am liebsten von ihr befreit sein. Er war nahe daran, Gewalt gegen sie anzuwenden und das Kind an sich zu reißen, aber da begegnete er ihrem Blick, der so schwermütig und traurig war, daß er es nicht vermochte, hart gegen sie zu sein. Um ihrer Trauer willen tat er sich Gewalt an, wie er es bisher getan hatte, und alles blieb, wie es gewesen war.

Wieder vergingen einige Jahre, und es kam eine Sommernacht, da auf dem Bauernhof eine Feuersbrunst ausbrach. Als die Leute aufwachten, waren Stube und Kammer voll Rauch; und der ganze Dachboden war ein Feuermeer. Es war gar nicht daran zu denken, zu löschen oder zu retten; man konnte nur hinausstürmen, um nicht zu verbrennen.

Der Bauer lief auf den Hof hinaus und stand da und sah das brennende Haus an.

»Ich möchte wissen, wer mir das angetan hat?«

»Wer? Nun, wer sollte es wohl anders gewesen sein als der Wechselbalg?« sagte ein Knecht. »Es war schon immer sein Spiel, Reisighaufen zu machen und sie anzuzünden.«

»Gestern hat er einen großen Haufen trockner Zweige auf den Dachboden getragen«, sagte die Magd. »Er wollte sie eben anzünden, als ich kam und es bemerkte.«

»Gewiß hat er gestern abend den Brand gelegt«, sagte der Knecht. »Ihr könnt ganz sicher sein, daß er das Unglück verursacht hat.«

»Wenn er nur wenigstens verbrennen wollte«, sagte der Bauer, »dann wollte ich nicht klagen, daß meine alte Hütte in Flammen aufgegangen ist.«

Als er das sagte, trat die Frau aus dem Hause und schleppte das Kind hinter sich her. Da stürzte der Bauer heran, entriß ihr das Kind, hob es hoch in die Luft und warf es wieder in das Haus zurück. Das Feuer schlug gerade zum Dach und zu den Fenstern heraus. Die Hitze war fürchterlich. Einen Augenblick sah die Frau den Mann an, leichenblaß vor Schreck, dann kehrte sie um und eilte in das Haus zurück – dem Kind nach.

»Es macht mir gar nichts, wenn du mitverbrennst«, rief ihr der Bauer nach. Sie kam jedoch wieder heraus und hatte das Kind in den Armen. Ihre Hände waren arg verbrannt, und das Haar war fast abgesengt. Niemand sagte ein Wort zu ihr, als sie herauskam. Sie ging zum Brunnen, löschte ein paar Funken, die an ihrem Rocksaum glühten, und setzte sich dann auf den Boden. Das Trollkind lag auf ihrem Schoß und schlummerte bald ein, doch sie saß hochaufgerichtet und starrte mit traurigen Augen vor sich hin. Viele Menschen eilten herbei, um zu löschen, aber niemand sprach zu ihr. Es war, als ob sie etwas Häßliches und Unheimliches an sich hätte, das Schrecken und Abscheu erregte.

Bei Tagesanbruch, als das Feuer gelöscht war, kam der Bauer auf sie zu.

»Ich halte es nicht länger aus; ich kann nicht mit Trollen zusammenleben, obgleich ich dich ungern verlasse. Ich gehe jetzt meiner Wege und komme nie wieder.«

Als die Frau diese Worte hörte und sah, wie der Mann sich gleich darauf abwandte, um seiner Wege zu gehen, da zuckte es in ihr, als wollte sie ihm nacheilen – aber das Trollkind lag schwer auf ihrem Schoß. Sie schien nicht Kraft genug zu haben, es abzuschütteln, und blieb sitzen.

Kaum war der Bauer in den Wald gekommen, als ihm ein kleiner Knirps in vollem Lauf über die Hügel entgegenkam. Er war schön wie ein junges Bäumchen und schmal und schlank. Das Haar war seidenweich und die Augen leuchteten wie blauer Stahl.

»Ach ja, so wäre mein Sohn jetzt, wenn ich ihn hätte behalten dürfen«, dachte der Bauer. »Einen solchen Erben hätte ich gehabt. Das wäre freilich ein ander Ding gewesen als das schwarze Ungetüm, das meine Frau mir ins Haus gebracht hat.«

»Grüß Gott«, sagte der Bauer zu dem Kind, »wohin gehst du denn?«

»Grüß Gott«, sagte das Bürschchen und reichte ihm die

Hand. »Wenn du erraten kannst, wer ich bin, sollst du erfahren, wohin ich gehe.«

Als der Bauer die Stimme hörte, wurde er ganz blaß. »Ich kenne diese Stimme«, sagte er. »Wenn mein Sohn nicht bei den Trollen wäre, würde ich sagen, daß du es bist.«

»Ja, jetzt habt Ihr recht geraten, Vater«, sagte das Bürschchen und lachte. »Und weil Ihr recht geraten habt, sollt Ihr auch wissen, daß ich auf dem Wege zur Mutter bin.«

»Du sollst nicht zur Mutter gehen«, sagte der Bauer. »Sie fragt gar nicht nach dir. Sie hat für niemand ein Herz, nur für ein großes garstiges Trolljunges.«

»Meint Ihr das, Vater?« fragte der Knabe und sah dem Vater tief in die Augen. »Dann ist es vielleicht besser, wenn ich fürs erste bei Euch bleibe.«

Der Bauer war so froh über das Kind, daß ihm die Tränen in die Augen kamen. »Ja, bleib du nur bei mir«, sagte er und nahm den Knaben in seine Arme und küßte ihn. Er hatte große Angst, ihn aufs neue zu verlieren, und wagte es nicht, ihn wieder auf den Boden zu stellen, sondern wanderte mit dem Kind im Arm weiter.

Als er ein paar Schritte gegangen war, begann der Kleine zu plaudern.

»Das ist gut, daß Ihr mich nicht so tragt, wie Ihr den Wechselbalg getragen habt«, sagte der Knabe.

»Was meinst du damit?« fragte der Bauer.

»Ja, die Trollin ging auf der andern Seite der Kluft mit mir, und jedesmal, wenn Ihr mit dem Kind ausglittet, Vater, glitt sie mit mir aus.«

»Ach was, ihr gingt auf der andern Seite der Kluft?« sagte der Bauer und wurde plötzlich nachdenklich.

»Nie habe ich solche Angst gehabt«, sagte das Bürschchen. »Als Ihr das Trollkind in die Schlucht warft, wollte mich die Trollin hinterherwerfen. Wäre Mutter nicht so geschwind gewesen ...«

Der Bauer begann langsamer zu gehen, während er dem Kleinen Fragen stellte.

»Du mußt mir erzählen, wie es dir bei den Trollen ergangen ist.«

»Manches Mal recht schlimm«, sagte der Kleine, »aber wenn Mutter gut zu dem Trolljungen war, dann war die Trollin auch gut zu mir.«

»Pflegte sie dich vielleicht zu schlagen?« fragte der Bauer.

»Sie schlug mich nicht öfter, als Ihr das andre Kind schlugt.«

»Was kriegtest du denn zu essen?« fragte der Bauer.

»Jedesmal wenn Mutter dem Wechselbalg Spinnen und Mäuse gab, bekam ich Butterbrot. Aber wenn ihr dem Trolljungen Kuchen und Fleisch vorsetztet, dann setzte mir die Trollin Schlangen und Kröten vor. In der ersten Zeit wäre ich fast verhungert. Wenn Mutter dann nicht mehr Barmherzigkeit bewiesen hätte als ihr andern, wäre ich wohl gestorben.«

Als das Kind dies sagte, machte der Bauer kehrt und ging rasch in das Tal hinab, seinem Hof zu.

»Ich weiß nicht, woher das kommt«, sagte er, »aber es ist mir, als spürte ich einen Brandgeruch, wenn ich dich anrühre; und dein Haar sieht aus, als ob es vom Feuer versengt wäre.«

»Das ist doch nicht zu verwundern«, sagte das Kind. »Ich wurde doch heute nacht ins Feuer geworfen, als Ihr das Trollkind in die brennende Hütte schleudertet. Und wenn Mutter das Trolljunge nicht gerettet hätte, so wäre ich wohl auch verbrannt.«

Der Bauer schien nun solche Eile zu haben, daß er fast lief, um in sein Heim und zu seinem Weibe zurückzukommen. Aber plötzlich blieb er stehen.

»Jetzt mußt du mir aber sagen, woher es kommt, daß die Trolle dich freigegeben haben?« sagte er.

»Als Mutter das opferte, was ihr mehr ist als das Leben, hatten die Trolle keine Macht mehr über mich und ließen mich ziehen«, sagte das Kind.

»Hat sie geopfert, was ihr mehr ist als das Leben?« fragte der Bauer.

»Ja, das hat sie, als sie Euch ziehen ließ, ohne einen Versuch zu machen, Euch zurückzuhalten«, sagte das Kind.

Die Frau saß noch immer am Brunnen. Sie schlief nicht, aber sie schien wie versteinert. Sie vermochte sich nicht zu rühren; was rings um sie vorging, bemerkte sie ebensowenig, als wenn sie tot gewesen wäre. Da hörte sie ihren Mann nach ihr rufen, und ihr Herz begann wieder zu pochen. Neues Leben erwachte in ihr. Sie schlug die Augen auf und sah sich wie eine Schlaftrunkene um. Es war hellichter Tag; die Sonne schien, und die Vögel sangen, und es schien ihr ganz unmöglich, an einem so schönen Morgen unglücklich zu sein. Aber gleich darauf sah sie die verkohlten Balken, wo einst die Hütte gestanden hatte. Sie sah Menschen mit geschwärzten Händen und berußten Gesichtern.

Da kam es ihr zum Bewußtsein, daß sie zu einem schwereren Unglück erwachte als je zuvor; aber dennoch hatte sie das Gefühl, als ob alles Leid nun zu Ende sein müßte. Sie sah sich nach dem Wechselbalg um. Er lag nicht mehr auf ihrem Schoß und war auch nirgends zu sehen. Da hörte sie ihren Mann aus weiter Ferne rufen. Er kam aus dem Wald, zum Hof herunter, und all die fremden Menschen, die beim Löschen geholfen hatten, liefen ihm entgegen und umringten ihn, so daß sie ihn nicht sehen konnte. Sie hörte nur, wie er unaufhörlich rief: »Mutter, Mutter! Komm doch und sieh! Komm und sieh!« Und die Stimme brachte Kunde von einer großen Freude. Sie blieb dennoch regungslos sitzen. Sie wagte ihm nicht entgegenzugehen. Endlich kam die ganze Menschenschar auf sie zu; und der Mann trennte sich von den andern und kam heran und legte ein schönes Kind in ihre Arme.

»Hier ist unser Sohn; er ist zu uns zurückgekehrt«, sagte der Mann. »Und du – und kein andrer – hast ihn gerettet.«

Der Spielmann

Ein Spielmann geht eines Sonnabends spät nachts mit seiner Fiedel unterm Arme einher. Er ist sehr munter und fröhlich, denn er kommt von einem Fest, wo er mit seinem Spiel alt und jung zum Tanzen verlockt hat.

Wie er nun so geht, denkt er just daran, wie niemand sich stille halten konnte, solange sein Bogen im Gange war. Ein so wilder Tanz hatte durch die Stube gewirbelt, daß es ihm ein paarmal gewesen war, als tanzten Tische und Stühle mit.

»Ich glaube doch sicherlich, daß sie niemals einen solchen Spielmann wie mich an diesem Ort gehabt haben«, sagte er zu sich selbst.

»Aber recht schwer habe ich es gehabt, bis ich ein so tüchtiger Kerl wurde«, fährt er fort. »Das war kein Spaß, als ich noch ein Kind war und die Eltern mir befahlen, Schafe und Kühe zu hüten und ich alles vergaß und nur dasaß und an meiner Geige zupfte. Ja, und nicht einmal eine richtige Geige wollten sie mir daheim geben. Ich hatte nichts andres zum Spielen als eine alte Holzkiste, über die ich Saiten gespannt hatte.

Am Tag, wenn ich allein im Wald sein durfte, ging es mir ja ganz gut, aber es war kein Spaß, am Abend heimzukommen, wenn die Herde sich verirrt hatte. Da bekam ich's unzählige Male von Vater und Mutter zu hören, daß ich ein Taugenichts sei und daß nie etwas aus mir werden würde.«

In dem Teil des Waldes, den der Spielmann durchwandert, bahnt sich ein kleiner Bergstrom seinen Weg. Da ist der Boden steinig und hügelig, und dem Strom macht es große Beschwerden, vorwärts zu kommen. Er windet sich hin und her, stürzt sich über kleine Fälle und scheint doch nicht vom Fleck zu kommen. Der Weg hingegen, den der Spielmann wandert, versucht so schnurgerade zu gehen wie nur möglich. Er trifft so immer wieder mit dem sich schlängelnden Bergstrom zusammen und springt jedesmal auf einem kleinen Brücklein hinüber. Der Spielmann muß daher einmal ums andre den Strom überschreiten; und das macht ihm Freude. Es ist ihm so, als hätte er nun im Wald Gesellschaft gefunden.

Er geht durch die helle Sommernacht. Die Sonne ist noch nicht aufgestanden, aber es hat nicht viel zu sagen, daß sie sich ferne hält, denn es herrscht doch auf jeden Fall volles Licht. Aber richtig so wie am Tag ist es doch nicht.

Alles hat eine andre Farbe. Der Himmel ist ganz weiß, die Bäume und die hohen Kräuter im Gras sind glänzend grau. Aber alles ist ebenso deutlich erkennbar wie am Tag, und als der Spielmann auf einer der vielen Brücken stehen bleibt und in den Strom hinabblickt, kann er jedes Bläschen unterscheiden, das durch das Wasser perlt.

»Wenn ich solch einen Strom in der Wildnis sehe, muß ich mich an mein eignes Leben erinnern«, denkt der Spielmann. »Ebenso halsstarrig wie er habe ich mir meine Straße gebahnt, vorbei an allem, was sich mir in den Weg stellte. Da war Vater: Er stellte sich mir entgegen wie ein harter Fels. Und da war Mutter: Sie suchte mich still zu halten und mich gleichsam zwischen Mooshügelchen einzubetten. Aber ich schlich mich an Vater und Mutter vorbei, und hinaus in die Welt ging es.

Haha, jaja, ich denke, Mutter sitzt daheim und weint noch um mich; aber was kümmert das mich! Sie hätte doch verstehen können, daß aus mir etwas werden mußte, und hätte nicht versuchen sollen, mir entgegen zu sein.«

Ungeduldig reißt er ein paar Blätter von einem Busch ab und wirft sie in den Strom.

»So habe ich mich von allem daheim losgerissen«, sagt er, als er sieht, wie das Wasser die Blätter forttreibt.

»Möchte doch gerne wissen, ob Mutter erfahren hat, daß ich nun der beste Spielmann in ganz Värmland bin?« sagt er, während er weiter wandert.

Er geht mit rüstigen Schritten vorwärts, bis er wieder zu einem Steg kommt. Da bleibt er abermals stehen und sieht in den Strom hinab. Unter der Brücke schäumt der Strom in reißendem Fall und macht ein erschreckliches Getöse. Da es Nacht ist, hört man ganz andre Laute als am Tag, und der Spielmann wundert sich gar sehr, wie er stehenbleibt und lauscht. Da ist kein Vogelgesang im Wald und kein Spiel in den Nadeln und kein Rascheln im Laub. Keine Wagenräder knarren auf dem Weg und keine Kuhschellen klingeln. Man hört nur den Bergstrom, aber gerade darum hört man ihn wohl um soviel besser und anders als am Tag. Es klingt, als wenn alles Denkbare und Undenkbare in der Tiefe des Stroms wäre. Vor allem klingt es, als wenn jemand dort unten säße und zwischen großen Steinen Korn mahlte, aber zuweilen klingt es so, wie wenn Becher bei einem Trinkgelage aneinanderstoßen, und manchmal hört man ein Murmeln, wie wenn die Gemeinde aus der Kirche kommt und in eifrigem Gespräch auf dem Kirchenhügel steht.

»Das hier ist wohl auch eine Art Musik«, denkt der Spielmann, »obschon ich nicht finden kann, daß es besonders weit damit her ist. Ich sollte doch meinen, daß die Weise, die ich jüngst gespielt habe, mehr wert ist, daß man auf sie horche.«

Aber je länger der Spielmann steht und dem Wasserfall lauscht, desto besser und besser gefällt ihm dessen Lied.

»Ich glaube wirklich, du nimmst dich zusammen«, sagt er zum Wasserfall. »Du mußt wohl merken, daß der beste Spielmann von ganz Värmland dasteht und dir zuhört.«

In demselben Augenblick, wo er dies sagt, vermeint er, aus der Tiefe ein paar metallklare Laute zu vernehmen, wie wenn jemand an einer Saite zupft, um zu prüfen, ob sie stimme.

»Sieh da, nun ist der Wassermann selbst zur Stelle gekommen; ich höre, wie er an seiner Fiedel zupft«, sagt der Spielmann und lacht. »Aber ich kann doch nicht die ganze Nacht hier stehenbleiben und darauf warten, daß du anfängst«, ruft er gleich darauf ins Wasser hinab. »Nun muß ich weitergehen, aber ich verspreche dir, daß ich auch auf der nächsten Brücke stehenbleiben und horchen will, ob du zu spielen begonnen hast.«

Er wandert weiter, und während der Strom auf seinem geschlängelten Weg in den Wald hineinläuft, fängt er wieder an, an seine Heimat zu denken.

»Ich möchte wohl wissen, wie es mit dem kleinen Bächlein steht, das an unserm Gehöft vorbeifließt; das wollte ich gerne wieder einmal sehen. Ich sollte doch einmal heimgehen, um zu sehen, ob die Mutter dürftige und schwere Zeit hat, seit Vater tot ist – wenn ich nur die Zeit finden könnte. Aber ich bin so beschäftigt; da ist es fast unmöglich. Ich kann zu nichts anderm Zeit finden als für meine Fiedel; es gibt ja kaum einen Abend in der Woche, an dem ich frei wäre.«

Nach einem kleinen Weilchen trifft er den Strom wieder, und damit kommt er allsogleich auf andre Gedanken. Bei diesem Übergang kommt der Bergstrom nicht in einem donnernden Wasserfall herangestürzt, sondern er fließt ganz sacht vorbei. Tiefschwarz und blank liegt er unter den nächtig grauen Bäumen des Waldes und trägt noch hier und dort einen schneeweißen Schaumkamm von den obern Fällen.

Als der Spielmann auf das Brücklein kommt und keinen andern Laut vom Strom hört als hier und da ein leises Plätschern, fängt er abermals zu lachen an.

»Ich konnte es mir ja denken, daß der Nöck sich nicht bequemen würde, zum Stelldichein zu kommen«, ruft er. »Freilich habe ich immer gehört, daß er ein tüchtiger Spielmann sein soll, aber gar so weit her kann es doch nicht mit ihm sein, wenn er immer ganz still im Bach liegt und nie etwas Neues zu hören bekommt. Er weiß schon, daß hier einer steht, der die Sache besser versteht als er, und darum will er sich nicht hören lassen.«

Damit geht er weiter und verliert den Strom wieder aus den Augen.

Er kommt in eine Gegend des Waldes, die ihn immer unheimlich und gruselig zu durchwandern deuchte. Da ist der Boden von Steinen und Geröll bedeckt, und verkrümmte Tannenwurzeln schlängeln sich dazwischen durch. Wenn es etwas Verhextes und Gefährliches im Walde gäbe, sollte man wohl meinen, daß es sich gerade hier verborgen halten müßte.

Als der Spielmann zwischen die wilden Steinblöcke kommt, überläuft ihn ein Schauder, und er fängt an zu bedenken, ob es nicht unklug von ihm gewesen sei, sich vor dem Nöck zu rühmen.

Es dünkt ihn, daß die großen Tannenwurzeln Gebärden gegen ihn machten, als wollten sie ihm drohen.

»Hüte dich, du, der du mehr sein willst als der Wassermann!« scheinen sie zu sagen.

Der Spielmann fühlt, wie das Herz sich ihm vor Angst zusammenschnürt. Eine solche Last legt sich ihm auf die Brust, daß er kaum atmen kann, und seine Hände werden eiskalt. Er bleibt mitten auf dem Wege stehen und sucht sich selbst Vernunft zuzusprechen.

»Es gibt doch keinen Spielmann im Wasserfall!« sagt er. »Das ist nur Aberglaube und Ammenmärchen. Darum ist es ganz gleichgültig, was ich von ihm gesagt habe oder nicht gesagt habe.«

Wie er so spricht, sieht er sich im Wald um, als wollte er bekräftigt finden, daß es sich so verhalte, wie er gesagt. Wenn es Tag gewesen wäre, so hätte wohl jedes Blättchen ihm zugeblinkt, daß es im Wald nichts Gefährliches gäbe; aber jetzt bei Nacht stehen alle Bäume verschlossen und stumm da und sehen aus, als bärgen sie gefährliche Heimlichkeiten.

Der Spielmann wird auch immer ängstlicher. Was ihm am meisten Schrecken einflößt, ist, daß er noch einmal über den Strom gehen muß, bevor dieser und der Weg sich trennen und nach verschiedenen Seiten ziehen. Er weiß nicht, was der Wassermann ihm tun wird, wenn er über die letzte Brücke geht. Vielleicht wird er eine große schwarze Hand aus den Fluten emporrecken und ihn in die Tiefe ziehen.

Er hat sich solche Angst eingejagt, daß er ernstlich daran denkt, umzukehren. Aber dann würde er ja wieder den Strom treffen. Und wenn er vom Weg abwiche und tiefer in den Wald hineinginge, dann müßte er ihm wohl auch begegnen, wie der sich krümmte und schlängelte.

Er fühlt solche Angst, daß er nicht weiß, was er anfangen soll. Er ist von dem Strom verstrickt, gebunden und gefangen und sieht keine Möglichkeit des Entrinnens. Aber nun fängt er zu laufen an, so rasch ihn die Beine tragen wollen, denn es ist ihm etwas eingefallen:

»Gerade hier macht der Strom eine weite Biegung in den Wald hinaus. Der Wassermann hat bis zur nächsten Brücke einen viel weiteren Weg als ich. Vielleicht kann ich ihn überholen, ehe er noch ans Ziel gekommen ist.«

Und er läuft, er läuft.

Endlich sieht er den letzten Steg vor sich. Gerade gegenüber auf der andern Seite des Bergstroms liegt eine alte Mühle, die schon so manches liebe Jahr verlassen dasteht. Das große Mühlrad hängt regungslos über dem Wasser, die Schleuse vermodert oben auf der Erde, die Wasserrinnen sind mit Moos bewachsen, und in den leeren Dachluken wuchern Steinwurz und Moosflechte.

»Wenn es noch wäre wie früher und es hier Menschen gäbe«, denkt der Spielmann, »dann wäre ich nun aus aller Gefahr erlöst.«

Aber es beruhigt ihn doch, ein Haus zu sehen, das ein Überbleibsel von Menschenwerk ist, und als er den Strom überschreitet, hat er beinahe keine Angst mehr. Es geschieht ihm auch gar nichts Gefährliches. Der Wassermann scheint ihm nichts anhaben zu wollen. Der Spielmann wundert sich nur über sich selbst, daß er sich wegen rein gar nichts solche Furcht hat einjagen lassen.

Er fühlt sich ganz fröhlich und geborgen, und noch froher wird er, als die Tür der Mühle sich öffnet und ein junges Mägdlein ihm entgegenkommt.

Sie sieht ganz aus wie eine gewöhnliche Bauerndirne. Sie hat ein Baumwolltuch auf dem Kopf, ein kurzes Röckchen und ein weites Leibchen, aber die Füße sind bloß.

Sie geht auf den Spielmann zu und sagt ihm ohne Umschweife: »Willst du mir eins spielen, so will ich dir eins tanzen.«

»Ja, freilich«, sagt der Spielmann, der bei guter Laune ist, weil er seine Angst abgeschüttelt hat, »das will ich wohl. Hab' doch noch nie einem schönen Mädchen, das tanzen wollte, nein gesagt.«

Er setzt sich auf einen Stein neben dem Mühldamm, lehnt die Fiedel ans Kinn und hebt an zu spielen.

Das Mädchen macht ein paar Schritte im Takt zu seinem Spiel, aber dann bleibt es stehen.

»Was ist denn das für eine Polka, die du da spielst?« sagt sie. »Da liegt ja keine Kraft darin.«

Der Spielmann ändert die Melodie, er versucht es mit einer, in der mehr Schwung ist. Die Dirne bleibt mißmutig stehen.

»Nach einer solchen Schleppolka kann ich nicht tanzen«, sagt sie.

Da stimmt er die wildeste Weise an, die er kennt.

»Bist du mit der nicht zufrieden«, sagt er, »dann mußt du einen Spielmann rufen, der es besser kann als ich.«

Wie er das sagt, fühlt er, daß eine Hand seinen Arm gerade am Ellenbogen packt und den Bogen zu führen und den Takt zu befeuern anfängt.

Da entströmt der Geige eine Weise, wie er ihresgleichen niemals zuvor gehört hat. Es ist ein so hurtiger Takt darin, daß es ihn bedünken will, ein rollendes Rad könnte ihr nicht folgen.

»Ja, das nenn' ich eine Polka«, sagt die Dirne und beginnt sich im Kreise zu drehen.

Aber der Spielmann sieht sie nicht an. Er ist so erstaunt über die Weise, die er spielt, daß er die Augen schließt, um besser zu hören.

Als er sie nach einer Weile wieder aufschlägt, ist das Mädchen verschwunden, aber er denkt nicht weiter daran. Er spielt weiter und immer weiter, denn nie zuvor hat er ein solches Geigenspiel gehört.

»Aber nun mag es wohl Zeit sein, aufzuhören«, denkt er schließlich und will den Bogen niederlegen.

Aber der Bogen regt sich weiter. Er kann ihn nicht zum Stehen bringen. Er gleitet auf und nieder über die Saiten und reißt die Hand und den Arm mit. Und die Hand, die den Geigenhals umfaßt und auf den Saiten fingert, die kann auch nicht loskommen.

Der kalte Schweiß tritt dem Spielmann auf die Stirn, und er erschrickt nun wirklich.

»Wie soll dies enden? Soll ich bis zum Jüngsten Tag hier sitzen und spielen?« fragt er sich in Verzweiflung.

Der Bogen jagt dahin und zaubert eine Weise nach der andern hervor; stets ist es etwas Neues und so schön, daß der Arme denken muß: »Der auf meiner Geige spielt, der versteht die Kunst. Aber ich bin all mein Lebtag ein elender Stümper gewesen. Jetzt erst lerne ich, wie Musik klingen soll.«

Für ein paar Augenblicke kann ihn die Musik so hinreißen, daß er sein unglückseliges Schicksal vergißt. Aber dann fühlt er seine Arme vor Müdigkeit schmerzen und er wird aufs neue von Verzweiflung erfaßt.

»Diese Geige darf ich nicht von mir legen, bis ich mich zu Tode gespielt habe. Ich merke, daß der Nöck sich nicht früher zufrieden gibt.«

Er fängt an, über sich selbst zu weinen, während er immer weiter spielt.

»Es wäre besser für mich gewesen, wenn ich daheim in dem kleinen Hüttchen bei Mutter geblieben wäre. Was ist aller Ruhm wert, wenn dies das Ende sein soll!«

Da sitzt er nun Stunde um Stunde. Es wird Morgen, die Sonne geht auf, und die Vögel singen rings um ihn her. Aber er spielt, er spielt ohne Unterlaß.

Da es ein Sonntag ist, der anbricht, bleibt er ganz allein an der alten Mühle sitzen. Kein Mensch wandert in den Wald. Sie gehen alle zur Kirche unten im Tal und in die Dörfer, die die große Landstraße einsäumen.

Es wird Vormittag, die Sonne steigt immer höher. Die Vögel verstummen, aber es beginnt in den langen Nadeln der Tannen zu rauschen.

Er läßt sich von der Hitze des Sommertags nicht aufhalten. Er spielt, er spielt. Es wird endlich Abend, die Sonne sinkt zur Ruh, aber sein Bogen braucht keine Ruhe und sein Arm fährt fort, sich zu regen.

»Es ist ganz gewiß, daß dies mein Tod ist«, sagt er. »Und es ist eine gerechte Strafe für meinen Übermut.«

In tiefer Nacht kommt der erste Mensch, den er den ganzen Tag lang gesehen hat, durch den Wald gewandert. Es ist ein altes, armes Mütterchen mit gebeugtem Rücken und grauem Haar und einem Gesicht, das von vielen Sorgen vergrämt ist.

»Das ist seltsam«, denkt der Spielmann. »Es ist mir, als wenn ich das alte Weiblein kennen müßte. Kann es möglich sein, daß das Mutter ist? Kann es möglich sein, daß Mutter so alt und grau geworden ist?«

Er ruft sie laut und bittet sie. »Mutter, Mutter, komm her zu mir!« sagt er. Sie bleibt wie unwillig stehen.

»Ich höre, daß du der beste Spielmann in Värmland bist«, sagt sie. »Was hast du mit einem armen alten Weibe wie mir zu schaffen?«

»Mutter, Mutter, geh nicht an mir vorbei«, ruft der Spielmann, »komm her und sieh mich an!«

Da kommt sie näher und sieht, wie er dasitzt und spielt. Das Gesicht ist bleich wie bei einem Toten, das Haar trieft von Schweiß, und das Blut perlt unter seinen Nagelwurzeln hervor.

»Mutter«, sagt der Spielmann, »nun habe ich mich bald zu Tode gespielt, aber sage mir vorher noch, ob du mir verzeihen kannst, daß ich dich in deinem Alter einsam und arm hausen ließ?«

»Ja, gewiß, in Gottes, des Erlösers, Namen verzeih' ich dir«, sagt die Mutter.

Aber wie sie dies sagt, bleibt der Bogen stehen, die Fiedel fällt aus den erstarrten Fingern zu Boden, und der Spielmann steht erlöst und gerettet auf. Denn der Zauber ist gebrochen, weil seine alte Mutter zu ihm gekommen ist und Gottes Namen über ihn ausgesprochen hat.

Die Prinzessin von Babylonien

Es war an einem dunklen Winterabend in der kleinen Hütte Skrolycka. Kattrinna, die Bäuerin, saß da und spann, und die Katze lag auf ihrem Schoß und spann auch, so gut sie konnte. Der Mann, Jan Andersson, saß am Herd und wärmte sich mit dem Rücken gegen das Feuer. Er war den ganzen Tag in Erik Fallas Wald gewesen und hatte Holz gehackt, da konnte niemand von ihm verlangen, daß er jetzt, wo er daheim war, noch eine andere Arbeit vornehmen sollte. Nicht einmal Kattrinna hatte etwas dagegen einzuwenden, daß er jetzt nichts anderes tat, als mit ihrem kleinen Mädchen zu spielen und zu plaudern, das diesen Winter in sein fünftes Jahr ging.

Kattrinna saß in ihren eigenen Gedanken da und hörte nicht viel darauf, was der Mann und das Kind miteinander schwatzten. Aber auf *eines* hielt sie streng: Sie konnte es nicht leiden, wenn Jan der Kleinen sagte, daß sie so schön und besonders sei, und das tat er gar zu gerne. Denn wenn Klara Gulla schon als kleines Kind eine hohe Meinung von sich selbst bekam, dann wußte ja Kattrinna, daß nie und nimmer ein vernünftiges Frauenzimmer aus ihr werden konnte.

Jan trieb es zu arg, er kam auf alles mögliche, was das Kind hoffärtig machen mußte. Aber an diesem Abend war Kattrinna ganz ruhig, denn nun saß er da und erzählte von Dingen, die sich früher einmal in der Welt zugetragen hatten, zu der Zeit, als die Erde erschaffen wurde und die Menschen sie zu füllen begannen. Er war gerade dabei, die alte Geschichte vom Turm zu Babel zu erzählen, und da konnte man ja hoffen, daß er keine Gelegenheit finden würde, mit seinen gewohnten Torheiten zu kommen.

»Ja, und da haben sie Lehm herbeigeschleppt«, sagte Jan, »und sie haben Ziegel geschlagen, und Kalk haben sie gelöscht und ein Gerüst aufgerichtet, und mit jedem Tag ist der Turm höher geworden.

Sie haben schon gewußt, daß es unserem Herrgott nicht recht ist, wenn sie den Turm bauen, aber danach haben sie nicht viel gefragt. Denn sie hatten sich's einmal vorgenommen, sie wollten bis zum Himmel hinauf, um zu sehen, wie's dort ausschaut.

›Hört einmal, ihr guten Leute‹, hat da der liebe Gott gesagt, ›jetzt sag' ich's euch aber zum letztenmal: Wenn ihr nicht gleich von hier weggeht und mit der Bauerei aufhört, dann kann ich mir nicht helfen, ich muß ein Unglück über euch kommen lassen. Und das wird ein solches Unglück sein, das ihr nie loswerdet, und niemand kann euch dagegen helfen.‹

Aber die Menschen, die haben sich gedacht, ach was, unser Herrgott wird schon langmütig sein, wie gewöhnlich. Und sie haben weiter an ihrem Turm gebaut, und jeden Tag sind sie ein Stückchen höhergekommen.

Da ist aber unser Herrgott hergegangen und hat ihre Sprache ganz durcheinandergebracht. Siehst, bis zu dem Tag haben sie so gesprochen, daß eins das andere verstanden hat, aber jetzt war's damit aus.

Wenn die Maurermeister jetzt sagen wollten: ›Gib mir Lehm!‹, dann haben sie statt dessen gesagt: ›Fitzliputzli Fitzliputzli.‹ Und wenn die Lehrlinge haben fragen wollen, was sie denn meinen, da haben sie gesagt: ›Erbe, derbe, mirbe, marbe.‹ Na, da kann man sich nicht wundern, daß sie sich nicht verstanden haben.

Die Meister, die haben geglaubt, die Lehrlinge wollen sie zum Narren halten. Aber wenn sie sagen wollten: ›Sprecht doch ordentlich‹, dann haben sie gesagt: ›Ullen dullen dorf!‹ Na, und wenn die Lehrlinge fragen wollten, warum sie ein so böses Gesicht machen, da haben sie nichts anderes herausgebracht als: ›Abrakadabra?‹

Und da sind sie alle miteinander zornig geworden und sind sich in die Haare gefahren und haben zu raufen angefangen.

Na, und von dem Tag an war's aus mit der Freundschaft zwischen den Menschen, und niemand hat mehr daran gedacht, an dem Turm zu bauen, sondern ein jedes ist für sich gegangen.«

Als Jan in seiner Erzählung so weit gekommen war, schielte er zu Kattrinna hinüber. Der Spinnrocken stand still, und es sah beinahe aus, als seien Frau und Katze eingeschlummert. Da nahm Jan seine Erzählung wieder auf. Er senkte die Stimme nur ein wenig.

»Aber unter all den anderen dort in Babylon, die an dem Turm gebaut hatten, waren auch ein König und eine Königin, und die hatten eine kleine Prinzessin. Und auf einmal fängt auch dieses kleine Mädel an, so närrisch zu sprechen, daß ihre Eltern und alle anderen Leute nicht ein einziges Wort verstanden haben.

Da wollten der König und die Königin sie nicht mehr auf

ihrem Schloß behalten, sie haben sie fortgejagt und sie mußt' ganz mutterseelenallein in die große, weite Welt hinaus.

Da war sie natürlich ganz verzagt. Sie hat ja nicht gewußt, wem sie da unterwegs begegnen kann. Für einen Bären oder einen Wolf war es ja ein Kinderspiel, so eine kleine Prinzessin aufzufressen, wenn sie ihm in den Weg lief.

Aber so zart und fein sie auch war, so hat ihr doch niemand was zuleid getan.

Nein, im Gegenteil, alle, denen sie begegnet ist, sind freundlich auf sie zugegangen und haben ihr die Hand gegeben und gefragt, wo sie denn hin will. Aber was sie zur Antwort gegeben hat, davon haben sie kein Wort verstanden, na, und da haben sie sich nicht weiter um sie gekümmert.

So lieb und fein wie sie war, braucht' sie nur in die Schlösser und Burgen hinaufzukommen, da haben sie die Türen sperrangelweit aufgerissen und sie hineingehen lassen. Aber wenn sie den Mund aufgemacht und man ihre närrische Sprache gehört hat, da hat sie gleich wieder fortmüssen.

Na, und endlich, da war sie schon durch alle Königreiche gewandert, die's gibt, da kommt sie eines Abends spät in einen großmächtigen Wald, und als sie durch den Wald gegangen ist, da sieht sie eine kleine Hütte, die war so niedrig, daß sie grad noch durch die Tür durchkonnt', und da geht sie hinein und sagt ›Grüß Gott‹.

Da drinnen sitzt die Bäuerin und spinnt, und der Bauer sitzt am Herd und wärmt sich. Und wie sie sehen, daß ein Fremdes zur Tür hereinkommt, so sagen sie auch ›Grüß Gott‹.

Da hat die kleine Prinzessin eine schreckliche Freude gehabt, denn da in der Hütte haben sie akkurat so gesprochen, daß sie sie verstehen konnt'. Aber sie war sehr vorsichtig, sie hat ihnen nicht gleich alles erklären wollen. ›Wie heißt denn diese Hütte?‹ hat sie gefragt, um sie auf die Probe zu stellen.

›Die heißt Skrolycka‹, haben sie gleich geantwortet, und da hat sie schon gemerkt, daß sie sie verstanden haben.

Und da war sie ganz wild vor lauter Freude, aber sie hat gemeint, es ist doch besser, wenn sie sie noch einmal auf die Probe stellt.

›Wie heißt denn die Sprache, die ihr hier im Haus sprecht?‹ hat sie gesagt.

›Das ist die värmländische Sprache‹, haben die Leute in der Hütte gesagt.

Und da ist die kleine Prinzessin zu ihnen hingegangen und hat sie gebeten, daß sie bei ihnen bleiben darf, denn hier wär der einzige Ort auf der Welt, wo sie verstehen könnten, was sie geredet hat.

Aber wie sie zum Feuer hingekommen ist, da haben die Leute ja gesehen, daß sie eine kleine Prinzessin von Babylonien ist. Und da haben sie ihr gesagt, daß sie fehlgegangen sein muß. Und sie haben ihr gesagt, es könnt' ihr unmöglich bei ihnen gefallen. Die värmländische Sprache, die wär' ja überall, in jedem Haus, in der ganzen Gegend hier herum bekannt, haben sie gesagt, sie könnt' überall hingehen, wo es ihr beliebt.

Aber die kleine Prinzessin, die hat auf diesem Ohr nicht gehört. ›Nein‹, hat sie gesagt, ›ich merk' schon, daß ich recht gegangen bin. Und hier will ich bleiben. Denn hier hat man eine Freude und einen Nutzen von mir.‹«

Die kleine Klara Gulla war ganz still auf Jans Schoß gesessen und hatte gelauscht, und ihre Augen waren vor Staunen immer runder und runder geworden. Aber als jetzt Jan zu erzählen aufhörte, saß sie zuerst ganz stumm da, dann drehte und wendete sie das Köpfchen und guckte sich alles in der Stube an, so, als hätte sie es noch nie gesehen.

»Ja, jetzt kann's ja noch so bleiben, wie's ist, eine Zeitlang«, sagte sie endlich. »Aber bis ich einmal groß bin, dann geh' ich schon wieder dorthin zurück, wo ich her bin.«

Jan machte ein langes Gesicht. Und das schlimmste war, daß Kattrinna jetzt wach war und den Schluß des Gesprächs gehört hatte.

»Ja, siehst du, das hast du davon, daß du dem Mädel immer einreden willst, daß sie gar so was Feines und Besonderes ist!« sagte sie.

Die Silbergrube

König Gustav III. machte eine Reise durch Dalekarlien. Er hatte es eilig und wollte den ganzen Weg wie im Flug durchfahren. Und als sie mit solcher Eile dahinrasten, daß die Pferde wie gestreckte Riemen den Weg entlang lagen und der Wagen an den Biegungen auf zwei Rädern stand, da steckte der König den Kopf durchs Wagenfenster und rief dem Kutscher zu: »Warum sputet Er sich denn nicht? Glaubt Er etwa, daß Er eine Eierschale fährt?«

Da sie in so toller Hast über schlechte Landstraßen fuhren, wäre es beinahe ein Wunder gewesen, wenn Zaumzeug und Wagen gehalten hätten. Das konnten sie denn auch nicht; am Fuße eines steilen Hügels brach die Deichselstange, und da saß nun der König. Des Königs Kavaliere sprangen aus dem Wagen und schalten den Kutscher, aber das machte den Schaden nicht geringer. Es gab keine Möglichkeit für den König, die Reise fortzusetzen, ehe nicht der Wagen instandgesetzt war.

Als die Hofherren sich umsahen, um etwas ausfindig zu machen, was den König zerstreuen könnte, indes er wartete, sahen sie aus einem Gehölz, das ein Stück weit am Wege lag, einen Kirchturm aufragen. Sie schlugen dem König vor, sich in einen der Wagen zu setzen, in denen der Hofstaat fuhr, und zur Kirche zu fahren. Sonntag war es, und der König könnte ja dem Gottesdienst beiwohnen, damit die Zeit verginge, bis die große königliche Karosse fertig wäre.

Der König ging auf den Vorschlag ein und fuhr zur Kirche. Vorher war der König viele Stunden lang durch dunkle Waldgegenden gefahren, hier sah es fröhlicher aus; große Felder und Dörfer und der Dalstrom, der hell und prächtig zwischen gewaltigen Massen von Erlengebüsch dahinglitt.

Nur hatte der König insofern Unglück, als der Küster gerade in dem Augenblick, in dem der König auf dem Kirchenhügel aus dem Wagen stieg, den Schlußpsalm anstimmte und das Volk schon die Kirche zu verlassen begann. Als die Menschen so an ihm vorübergingen, blieb der König mit dem einen Fuß im Wagen und dem andern auf dem Trittbrett stehen und rührte sich nicht vom Fleck, sondern betrachtete sie. Das waren die schmucksten Leute, die der König je gesehen hatte. Die Burschen waren alle über gewöhnliche Manneshöhe, mit klugen, ernsten Gesichtern, und die Frauen kamen so stattlich und würdig gegangen, daß der König fand, es könnte ihnen wohl anstehen, im feinsten Schloß zu wohnen.

Den ganzen vorhergehenden Tag hatte sich der König vor der öden Gegend geängstigt, durch die er gekommen war, und er hatte einmal übers andre zu seinen Kavalieren gesagt: »Jetzt fahre ich gewiß durch den allerärmsten Teil meines Reichs.« Aber als er nun das Volk in der schmucken Kirchspieltracht sah, da vergaß er, an Armut zu denken. Es wurde ihm im Gegenteil warm ums Herz, und er sagte zu sich selbst: »Mit dem König steht es nicht so schlimm, wie seine Feinde glauben. Solange meine Untertanen so aussehen, werde ich wohl noch imstande sein, meinen Glauben und mein Land zu verteidigen.«

Er befahl den Hofherren, dem Volk zu verkünden, daß der Fremde, der mitten unter ihnen stünde, ihr König sei und daß sie sich um ihn versammeln sollten, damit er zu ihnen reden könne.

Und nun hielt der König eine Ansprache an das Volk. Er sprach von der hohen Treppe vor der Sakristei, und die schmale Treppenstufe, auf der er stand, ist noch heute erhalten.

Der König begann darzulegen, wie schlimm es im Reich stünde. Er sagte, daß die Schweden von den Russen und Dänen mit Krieg bedrängt würden. Dies wäre unter andern Umständen nicht so gefährlich, aber im Kriegsheer gäbe es viele Verräter, und der König habe keine Armee, auf die er sich verlassen könne. Darum sei ihm nichts übriggeblieben, als selbst hinaus in die Provinzen zu ziehen und seine Untertanen zu fragen, ob sie sich den Verrätern anschließen oder dem König treu sein und ihm mit Leuten und Geld helfen wollten, das Vaterland zu befreien.

Die Bauern verhielten sich ganz still, während der König sprach, und als er geschlossen hatte, gaben sie kein Zeichen der Zustimmung oder des Mißfallens.

Dem König schien es selbst, daß er sehr beredt gewesen sei. Die Tränen waren ihm mehrere Male in die Augen getreten, während er gesprochen hatte. Aber als die Bauern noch immer ängstlich und unschlüssig dastanden und sich nicht entschließen konnten, ihm zu antworten, runzelte er die Stirn und sah mißvergnügt drein.

Die Bauern begriffen, daß es dem König schwerfallen müßte, zu warten, und endlich trat einer von ihnen aus der Menge hervor.

»Nun mußt du wissen, König Gustav, daß wir heute keinen Königsbesuch im Kirchspiel erwarteten«, sagte der Bauer, »und darum sind wir auch nicht sogleich bereit, dir zu antworten. Ich will dir raten, daß du in die Sakristei gehst und mit unserm Pfarrer sprichst, während wir das beratschlagen, was du uns vorgelegt hast.«

Der König begriff, daß er fürs erste keinen besseren Bescheid erlangen könne, und fand es am klügsten, den Rat des Bauern zu befolgen. Als er in die Sakristei kam, war niemand da außer einem, der wie ein alter Bauer aussah. Er war groß und grobknochig, mit derben Händen, die von harter Arbeit schwielig waren, und trug weder Kragen noch Mantel, sondern Lederhosen und einen langen, weißen Schafpelz wie alle die andern Männer. Er stand auf und verneigte sich vor dem König, als dieser eintrat.

»Ich glaubte, ich würde den Pfarrer hier finden«, sagte der König.

Der andre wurde ein wenig rot. Er fand es peinlich, zu sagen, daß er selbst der Seelsorger dieser Gemeinde sei, da er sah, daß der König ihn für einen Bauern hielt.

»Ja, der Pfarrer pflegt um diese Zeit hier zu sein«, sagte er.

Der König ließ sich in einem großen, hocharmigen Lehnstuhl nieder, der dazumal in der Sakristei stand und noch heutigen Tags dasteht und ganz unverändert ist; nur eine vergoldete königliche Krone hat die Gemeinde an der Rückenlehne anbringen lassen.

»Habt Ihr einen guten Pfarrer hier im Kirchspiel?« fragte der König. Er wollte versuchen, Anteilnahme an dem Schicksal der Bauern zu zeigen.

Als der König ihn so fragte, schien es dem Pastor unmöglich, zu sagen, wer er sei. »Es ist besser, der König bleibt bei seinem Glauben, daß ich nur ein Bauer bin«, dachte er und antwortete, der Pfarrer sei gut genug. Er predige Gottes Wort rein und klar, und er versuche zu leben, wie er lehre.

Der König fand, dies sei eine gute Auskunft, aber er hatte ein scharfes Ohr und merkte ein gewisses Zögern im Ton.

»Das klingt so, als wäre Er doch nicht so recht mit dem Pfarrer zufrieden«, sagte er.

»Er ist wohl ein bißchen eigenwillig«, sagte der Pastor. Er dachte, sollte der König doch erfahren, wer er sei, dann würde es diesem sicher nicht gefallen, daß er da gestanden und nur sich selbst gelobt hätte; und darum wollte er sich auch mit ein wenig

Tadel hervorwagen. »Es gibt Leute, die vom Pfarrer sagen«, fuhr er fort, »daß er ganz allein dieses Kirchspiel lenken und regieren will.«

»Dann hat er es auf jeden Fall aufs beste geführt und geleitet«, sagte der König. Es wollte ihm nicht gefallen, daß dieser Bauer sich über den beklagte, der über ihn gesetzt war. »Mich dünkt, hier sieht es aus, als herrschten gute Sitten und altväterische Schlichtheit.«

»Das Volk ist brav«, sagte der Pastor, »aber es lebt auch weit aus der Welt in Armut und Abgeschiedenheit. Die Menschen hier würden wohl auch nicht besser sein als andre, wenn die Versuchungen dieser Welt ihnen näherkämen.«

»Nun, es ist ja wohl keine Gefahr vorhanden, daß das geschieht«, sagte der König und zuckte die Achseln. Er fand, daß er an einen geraten war, der sich unnötige Sorgen machte. Der König sagte nichts weiter, sondern begann mit den Fingern auf dem Tisch zu trommeln. Er meinte, daß er genug gnädige Worte mit diesem Bauern gewechselt hätte, und begann sich zu wundern, wann wohl die anderen bereit sein würden, ihm Antwort zu geben.

»Diese Bauern sind nicht sehr eifrig, ihrem König zu Hilfe zu kommen«, dachte er. »Wenn ich nur meinen Wagen hätte, so würde ich von ihnen und allen ihren Beratschlagungen fort meiner Wege fahren.«

Der Pastor hinwiederum saß bekümmert da und kämpfte mit sich selbst, wie er eine wichtige Sache entscheiden solle, mit der er zu Ende kommen mußte. Er fing an, sich zu freuen, daß er dem König nicht gesagt hatte, wer er sei. Nun konnte er mit ihm über das reden, was er sonst nicht hätte zur Sprache bringen können.

Nach einer kleinen Weile brach der Pfarrer das Stillschweigen und fragte den König, ob es sich wirklich so verhielte, wie er ihn eben habe sagen hören, daß die Feinde Schweden bedrohten und das Reich in Gefahr sei.

Der König meinte, daß dieser Mann soviel Verstand haben sollte, ihn nicht weiter zu stören. Er sah ihn groß an und antwortete nicht.

»Ich frage, weil ich hier drinnen stand und vielleicht nicht ganz richtig hören konnte«, sagte der Pastor. »Aber wenn es sich wirklich so verhält, dann will ich sagen, daß der Pfarrer dieser Gemeinde vielleicht imstande wäre, dem König mehr Geld zu verschaffen, als er benötigt.«

»Mich dünkt, Er sagte doch ganz kürzlich, daß alle hier so arm seien«, erwiderte der König und dachte, der Bursche wisse wohl selbst nicht, was er schwätze.

»Ja, das ist wahr«, versetzte der Pastor, »und der Pfarrer hat auch nicht mehr als irgendein andrer. Aber wenn der König so gnädig sein will, mich ein Weilchen anzuhören, dann will ich erzählen, wie es kommt, daß der Pfarrer die Macht hat, ihm zu helfen.«

»Er mag sprechen«, sagte der König. »Es scheint ihm leichterzufallen, die Worte über die Lippen zu bringen, als seinen Freunden und Nachbarn draußen, die wohl nie mit dem zu Ende kommen, was sie mir zu sagen haben.«

»Es ist nicht so leicht, dem König zu antworten«, sagte der Pastor. »Ich fürchte, daß es schließlich der Pfarrer auf sich nehmen muß, es für die andern zu tun.«

Der König legte ein Bein über das andre, drückte sich tief in den Lehnstuhl, kreuzte die Arme und ließ den Kopf auf die Brust sinken.

»Nun kann Er beginnen«, sagte er in einem Tone, als schliefe er schon.

»Es waren einmal fünf Männer aus diesem Kirchspiel, die auf die Elenjagd in den Wald zogen«, begann der Pastor. »Einer von ihnen war der Pfarrer, von dem wir sprachen. Zwei von den andern waren Soldaten und hießen Olof und Erik Svärd, der vierte der Männer war der Gastwirt hier im Kirchdorf, und der fünfte war ein Bauer, der Israels Per Person hieß.«

»Er braucht sich nicht die Mühe zu machen, so viele Namen aufzuzählen«, murmelte der König und ließ den Kopf auf die eine Seite sinken.

»Diese Männer waren gute Jäger«, fuhr der Pastor fort, »und sie pflegten sonst Glück zu haben. Aber an diesem Tage waren sie weit und breit umhergezogen, ohne etwas anzutreffen. Endlich hörten sie völlig zu jagen auf und setzten sich nieder, um zu plaudern. Sie sprachen davon, daß es im Wald keine Stelle gäbe, die sich urbar machen ließe, alles sei nur Felsen und Morast. ›Unser Herrgott hat nicht gerecht an uns gehandelt, daß er uns ein so karges Land gegeben hat‹, sagte einer von ihnen. ›Anderswo können die Menschen sich Reichtum und Überfluß verschaffen, aber hier vermögen wir uns mit knapper Not unser tägliches Brot zu erarbeiten.‹«

Der Pastor hielt einen Augenblick inne, gleichsam im Zweifel, ob der König ihn auch höre, aber der König machte eine Bewegung mit dem kleinen Finger, um ihm zu bedeuten, daß er noch wach sei.

»Gerade als die Bauern davon sprachen, merkte der Pfarrer, daß es zwischen den Felsen an einer Stelle glitzerte, wo er zufällig mit dem Fuß das Moos weggestoßen hatte. Das ist doch ein merkwürdiger Stein, dachte er und stieß noch ein Mooshügelchen weg. Er nahm einen Steinsplitter auf, der am Moos hängengeblieben war und ebenso glänzte wie alles andere. ›Es ist doch wohl nicht möglich, daß dies hier Blei sein kann?‹ sagte er. Nun sprangen die andern auf und stießen das Moos mit den Büchsenkolben beiseite. Und als sie das getan hatten, war es prächtig zu sehen, wie eine breite Erzader sich durch das Gestein zog. ›Was glaubt ihr, daß dies sein kann?‹ fragte der Pfarrer. Die Männer schlugen Steinsplitter los und bissen hinein. ›Das muß wenigstens Blei oder Zink sein‹, sagten sie. ›Und der ganze Berg ist voll davon‹, sagte der Pfarrer.«

Als der Pastor in seiner Erzählung so weit gekommen war, sah man, wie der Kopf des Königs sich ein wenig hob und ein Auge sich öffnete. »Weiß Er, ob einer dieser Leute sich auf Erze und Gesteine verstand?« fragte er.

»Nein, davon verstanden sie nichts«, antwortete der Pastor. Da sank der Kopf des Königs hinab, und seine beiden Augen schlossen sich wieder.

»Sowohl der Pfarrer wie die, welche mit ihm waren, freuten sich sehr«, fuhr der Pastor fort, ohne sich durch die Gleichgültigkeit des Königs irremachen zu lassen. »Sie dachten, daß sie nun das gefunden hätten, was sie reich machen könnte und ihre Nachkommen ebenfalls! ›Nie mehr werde ich zu arbeiten brauchen!‹ sagte einer von den Soldaten, ›ich werde die ganze Woche nichts tun und am Sonntag in einer goldenen Kutsche zur Kirche fahren!‹

Es waren sonst verständige Leute, aber der große Fund war ihnen zu Kopf gestiegen, so daß sie wie Kinder sprachen. So viel Besinnung hatten sie doch, daß sie das Moos wieder zurechtlegten und den Schatz verbargen. Dann merkten sie sich genau den Platz, wo er sich befand, und gingen heim.

Bevor sie sich trennten, bestimmten sie, daß der Pfarrer nach Falun fahren und den Berghauptmann fragen solle, was dies für ein Erz sei. Er sollte sobald als möglich zurückkommen, und bis dahin gelobten sie einander mit heiligen Eiden, keinem Menschen zu verraten, wo das Erz zu finden sei.«

Der Kopf des Königs hob sich wieder ein wenig, aber er

unterbrach den Erzähler mit keinem Wort. Er schien jetzt zu glauben, daß der andre ihm wirklich etwas Wichtiges zu sagen haben müsse, da er sich durch seine Gleichgültigkeit so gar nicht stören ließ.

»Nun machte sich der Pfarrer mit ein paar Erzproben in der Tasche auf den Weg. Er war ebenso froh, reich zu werden, wie irgendeiner der andern. Er dachte daran, daß er den Pfarrhof umbauen wollte, der jetzt um nichts besser war als eine Bauernhütte; und dann wollte er sich mit einer Propsttochter verheiraten, der er gut war. Bis dahin hatte er gedacht, daß er lange auf sie warten müßte. Er war arm und unbekannt, er wußte, daß es lange währen würde, bis er eine Stelle bekäme, die es ihm möglich machte, zu heiraten.

Der Pfarrer fuhr zwei Tage lang nach Falun, und einen Tag mußte er dort umhergehen und warten, weil der Berghauptmann verreist war, und an jemand andern wagte er sich nicht zu wenden. Endlich konnte er ihn sprechen und zeigte ihm die Erzstücke. Der Berghauptmann nahm sie in die Hand. Er sah zuerst sie an, dann den Pfarrer.

Der Pfarrer erzählte, daß er sie in seinem heimatlichen Kirchspiel in einem Felsen gefunden habe, und meinte, ob es nicht Blei sein könne.

›Nein, Blei ist es nicht‹, sagte der Berghauptmann.

›Also ist es vielleicht Zink?‹ fragte der Pfarrer.

›Zink ist es auch nicht‹, sagte der Berghauptmann.

Dem Pfarrer war zumute, als ob seine ganze Hoffnung zu Boden sänke, so verzagt hatte er sich so manchen lieben Tag nicht gefühlt.

›Habt ihr viel solche Steine in eurem Kirchspiel?‹ fragte der Berghauptmann.

›Wir haben einen ganzen Berg‹, sagte der Pfarrer.

Da ging der Berghauptmann auf ihn zu, klopfte ihm auf die Schulter und sagte: ›Dann seht zu, daß ihr einen solchen Gebrauch davon macht, daß es euch selbst und dem Lande zum Nutzen gereicht, denn dies ist Silber!‹

›Ja so‹, stammelte der Pfarrer ganz verwirrt. ›Ja so, es ist Silber.‹

Der Berghauptmann begann, ihm zu erklären, was er zu tun hätte, um sich ein gesetzliches Recht auf die Grube zu verschaffen, und gab ihm viele gute Ratschläge, aber der Pfarrer stand, ganz wirr im Kopf, da und hörte nicht zu, was er sagte. Er dachte, wie unglaublich dies sei, daß daheim in seinem armen

Kirchspiel ein ganzer Berg mit Silbererzen läge und auf ihn wartete.«

Der König erhob so heftig den Kopf, daß der Pastor sich unterbrach.

»Es kam wohl so«, sagte der König, »daß, als er nach Hause zurückkehrte und anfing, die Grube zu bearbeiten, er merkte, daß der Berghauptmann seinen Spaß mit ihm getrieben hatte.«

»Ach nein, der Berghauptmann hatte ihn durchaus nicht zum besten gehabt«, sagte der Pastor.

»Er kann fortfahren«, sagte der König und setzte sich wieder zurecht, um zuzuhören.

»Als der Pfarrer endlich zu Hause war und durch sein heimatliches Kirchspiel fuhr«, hob der Pastor wieder an, »war er sich klar, daß er vor allem seine Kameraden von der Entdeckung benachrichtigen müßte.«

»Er wollte wohl ihr Glück sehen«, fiel der König ein.

»Ja, das wollte er, und da er an dem Hause des Gastwirts Sten Stensons vorüberfuhr, beabsichtigte er, bei ihm einzukehren und ihm zu erzählen, daß das, was sie gefunden hatten, Silber sei. Aber als er vor dem Tore Halt machte, sah er, daß Laken vor den Fenstern hingen und daß ein breiter Weg von gehacktem Tannenreisig zur Treppe hinaufführte.

›Wer ist denn hier im Hause gestorben?‹ fragte der Pfarrer einen Jungen, der am Zaune lehnte.

›Der Gastwirt selber‹, antwortete der Junge. Und dann erzählte er dem Pfarrer, daß der Gastwirt sich seit einer Woche jeden Tag betrunken habe. ›Ach, der viele Branntwein, der viele Branntwein, der hier draufgegangen ist!‹ sagte der Junge. ›Woher mag das kommen?‹ fragte der Pfarrer. ›Der Gastwirt pflegte sich doch sonst niemals zu betrinken.‹ ›Ja‹, sagte der Junge, ›er trank, weil er behauptete, daß er eine Grube gefunden habe. Er sei so steinreich, sagte er. Er brauche niemals mehr etwas anderes zu tun, als zu saufen. Und gestern abend fuhr er fort, betrunken wie er war; der Wagen warf um, und er fiel sich zu Tode.‹

Als der Pfarrer das vernommen hatte, fuhr er heimwärts. Er war sehr betrübt über das, was er gehört hatte. Er war ja so vergnügt gekommen und hatte sich so sehr gefreut, die große Neuigkeit zu erzählen.

Als der Pfarrer ein paar Schritte weitergefahren war, sah er Israels Per Person herankommen. Er sah ganz wie immer aus, und der Pfarrer dachte, es sei gut, daß ihm nicht auch das Glück zu Kopfe gestiegen war. Ihn wollte er sogleich mit der Nachricht erfreuen, daß er nun ein reicher Mann sei. ›Guten Tag‹, sagte Per Person, ›kommst du von Falun?‹ ›Ja, daher komme ich‹, sagte der Pfarrer, ›und nun will ich dir sagen, daß es dort besser gegangen ist, als wir uns dachten; der Berghauptmann sagte, daß das, was wir gefunden haben, Silber sei.‹ In demselben Augenblick sah Per Person aus, als hätte sich die Erde vor ihm aufgetan. ›Was sagst du, was sagst du? Es ist Silber?‹ ›Ja‹, antwortete der Pfarrer, ›wir werden nun reiche Leute, wir alle, und können wie Herrschaften leben!‹ ›Nein, ist es Silber!‹ sagte Per Person noch einmal und sah immer betrübter aus. ›Ja, gewiß ist es Silber‹, antwortete der Pfarrer, ›du darfst nicht glauben, daß ich dich betrügen will. Du brauchst dich nicht zu fürchten, froh zu sein.‹ ›Froh‹, sagte Per Person, ›wie sollte ich froh sein. Ich glaubte, es sei nur Katzengold, und so meinte ich, ein Sperling in der Hand ist besser als eine Taube auf dem Dach. Ich habe meinen Anteil an der Grube für hundert Taler an Olof Svärd verkauft.‹

Er war ganz verzweifelt, und als der Pfarrer von ihm fortfuhr, blieb er auf der Landstraße stehen und weinte.

Als der Pfarrer heim auf den Hof kam, schickte er einen Knecht zu Olof Svärd und seinem Bruder, um ihnen sagen zu lassen, daß das, was sie gefunden hatten, Silber sei. Er fand, daß er nun genug davon hätte, die gute Neuigkeit selbst zu verbreiten.

Aber als der Pfarrer am Abend allein daheim saß, da kam die Freude wieder zu ihrem Recht. Er ging in die Dunkelheit hinaus und stellte sich auf einen Hügel, wo er das neue Pfarrhaus anzulegen gedachte. Es sollte stattlich werden, das wollte er meinen, ebenso prächtig wie ein Bischofssitz. Er blieb lange draußen stehen in dieser Nacht, und er begnügte sich nicht damit, ein neues Pfarrhaus zu bauen. Es fiel ihm ein, daß, wenn soviel Reichtum von dieser Gegend ausginge, die Leute herbeiströmen müßten, und schließlich würde vielleicht eine ganze Stadt rings um die Grube im Wald gebaut werden. Und dann würde er gezwungen sein, in dieser Stadt eine neue Kirche zu errichten. Dafür würde wohl ein großer Teil seines Reichtums draufgehen. Aber er war auch damit noch nicht zufrieden, sondern dachte sich, daß, wenn seine Kirche fertig wäre, der König und viele Bischöfe kommen würden, um sie einzuweihen; und dann würde der König sich sehr über die Kirche freuen, aber er würde einwenden, daß für ihn, den König, keine rechte Unterkunft in der Stadt sei. Und dann würde er dem König in der neuen Stadt ein Schloß bauen müssen.«

Einer der Kavaliere des Königs öffnete jetzt die Tür zur Sakristei und meldete, daß die große königliche Karosse instandgesetzt sei.

Der König war im ersten Augenblick bereit, sich zu erheben, aber dann besann er sich anders. »Er soll seine Geschichte zu Ende erzählen«, sagte er zum Pastor. »Aber Er kann rascher fortfahren. Wir wissen schon, wie ein Mensch träumt und denkt. Wir wollen erfahren, wie er handelt.«

»Aber als der Pfarrer noch in diese Träume versunken dasaß«, fuhr der Pastor fort, »bekam er Botschaft, daß Israels Per Person sich selbst das Leben genommen habe. Er hatte es nicht ertragen können, daß er seinen Anteil an der Grube verkauft hatte. Er meinte wohl, daß er es nicht aushalten könne, sein ganzes Leben lang einherzugehen und zu sehen, wie ein andrer sich an dem Reichtum freute, der ihm hätte gehören können.«

Der König rückte sich ein wenig auf seinem Sitz zurecht. Er hatte beide Augen aufgeschlagen. »Meiner Treu«, sagte er, »wenn ich dieser Pfarrer gewesen wäre, ich glaube, ich hätte an der Grube genug gehabt.«

»Der König ist ein reicher Mann«, sagte der Pastor. »Er hat auf jeden Fall genug und übergenug. Anders steht es mit einem armen Pfarrer, der nichts sein eigen nennt. So einer fängt an nachzugrübeln, wenn er sieht, daß Gottes Segen nicht auf seinem Vorhaben ruht: ›Ich will nicht mehr daran denken, selbst Ehre und Nutzen aus diesen Reichtümern zu ziehen. Aber ich kann doch das Silber nicht in der Erde liegenlassen. Ich muß es zum Besten der Armen und Notleidenden heben. Ich will es tun, um dem ganzen Kirchspiel zu helfen.‹

Darum ging der Pfarrer eines Tages zu Olof Svärd hinüber, um mit ihm und seinem Bruder zu besprechen, was sie zunächst mit dem Silberbergwerk vornehmen sollten. Als er in die Nähe von Olofs Behausung kam, begegnete er einem Karren, um den Männer mit Flinten in den Händen herumgingen, so, als hielten sie Wacht. Und auf dem Karren saß einer, dem die Hände rücklings gebunden waren und der Fesseln an den Fußknöcheln trug.

Als der Pfarrer vorbeikam, machte der Karren halt, so daß er Zeit hatte, den Gefangenen zu betrachten. Sein Kopf war verbunden, so daß es nicht leicht war, zu erkennen, wer es sei, aber der Pfarrer glaubte doch, daß dies Olof Svärd sein müsse.

Er hörte den Gefangenen seine Wächter bitten, ihn ein paar Worte mit dem Pfarrer sprechen zu lassen.

Er trat darum näher, und der Gefangene wendete sich an ihn. ›Nun bist du der einzige, der weiß, wo der Silberberg ist‹, sagte Olof.

›Was sagst du da, Olof?‹ fragte der Pfarrer.

›Ja, siehst du, Pfarrer, seit wir erfahren hatten, daß wir einen Silberberg haben, konnten mein Bruder und ich nicht mehr so gut Freund sein wie früher; wir gerieten stets in Zank. Und gestern abend stritten wir, wer von uns zuerst die Grube gefunden hätte, oder war es etwas andres, worüber wir zankten, kurz, wir kamen in Zwist, und ich habe meinen Bruder erschlagen, und er hat mir auch einen tüchtigen Denkzettel hier über die Stirn gegeben. Und nun komme ich an den Galgen, und du bist dann der einzige, der etwas von der Grube weiß. Deshalb will ich dich um etwas bitten.‹

›Sprich nur frei heraus‹, sagte der Pfarrer. ›Ich will für dich tun, was ich kann.‹

›Du weißt, daß ich viele kleine Kinder hinterlasse‹, begann der Soldat, aber der Pfarrer fiel ihm ins Wort.

›Was das betrifft, so kannst du ruhig sein. Was auf deinen Anteil an der Grube kommt, werden sie erhalten, ganz als wenn du selbst am Leben wärest.‹

›Nein‹, sagte Olof Svärd, ›ich wollte dich um etwas andres bitten. Laß keines von ihnen teil an dem haben, was aus dieser Grube kommt.‹

Der Pfarrer zuckte zusammen, er blieb stumm stehen und konnte nichts antworten.

›Wenn du mir das nicht versprichst, kann ich nicht ruhig sterben‹, sagte der Gefangene.

›Ja‹, sagte der Pfarrer leise und mühsam, ›ich will dir versprechen, was du von mir verlangst.‹

Darauf wurde der Mörder fortgeführt, und der Pfarrer stand auf der Landstraße und dachte nach, wie er das Versprechen halten könne, das er ihm gegeben hatte. Den ganzen Heimweg dachte er an den Reichtum, über den er sich gefreut hatte. Aber wenn es nun so war, daß das Volk dieser Gemeinde den Reichtum nicht vertrug? Jetzt waren schon vier verdorben, die früher stolze und prächtige Männer gewesen waren. Er glaubte, die ganze Gemeinde vor sich zu sehen, und er stellte sich vor, wie diese Silbergrube einen nach dem andern zugrunde richten würde. Sollte er, der eingesetzt war, die Seelen dieser armen

Menschen zu hüten, das über sie bringen, was ihr Untergang sein mußte?«

Der König saß auf einmal ganz aufrecht und starrte den Sprecher an. »Ich muß sagen«, sagte er, »er läßt mich begreifen, daß ein Pfarrer in diesem abgeschiedenen Dorf ein ganzer Kerl sein muß.«

»Es war noch nicht genug an dem, was schon geschehen war«, fuhr der Pastor fort, »sondern sobald die Neuigkeit von der Grube sich unter den Kirchspielbewohnern verbreitete, hörten sie auf zu arbeiten und gingen müßig umher und warteten auf die Zeit, wo der große Reichtum sich über sie ergießen würde. Alle Landstreicher, die es in der Gegend gab, strömten herbei, und der Pfarrer mußte beständig von Trunksucht und Schlägereien hören.

Eine Menge Leute tat nichts andres, als im Walde herumzustreichen und nach der Grube zu suchen, und der Pfarrer merkte, daß, sobald er seine Behausung verließ, ihm Menschen nachschlichen, um auszukundschaften, ob er sich zum Silberberg begäbe, um ihm so sein Geheimnis zu stehlen.

Als die Dinge so standen, rief der Pfarrer die Bauern zusammen.

Zuerst erinnerte er sie an all das Unglück, das die Entdeckung des Silberbergs über sie gebracht hatte, und fragte sie, ob sie sich zugrunde richten lassen oder sich selbst retten wollten. Dann sagte er ihnen, daß sie von ihm, der ihr Pfarrer sei, nicht erwarten dürften, daß er zu ihrem Untergang beitragen werde; er habe beschlossen, keinem Menschen zu verraten, wo der Silberberg sich befinde, und niemals wolle er selbst Reichtümer daraus heben. Und dann fragte er die Bauern, wie sie es in Zukunft halten wollten. Wenn sie fortfahren wollten, nach der Grube zu suchen und auf Reichtümer zu warten, dann wolle er so weit fortziehen, daß ihn niemals ein Gerücht von ihrem Elend erreichen könne. Aber wenn sie es aufgeben wollten, an die Silbergrube zu denken, und wieder werden, wie sie zuvor gewesen wären, dann wolle er bei ihnen bleiben. ›Aber, wie ihr euch auch entscheiden mögt‹, sagte der Pfarrer, ›so wisset das eine, daß von mir niemand je etwas über den Silberberg erfährt.‹«

»Nun«, sagte der König, »wie entschieden sich die Bauern?«

»Sie taten, wie ihr Pfarrer wollte«, sagte der Pastor. »Sie fanden, daß dies eines Mannes Rede sei, und versprachen, nicht mehr an den Silberberg zu denken. Sie sahen ein, daß der Pfarrer es gut mit ihnen meinte, da er um ihretwillen arm bleiben wollte. Und sie faßten großes Vertrauen zu ihm. Und sie gaben ihrem Pfarrer den Auftrag, in den Wald zu gehen und die Grube mit Reisig und Steinen wohl zu verbergen, so daß niemand sie finden könne, nicht sie und nicht ihre Nachkommen.«

»Und seitdem hat der Pfarrer hier ebenso arm gelebt wie die andern?«

»Ja«, antwortete der Pastor, »er hat hier ebenso arm gelebt wie die andern.«

»Er hat aber doch geheiratet und sich einen neuen Pfarrhof gebaut«, sagte der König.

»Nein, er hat nicht die Mittel gehabt, zu heiraten, und er wohnt in der alten Hütte.«

»Das ist eine schöne Geschichte, die Er mir da erzählt hat«, sagte der König und neigte dankbar das Haupt.

Der Pastor stand schweigend vor dem König. Nach einigen Augenblicken fuhr dieser fort: »Dachte Er an das Silberbergwerk, als Er sagte, daß der hiesige Pfarrer mir so viel Geld verschaffen könne, als ich brauche?«

»Ja«, sagte der andre.

»Aber ich kann ihm nicht Daumenschrauben anlegen«, sagte der König, »und wie will Er sonst, daß ich einen solchen Mann dazu bringe, mir den Berg zu zeigen? Er hat ja auf seine Liebste und allen Wohlstand des Lebens verzichtet.«

»Das ist etwas andres«, sagte der Pastor, »wenn das Vaterland den Schatz braucht, so gibt er wohl nach.«

»Steht Er mir dafür ein?« fragte der König.

»Ja, dafür stehe ich ein«, sagte der Pastor.

»Kümmert er sich denn nicht darum, wie es seinen Pfarrkindern ergeht?«

»Das muß in Gottes Hand stehen.«

Der König erhob sich von dem Stuhl und trat ans Fenster. Da stand er eine Weile und sah auf die Volksmenge draußen. Je länger er hinblickte, desto heller begannen seine großen Augen zu leuchten, und seine schmächtige Gestalt schien zu wachsen. »Er kann dem Pfarrer dieser Gemeinde sagen«, sprach der König, »daß es für Schwedens König keinen schöneren Anblick gibt, als ein Volk wie dieses zu sehen.«

Darauf wendete sich der König vom Fenster ab und sah den Pastor an. Ein Lächeln flog über seine Züge. »Steht es so, daß der Pfarrer dieser Gemeinde so arm ist, daß er die schwarzen Kleider ablegt, wenn der Gottesdienst zu Ende ist, und sich wie ein Bauer kleidet?« fragte der König.

»Ja, so arm ist er«, sagte der Pastor, und die Röte schoß ihm in das grobe Gesicht.

Der König trat wieder ans Fenster. Man sah es ihm an, daß er in bester Stimmung war. Alles, was Edles in ihm schlummerte, war zum Leben erweckt worden. »Er soll diese Grube in Frieden ruhen lassen«, sagte der König. »Da Er ein ganzes Leben lang gedarbt und gearbeitet hat, um das Volk hier so zu machen, wie Er es haben will, so soll Er es so behalten, wie es nun ist.«

»Aber wenn das Reich in Gefahr ist?« sagte der Pastor.

»Dem Reich ist besser mit Menschen als mit Geld gedient«, meinte der König. Und als er dies gesagt hatte, nahm er von dem Pastor Abschied und verließ die Sakristei.

Draußen stand die Volksmenge ebenso stumm und wortkarg wie bei seinem Eintritt. Aber als der König die Treppe hinabstieg, kam ihm ein Bauer entgegen.

»Hast du nun mit unserem Pfarrer gesprochen?« fragte der Bauer.

»Ja«, sagte der König, »ich habe mit ihm gesprochen.«

»Dann hast du wohl auch unseren Bescheid bekommen«, erwiderte der Bauer. »Wir baten dich, einzutreten und mit unserem Pfarrer zu sprechen, weil er dir unsere Antwort bringen sollte.«

Die Königinnen von Kungahälla

Wo einst das große Kungahälla stand

Wenn jemand, der von der alten Stadt Kungahälla reden gehört, zu dem Ort am Nordre Älf käme, wo sie einstmals lag, würde er gewiß höchst verwundert fragen, ob Kirchen und Kastelle dahinschmelzen können wie Schnee, oder ob die Erde sich aufgetan habe, um sie zu verschlingen. Er ist an eine Stelle gekommen, wo in früheren Zeiten eine mächtige Stadt stand, und er findet nicht eine Gasse, nicht eine Schiffsbrücke. Er bekommt weder Ruinenhaufen noch leergebrannte Stätten zu sehen. Er findet nur einen Herrenhof, umgeben von grünen Bäumen und roten Scheunen. Er sieht nur weite Wiesen und Felder, über die der Pflug jahraus, jahrein geht, ohne von Grundmauern oder steingepflasterten Höfen behindert zu werden.

Man kann sich ja denken, daß er zuallererst hinab zum Ufer des Älf gehen wird. Er wird wohl nicht erwarten, dort einige der großen Schiffe zu finden, die einst zu den Ostseehäfen und dem fernen Spanien fuhren. Aber er wird hoffen, irgendeine Spur der alten Schiffswerften zu finden, der großen Bootshütten, der Brücken und der großen Öfen, in denen man Salz brannte. Er wird das ausgetretene Steinpflaster der Straße sehen wollen, die zum Hafen führte. Er wird nach der deutschen Brücke und nach der schwedischen Brücke fragen, und er wird die Tränenbrücke sehen wollen, auf der Kungahällas Frauen ihren Männern und Söhnen Lebewohl sagten, wenn diese auf lange Fahrt auszogen. Aber wenn er hinab zum Älfstrand kommt, da erblickt er nichts anderes als das wogende Schilf. Er sieht einen holprigen Fahrweg, der hinab zur Fähre führt. Er sieht ein paar schwanke Ruderboote und eine kleine platte Fähre, die einen Bauernwagen hinüber nach Hisingen bringt. Aber keine großen Fahrzeuge kommen sachte den Fluß hinan. Er kann nicht einmal irgendwelche dunklen Schiffswracks unten auf dem Älfgrund liegen und vermodern sehen.

Da er nichts Bemerkenswertes unten am Hafen findet, sucht er vielleicht den berühmten Klosterhügel auf. Er wird wohl Spuren der Palisaden und Wälle sehen wollen, die den Hügel einst umgaben. Er wird das hohe Kastell sehen wollen und die langgestreckten Klostergebäude. Er wird sich sagen, daß doch wenigstens einige Trümmer der herrlichen Kirche erhalten sein müßten, in der das Kreuz verwahrt wurde, das wundertätige

Kreuz, das von Jerusalem heimgebracht worden war. Er wird an die heiligen Hügel denken, und sein Herz wird in froher Erwartung pochen. Aber wenn er zu dem alten Hügel kommt, der sich über den Äckern erhebt, findet er dort nichts anderes als einige rauschende Bäume. Er wird dort keine Mauern finden, keine Türme, keine Giebel, von Spitzbogenfenstern durchzogen. Gartenbänke und Stühle wird er unter den Bäumen sehen, doch keinen säulengeschmückten Klosterhof, keine schönbehauenen Grabsteine.

Nun, da er auch hier nichts gefunden hat, wird er vielleicht beginnen, nach dem alten Königshof zu fahnden. Er wird an die großen Säle denken, von denen Kungahälla seinen Namen erhalten hat. Vielleicht könnte doch etwas von dem ellendicken Zimmerholz der Wände übrig sein oder von den tiefen Kellern unter der großen Halle, wo die norwegischen Könige ihre Gastmahle feierten. Er denkt an den glattgrünen Hofplan des Königsschlosses, wo die Könige silberbehufte Fohlen einritten und die Königinnen goldgehörnte Kühe molken. Er muß an das hohe Jungfrauenkämmerlein denken, an das Bräuhaus mit den großen Kesseln, an den großen Bratherd, wo ein halber Ochse auf einmal in den Topf getan wurde und ganze Schweine sich am Spieß drehten. Er denkt an das Gesindehaus und die Falkenkäfige und die Vorratskammern, Gebäude an Gebäude rings um den ganzen Hof, moosbewachsen vom Alter, mit Drachenköpfen geziert. Von so vielen Bauten muß doch irgendeine Spur übrig sein, denkt er. Aber wenn er nach dem alten Königshof fragt, führt man ihn zu einem Herrenhofgebäude mit Glasveranda und Wintergarten. Der Hochsitz ist verschwunden und alle silberbeschlagenen Trinkhörner und alle ochsenhautbezogenen Schilde. Man kann ihm nicht einmal den glatten Hofplatz zeigen mit dem kurzen dichten Gras und den schmalen, in dem schwarzen Erdreich ausgetretenen Gehwegen. Er sieht Gartenerdbeerland und Rosenanpflanzungen, er sieht fröhliche Kinder und junge Mädchen, die unter Apfel- und Birnbäumen spielen. Keine Ritter sieht er, die sich im Wettkampf messen.

Vielleicht fragt er nach der Eiche auf dem Marktplatz, wo die Könige Thing hielten, oder nach der langen Gasse, von der man behauptet, daß sie meilenlang gewesen sei! Oder nach den reichen Kaufmannshöfen, die durch dunkle Gäßchen getrennt waren und alle ihre Anlegebrücken und ihr Bootshaus unten am Älf hatten! Oder nach der Marienkirche am Marktplatz, wo die

Seefahrer kleine getakelte Schiffe opferten und die Betrübten kleine Herzen aus Silber!

Aber nichts wird man ihm zeigen können. Kühe und Schafe weiden da, wo die lange Gasse sich erstreckte. Roggen und Hafer wächst auf dem Markt, und Ställe und Scheunen erheben sich, wo sich einst die Menschen um lockende Kaufstände drängten.

Sicherlich wird ihn dies sehr betrüben. Ist denn nichts übrig, wird er sagen; hat man denn gar nichts, das man mir zeigen kann? Und er wird vielleicht glauben, daß man ihn betrogen hat. Er wird sagen, daß das große Kungahälla unmöglich hier gelegen haben kann. Es muß an anderer Stelle gewesen sein. Da wird man ihn hinab zum Älfstrand führen, und man wird ihm einen grobbehauenen Steinblock zeigen, und wird die silbergrauen Moosflechten herunterscharren, so daß er sehen kann, daß Figuren in den Stein geritzt sind. Er wird gar nicht verstehen können, was sie vorstellen. Sie werden für ihn ebenso undeutbar sein wie die Flecken auf der Mondscheibe. Aber man wird ihm versichern, daß sie ein Schiff und ein Elentier vorstellen und daß sie dort eingeritzt wurden zur Erinnerung an die erste Grundlegung der Stadt.

Und da er noch immer nicht begreift, wird man ihm erzählen, was die Felszeichnung bedeutet.

Markus Antonius Poppius war ein angesehener römischer Kaufmann. Er trieb Handel mit entlegenen Ländern, und vom Hafen in Ostia sandte er wohlausgerüstete Dreiriemer nach Spanien, nach Britannien und auch nach Germaniens Nordküste. Das Glück war ihm günstig, und er sammelte unermeßliche Reichtümer, die er seinem einzigen Sohn als Erbteil zu hinterlassen gedachte. Leider hatte dieser Sohn nicht die Tüchtigkeit seines Vaters geerbt. Ach, die ganze Welt kennt solche Verhältnisse! Der einzige Sohn eines reichen Mannes! Braucht man mehr zu sagen? Es ist stets dasselbe gewesen.

Man könnte glauben, daß die Götter den reichen Männern diese unleidlichen Faulenzer, diese stumpfen, blassen, müden Toren zu Söhnen geben, um den Menschen zu zeigen, welche grenzenlose Narretei es ist, Reichtümer anzusammeln. Wann werden die Menschen ihre Augen öffnen? Wann werden sie anfangen, die Lehren der Götter zu beherzigen?

Der junge Silvius Antonius Poppius war im Alter von zwanzig Jahren so weit, daß er alle Genüsse des Lebens erprobt hatte. Er gab auch gerne zu verstehen, daß er ihrer müde war, aber dessen ungeachtet merkte man kein Erkalten in dem Eifer, mit dem er ihnen nachjagte. Im Gegenteil, er wurde ganz verzweifelt, als ein hartnäckiges wunderliches Mißgeschick, das auf einmal anfing, ihn zu verfolgen, störend in sein Genußleben eingriff. Seine numidischen Pferde lahmten am Tag vor dem vornehmsten Wettfahren des Jahres, seine unerlaubten Liebesverbindungen wurden entdeckt, sein geschicktester Koch starb am Sumpffieber. Dies war mehr als genug, um eine Sinnesstärke zu brechen, die sich nicht in Mühen und Anstrengung gestählt hatte. Der junge Poppius fühlte sich so unglücklich, daß er beschloß, sich das Leben zu nehmen. Er schien zu glauben, daß er in keiner wirksameren Weise jene Götter des Mißgeschicks prellen konnte, die ihn verfolgten und ihm das Leben zur Qual machten.

Es gibt Unglückliche, die Hand an sich legen, um den Verfolgungen der Menschen zu entfliehen, doch nur ein Tor wie Silvius Antonius konnte einen solchen Ausweg suchen wollen, um den Göttern zu entfliehen. Man denkt dabei an die berühmte Erzählung von dem Mann, der vor dem Löwen floh und gerade in seinen aufgerissenen Rachen sprang. Der junge Poppius war allzu weich gesinnt, um einen blutigen Tod zu wählen. Ebensowenig sagte es ihm zu, durch ein qualvolles Gift zu sterben. Nach reiflicher Überlegung beschloß er den sanften Tod in den Wellen. Aber als er hinab zum Tiber kam, um sich zu ertränken, konnte er sich nicht überwinden, seinen Körper dem schmutzigen, schwer dahingleitenden Flußwasser anzuvertrauen. Eine gute Weile stand er unentschlossen und starrte in den Strom. Da ward er von der Zaubermacht ergriffen, die träumend über den Flüssen liegt. Er empfand das große heilige Sehnen, das Meer zu sehen.

»Ich will in einem klarblauen Meer sterben, das bis hinab zu seinem Grund vom Sonnenlicht durchleuchtet wird«, sagte Silvius Antonius. »Mein Leib soll auf einem roten Bett von Korallen ruhen. Die Schaumwellen, die ich emporjage, wenn ich in die Tiefe versinke, sollen schneeweiß und frisch sein, sie sollen nicht den rußbefleckten Schaumblasen gleichen, die hier am Flußrande stehen und zittern.«

Er eilte sogleich heim, ließ einspannen und fuhr hinaus nach Ostia. Er wußte, daß ein Schiff seines Vaters segelfertig im Hafen lag. Der junge Poppius trieb seine Pferde zur äußersten Eile an, und es glückte ihm, an Bord zu kommen, gerade als die Anker gelichtet wurden. Es ist leicht zu begreifen, daß er keinerlei Gepäck oder Ausrüstung nötig zu haben meinte. Es fiel ihm nicht einmal ein, den Schiffer zu fragen, wohin er steuerte. Es ging ja auf alle Fälle hinaus ins Meer, und das war genug für ihn.

Es dauerte auch nicht lange, so erreichte der junge Selbstmörder das, was er wünschte. Der Dreiriemer hatte die Tibermündung hinter sich gelassen, und das Mittelmeer breitete sich vor Silvius Antonius aus, blau, schaumglitzernd und sonnenbeglänzt. Das Meer war so, daß Silvius Antonius den Poeten glaubte, die das wallende Wasser nur eine dünne Hülle nennen, hinter der sich die schönste Welt verberge. Er glaubte ihren Worten, daß der, welcher mutig die Wasserdecke durchdringt, sogleich das Perlenschloß des Meeresgottes erreicht. Der junge Mann beglückwünschte sich, diese Todesart gewählt zu haben. Eigentlich konnte man es nicht so nennen; es war unmöglich zu glauben, daß dieses schöne Wasser töten konnte. Es war nur ein Weg in eine Welt, deren Genüsse nicht trügerisch sein und nicht Müdigkeit und Ekel hinterlassen würden.

Nur mit Mühe konnte er seinen Eifer zügeln. Doch das Verdeck rings um ihn war voller Seeleute. Silvius Antonius sah ein, daß, wenn er jetzt ins Meer sprang, ganz einfach einer der hurtigen Seeleute seines Vaters sich ins Wasser stürzen und ihn herausfischen würde. Inzwischen kam der Schiffer, nachdem die Segel gehißt und die Ruderer recht in Fahrt gekommen waren, mit der größten Höflichkeit auf ihn zu.

»Du willst mir also nach Germanien folgen, mein Silvius«, sagte er. »Du erweist mir eine große Ehre.«

Der junge Poppius erinnerte sich mit einem Mal, daß dieser Mann nie von einer Reise heimgekehrt war, ohne ihm irgendeinen seltenen Gegenstand aus den Barbarenländern mitgebracht zu haben. Er hatte ihm Holzstücke geschenkt, aus denen die Wilden Feuer hervorlocken konnten, große Ochsenhörner, die sie als Trinkgefäße benutzten, und ein Halsband aus Bärenzähnen, das die besondere Zierde eines großen Häuptlings gewesen war.

Dieser prächtige Mann strahlte vor Befriedigung darüber, den Sohn seines Herrn an Bord seines Schiffes zu haben. Er sah es als einen neuen Beweis der Klugheit des alten Poppius an, daß er den Sohn in entlegene Länder sandte und ihn nicht länger unter den trägen jungen Männern umhergehen und verweichlichen ließ.

Der junge Poppius riß ihn nicht aus seinem Irrtum. Er fürchtete, daß der Schiffer sogleich mit ihm umkehren würde, wenn er ihm etwas von seiner Absicht verriet.

»Wahrlich, Galenas«, sagte er, »ich wollte dich nur zu gerne auf dieser Reise begleiten; allein ich fürchte, daß ich dich bitten muß, mich in Bajae ans Land zu setzen. Ich habe meinen Entschluß zu spät gefaßt. Hier siehst du mich ohne Gepäck, ohne Geld.«

Aber Galenas beteuerte, daß dieser Mangel leicht behoben werden könne und er deshalb nicht auf die Reise zu verzichten brauche. Befand er sich nicht auf dem wohlausgerüsteten Schiff seines Vaters? Er müsse weder warme pelzgefütterte Kleider entbehren, wenn das Wetter rauh würde, noch leichte Gewänder aus syrischen Geweben, wie Seeleute sie anzulegen pflegen, wenn sie bei gutem Wetter in irgendeinem freundlichen Archipel kreuzen.

Drei Monate nach der Abfahrt von Ostia ruderte Galenas' Dreiriemer durch eine felsige Inselgruppe. Weder der Schiffer noch irgend jemand aus der Mannschaft wußte genau, wo sie sich befanden, aber sie waren froh, für eine Weile vor den Stürmen geschützt zu sein, die draußen auf dem offenen Meer tobten. Man hätte wirklich glauben können, Silvius Antonius habe recht mit seiner Behauptung, daß eine Gottheit ihn verfolge. Niemand auf dem Schiff hatte je eine solche Reise erlebt. Die unglücklichen Seeleute sagten einander, sie hätten seit ihrer Abfahrt von Ostia nicht zwei Tage lang schönes Wetter gehabt. Ein Sturm hatte den andern gejagt. Unglaublichen Leiden hatten sie sich unterwerfen müssen. Hunger und Durst hatten sie gequält, während sie Tag und Nacht, ermattet und beinahe krank vor Müdigkeit, Ruder und Segel hatten bedienen müssen.

Es erhöhte den Mißmut der Seeleute, daß sie keinen Handel treiben konnten. Wie hätten sie einer Küste nahen sollen, um ihre Waren auf dem Strand auszubreiten und Tauschgeschäfte abzuschließen, bei solchem Wetter! Im Gegenteil, sowie sie eine Küste aus dem hartnäckigen, regenschweren Nebel, der sie umgab, auftauchen sahen, hatten sie hinaus ins Meer steuern müssen, aus Furcht vor ihren schaumumsprühten Klippen. Eines Nachts, als sie auf einer Klippe festsaßen, hatten sie die halbe Ladung ins Meer werfen müssen. Und an die andere Hälfte wagten sie kaum zu denken, denn war es nicht zu befürchten, daß auch sie gänzlich verdorben sein würde, nach all den Sturzwellen, die über das Schiff gekommen waren?

Aber wenn Galenas und seine Männer gewußt hätten, warum der junge Poppius an Bord gekommen war, würden sie es ganz gewiß bitter beklagt haben, daß er seine Absicht nicht ausführte, denn sie waren alle überzeugt, daß seine Anwesenheit dieses Mißgeschick verschuldet hatte. In mancher dunklen Nacht hatte Galenas befürchtet, die Seeleute würden sich auf den Sohn des Reeders stürzen und ihn ins Meer werfen. Mehrere von ihnen erzählten, sie hätten in den schauerlichen Sturmnächten dunkle Hände gesehen, die sich aus dem Wasser emporreckten und nach dem Schiff griffen. Und man glaubte, kein Los unter der Schiffsmannschaft werfen zu müssen, um den zu finden, den diese Hände hinab in die Tiefe reißen wollten. Der Schiffer wie die Mannschaft erwiesen Silvius Antonius die große Ehre, zu glauben, daß um seinetwillen alle diese Stürme die Luft durchbrausten und das Meer aufpeitschten.

Wenn Silvius Antonius sich in dieser Zeit wie ein Mann betragen, wenn er seinen Teil an der Arbeit auf sich genommen hätte, vielleicht hätte einer seiner Begleiter Mitleid mit ihm gehabt als einem Unglücklichen, der sich den Zorn der Götter zugezogen.

Aber der junge Mann hatte es nicht verstanden, ihr Mitgefühl zu erwerben. Er hatte an nichts anderes gedacht, als sich gegen den Wind zu schützen und Pelzwerk und Decken aus der Ladung hervorzusuchen, um nicht frieren zu müssen.

Doch für den Augenblick waren alle Klagen über seine Anwesenheit verstummt. Als es dem Sturm gelungen war, den Dreiriemer in die erwähnte Inselgruppe zu treiben, hatte er aufgehört zu rasen. Er betrug sich wie ein Schäferhund, der verstummt und sich stillhält, sobald er die Herde auf dem rechten Weg heim zum Stall sieht. Die schweren Wolken zogen vom Himmel fort. Die Sonne schien. Zum erstenmal auf dieser Reise fühlte die Schiffsmannschaft, wie sich das Wohlbehagen des Sommers über die Natur breitete.

Auf diese sturmgejagten Männer wirkten der Sonnenschein und die Wärme fast wie ein Rausch. Anstatt sich nach Ruhe und Schlaf zu sehnen, fühlten sie sich munter wie morgenfrohe Kinder. Die Hoffnung erwachte aufs neue in ihnen. Sie vermuteten, daß sie ein großes bewohntes Festland hinter dieser Menge von felsigen Klippen finden würden. An dieser fremden Küste, die vielleicht noch nie zuvor ein römisches Schiff besucht hatte, würden ihre Waren höchstwahrscheinlich guten Absatz finden. Es würde ihnen vielleicht doch noch glücken, einen vorteilhaften Tauschhandel abzuschließen, die Schiffsräume mit großen Häuten von Bären und Elentieren zu füllen, mit weißem Wachs und goldschimmerndem Bernstein. Während der Dreiriemer sich weiter seinen Weg durch die Klippen suchte, die immer höher wurden und immer reicher an saftigem Grün und Wald, eilte man, ihn zu schmücken, damit er die Blicke der Barbaren auf sich ziehe. Das Schiff, schon ohne allen Zierat das schönste aller Menschenwerke, lag bald auf den Wellen, an Pracht mit dem herrlichstbefiederten Vogel wetteifernd. Eben erst vom Sturm getrieben und verheert, trug es nun eine goldene Mastspitze und herrliche purpurgeränderte Segel. Am Kiel erhob sich ein herrliches Neptunbild und am Hintersteven ein Zelt aus vierfarbigen seidenen Tüchern. Und man darf nicht glauben, daß die Seeleute es versäumten, die Schiffsseiten mit Teppichen zu behängen, deren Fransen auf dem Wasser schleiften, oder die schweren Ruder mit Goldbändern zu umwinden.

Auch behielt das Schiffsvolk nicht die salzgetränkten Kleider an, die es während der Reise getragen und die das Meerwasser und die Stürme in Lumpen verwandelt hatten. Sie hüllten sich in weiße Gewänder, schlangen Purpurschärpen um den Leib und drückten sich blinkende Ringe ins Haar. Selbst Silvius Antonius raffte sich aus seiner Dumpfheit auf. Er sah aus, als freue er sich, daß er nun endlich etwas zu tun bekam, worauf er sich verstand. Er ließ sein Haupthaar scheren und seinen ganzen Körper mit duftenden Essenzen einreiben. Dann warf er ein bis zum Boden reichendes Gewand um, befestigte einen Mantel auf seinen Schultern, drückte sich einen breiten Goldreif ins Haar, und aus dem großen Schmuckschrein, den Galenas für ihn öffnete, nahm er Ringe und Armbänder, eine Halskette und einen goldenen Gürtel. Als er fertig gekleidet war, rollte er die Purpurgardinen des Seidenzeltes zurück und legte sich auf ein niedriges Ruhebett in der Zeltöffnung, um von den Bewohnern der Ufer gesehen zu werden.

Während dieser Zurüstungen war das Schiff durch einen immer engeren und engeren Sund geglitten, und endlich merkten die Seeleute, daß sie in die Mündung eines Flusses geraten waren. Man segelte in Süßwasser. Das Festland breitete sich zu beiden Seiten des Schiffes aus.

Der Dreiriemer glitt langsam auf dem glitzernden Älf dahin. Das Wetter war herrlich, die ganze Natur strahlend ruhig. Aber wie lieblich wurde die große Einsamkeit durch das prachtvolle Kauffahrteischiff belebt!

An beiden Ufern des Flusses wuchs hoher, dichter Urwald. Die dunklen Nadelbäume standen dichtgedrängt bis zum Wasser hinab. In seinem ewigen Lauf war es dem Älf gelungen, die Erde zwischen den Baumwurzeln zu entführen, und noch mehr als durch den Anblick der uralten Bäume wurden die Seeleute durch die nackten Wurzeln, die Riesengliedern ähnelten, ehrfürchtig gestimmt. Hier, dachten sie, wird es dem Menschen niemals glücken, Saat auszuwerfen, nie wird hier Raum für eine Stadt oder auch nur für ein Landgut geschaffen werden können. In meilenweitem Umkreis ist ja der Boden von diesem Netzwerk stahlharter Wurzeln durchzogen. Dies allein ist genug, um die Macht des Waldes ewig, unveränderlich zu gestalten.

Den Fluß entlang standen die Bäume so dicht, und ihr Astwerk war so ineinander verflochten, daß es feste und undurchdringliche Mauern bildete. Diese Mauern aus stechenden Nadeln waren so stark und hoch, daß keine befestigte Stadt sich eine gewaltigere Verschanzung hätte wünschen können.

Aber hier und dort fand sich doch eine Öffnung in der Nadelmauer. Das waren die Mündungen der Pfade, auf denen die Tiere hinab zum Älf zu kommen pflegten, um zu trinken.

Durch diese Öffnungen konnten die Fremdlinge einen Blick in den Wald werfen. Nie hatten sie etwas Ähnliches gesehen. In sonnenloser Dämmerung wuchsen Bäume, deren Stämme mächtiger waren als die Türme an Roms Pforten. Da war ein Gewirr von Bäumen, die miteinander um Luft stritten. Bäume drängten sich und kämpften, Bäume verkümmerten und wurden von anderen Bäumen zu Boden gebeugt. Bäume wurzelten in Ästen anderer Bäume. Bäume stritten und wetteiferten wie Menschen.

Aber wenn Tiere oder Menschen in dieser Baumwelt ihr Wesen trieben, dann mußten sie auf eine andere Art leben als die Römer; denn vom Boden bis hinauf zu den Wipfeln war der ganze Wald ein Netzwerk aus steifen, starren Zweigen. Von diesen Zweigen flatterten ellenlange Zipfel grauer Moosflechten herab und verwandelten Bäume in Zauberriesen mit Haar und Bart. Aber unter ihnen war der Waldboden mit modernden Stämmen bedeckt, und der Fuß wäre in dem vermorschenden Holz eingesunken wie in schmelzendem Schnee.

Aus dem Wald heraus drang ein Duft, den alle auf dem Schiff als etwas zart Betäubendes empfanden. Es war der starke Duft von Harz und wildem Honig, der sich mit dem modrigen Geruch von faulenden Stämmen und roten und gelben Riesenpilzen vermischte.

Ohne Zweifel lag in alledem etwas Erschreckendes, aber es war auch erhebend, der Natur in ihrer ganzen Macht zu begegnen, ehe noch Menschen in ihre Gewalt eingegriffen hatten. Es währte nicht lange, so begann einer der Seeleute eine Hymne an den Waldesgott zu summen, und unwillkürlich fiel die ganze Mannschaft in den Sang ein. Es war nicht mehr so, daß sie erwarteten, Menschen in dieser Waldwelt zu finden. Ihre Herzen wurden von frommen Gedanken aufgeschlossen. Sie dachten an den Waldesgott und seine Nymphen. Sie sagten sich, daß Pan, aus Hellas' Wäldern verscheucht, in den äußersten Norden geflohen war. Mit frommen Gesängen zogen sie in sein Reich ein.

Während jeder Pause im Gesang hörten sie eine leise Musik im Wald. Die Nadeln hoch oben in den Baumwipfeln, die in der Mittagshitze zitterten, spielten und sangen. Immer häufiger hielten die Seeleute im Gesang inne, um zu horchen, ob nicht auch Pans Flöte bald erklingen wollte. Immer langsamer wurde das Schiff von den Rudern dahingetrieben. Die Seeleute spähten hinab ins Wasser, das goldgrün und schwarzviolett unter den

Tannen floß. Sie spähten in das hohe Schilf, dessen Blätter in der Strömung bebten und raschelten. Es lag eine solche Erwartung über ihnen, daß sie beim Anblick einer irrenden Libelle und beim Anblick der weißen Wasserrosen, die in dem schönen Dunkel tief zwischen den Schilfhalmen leuchteten, zusammenzuckten. Und wieder ertönte der Sang: »Pan, du, des Waldes Beherrscher!«

Sie hatten jeden Gedanken an Kauf und Handel aufgegeben. Sie fühlten, daß sie an der Pforte zu den Wohnstätten der Götter standen. Alle irdische Sorge war von ihnen gewichen.

Da, mit einem Male, an der Mündung eines dieser Tierpfade – da stand ein Elen, ein königliches Tier mit breiter Stirn und einem Wald von Geweihenden.

Auf dem Dreiriemer entstand atemloses Schweigen. Die Ruder, gegen das Wasser gestemmt, hemmten die Fahrt. Silvius Antonius erhob sich von seinem Purpurbett.

Aller Augen waren auf den Elenhirsch gerichtet. Man glaubte etwas wahrzunehmen, das er auf seinem Rücken trug, doch das Waldesdunkel und die herabhängenden Zweige machten es unmöglich, deutlich zu sehen.

Das gewaltige Elen stand lange und witterte mit erhobener Schnauze gegen den Dreiriemer. Endlich schien es einzusehen, daß es kein feindlicher Gegenstand war; es machte einen Schritt hinab ins Wasser. Noch einen. Hinter den breiten Hörnern schimmerte immer deutlicher etwas Helles, Rosiges hervor. Trug vielleicht das Elen auf seinem Rücken eine ganze Ernte wilder Rosen?

Die Schiffsmannschaft machte einige vorsichtige Bewegungen mit den Rudern. Der Dreiriemer kam dem Tier entgegen. Er glitt gleichsam wie von selbst immer näher an die Schilfkante heran.

Der Elenhirsch schritt sachte hinaus ins Wasser, setzte behutsam den Fuß auf, um nicht in den Wurzeln am Grunde des Älfs hängenzubleiben.

Nun sah man deutlich über den Hörnern ein Mädchenantlitz, von hellem Haar umgeben. Das Elen trug auf seinem Rücken eine jener Nymphen, die man erwartet hatte, die sich naturnotwendig in dieser Urwelt befinden mußten.

Das Volk auf dem Dreiriemer ward von heiliger Verzückung ergriffen. Einer aus ihrer Mitte, der aus Sizilien stammte, erinnerte sich an ein Lied, das er in seiner Jugend gesungen, als er auf den blumenreichen Ebenen um Syracusa spielte.

Er begann zu summen:

»Nymphe, Arethusa genannt,
Nymphe, aus Blumen geboren,
Du, die durch Wälder und Flur wandeltest,
Mondscheinweiß ...«

Und als die sturmfesten Männer die Worte erfaßten, suchten sie das orkangleiche Brausen ihrer Stimmen zu dämpfen und sangen:

»Nymphe, Arethusa genannt,
Nymphe, aus Blumen geboren ...«

Man lenkte das Schiff immer näher und näher an die Schilfkante. Man achtete nicht darauf, daß es schon ein paar Mal auf dem Grund gescharrt hatte. Aber das junge Waldwesen saß und spielte Verstecken hinter dem Geweih des Elenhirschs. Bald verbarg sie sich, bald lugte sie hervor. Sie hielt das Elen nicht an; sie trieb es weiter hinaus ins Wasser.

Als das hochbeinige Tier ein Stück vorwärtsgekommen war, liebkoste sie es, um es aufzuhalten. Sie beugte sich hinab und riß ein paar Wasserrosen ab. Die Männer auf dem Schiffe sahen einander beschämt an. Die Nymphe war also einzig und allein gekommen, um die weißen Seerosen zu pflücken, die auf dem Älfwasser schaukelten. Sie war nicht um der römischen Seeleute willen gekommen.

Da zog Silvius Antonius einen Ring vom Finger, stieß einen Ruf aus, der die Nymphe aufblicken ließ, und warf ihr den Ring zu. Sie streckte die Hand vor und fing ihn auf. Ihre Augen begannen zu glänzen. Sie streckte die Hand nach mehr aus. Silvius Antonius warf noch einen Ring. Sie warf mit einem Mal die Wasserrosen zurück in den Fluß und trieb den Elenhirsch weiter hinaus ins Wasser. Zuweilen hielt sie an, da kam ein Ring von Silvius Antonius und lockte sie vorwärts.

Plötzlich wich alles Zaudern von ihr. Die Farbe auf ihren Wangen stieg. Sie kam dem Schiff näher, ohne daß man sie zu locken brauchte. Das Elen ging bis zu den Schultern im Wasser. Und da beugten sich die Seeleute über die Brüstung, um der schönen Nymphe an Bord zu helfen, für den Fall, daß sie das Verdeck des Dreiriemers besteigen wollte.

Doch sie sah keinen anderen als Silvius Antonius, der ringgeziert und perlgeschmückt dastand, prächtig wie ein Sonnenaufgang. Und als der junge Römer merkte, daß die Augen der Nymphe auf ihn gerichtet waren, beugte er sich weiter vor als jeder andere. Man rief ihm zu, sich zu hüten, festen Fuß zu verlieren und ins Wasser zu stürzen. Aber diese Warnung war vergeblich. Ungewiß ist es, ob die Nymphe durch einen heftigen Ruck Silvius Antonius an sich zog oder wie es sonst zuging, genug, er war über Bord, ehe jemand daran denken konnte, ihn zu ergreifen.

Doch war keine Gefahr, daß Silvius Antonius ertrank. Die Nymphe streckte ihre rosigen Arme aus und fing ihn auf. Er hatte kaum den Wasserspiegel berührt. Im selben Augenblick machte ihr Traber kehrt, stürzte durchs Wasser fort und verschwand im Wald. Und laut vernahm man das Lachen der wilden Reiterin, als sie Silvius Antonius entführte.

Galenas und seine Mannen standen einen Augenblick lang schreckgelähmt. Wie bei einem Unglück zur See warfen etliche die Kleider ab, um ans Land zu schwimmen. Galenas gebot ihnen Halt.

»Zweifelsohne ist dies der Götter Wille«, sagte er. »Um dessentwillen haben sie Silvius Antonius Poppius durch tausend Stürme hin zu diesem unbekannten Land gejagt. Laßt uns froh sein, daß wir ein Werkzeug ihres Willens waren. Aber laßt uns auch nicht versuchen, die Götter zu hindern!«

Und die Seeleute nahmen gehorsam ihre Ruder wieder auf und fuhren den Älf hinan, und zu dem taktmäßigen Schlag der Ruder summten sie leise den Sang von Arethusas Flucht.

Wenn man nun diese Erzählung beendet hat, muß ja der Reisende die alte Felsenzeichnung verstehen. Er muß den Elenhirsch mit dem vielverzweigten Geweih sehen können und den Dreiriemer mit den langen Rudern. Man verlangt nicht, daß er Silvius Antonius Poppius sehe und die schöne Urwaldkönigin, denn um sie zu sehen, ist es notwendig, daß man mit den Augen der alten Sagenerzähler sieht.

Und er wird auch verstehen, daß die Felseneinritzung von dem jungen Römer selbst herrührt und daß es sich mit der alten Erzählung ebenso verhält. Silvius Antonius hat sie Wort für Wort seine Nachkommen gelehrt. Er wußte ja, daß es sie freuen würde zu wissen, daß sie von den weltberühmten Römern abstammten.

Aber natürlich braucht der Fremde nicht zu glauben, daß eine von Pans Nymphen an diesem Flußufer wandelte. Er kann ja begreifen, daß ein wilder Menschenstamm im Urwald umherzog und daß die Reiterin des großen Elenhirschs die Tochter des Königs war, der diese Menschen beherrschte. Als die Königstochter Silvius Antonius entführte, hatte sie sicherlich nur seinen Schmuck an sich reißen wollen! Sie hatte gar nicht an Silvius Antonius gedacht, sie hatte wohl kaum gewußt, daß er ein Mensch war wie sie!

Und der Reisende kann ja verstehen, daß Silvius Antonius' Name nicht noch heute an diesen Ufern in Erinnerung wäre, wenn er immer derselbe Tor geblieben wäre. Er kann ahnen, daß der junge Römer durch das Unglück und die Not erhoben wurde und daß er, nachdem er der verachtete Sklave der Wilden gewesen war, ihr König ward. Er war es, der auf den Urwald mit Feuer und Stahl losging. Er errichtete den ersten festgezimmerten Hof. Er ließ Schiffe bauen und Saat auswerfen. Er legte den Grund zu der Herrlichkeit des großen Kungahälla.

Und wenn der Reisende dies hört, wird er mit froheren Blikken über die Fluren sehen als früher. Denn obgleich der Stadtgrund sich in Felder und Wiesen verwandelt hat und auf dem Älf keine Segler mehr fahren, ist es doch dieser Boden, der ihn Bilder aus der Vergangenheit sehen und ihn die Luft der Träume atmen läßt.

Es war einmal ein schöner Frühling. Und das war gerade der Frühling, in dem die schwedische Königin Sigrid Storråda in Kungahälla mit dem norwegischen König Olaf Tryggvason zusammentreffen sollte, um mit ihm über ihre Heirat zu beschließen.

Es war ganz wunderlich, daß König Olaf Königin Sigrid besitzen wollte, denn freilich war sie reich, schön und hochgesinnt, aber dabei die ärgste Heidin, während König Olaf Christ war und nichts anderes im Sinn hatte, als Kirchen zu bauen und die Menschen zu zwingen, sich taufen zu lassen. Aber vielleicht dachte er, daß der Herr, Gott in der Höh, sie bekehren würde.

Doch noch wunderlicher war es, daß der Frühling sogleich begann, als Storråda König Olafs Sendboten kundgetan hatte, sie wollte nach Kungahälla segeln, sobald das Meer eisfrei sei. Alle Kälte und aller Schnee flohen dahin, während sonst um diese Zeit noch strenger Winter zu sein pflegte.

Und als Storråda davon sprach, daß sie anfangen wollte, ihre Schiffe auszurüsten, verschwand das Eis aus den Fjorden, die Wiesen begannen zu grünen, und obgleich es noch lange vor Mariä Verkündigung war, konnte das Vieh hinaus auf die Weide getrieben werden.

Als das Schiff der Königin zwischen den Ostgotlandinseln hinaus in die Ostsee fuhr, saßen Kuckucke auf den Klippen und riefen, obschon es noch so früh war, daß man kaum hätte hoffen können, eine Lerche zu hören.

Und wo Storråda vorbeizog, war große Freude. All die Riesen, die unter König Olafs Regierung aus Norwegen hatten fliehen müssen, weil sie das Geläute der Kirchenglocken nicht hören konnten, zogen auf die Berggipfel, als sie Storråda vorübersegeln sahen. Sie rissen junge Laubbäume mit der Wurzel aus und winkten mit ihnen der Königin zu, und als sie in ihre Steinhütten gingen, wo ihre Frauen in Sehnsucht und Kummer saßen, lachten sie und sagten: »Nun, Weib, sollst du nicht mehr betrübt sein. Nun fährt Skorråda zu König Olaf. Nun können wir bald wieder nach Norwegen kommen.«

Als die Königin am Kullaberg vorbeisegelte, kam der Kullamann aus seiner Berghöhle. Und er ließ den schwarzen Berg sich auftun, so daß sie die Gold- und Silberadern dort drinnen sehen konnte, und sie ergötzte sich an dem Reichtum.

Als Storråda an den Hallandsflüssen vorbeifuhr, trieb der Nöck seine Fälle und Gießbäche hinab und kam bis zur Flußmündung und spielte auf seiner Harfe, so daß die Schiffe auf den Wellen tanzten.

Als sie an der Nidingerklippe vorübersegelte, da lagen die Meerfrauen da und bliesen in Muscheln, so daß das Wasser in hohen Schaumpfeilern emporspritzte. Aber als Gegenwind aufkam, stiegen häßliche Trolle aus der Tiefe und halfen Storråda das Schiff über die Wellen zu führen. Einige schoben, andere nahmen Seile aus Seegras in den Mund und spannten sich vor das Schiff wie Pferde.

Die wildesten Wikinger, die König Olaf um ihrer Arglist willen nicht im Lande dulden wollte, kamen zum Schiff der Königin herangerudert, mit herabgezogenen Segeln und erhobenen Enterhaken, um Streit zu beginnen. Aber als sie die Königin erkannten, ließen sie sie unversehrt weiterfahren und riefen ihr nach: »Wir trinken einen Becher auf deine Hochzeit, Storråda.«

Alle Heiden, die an der Küste entlang hausten, legten Holz auf ihre Steinaltäre und opferten den alten Göttern Schafe und Ziegen, damit sie Storråda beistehen sollten auf ihrer Fahrt zu dem norwegischen König.

Als die Königin den Nordre Älf hinaufsegelte, kam die Seejungfer an das Schiff geschwommen, streckte ihren weißen Arm aus der Tiefe empor und reichte ihr eine große klare Perle. »Trage sie, Storråda«, sagte sie, »auf daß König Olaf bezaubert werde von deiner Schönheit und dich niemals vergessen kann.« Als die Königin den Fluß eine kleine Strecke hinaufgefahren war, hörte sie ein starkes Brausen und Tosen, so daß sie meinte, sich einem Wasserfall zu nähern. Je weiter die Königin kam, desto mehr nahm das Lärmen zu, und sie glaubte schließlich, sie käme mitten in eine große Schlacht.

Aber als die Königin an der Gullinsel vorbeiruderte und in eine breite Bucht einbog, sah sie das große Kungahälla am Flußufer liegen.

Die Stadt war so groß, daß, so weit sie auch den Fluß hinaufsah, immer noch Hof an Hof lag. Jeder war ansehnlich und wohlgezimmert, mit vielen Nebengebäuden; schmale Gäßchen liefen zwischen den grauen Holzwänden hinab zum Fluß, breite Höfe öffneten sich vor den Häusern, festgestampfte Wege führten von jedem Haus hinab zur Bootshütte und zu den Brücken.

Storråda befahl ihren Ruderern, die Ruder langsam zu heben. Sie stand hoch im Hintersteven des Schiffes und sah zum Strand. »Nie habe ich etwas Ähnliches gesehen«, sagte sie.

Nun begriff sie, daß das starke Getöse, welches sie gehört, einzig und allein von all der Arbeit kam, die in Kungahälla im Frühling vor sich ging, wenn die Schiffe ihre langen Fahrten antraten. Sie hörte Schmiede hämmern; die Teigwalker klapperten in der Backstube, Zimmerholzplanken wurden geräuschvoll auf schwere Prahme geladen, junge Burschen entrindeten Mastbäume und hobelten breite Ruderblätter.

Manchen grünen Hof sah sie, wo Mädchen saßen und Seile für die Seefahrenden drehten, wo alte Männer mit der Nadel in der Hand hockten und in graue Friessegel Lappen einsetzten. Sie sah Bootsbauer die neuen Boote teeren. Nägel wurden in starke Eichenplanken geschlagen. Aus den Bootshütten wurden Schiffe geschoben, um verdichtet zu werden. Alte Fahrzeuge wurden mit neugemalten Drachenbildern geschmückt. Waren wurden aufgestapelt. Leute sagten hastig Lebewohl. Schwer bepackte Schiffskisten wurden an Bord getragen. Schiffe, die schon fertig waren, stießen vom Land ab. Storråda sah, daß die Schiffe, welche den Fluß hinaufruderten, schwere Ladungen von Heringen und Salz mit sich führten, während andere nach Westen dem offenen Meer zusteuerten, hoch mit kostbarem Eichenholz, Häuten und Fellen beladen. Als die Königin dieses sah, lachte sie vor Freude. Sie sagte, daß sie gerne König Olafs Gemahlin sein wollte, um über eine solche Stadt zu herrschen.

Storråda ruderte zur Brücke des Königshofs. Da stand König Olaf zu ihrem Empfang, und als sie ihm entgegentrat, da schien sie ihm die Schönste, die er je gesehn.

Sie gingen miteinander hinauf zum Königshof, und zwischen ihnen beiden war große Eintracht und Freundschaft. Und als sie sich zu Tisch setzten, lachte und scherzte Storråda mit dem König die ganze Zeit, während der Bischof das Tischgebet las, und der König lachte und sprach auch, als er sah, daß es Storråda so gefiel.

Als sie die Mahlzeit beendet hatten und alle die Hände falteten, um dem Gebete des Bischofs zu lauschen, begann Storråda dem König von ihren Reichtümern zu erzählen. Sie fuhr damit fort, solange das Tischgebet dauerte.

Und der König hörte auf Storråda, aber nicht auf den Bischof.

Der König setzte Storråda auf den Hochsitz, und er selbst ruhte zu ihren Füßen, und Storråda erzählte ihm, wie sie zwei

Unterkönige, die es gewagt hatten, sie zu freien, hatte einschließen und verbrennen lassen. Und der König freute sich und dachte, so sollte es allen Unterkönigen ergehen, die es wagten, um ein solches Weib wie Storråda zu freien.

Als es zur Vesper läutete, erhob sich der König, um nach seiner Gepflogenheit zur Marienkirche zu gehen und dort zu beten. Aber da rief Storråda ihren Skalden, und er sang das Lied von Brünhild, die Sigurd Fafnisbane töten ließ. Und König Olaf ging nicht in die Kirche, sondern saß da und betrachtete Storrådas mächtige Augen und sah, wie dicht die schwarzen Augenbrauen sich abzeichneten. Da begriff er, daß Storråda Brünhild war und daß sie ihn töten würde, wenn er ungetreu wäre. Er dachte auch, daß sie das Weib dazu war, sich zusammen mit ihm auf einem Scheiterhaufen verbrennen zu lassen. Während in der Marienkirche zu Kungahälla die Priester die Messe lasen und beteten, saß König Olaf und dachte, daß er wohl nach Walhall reiten wollte, mit Storråda vor sich auf dem Pferd.

Nachts hatte der Fährmann am Älfhügel, der die Leute in seinem Nachen über den Götaälf brachte, mehr zu tun, denn je zuvor. Einmal ums andere wurde er hinüber zum andern Ufer gerufen, aber wenn er hinkam, war nie jemand zu sehen. Doch hörte er Schritte rings um sich, und das Boot wurde so schwer, daß es beinahe sank. Er fuhr die ganze Nacht hin und her und wußte nicht, was das bedeuten sollte. Aber am Morgen war der Sand am Flußufer voll kleiner Fußstapfen, und in den Fußstapfen fand der Fährmann kleine welke Blätter, die, als er sie näher betrachtete, sich als eitel Gold erwiesen. Da wurde es ihm klar, daß all die Kobolde und Heinzelmännchen, die um des Christentums willen aus Norwegen geflohen waren, nun wiedergekehrt waren.

Aber der Riese, der im Fontinsberge östlich von Kungahälla hauste, nahm große Steinblöcke und warf Block um Block gegen den Turm der Marienkirche, solange die Nacht währte. Wäre der Riese nicht so stark gewesen, daß alle seine Steine über den Fluß flogen und weit weg in Hisingen niederfielen, hätte ein großer Schaden daraus entstehen können.

König Olaf hatte die Gepflogenheit, jeden Morgen zur Messe zu gehen, aber da Storråda in Kungahälla war, meinte er keine Zeit zu haben. Sowie er aufgestanden war, wollte er sogleich hinab zum Hafen gehen, wo sie auf ihrem Schiff wohnte, um sie zu fragen, ob sie am Abend ihr Verlöbnis mit ihm feiern wolle.

Der Bischof hatte den ganzen Morgen die Glocken in der Marienkirche läuten lassen; und als der König aus dem Königshof trat und über den Markt ging, da wurden die Kirchentüren weit geöffnet, und lieblicher Gesang strömte ihm entgegen. Aber der König ging weiter, als hätte er nichts gehört. Da ließ der Bischof die Glocken innehalten; der Gesang hörte auf, und die Lichter erloschen.

Das kam so plötzlich, daß der König einen Augenblick stehenblieb und zurück zur Kirche sah. Es dünkte ihn, daß die Kirche unansehnlicher war, als er je zuvor gemerkt hatte. Sie war niedriger als andere Häuser in der Stadt; das Dach lag schwer über den fensterlosen Wänden, das Tor war niedrig und dunkel, mit einem kleinen Schutzdach aus Tannenrinde. Wie der König so stand, kam eine junge, zarte Frau aus der dunklen Kirchentür. Sie war in einen roten Rock und einen blauen Mantel gekleidet und trug ein blondgelocktes Kind auf dem Arm. Ihre Tracht war dürftig, aber dem König erschien sie wie eine edelgeborene Frau. Sie war hoch und von schöner Gestalt und sie hatte ein holdseliges Antlitz. Der König sah mit großer Rührung, wie die junge Frau ihr Kind an sich drückte und es mit solcher Liebe trug, als gäbe es nichts Lieberes und Köstlicheres auf der Welt.

Als die Frau an das Tor gekommen war, wandte sie das holde Antlitz und sah zurück in die dämmerige arme Kirche, mit großer Sehnsucht im Blick. Als sie sich dann wieder zum Marktplatz wandte, hatte sie Tränen in den Augen. Aber als sie über die Schwelle gehen sollte, hinaus auf den Marktplatz, da verließ sie der Mut. Sie stützte sich an den Türpfosten und sah auf das Kind mit solcher Angst, als wollte sie sagen: »Wo, wo in der ganzen weiten Welt sollen nun wir beide ein Dach über unserm Haupt haben?«

Der König stand noch immer unbeweglich und betrachtete die Heimatlose. Was ihn am meisten rührte, war das Kind, das ganz sorglos in ihren Armen saß, eine Blume zu ihrem Gesicht emporstreckte, um ihr ein Lächeln zu entlocken. Und da sah er, daß sie die Sorge aus ihren Gesichtszügen zu verdrängen suchte, um dem Sohn zuzulächeln.

»Wer ist diese Frau«, dachte der König, »es dünkt mich, daß ich sie schon zuvor gesehen habe. Zweifelsohne ist sie eine hochgeborene Frau, die in Not geraten ist.«

So eilig der König es auch hatte, zu Storråda zu kommen, konnte er doch seine Augen nicht von der Frau abwenden. Er mußte immerzu nachdenken, wo er schon früher so milde Augen gesehen hatte und ein so lieblich geformtes Antlitz.

Noch immer stand die Frau in der Kirchentür, als könnte sie sich nicht von dort losreißen. Da ging der König auf sie zu und fragte: »Warum bist du so betrübt?«

»Ich bin aus meinem Heim vertrieben«, sagte die Frau und wies hinein in das dunkle kleine Kirchlein. Der König meinte, sie hätte sich in der Kirche aufgehalten, weil sie keine andere Wohnstätte besaß. Er fragte weiter: »Wer hat dich vertrieben?«

Da sah sie ihn mit unsäglicher Betrübnis an.

»Weißt du es nicht?« fragte sie.

Aber da wandte sich der König von ihr ab. Er hatte keine Zeit, er wollte nicht stehen und Rätsel raten. Glaubte die Frau etwa, er hätte sie vertrieben? Er konnte nicht begreifen, was sie wollte.

Der König ging rasch weiter. Er kam hinab zur Königsbrücke, wo Storrådas Schiffe verankert lagen. Unten am Hafen begegnete er den Dienern der Königin, die alle Goldstreifen an den Gewändern hatten und Silberhelme auf dem Haupt.

Storråda stand hoch auf dem Schiff und blickte hinaus über Kungahälla und freute sich an seiner Macht und seinem Reichtum. Sie stand da und sah auf die Stadt hinab, als betrachtete sie sich schon als ihre Königin.

Aber als der König Storråda sah, dachte er sogleich an die holde Frau, die arm und elend aus der Kirche gekommen war. Was ist das, dachte er, mir ist, als ob sie schöner wäre als Storråda.

Als Storråda ihm nun zulächelte, mußte er daran denken, wie die Tränen in den Augen der anderen Frau geglänzt hatten.

König Olaf hatte das Antlitz der Fremden so deutlich vor sich, daß er Storrådas Gesicht Zug um Zug damit vergleichen konnte, und als er so verglich, da verschwand alle Schönheit Storrådas. Er sah, daß Storrådas Augen grausam waren und ihr Mund wollüstig. In jedem Zug ihres Gesichts spürte er eine Sünde. Er sah wohl noch immer, daß sie schön war, doch er fand keinen Gefallen mehr an ihrem Anblick. Er begann sie zu verabscheuen, als wäre sie eine glänzende Giftschlange.

Als die Königin den König kommen sah, zog ein stolzes Lächeln über ihre Lippen.

»Ich habe dich nicht so zeitig erwartet, König Olaf«, sagte sie. »Ich glaubte, du würdest in der Messe sein.«

Da überkam den König die Lust, Storråda zu reizen und alles zu tun, was sie nicht wollte.

»Die Messe hat noch nicht begonnen«, sagte er. »Ich komme, um dich zu bitten, daß du mich in das Haus meines Gottes begleitest.«

Als der König dies sagte, sah er, daß in Storrådas Augen ein stechendes Leuchten kam, aber sie lächelte noch immer.

»Komm lieber hierher auf das Schiff«, sagte sie. »Ich will dir die Angebinde zeigen, die ich dir mitgebracht habe.«

Sie hob ein goldenes Schwert auf, um ihn damit zu locken, aber der König vermeinte, noch immer die andere Frau neben ihr zu sehen. Und es war ihm, als ob Storråda über ihren Schätzen stand wie ein abscheulicher Drache.

»Ich will zuerst wissen«, sagte der König, »ob du mit mir in die Kirche gehen willst.«

»Was sollte ich in deiner Kirche?« fragte sie und sah spöttisch aus.

Da merkte sie, daß des Königs Augenbrauen sich zusammenzogen, und sie begriff, daß er nicht desselben Sinnes war wie am vorhergehenden Tag. Sie änderte sogleich ihr Betragen und wurde milde und versöhnlich.

»Geh du in die Kirche, sooft dein Sinn begehrt«, sagte sie, »wenn auch ich nicht gehe. Um dessentwillen braucht kein Unfrieden zwischen uns zu entstehen.« Die Königin stieg von dem Schiff herab und kam auf den König zu. Sie hielt in der Hand ein Schwert und einen pelzverbrämten Mantel, den sie ihm zum Angebinde geben wollte.

Gerade in demselben Augenblick sah der König zufällig nach dem Hafen. In weiter Ferne sah er die andere Frau herankommen. Sie ging gebeugt, mit müden Schritten, noch immer mit dem Kind auf dem Arm.

»Was ist es, wonach du so eifrig Ausschau hältst, König Olaf?« fragte Storråda.

Da blickte die andere Frau den König an, und wie sie ihn anblickte, glaubte er zu sehen, daß über ihrem Haupt und dem des Kindes goldene Lichtringe aufflammten, schöner als alles Geschmeide von Königen und Königinnen. Aber gleich darauf schritt sie wieder der Stadt zu und er sah sie nicht mehr.

»Was ist es, wonach du so eifrig blickst, König Olaf?« fragte Storråda noch einmal.

Aber als König Olaf sich der Königin zuwandte, da sah er sie alt und häßlich, von aller Arglist und Sünde der Welt umgeben, und er erschrak darüber, daß er beinahe in ihre Netze gefallen wäre.

Er hatte den Handschuh abgestreift, um ihr die Hand zu reichen. Aber nun nahm er den Handschuh und schlug ihn ihr ins Gesicht. »Was soll ich mit dir, du alte heidnische Hexe?« sagte er.

Da fuhr Storråda drei Schritte zurück. Aber sie faßte sich rasch und antwortete: »Dieser Schlag wird dein Fluch werden, Olaf Tryggvason.«

Und sie war rot wie die Hölle, als sie sich von ihm abwandte und das Schiff bestieg.

In der nächsten Nacht hatte König Olaf einen seltsamen Traum.

Was er vor sich sah, war nicht die Erde, sondern der Meeresgrund. Es war ein grünlich-gelber Boden, über dem das Wasser viele Ellen hoch stand. Er sah Fische nach Raub schwimmen, Schiffe sah er oben auf dem Wasserspiegel wie dunkle Wolken vorbeigleiten, und die Sonnenscheibe sah er matt blinken wie einen bleichen Mond. Da kam die Frau, die er in der Kirchentüre gesehen, unten auf dem Meeresgrund gegangen. Sie hatte dieselbe geneigte Haltung und dieselben abgetragenen Kleider wie am Tag, als er ihr zuletzt begegnet war, und ihr Gesicht war noch immer voll Kummer.

Aber wie sie auf dem Meeresgrund ging, teilte sich das Wasser vor ihr. Er sah, wie es sich gleichsam vor Ehrfurcht zu einer Wölbung erhob und zu Pfeilern zusammenschloß, so daß die Frau wie durch den herrlichsten Tempelsaal ging.

Plötzlich sah der König, daß das Wasser, welches sich über der Frau erhob, anfing, die Farbe zu ändern. Die Säulen und Gewölbe wurden zuerst hellrot, nahmen aber rasch eine immer tiefere Färbung an. Das ganze Meer ringsum war auch rot, als wäre es in Blut verwandelt worden. Auf dem Meeresgrund, über den die Frau schritt, sah der König zerbrochene Schwerter und Pfeile, gesprungene Bogen und Lanzen. Zuerst waren ihrer nicht viele, aber je weiter sie in das rote Wasser wanderte, desto dichter lagen sie gehäuft.

Der König sah bebend, wie die Frau vom Weg abwich, um nicht auf einen toten Mann zu treten, der auf dem grünen Tangbett ausgestreckt lag. Der Mann trug einen Harnisch, er hatte ein Schwert in der Hand und eine tiefe Wunde im Kopf.

Dem König schien es, daß die Frau die Augen schloß, um nichts zu sehen. Sie strebte einem bestimmten Ziel zu, ohne

Zögern und Angst. Aber er, der Träumende, konnte die Augen nicht abwenden.

Er sah den ganzen Meeresgrund mit Trümmern übersät. Er sah schwere Schiffsanker; dicke Seile krümmten sich wie Schlangen, Schiffe lagen da mit geborstenem Bugspriet; die goldenen Drachenköpfe, die den Steven geziert hatten, blickten ihn aus roten, drohenden Augen an.

Ich möchte wohl wissen, wer hier eine Schlacht zur See gekämpft und all dies der Vergänglichkeit zum Raub gelassen hat, dachte der Träumende.

Überall sah er Tote; sie hingen über die Schiffsgeländer hinab oder lagen in dem üppigen Tang versunken. Aber er hatte nicht viel Zeit, sie zu betrachten, weil er der Frau nachsehen mußte, die noch immer weiterwanderte.

Endlich sah der König sie vor einem toten Mann stehenbleiben. Er hatte einen roten Leibrock an, einen blanken Helm auf dem Haupt, der Schild war über den Arm gezogen und ein bloßes Schwert hielt er in der Hand.

Die Frau beugte sich über ihn und flüsterte, als wolle sie einen Schlafenden wecken: »König Olaf! König Olaf!«

Da sah der Träumende, daß der Mann auf dem Meeresgrund er selbst war. Er erkannte deutlich, daß er der Tote war.

»König Olaf«, flüsterte die Frau noch einmal, »ich bin es, die du vor der Kirche in Kungahälla sahst. Kennst du mich nicht?«

Als der Tote noch immer unbeweglich lag, warf sie sich neben ihm auf die Knie und flüsterte ihm ins Ohr: »Nun hat Storråda ihre Flotte gegen dich ausgesandt und Rache an dir genommen. Bereust du, König Olaf?«

Noch einmal fragte sie: »Nun leidest du des Todes Bitterkeit, weil du mich wähltest und nicht Storråda. Bereust du es? Bereust du es?«

Da schlug der Tote endlich die Augen auf und die Frau half ihm, sich aufzurichten. Er stützte sich auf ihre Schulter, und sie wanderte langsam mit ihm fort. Wieder sah König Olaf sie wandern und wandern, durch Nacht und Tag, durch Meer und Land. Endlich vermeinte er zu sehen, daß sie weitergekommen waren als die Wolken und höher als die Sterne.

Sie wanderten in einem Lustgarten, wo der Boden leuchtete wie weißes Licht und die Blumen blank waren wie Tautropfen.

Der König sah, daß die Frau, als sie den Lustgarten betrat, den Kopf erhob und daß ihr Gang leichter wurde. Als sie ein Stück weitergegangen war, begannen ihre Kleider zu strahlen.

Er sah, wie sie von Goldstreifen und von bunten Farben erleuchtet wurden. Er sah auch, daß ein Strahl um ihren Scheitel aufflammte und ihr Antlitz beglänzte.

Aber der Gefallene, der sich auf ihre Schulter stützte, hob den Kopf und fragte: »Wer bist du?«

»Weißt du es nicht, König Olaf?« antwortete sie da, und unendliche Hoheit und Herrlichkeit umgaben ihr Wesen.

Aber der König ward dabei im Traum von großer Freude erfüllt, daß er den Dienst der holden Himmelskönigin erwählt hatte. Das war eine Freude, wie er sie nie zuvor erfahren, und sie war so stark, daß sie ihn erweckte.

Als er aufwachte, fühlte er Tränen sein Antlitz benetzen, und er lag da, die Hände zum Gebet gefaltet.

Astrid

Zwischen den niedrigen Häuschen des alten Königshofs zu Upsala stand der Jungfernturm. Der war auf Pfosten erhoben, so wie ein Taubenschlag. Man kam hinauf über eine Treppe, so steil wie eine Leiter, und trat ein durch eine Tür, so niedrig wie eine Luke. Die Wände dort drinnen waren mit Runen bedeckt, die Liebe und Sehnsucht bedeuten sollten. An den engen Gucklöchern sah man kleine runde Gruben in die Holzverschalung gedrückt, denn dort pflegten die Mägdlein zu stehen mit aufgestützten Ellenbogen und hinab auf den Hofplan zu schauen.

Seit einigen Tagen beherbergte der Königshof den alten Hjalte, den Skalden, als Gast, und er kam jeden Tag hinauf in den Jungfernturm zu Prinzeß Ingegerd und sprach mit ihr vom König in Norwegen, Olaf Haraldson. Und jedesmal, wenn Hjalte kam, saß Ingegerds Magd Astrid da und hörte auf seine Rede mit ebenso großer Freude wie die Prinzessin. Während Hjalte sprach, lauschten die beiden Jungfrauen so eifrig, daß sie die Arbeit in den Schoß sinken ließen und die Hände stille hielten. Wer sie sah, hätte nicht geglaubt, daß da im Jungfernturm irgendwelche Frauenarbeit verrichtet wurde. Man würde auch nicht geglaubt haben, daß sie Hjaltes Worte aufsammelten, als wären es Seidenfäden, und daß jede daraus ihr Bild von König Olaf formte. Man hätte nicht geglaubt, daß jede in Gedanken die Worte des Skalden zu einem strahlenden Wandbehang verwebte.

Aber auf alle Fälle war es so, und das Bild war so schön, daß die Prinzessin jedesmal, wenn sie es vor sich sah, voll Verehrung auf die Knie hätte sinken mögen. Denn sie sah den König kronengeschmückt auf seinem Thron sitzen; sie sah einen rot- und goldgestickten Mantel von seinen Schultern bis hinab auf seine Füße wallen. Sie sah kein Schwert in seiner Hand, sondern heilige Schriften, und sein Thron wurde von einem unterjochten Troll getragen. Weiß wie Wachs schimmerte sein Antlitz, umrahmt von langen, glatten Locken, und seine Augen leuchteten von Frömmigkeit und Frieden. Ach, sie erschrak beinahe, als sie die übermenschliche Kraft sah, die aus diesem bleichen Angesicht leuchtete. Sie begriff, daß König Olaf nicht allein ein König, sondern ein Heiliger war und den Engeln gleich.

Aber so war keineswegs das Bild, das Astrid sich vom König schuf. Die blondhaarige Magd, die Kälte und Hunger gekostet und viele Mühe ertragen hatte, aber dennoch diejenige war, welche den Jungfernturm mit Scherz und Gaukelspiel erfüllte, dachte sich den König ganz anders. Sie konnte sich nicht helfen, aber jedesmal, wenn sie von ihm sprechen hörte, mußte sie den Jungen des Holzhauers vor sich sehen, der des Abends aus dem Wald kam, mit der Axt auf der Schulter. »Ich sehe dich, ich sehe dich so gut«, sagte Astrid zu dem Bild, ganz als stünde da wirklich jemand vor ihr. »Hoch bist du nicht, aber schulterbreit und leicht und geschmeidig, und nachdem du den ganzen gottlieben Tag im Waldesdunkel gegangen bist, nimmst du das letzte Stück mit einem Satz und lachst und springst hoch, wenn du hinaus auf den Weg kommst. Da blitzen die Zähne und das Haar fliegt, und das gefällt mir wohl. Ich sehe dich, du hast ein rotwangiges Gesicht und Sommersprossen über der Nase. Und blaue Augen hast du, die dunkel und düsteruf und werden milde. Sobald du deine eigene Hütte im Talgrund siehst, schwenkst du die Mütze und grüßt, und da sehe ich deine Stirn. Sollte diese Stirn nicht einem König taugen? Sollte diese breite Stirn nicht Krone und Helm tragen können?«

Aber so verschieden diese Bilder auch waren, ist doch eines gewiß: Ebenso tief wie die Prinzessin das heilige Bild liebte, das sie heraufbeschwor, liebte die arme Magd den kecken, jungen Gesellen, den sie aus dem tiefen Wald auf sich zukommen sah.

Und wenn Hjalte, der Skalde, die beiden Bilder zu sehen bekommen hätte, würde er sie gewißlich beide gepriesen haben. Er hätte gesagt, daß sie beide dem König glichen. Denn König Olafs guter Stern, würde er gesagt haben, hat es gewollt, daß er ein frischer, munterer Jüngling ist und zugleich ein heiliger Held Gottes.

Der alte Hjalte liebte König Olaf, und obgleich er von Hof zu Hof gezogen war und gar viele Menschen gesehen hatte, konnte er doch niemals seinesgleichen finden. »Wo finde ich einen, der mich Olaf Haraldson vergessen läßt?« pflegte er zu sagen. »Wo soll ich einem trefflicheren Mann begegnen?«

Hjalte, der Skalde, war ein rauher alter Mann von barschem Aussehen. So alt er auch war, hatte er doch schwarzes Haar, seine Gesichtsfarbe war dunkel und sein Blick scharf. Und sein Singen hatte immer gar wohl zu seinem Aussehen gepaßt. Nie waren andere Worte über seine Lippen gekommen als Kampfworte. Er hatte niemals andere Lieder gedichtet als Kampflieder.

Des alten Hjaltes Herz war bis dahin gewesen wie die Wildnis vor der Hütte des Waldbewohners. Wie eine große Steinhalde war es gewesen, aus der nichts anderes wachsen will als mageres Schlangenkraut und hartes Felsengras.

Aber auf seinen Wanderungen war Hjalte an den Hof von Upsala gekommen. Er hatte Prinzeß Ingegerd gesehen und gefunden, daß sie edler war als jedes andere Weib. Wahrlich, war nicht die Prinzessin eben um so vieles holder als andere Frauen, wie König Olaf herrlicher war als andere Männer?

Da hatte Hjalte ganz plötzlich den Gedanken, daß er versuchen sollte, Liebe zwischen der schwedischen Prinzessin und dem norwegischen König zu wecken. Er fragte sich, warum sie, die zuoberst bei den Frauen stand, nicht König Olaf lieben sollte, der unter den Männern der trefflichste war.

Und nachdem dieser Gedanke in Hjalte Wurzel geschlagen hatte, dichtete er nicht mehr seine finsteren Heldengesänge. Er stand davon ab, Preis und Ehre bei den rauhen Kämpen am Hof zu Upsala zu gewinnen, und saß lange Stunden bei den Frauen im Jungfernturm. Man würde nicht geglaubt haben, daß es Hjalte war, der sprach. Man würde nicht geglaubt haben, daß er so süße und milde Worte finden konnte, wie er sie jetzt fand, um von König Olaf zu sprechen. Niemand hätte Hjalte wiedererkannt. Seit der Gedanke an diesen Ehebund in ihm lebte, war er völlig verwandelt. Es war, als wüchse eine farbenprächtige Rose mit duftenden, zarten Blättern aus einer Steinhalde empor.

Eines Tages saß Hjalte wieder bei der Prinzessin im Jungfernturm. Alle Jungfrauen waren fortgegangen, mit Ausnahme von Astrid. Hjalte dachte, daß er nun lange genug von Olaf Haraldson gesprochen. Er hatte von ihm alles Schöne gesagt, das er wußte. Aber hatte es nun etwas gefruchtet? Was dachte die Prinzessin von dem König? Hjalte begann der Prinzessin Fallen zu legen, um ihre Meinung über König Olaf zu erfahren. »Ich werde es an einem Blick sehen können oder an einem Erröten«, dachte er.

Aber die Prinzessin war von hoher Abstammung und verstand es, ihre Gedanken zu verbergen. Sie errötete weder, noch lächelte sie. Ihre Augen nahmen keinen Strahlenglanz an. Sie ließ Hjalte nicht ahnen, was sie dachte.

Während der Skalde in ihr edles Antlitz blickte, begann er sich seiner selbst zu schämen. »Sie ist zu jung, als daß man trachten sollte, sie zu überrumpeln«, dachte er. »Man muß ihr im offenen Kampf gegenübertreten.« Und Hjalte sagte gerade heraus: »Königstochter, wenn Olaf Haraldson dich von deinem Vater begehrte, was würdest du dazu sagen?«

Der jungen Prinzessin Antlitz leuchtete auf, wie die Gesichter von Menschen aufleuchten, wenn sie auf einen Berg kommen und das Meer schauen. Sie antwortete sogleich ohne Umschweife.

»Ist er ein solcher König und ein solcher Christ, wie du gesagt hast, Hjalte, dann wäre das für mich ein großes Glück.«

Aber kaum hatte sie dies gesagt, als der Glanz in ihren Augen erlosch. Man hätte glauben können, daß eine Nebelwand sich zwischen sie und das große schöne Bild in der Ferne geschoben hätte.

»Ach, Hjalte«, sagte sie, »du vergißt eines: König Olaf ist unser Feind. Krieg und nicht Freiersbotschaft haben wir von ihm zu erwarten.«

»Laß dich dadurch nicht betrüben«, sagte Hjalte. »Wenn nur du es willst, so ist alles gut. Ich kenne König Olafs Willen in dieser Sache.«

Hjalte, der Skalde, war so vergnügt, daß er lachte, als er dieses sagte, aber die Prinzessin wurde immer niedergeschlagener.

»Nein«, sagte sie, »weder von mir noch von König Olaf hängt es ab, sondern von meinem Vater Olof Schoßkönig. Und du weißt, daß er Olaf Haraldson haßt und nicht einmal gestattet, daß jemand seinen Namen nennt. Nie läßt er mich einem Feind seines Reichs folgen. Nie gibt er seine Tochter Olaf Haraldson.«

Als die Prinzessin dieses gesagt hatte, legte sie all ihren Stolz ab und begann vor Hjalte zu klagen. »Was hilft es mir, daß ich nun Olaf Haraldson kenne«, sagte sie, »daß ich alle Nächte von ihm träume und mich alle Tage nach ihm sehne! Wäre es nicht besser gewesen, ich hätte nie etwas von ihm gehört? Wäre es nicht besser gewesen, du wärst nie hergekommen, um mit mir von ihm zu sprechen?«

Als die Prinzessin dies sagte, füllten sich ihre Augen mit Tränen, und als Hjalte diese Tränen sah, erhob er im Eifer die Hand.

»Gott will es«, rief er. »Ihr gehört zusammen. Der Streit muß seinen roten Mantel mit den weißen Gewändern des Friedens vertauschen, auf daß euer Glück die Erde erfreue.«

Als Hjalte dies sagte, neigte die Prinzessin zuerst ihr Haupt vor Gottes hohem Namen, dann erhob sie es in neuerwachter Hoffnung.

Als der alte Hjalte aus der niedrigen Tür des Jungfernturmes trat und über den schmalen Gang ging, der nicht durch das kleinste Geländer geschützt wurde, kam Astrid ihm nach.

»Oh, Hjalte«, rief sie ihm zu. »Warum fragst du nicht mich, was ich Olaf Haraldson antworten würde, wenn er meine Hand begehrte?«

Es war das erstemal, daß Astrid zu Hjalte sprach. Aber Hjalte warf bloß einen raschen Blick auf die goldhaarige Magd, die das Haar an den Schläfen und im Nacken lockig trug, die die breitesten Armbänder und die schwersten Ohrgehänge hatte, die den Rock mit Seidenschnüren gebunden trug und das Leibchen so mit Perlen bespickt, daß es steif war wie ein Harnisch, dann ging er weiter, ohne zu antworten.

»Warum fragst du nur die Prinzessin Ingegerd?« fuhr Astrid fort. »Warum fragst du nicht auch mich? Weißt du denn nicht, daß auch ich des Sveakönigs Tochter bin?«

»Weißt du nicht«, fuhr sie fort, da Hjalte gar nichts erwiderte, »daß, obgleich meine Mutter eine Hörige war, sie doch des Königs Jugendbraut wurde? Weißt du nicht, daß, solange sie lebte, niemand wagte, sich ihrer Geburt zu entsinnen? Oh, Hjalte, weißt du nicht, daß erst, als sie tot war und der König eine Königin hatte, alle sich erinnerten, daß sie eine Unfreie war? Erst nachdem ich eine Stiefmutter bekommen hatte, fing der König an, daran zu denken, daß ich von niederer Herkunft war. Aber bin ich nicht eine Königstochter, Hjalte, obgleich mein Vater mich so gering und verächtlich ansieht, daß er mich zu dem Gesinde tat? Bin ich nicht eine Königstochter, wenn meine Stiefmutter mich auch in Lumpen gehen ließ, während meine Schwester in Goldkleidern ging? Bin ich nicht eine Königstochter, trotzdem meine Stiefmutter mich Enten und Gänse hüten ließ und trotzdem ich mit der Gesindepeitsche gestraft wurde? Und wenn ich eine Königstochter bin, warum fragst du mich nicht, ob ich mich Olaf Haraldson vermählen will? Sieh, ich habe krauses Goldhaar, das so leicht um meinen Kopf steht wie Flaum. Sieh, ich habe schöne Augen, ich habe blühende Wangen. Warum sollte König Olaf mich nicht besitzen wollen?« Sie folgte Hjalte über den Hof bis zum Königshaus. Aber Hjalte achtete ebensowenig auf ihre Klage, als ein gewappneter Kämpe der Steinwürfe eines Knaben achtet. Er lauschte der goldgelockten Magd nicht mehr, als wäre sie die schnatternde Elster der Baumwipfel gewesen.

Niemand darf glauben, daß Hjalte sich damit begnügte, daß er Ingegerd für seinen König gewonnen hatte. Nein, am folgenden Tag nahm der alte Isländer all seinen Mut zusammen und sprach mit Olof Schoßkönig von Olaf Haraldson. Aber Hjalte konnte kaum zu Wort kommen; der König unterbrach den Skalden, sowie dieser von seinem Feind sprechen wollte. Hjalte sah ein, daß die edle Prinzeß recht hatte. Nie glaubte er größerem Haß begegnet zu sein. »Aber diese Heirat muß doch geschehen«, sagte Hjalte. »Es ist Gottes Wille, Gottes Wille.«

Und es sah ganz so aus, als hätte Hjalte recht. Wenige Tage später kam ein Bote vom König Olaf von Norwegen, um Frieden mit den Schweden auszuhandeln. Und Hjalte suchte diesen Sendboten auf und sagte ihm, daß der Friede zwischen den beiden Ländern nicht besser befestigt werden könne als durch eine Heirat zwischen Prinzessin Ingegerd und Olaf Haraldson.

Der Sendbote glaubte wohl kaum, daß der alte Hjalte eines Mägdleins Sinn einem fremden Manne hatte zuwenden können, aber er sah trotzdem ein, daß der Vorschlag gut war. Und er versprach Hjalte, diesen Ehevorschlag Olof Schoßkönig auf dem großen Winterthing zu Upsala vorzutragen.

Gleich darauf verließ Hjalte Upsala. Er zog umher von Hof zu Hof auf der weiten Ebene. Er drang tief in die Wälder ein. Er kam bis zum Meeresstrand.

Nie traf Hjalte einen Menschen, ohne von Olaf Haraldson und Prinzessin Ingegerd zu sprechen. »Hast du je von einem ausgezeichneteren Mann oder von einem holdseligeren Weib gehört?« sagte er. »Sicherlich ist es Gottes Wille, daß sie zusammen durchs Leben wandeln sollen.« Hjalte kam zu alten Wikingern, die an der Meeresküste überwinterten und die ehemals an jedem Strand Frauen geraubt hatten. Er sprach mit ihnen von der schönen Prinzessin, bis sie aufsprangen und, die Hand am Schwertgriff, ihm gelobten, daß sie ihr zu ihrem Glück verhelfen wollten.

Hjalte ging zu alten herrischen Bauersleuten, die nie den Klagen ihrer eigenen Töchter gelauscht, sondern sie so verheiratet hatten, wie es die Klugheit und die Ehre des Geschlechts erheischten, und er sprach mit ihnen so weislich von Frieden und Eheschließung, daß sie schworen, eher dem König das Reich zu nehmen, als daß eine solche Verbindung nicht zustande kommen sollte.

Aber dem jungen Weibervolk sagte Hjalte so innige Worte von Olaf Haraldson, daß sie gelobten, niemals mit Wohlgefallen auf einen Jüngling zu blicken, der nicht auf dem Thing dem Sendboten beistand und dazu half, des großen Königs Widerstand zu brechen. So ging Hjalte umher und sprach, bis der Winterthing sich versammeln sollte und das Volk auf beschneiten Wegen hinabzog zu den großen Thinghügeln in Upsala.

Und als der Thing eröffnet wurde, da war der Eifer des Volkes so groß, daß es war, als müßten die Sterne am Himmel erlöschen, wenn diese Heirat nicht beschlossen wurde.

Und obgleich der König zweimal ein barsches Nein zu Frieden wie zu Freierei sagte, was half das? Was half es, daß er König Olafs Namen nicht nennen hören wollte? »Wir wollen nicht Krieg mit Norwegen führen«, rief das Volk. »Wir wollen, daß diese beiden, die von allen am höchsten gehalten werden, gemeinsam durch das Leben wandern!« Und was konnte der alte Olof Schoßkönig tun, als das Volk gegen ihn losbrach mit Drohungen und harten Worten und Waffenlärm? Was konnte er tun, als er vor sich nichts anderes sah als gezückte Schwerter und rasende Menschen? Mußte er nicht seine Tochter versprechen, wollte er Krone und Leben behalten? Mußte er nicht schwören, im nächsten Sommer die Prinzessin nach Kungahälla zu König Olaf zu schicken?

Seht, auf solche Weise wurde Ingegerds Liebe von allem Volk gefördert. Aber niemand war da, der Astrid zu helfen suchte, ihr Glück zu erreichen; kein Mensch fand sich, der nach ihrer Liebe fragte. Und doch lebte diese Liebe wie das Kind der armen Fischerwitwe in Not und Entbehrung, aber sie wuchs doch froh und hoffnungsvoll heran. Sie wuchs und lebte, denn in Astrids Seele gab es wie am Meer frische Luft und Licht und üppigen Schaum und Wogenschwall.

In dem reichen Kungahälla, weit weg an der Grenze, lag ein großer, alter Königshof, der war von einem hohen, torfverkleideten Wall umgeben. Vor den Toren standen gewaltige Grabdenkmäler Wacht, und drinnen wuchs eine Eiche, die dem ganzen Hof des Königs Schatten gab. Auf dem ganzen Gebiet innerhalb des Walls standen lange, niedrige Holzgebäude. Sie waren so alt, daß auf den Dachfirsten Moosflechten wuchsen. Die Balken der Wände waren vor Alter silberweiß. Die Torfdächer grünten und blühten; der Hauslauch saß so dicht wie die Schuppen auf einem Fisch; das Riedgras fand kaum Raum, ein paar vereinzelte Halme dazwischen hervorzustecken.

Zu Beginn des Sommers kam Olaf Haraldson nach Kungahälla, und in dem großen, alten Königshof sammelte er alles ein, was erforderlich war, um Hochzeit zu feiern. Die lange Straße hinauf zogen da ein paar Wochen hindurch lange Reihen von Bauern, die auf ihren Pferdchen Butter in Butten brachten und Käse in Säcken, Hopfen, Salz, Rüben und Mehl.

Als diese Fuhren endlich aufhörten, kamen ein paar Wochen lang die Hochzeitsgäste über die Straße gezogen. Da kamen hochgewachsene Männer und Frauen zu Pferd mit großem Gefolge von Dienern und Knechten. Hierauf folgten Scharen von Gauklern, von Liedersängern und Sagenerzählern. Kaufleute kamen aus dem fernen Deutschland und Rußland, um den König zu verlocken, Brautgaben zu kaufen. Nachdem diese Züge zwei Wochen durch die Stadt gezogen waren, wartete man nur noch auf den letzten Zug, den Brautzug.

Aber der Zug der Braut wollte und wollte nicht kommen. Jeden Tag hoffte man, daß die Braut an der Königsbrücke ans Land steigen würde, um dann, geführt von Pfeifern und Trommlern, von fröhlichen, jungen Knappen und ernsten Priestern, die Straße zum Königshof hinanzuschreiten. Doch der Brautzug kam nicht.

Als die Braut so lange auf sich warten ließ, suchten aller Blicke König Olaf, um zu sehen, ob er von Unruhe gequält wurde. Aber der König zeigte ein ruhiges Antlitz. »Wenn Gott will«, sagte der König, »daß ich dieses schöne Weib besitzen soll, dann muß sie wohl kommen.«

Und der König wartete, indem das Gras gemäht wurde und die Kornblume im Roggenfeld erblühte.

Der König wartete noch, als der Flachs aus der Erde gerissen wurde und als die Hopfenranken auf den hohen Stangen sich gelb färbten.

Er wartete noch, als die Brombeeren in den Felsenspalten schwarz wurden und als die Hagebutte auf den nackten Zweigen des Dornbusches rot zu leuchten begann.

Den ganzen Sommer war Hjalte unten in Kungahälla umhergegangen und hatte auf die Hochzeit gewartet. Niemand konnte die Prinzessin eifriger erwarten als er. Er sehnte sich sicherlich mit viel größerer und quälenderer Unruhe als König Olaf selbst. Auch jetzt war es Hjalte unter den Kämpen im Königshaus nicht wohl. Aber weit unten am Fluß befand sich eine Brücke, zu der die Frauen Kungahällas zu gehen pflegten, um ihren Männern und Söhnen nachzublicken, wenn sie auf weite Fahrt auszogen. Hier pflegten sie sich auch den ganzen Sommer über zu versammeln, um den Fluß hinab nach Segeln auszulugen und den Fortgefahrenen nachzuweinen. Hinab zu dieser Brücke kam nun Hjalte alle Tage. Er liebte es, sich unter jenen aufzuhalten, die trauerten und sich sehnten.

Ganz sicherlich hatte keine der Frauen, die je auf der »Tränenbrücke« gesessen und gewartet hatte, den Lauf des Flusses mit ängstlicheren Blicken hinabgeschaut als Hjalte, der Skalde. Es gab niemanden, der mit größerer Erwartung seine Blicke auf jedes vorübergleitende Segel heftete.

Zuweilen schlich sich Hjalte auch in die Marienkirche. Er betete nie für sich selbst. Er kam nur herein, um die Heiligen an diese Heirat zu erinnern, die geschehen mußte, da Gott selbst sie gefördert hatte. Am allerliebsten sprach aber Hjalte ganz allein mit Olaf Haraldson. Es war ihm eine Freude dazusitzen und jedes Wort der Königstochter zu wiederholen und ihre Gesichtszüge ausführlich zu schildern.

»König«, sagte er, »bitte Gott, daß sie zu dir kommt. Jeden Tag sehe ich dich auf die Jagd ausziehen gegen das alte Heidentum, das wie ein Uhu in dem Schatten des Waldes und der Klüfte verborgen liegt. Aber dein Falke, König, wird niemals den Uhu überwinden. Eine Taube allein kann es, allein eine Taube.« Der Skalde fragte den König, ob es nicht wahr sei, daß er alle seine Widersacher niederwerfen wollte. War es nicht so, daß er allein Herr sein wollte im Land? Aber nie würde ihm das glücken. Nie würde es glücken, solange er nicht die Krone besaß, die Hjalte ihm auserwählt, eine Krone, die so mit Adel und Glanz geschmückt war, daß alle Menschen gehorchen mußten.

Und zuletzt fragte er den König, ob er nicht die Herrschaft über sich selbst gewinnen wolle. Aber es konnte ihm niemals gelingen, des eigenen Herzens Widerstand zu überwinden, wenn er nicht ein Schild gewann, das Hjalte im Jungfernturm des Königshofes zu Upsala gesehen. Das war ein Schild, der des Himmels Reinheit dem Besitzer widerspiegelte. Das war ein Schild, der vor aller Arglist und aller Fleischeslust schützte.

Aber der Herbst kam, und noch immer säumte die Prinzessin. Einer nach dem anderen von den tapferen Helden, die um des Hochzeitsfestes willen Kungahälla besucht hatten, mußte von dannen ziehen. Zuletzt zog auch der alte Hjalte, der Skalde. Mit schwerem Herzen segelte er fort, mußte er doch vor dem Weihnachtsfest sein Heim im fernen Island erreichen.

Der alte Hjalte war kaum zu den felsigen Schären hinter der Mündung der Nordre Älf gekommen, als er einem Langschiff begegnete. Sogleich gebot er seinen Mannen, mit dem Rudern innezuhalten. Er hatte auf den ersten Blick erkannt, daß es Prinzessin Ingegerds Drache war.

Ohne Zögern ließ Hjalte sich zu dem Drachen rudern. Er verließ seinen Platz am Steuer und stellte sich mit freudestrahlendem Antlitz ganz vorne in den Kiel. »Es freut mich, daß ich die schöne Maid noch einmal schauen darf«, sagte der Skalde. »Es freut mich, daß ihr holdes Antlitz das letzte ist, was mir vor der Islandfahrt begegnet.«

Da war kaum eine Runzel in Hjaltes Antlitz zu sehen, als er an Bord des Drachen trat. Er grüßte die rüstigen Gesellen, welche die Ruder führten, so freundlich, als wären es seine Genossen, und er gab dem Mägdlein, das ihn ehrfurchtsvoll zum Frauenzelt im Hintersteven des Schiffes geleitete, ein goldenes Ringlein.

Hjaltes Hand zitterte, als er den Vorhang hob, der vor der Zeltöffnung herabhing. Dieser Augenblick dünkte ihn der schönste seines Lebens. »Nie habe ich für eine größere Sache gekämpft«, sagte er. »Nie habe ich etwas so eifrig erstrebt wie diese Verbindung.«

Aber als Hjalte in das Zelt kam, wich er erschrocken einen Schritt zurück. Sein Gesicht drückte die größte Verwirrung aus.

Ein hohes, schönes Weib sah er dort drinnen, das ihm mit ausgestreckter Hand entgegenkam, aber das war nicht Ingegerd. Hjaltes Augen irrten suchend in dem engen Zelt umher, um die Prinzessin zu finden. Wohl sah er, daß sie, die dort drinnen stand, eine Königstochter war. Nur eine Königstochter konnte ihn mit so stolzen Blicken ansehen und ihn mit solcher Würde begrüßen. Und sie trug den fürstlichen Stirnreif und königliches Gewand. Aber wo war Ingegerd?

Hjalte begann die Fremde heftig auszufragen. »Wer bist du?« fragte er.

»Kennst du mich nicht, Hjalte, ich bin die Königstochter, mit der du von Olaf Haraldson gesprochen.«

»Ich habe mit einer Königstochter von Olaf Haraldson gesprochen, aber sie nannte sich Ingegerd.«

»Ich nenne mich auch Ingegerd.«

»Du magst dich nennen wie du willst, aber du bist nicht die Prinzessin. Was will all dies heißen? Will der Sveakönig Olaf hintergehen?«

»Er hintergeht ihn nicht. Er sendet ihm seine Tochter, so wie er es versprochen.«

Es fehlte nicht viel, und Hjalte hätte sein Schwert gezogen, um die fremde Frau niederzuschlagen. Er hatte schon die Hand am Schwertgriff, aber dann besann er sich, wie übel es einem Kämpen anstand, einem Weib das Leben zu nehmen. Aber mehr Worte wollte er nicht an diese Betrügerin vergeuden. Er wandte sich zum Gehen.

Die Fremde rief ihn mit sehr sanfter Stimme zurück. »Wohin gehst du, Hjalte, willst du nach Kungahälla fahren, um Olaf Haraldson zu warnen?«

»Jwohl, dies ist meine Absicht«, antwortete Hjalte, ohne sie anzusehen.

»Warum willst du mich dann verlassen, Hjalte, warum bleibst du nicht bei mir? Ich fahre ja auch nach Kungahälla.«

Nun wandte sich Hjalte um und sah sie an. »Bist du das Weib, um Erbarmen mit einem alten Mann zu haben?« sagte er. »Ich will dir sagen, daß ich mein ganzes Herz darein gesetzt habe, daß diese Heirat zustande kommt. Laß mich nun mein ganzes Unglück wissen. Darf Ingegerd überhaupt nicht kommen?«

Da hörte die Prinzessin auf, mit Hjalte ihren Scherz zu treiben. »Komm herein und setze dich hier unter das Zelt«, sagte sie, »und ich werde dir alles sagen, was du wissen willst. Ich begreife wohl, daß es nichts nützt, die Wahrheit vor dir zu verbergen.«

Und sie begann ihm zu erzählen. »Schon neigte der Sommer sich seinem Ende zu«, sagte sie, »schon hatten die munteren Küchlein des Birkhuhns starke Federn in dem gespalteten Schwanz und Festigkeit in den runden Flügeln, schon hatten sie angefangen, mit hurtigen, lärmenden Flügelschlägen in dem Astgewirr des Tannenwalds umherzuflattern – da war der Sveakönig eines Morgens über die Ebene geritten gekommen. Er war von glücklicher Jagd heimgekehrt. Am Sattelknopf hingen ein alter Birkhahn, dunkelglänzend und blauschwarz, und vier seiner unerfahrenen Jungen in gesprenkeltem Kleid. Und der König war sehr stolz gewesen. Es trug sich nicht oft zu, daß man mit Falke und Habicht an einem Morgen bessere Jagd machte.«

Aber nun mußte Hjalte wissen, daß an diesem Morgen Prinzeß Ingegerd mit ihren Zofen im Burgtor gestanden und den König erwartet hatte. Und unter den Jungfrauen war eine gewesen, die sich Astrid nannte und die ebenso wie Ingegerd eine Tochter des Sveakönigs war, obgleich von einer unfreien Mutter geboren und darum wie eine Leibeigene gehalten. Und diese junge Maid hatte dagestanden und ihrer Schwester gezeigt, wie die Schwalben sich draußen über dem Feld versammelten und sich einen Führer wählten für den langen Flug. Sie erinnerte sie daran, daß der Sommer nun im Scheiden war – dieser Sommer, der Ingegerds Hochzeit hätte schauen sollen. Sie reizte sie auf, den König zu fragen, warum sie nicht zu König Olaf fahren dürfe. Denn Astrid hatte diese Fahrt mit ihrer Schwester machen wollen. Sie dachte, daß sie alle Tage froh sein würde, wenn sie bloß ein einziges Mal Olaf Haraldson schauen dürfte.

Aber als der Sveakönig die Prinzessin erblickt hatte, war er auf sie zugeritten. »Sieh, Ingegerd«, hatte er gesagt, »hier hängen fünf Birkhühner am Sattelknopf. An diesem einen Morgen habe ich fünf Birkhühner erlegt. Wer, glaubst du, kann sich eines größeren Glückes rühmen? Hast du je gehört, daß ein König bessere Jagd machte?« Aber da war die Prinzessin unwillig geworden, weil er so stolz war und sein eigenes Glück pries, während er ihr den Weg zum Glück versperrte. Und um der Angst, die sie seit Wochen verzehrte, ein Ende zu machen, antwortete sie: »Du, Vater, hast mit großen Ehren fünf Birkhühner erlegt, aber ich weiß einen König, der in einer Morgenstunde fünf Könige fing, und das war Olaf, der Held, den du mir zum Gemahl erwählt.«

Da war der Sveakönig zornig aus dem Sattel gesprungen und mit geballten Fäusten auf die Prinzessin losgegangen. »Welcher Troll hat dich gebissen?« hatte er gefragt. »Welches Kraut hat dich behext? Wie konnte sich dein Sinn diesem Mann zuwenden?«

Da hatte Ingegerd nicht geantwortet. Sie war erschrocken einen Schritt zurückgewichen. Und der König war ruhiger geworden. »Süße Tochter«, hatte er gesagt, »weißt du denn nicht, daß ich dich liebhabe? Wie kann ich dich dann dem schenken, den ich nicht ertragen kann! Ich möchte dich mit trauten Wünschen geleiten. Ich will in deinen Saal treten können. Ich sage dir, daß du deinen Sinn den Königen anderer Länder zuwenden mußt, denn Norwegens König wird dich niemals besitzen!«

Da war die Prinzessin so verwirrt geworden, daß sie dem König nichts anderes zu antworten wußte als: »Ich bat dich nicht. Es war des Volkes Wille!«

Und der König hatte sie sogleich gefragt, ob sie meinte, daß der Sveakönig ein Knecht sei, der nicht über seine eigenen Kinder verfügen dürfe, ob er einen Herrn habe, der die Macht besäße, seine Tochter zu verschenken.

»Will der Sveakönig es gestatten, daß man ihn wortbrüchig nennt?« hatte die Prinzessin gefragt.

Der Sveakönig hatte laut gelacht. »Sei du ohne Sorge! Solches wird nicht gesagt werden. Warum fragst du danach, du, ein Weib? Noch sitzen Männer in meinem Rat. Dafür werden Männer Hilfe zu finden wissen.«

Und der König hatte sich den Kämpen zugewandt, die in der Jägerschar ritten. »Mein Wille wird durch dieses Gelöbnis gebunden«, sagte er. »Ich will frei sein von diesem Band.«

Aber keiner der Männer des Königs hatte ein Wort erwidert, keiner wußte irgendeinen Rat zu geben.

Immer größerer Zorn hatte da Olof Schoßkönig gepackt. Er war so wild geworden wie ein Wahnsinniger. »Wehe eurer Weisheit!« hatte er einmal ums andere seinen Mannen zugerufen. »Frei will ich sein! Warum preist man eure Weisheit?«

Aber während der König so getobt und gewütet hatte, und weil niemand ihm etwas zu antworten wußte, trat Astrid aus dem Kreise der Jungfrauen heraus und brachte ihren Rat vor. Aber sie sprach ihn nur aus, das mußte Hjalte glauben und wissen, weil er ihr ergötzlich schien und ihr gleichsam kitzelnd auf der Zunge lag, durchaus nicht, weil er ihr möglich oder ausführbar erschien.

»Warum sendest du nicht mich?« sagte sie. »Ich bin auch deine Tochter. Warum schickst du nicht mich zu dem norwegischen König?«

Aber als Astrid dies gesagt hatte, war Ingegerd ganz blaß geworden. »Schweige still und geh«, sagte sie erzürnt. »Geh, du Plappermaul, du heimtückisches, böses Ding, das meinem Vater solche Schmach vorschlägt.«

Aber der König hatte Astrid nicht erlaubt zu gehen. Im Gegenteil! Er hatte die Hand ausgestreckt und sie an seine Brust gezogen. Er hatte gelacht und geweint und war ganz wirr gewesen vor Freude, wie ein ausgelassenes Kind.

»Ah«, hatte er gerufen, »was für ein Einfall! Was für ein heidnischer Streich! Wir werden Astrid Ingegerd nennen! Wir werden Norwegens König verlocken, sie zu ehelichen! Und wenn es dann kund wird rings im Land, daß sie von unfreier Geburt ist, wird man seinen Spott treiben mit diesem ehrenfesten Mann!«

Aber da war Ingegerd auf den König zugeeilt und hatte gefleht: »O Vater, o Vater, tu das nicht! Ich habe König Olaf von Herzen lieb, es macht mir großen Kummer, daß du ihn betrügen willst.«

Und sie sagte, sie wolle in Geduld dem Befehl ihres Vaters gehorchen und von der Heirat mit Olaf Haraldson abstehen. Er sollte ihr nur versprechen, ihm das nicht anzutun, nicht das.

Aber der Sveakönig hatte gar nicht auf ihre Bitten gehört. Er hatte sich allein Astrid zugewandt, die er liebkoste, als wäre sie süß wie die Rache selbst. »Du sollst fahren, du sollst bald fahren, morgen schon«, hatte er zu ihr gesagt. »Wir müssen wohl irgendein Schiff haben, das seetüchtig ist. Alles, was du an Heiratsgut brauchst, deine Kleider, liebe Tochter, und dein Gefolge, das kann in größter Eile beschafft werden. Der norwegische König denkt nicht an Derartiges, er denkt bloß an die Freude, des Sveakönigs hochgeborenes Töchterlein zu besitzen.«

Als er das gesagt, hatte Ingegerd nur zu wohl verstanden, daß hier keine Änderung zu erhoffen war. Und da war sie auf die Schwester zugegangen, hatte ihr die Hand um den Hals gelegt und sie mit sich in ihren Saal geführt und auf ihre eigene Hochbank gesetzt, während sie selbst auf dem niedrigen Schemel zu ihren Füßen Platz nahm. Und sie hatte zu Astrid gesagt, daß sie nun dort oben sitzen sollte, um sich an den ersten Platz zu gewöhnen. Sie sollte dort sitzen, um zu wissen, welchen Platz sie als Königin einnehmen würde. Denn Ingegerd wollte nicht, daß Olaf sich seiner Königin schämen müßte.

Dann hatte die Prinzessin ihre anderen Jungfrauen zu Kleiderschränken und Vorratskammern geschickt, um den Brautschatz zu holen, den sie für sich selbst geordnet hatte. Und das alles hatte sie ihrer Schwester geschenkt, damit Astrid nicht wie eine arme Magd zu Norwegens König kam.

Sie hatte auch aufgezählt, welche Diener und Zofen Astrid begleiten sollten, und zum Schluß hatte sie ihr das schöne Langschiff gegeben.

»Sicherlich sollst du mein Langschiff nehmen«, sagte sie. »Du weißt, daß viele gute Gesellen dort das Ruder führen. Denn es ist mein Wille, daß du stolz zu Norwegens König kommst, so daß er sich geehrt fühlt durch seine Königin.«

Und dann hatte die Prinzessin gar lange bei ihrer Schwester gesessen und mit ihr von König Olaf gesprochen. Aber sie hatte so gesprochen, wie man von Gottes heiligen Männern spricht und nicht von Königen, und Astrid hatte nicht viel von ihrer Rede verstanden. Aber soviel hatte sie verstanden, daß die Königstochter Astrid alle guten Gedanken schenken wollte, die in ihr wohnten, nur damit König Olaf nicht so genarrt wurde, wie ihr Vater wünschte. Und da hatte schließlich Astrid, die wohl doch nicht so böse war, wie alle glaubten, vergessen, wie oft sie gerade um ihrer Schwester willen hatte leiden müssen, und sie hatte gewünscht, daß sie die Freiheit besäße zu sagen: »Ich fahre nicht.« Sie hatte auch von diesem Wunsch zur Prinzessin gesprochen und sie hatten beide geweint und zum erstenmal hatten sie sich als Schwestern gefühlt.

Aber nun mußte Hjalte verstehen, daß Astrid nicht eine von denen war, die grübeln und trauern. Als sie hinaus auf das Meer gekommen war, da hatte sie alle Sorge und Furcht vergessen. Sie hatte als Herrscherin gebieten können, sie war wie eine Königstochter bedient worden. Zum erstenmal seit dem Tod ihrer Mutter war sie glücklich gewesen.

Die schöne Königstochter schwieg einen Augenblick, als sie all dieses gesagt hatte. Sie sah hastig zu Hjalte auf, der sich, solange sie sprach, nicht geregt hatte. Sie erblaßte, als sie sah, welchen Schmerz sein Antlitz widerspiegelte. »Sage mir, was du glaubst, Hjalte«, rief sie. »Nun sind wir ja bald in Kungahälla. Wie wird es mir dort ergehen? Wird der König mich töten? Wird er mich zurückschicken, mit rotglühendem Eisen gebrandmarkt? Sag mir die Wahrheit, Hjalte?«

Aber Hjalte antwortete ihr nicht. Er saß da und sprach zu sich selbst, ohne daß er es wußte. Astrid hörte, wie er murmelte, daß es drüben in Kungahälla keinen gebe, der Ingegerd kannte, und daß er selbst geringe Lust habe, zurückzukehren. Dann fiel Hjaltes düsterer Blick auf Astrid, und er begann sie auszufragen. Sie hatte sich ja die Freiheit gewünscht, um Nein zu dieser Fahrt sagen zu können. Und wenn sie jetzt nach Kungahälla kam, war sie frei. Was gedachte sie also zu tun? Gedachte sie König Olaf zu sagen, wer sie war?

Das war eine Frage, die Astrid gar sehr verwirrte. Sie schwieg lange. Aber dann hub sie an, Hjalte zu bitten, daß er sie nach Kungahälla geleite, um dem König die Wahrheit zu sagen. Sie sagte Hjalte, daß ihre Schiffsleute und Zofen sich verpflichtet hatten zu schweigen. »Und ich selbst weiß ja nicht, was ich tue«, sagte sie. »Wie kann ich wissen, was ich tun werde? Ich habe ja alles gehört, was du Ingegerd von Olaf Haraldson erzählt hast.«

Als Astrid dies sagte, sah sie, wie Hjalte wieder in Grübeln versank. Sie hörte, wie er dasaß und murmelte, daß er nicht glaube, daß sie gestehen würde. »Aber ich muß ihr doch sagen, was ihrer wartet«, sagte er.

Und Hjalte richtete sich auf und sprach mit tiefem Ernst. »Höre noch eines, Astrid, was ich dir früher nicht von König Olaf erzählt habe.

Es war zu der Zeit, als König Olaf nur ein armer Seekönig war, als er bloß einige gute Schiffe besaß und einige getreue Kämpen, aber keinen Teil am Reich seiner Väter hatte. Das war damals, als er mit Ehren auf fremden Meeren stritt, als er die Wikinger verfolgte und die Kaufleute schützte und sein Schwert christlichen Fürsten lieh. Da träumte der König einmal, daß ein Fürst des Lichts, ein schöner Engel Gottes nachts zu seinem Schiff hinabstieg und alle Segel hißte und gen Norden steuerte. Und es dünkte den König, daß sie nicht längere Zeit segelten, als ein Stern braucht, um am Morgen zu erlöschen, als sie zu einem hohen felsigen Strand kamen, von Fjorden durchbrochen und von milchweißer Brandung bespült. Aber als sie dem Strand nahten, streckte der Engel die Hand aus und sprach mit seiner Silberstimme, die das Lärmen des Windes in den Segeln übertönte und das wilde Brausen der Wellen, die der Kiel in schwindelnder Fahrt durchschnitt. ›Du, König Olaf‹, so lauteten die Worte des Engels, ›sollst dieses Land für ewige Zeit besitzen.‹ Und als er dies gesagt hatte, war der Traum zu Ende.«

Aber nun suchte Hjalte Astrid zu erklären, daß die Morgenröte den Übergang von der Nacht zum sonnenblanken Tag mildere. Deshalb habe Gott seine Verkündigung in einen Traum gekleidet, der die übermenschliche Ehre, daß es sein Wille sei, Könige kommen und Könige gehen zu lassen, aber dem heiligen König Olaf Ewigkeit zu verleihen, und dunkel andeutet, so daß er vom König in aller Demut so ausgelegt werden kann, daß er und die Männer seines Geschlechts immer das Land beherrschen sollten, das der Engel ihm gezeigt hatte. Und da er in diesem Lande das Reich seiner Väter wiederzuerkennen glaubte, steuerte er hin und ward, vom Glück begünstigt, bald dessen König.

»Und so, Astrid, ist es in allem. Wohl deutet alles darauf, daß eine himmlische Kraft in König Olaf wohnt, doch zögert er noch und denkt, daß er nur zu einem irdischen König berufen ist. Er greift noch nicht nach der Heiligenkrone. Aber jetzt ist die Stunde nicht mehr fern, wo volle Klarheit über seine Aufgabe über ihn kommen muß. Jetzt ist die Stunde nicht mehr fern.«

Und der alte Hjalte sprach weiter, während Seherkraft ihn erfüllte.

»Gibt es wohl außer Ingegerd ein Weib, das nicht von Olaf Haraldson verworfen und von seiner Seite verstoßen werden wird, wenn er aufsteht und des Engels Worte begreift, daß er Norwegens König für ewige Zeiten ist? Gibt es eine, die ihm da auf seiner hohen Wanderung folgen kann, mit Ausnahme von Ingegerd?«

Und noch einmal wendete Hjalte sich an Astrid und fragte mit großer Strenge: »Antworte nun und sage mir, ob du nicht die Wahrheit sprechen willst vor König Olaf?«

Astrid war ganz verschüchtert. Sie antwortete sehr demütig: »Warum willst du nicht mit mir nach Kungahälla kommen? Dann bin ich gezwungen, alles zu offenbaren. Siehst du nicht, Hjalte, daß ich nicht weiß, was ich will? Ich würde ja geloben, was du heischest, wenn mein Sinn danach stände, den König zu betrügen. Ich würde dich verlocken, weiterzureisen, aber ich bin schwach. Ich bitte dich ja nur, mir das Geleit zu geben.«

Aber kaum hatte sie das erwidert, da sah sie in Hjaltes Antlitz einen furchtbaren Zorn. »Warum soll ich dir dazu verhelfen, deinem harten Schicksal zu entgehen?« fragte er.

Er sagte, daß er an ihr nicht Barmherzigkeit zu üben brauche. Er haßte sie wegen ihrer Sünde gegen die Schwester. Ingegerds war der Mann gewesen, den sie sich erlisten wollte, Diebin, die sie war. Ein gestählter Kämpe wie Hjalte mußte vor Schmerz stöhnen, wenn er bedachte, was Ingegerd gelitten. Aber Astrid hatte nichts gefühlt. Den Schmerz der edlen jungen Maid hatte sie mit grausamer Verschlagenheit mißbraucht, um ihre niederen Wünsche erfüllt zu sehen. O weh, Astrid!

Astrid hörte Hjaltes Stimme so wild und düster, als murmelte er einen Zaubergesang.

»Du«, sagte er zu ihr, »du hast mein schönstes Gedicht verzerrt. Denn der Skalde Hjalte wollte die frommste der Frauen mit dem vortrefflichsten der Männer zusammensingen. Aber du hast das Gedicht in ein Narrenspiel verwandelt. Und ich werde dich strafen, du Abkömmling der Hölle! Ich werde dich strafen, so wie Gott Vater den Versucher strafte, der die Sünde in die Welt brachte. Ich werde dich strafen.

Bitte mich nicht«, fuhr er fort, »daß ich dir, Weib, folgen soll, um dich vor dir selbst zu schützen. Ich denke an die Prinzessin.

Sie leidet durch dein falsches Spiel, das du mit König Olaf treibst. Um ihretwillen mußt du gestraft werden und um meinetwillen. Ich werde nicht mit dir gehen, um dich zu verraten. Dies ist meine Rache, Astrid. Ich werde dich nicht verraten. Du sollst in Kungahälla einziehen, du, Astrid, und wenn du nicht von selbst sprichst, magst du des Königs Braut werden. Aber dann, du Schlange, wird die Strafe dich ereilen. So schwer wird dein Leben werden, daß du dir den Tod wünschst, jeden Tag.«

Als Hjalte dies gesagt, wandte er sich von ihr und ging.

Astrid saß lange da und dachte über das nach, was sie gehört hatte. Aber dann zog ein Lächeln über ihr Antlitz. Er vergaß, der alte Hjalte, daß sie alle Leiden gekostet, daß sie gelernt hatte, zu Qualen zu lächeln. Aber das Glück, das Glück hatte sie nie gekostet!

Und Astrid erhob sich und trat in die Zeltöffnung. Sie sah des grimmen Hjalte Schiff gen Westen steuern. Und weit in der Ferne glaubte sie das nebelverhüllte Island zu sehen, das mit Kälte und Finsternis seinen weitgereisten Sohn willkommen hieß.

Es war ein sonnenblanker Tag im Herbst. Nicht die kleinste Wolke war am Himmel. Es war ein Tag, an dem man dachte: die Sonne will der Erde alles Licht schenken! Die holde Sonne ist wie eine Mutter, deren Sohn fortreisen soll und die nun in der Abschiedsstunde kein Auge von dem geliebten Sohn wenden mag.

In dem langen Tal, in dem Kungahälla lag, erhoben sich viele kleine, runde Hügelchen, die mit Buchenwald bekleidet waren. Und nun im Herbst hatten die Bäume so prächtige Gewänder angelegt, daß man sich über sie verwundern mußte. Es war, als wollten die Bäume auf Freiersfahrt ausziehen. Es war, als hätten sie sich in Gold und Scharlach gekleidet, um reiche Bräute zu gewinnen mit ihrer Herrlichkeit. Die große Insel Hisingen am anderen Ufer des Älfs war auch geschmückt. Aber auf Hisingen standen weißgelbe Birken. Auf Hisingen standen die Bäume hell gekleidet, als wären sie Mägdlein im bräutlichen Schmuck.

Aber den Fluß hinauf, der so stolz und ungestüm herab zum Meer stürzte, als hätte der Regen des Herbstes ihn mit brausendem Wein erfüllt, kam Schiff auf Schiff der Heimat zugerudert. Und wenn die Schiffe in die Nähe von Kungahälla kamen, da wurden ihre grauen Friessegel mit neuen, weißen vertauscht. Und man muß an Sagen von Königssöhnen denken, die in Bettlerlumpen auf Abenteuer auszogen und sie abwarfen, sobald sie wieder in den hohen Königshof eintraten.

Aber alles Volk von Kungahälla war unten an den Brücken versammelt. Alt und jung lud Waren von den Schiffen. Sie füllten die Vorratshäuser mit Salz und Tran, mit kostbaren Waffen und schimmernden Geweben. Sie zogen Fahrzeuge und Boote ans Land und fragten die Heimgekehrten nach ihrer Reise aus. Aber plötzlich stockte alle Arbeit, und alle wandten die Blicke dem Älf zu. Mitten zwischen den schweren Kauffahrteischiffen kam ein großes Langschiff gerudert. Und das Volk wunderte sich, wer es sein mochte, der purpurgeränderte Segel hißte und ein goldenes Zeichen im Steven führte. Man mochte wohl wissen, was für ein Schiff das war, das so leicht wie ein Vogel über die Wellen flog. Man pries seine Fährleute, die die Ruder so gleichmäßig führten, daß sie zu seiten des Schiffes blitzten wie Adlerschwingen. »Es muß die schwedische Prinzessin sein«, sagte man. »Die schöne Prinzeß Ingegerd muß es sein, die Olaf Haraldson den ganzen Sommer und Herbst hindurch erwartet hat.«

Und die Frauen eilten hinaus auf die Brücken, um die Prinzessin zu sehen, deren Schiff der Königsbrücke zusteuerte. Männer und Knaben sprangen hinaus auf die Schiffe und erkletterten die Dächer der Bootshütten.

Als die Frauen die Prinzessin herrlich geschmückt auf dem Verdeck stehen sahen, fingen sie an, ihr zuzurufen und sie mit Willkommensworten zu grüßen. Und alle Männer, die ihr hold lächelndes Antlitz schauten, lüfteten die Mütze und schwenkten sie hoch in die Luft.

Aber unten auf der Königsbrücke stand König Olaf selbst, und als er die Prinzessin sah, strahlte sein Angesicht in Freude, und seine Augen leuchteten in sanfter Zärtlichkeit. Und da es so spät im Jahr war, daß alle Blumen dahin waren, pflückten die jungen Mädchen rotgelbes Herbstlaub von den Bäumen und streuten es auf die Brücke und die Straße. Und mit aller Hast eilten sie, die Hauswände mit glänzenden Vogelbeeren und dunkelroten Espenblättern zu verkleiden.

Die Prinzessin, die hoch auf ihrem Schiff stand, sah das Volk, das winkte und sie willkommen hieß, sie sah das rotgelbe Laub, auf dem sie wandeln sollte. Und ganz vorne auf der Brücke sah sie den König, der ihr entgegenlächelte.

Und die Prinzessin vergaß all das, was sie sagen und beichten sollte. Sie vergaß, daß sie nicht Ingegerd war. Sie vergaß alles, nur das nicht, daß sie Olaf Haraldsons Weib werden wollte.

Eines Sonntags saß Olaf Haraldson beim Mittagstische, und seine schöne Königin saß an seiner Seite. Er sprach eifrig mit ihr, stützte den Ellbogen auf den Tisch und wendete sich so, daß er ihr Antlitz sehen konnte. Aber als Astrid sprach, senkte der König den Blick, um nur an den Liebreiz ihrer Stimme zu denken, und als sie lange sprach, begann er, ohne es zu bemerken, mit dem Messer an der Tischplatte zu schnitzen.

Alle Mannen König Olafs wußten, daß er dies nicht getan haben würde, wenn er sich erinnert hätte, daß es Sonntag war. Aber sie hatten zu viel Ehrfurcht vor dem König, als daß sie gewagt hätten, ihn daran zu erinnern.

Je länger Astrid sprach, desto unruhiger wurden die Kämpen. Die Königin sah wohl, daß sie verwunderte Blicke miteinander tauschten, aber sie wußte nicht, was die Ursache war.

Alle hatten aufgehört zu essen, und die Speisen waren fortgetragen, aber König Olaf saß noch immer still da, sprach mit Astrid und schnitt an der Tischplatte. Ein ganzer Haufen kleiner Späne lag vor ihm.

Da sprach endlich sein Freund Björn, Sohn des Ogru auf der Seehundsinsel: »Welchen Tag haben wir morgen, Eilif?« fragte er und wandte sich an einen Knappen.

»Morgen haben wir Montag«, antwortete Eilif mit hoher, klarer Stimme.

Da erhob der König sein Haupt und sah Eilif an. »Sagtest du, daß morgen Montag ist?« fragte er nachdenklich. Ohne ein weiteres Wort sammelte er alle Späne, die er aus dem Tisch geschnitten, in seine Hand, ging zum Herd, nahm eine Feuerkohle und legte sie auf die Späne, die allsogleich Feuer fingen. Der König stand still und ließ sie in seiner Hand zu Asche brennen. Da freuten sich alle Kämpen, aber die junge Königin wurde blaß wie eine Leiche.

Wie wird er mich richten, wenn er einmal meine Sünde erfährt, dacht sie, wenn er selbst das geringste Vergehen so hart ahndet.

Acke von Gardarike lag krank auf seiner Schute im Hafen von Kungahälla. Er lag unten in dem engen Schiffsraum und erwartetete den Tod. Er hatte lange Zeit schlimme Schmerzen in seinem Fuß gehabt, nun war es eine offene Wunde geworden; in den letzten Stunden hatte der Fuß begonnen, schwarz zu werden.

»Du mußt nicht sterben, Acke«, sagte Ludolf von Kungahälla, der in den Schiffsraum herabgekommen war, um nach Acke zu sehen. »Weißt du nicht, daß König Olaf in der Stadt ist und daß Gott ihm große Kräfte gegeben um seines heiligen Lebenswandels und seiner Frömmigkeit willen? Laß ihn bitten, daß er zu dir kommt und dir seine Hand auflegt, dann bleibst du am Leben!«

»Nein, ich kann nicht Hilfe von ihm begehren«, sagte Acke. »Olaf Haraldson haßt mich, weil ich seinen Pflegebruder totgeschlagen, Reor, den Weißen. Wenn er wüßte, daß ich mit meinem Schiff hier im Hafen liege, würde er mich töten.«

Aber als Ludolf Acke verließ und hinauf auf die Straße kam, begegnete er der jungen Königin, die im Wald gewesen war und Nüsse gepflückt hatte.

»Königin«, rief Ludolf ihr zu, »sage König Olaf dieses: Acke von Gardarike, der ihm den Pflegebruder getötet, liegt auf den Tod in seiner Schute hier im Hafen.«

Die schöne Königin eilte heim und ging zu König Olaf, der im Hof stand und sein Pferd wartete.

»Freue dich, König Olaf!« sagte sie. »Acke von Gardarike, der deinen Pflegebruder getötet, liegt krank auf seiner Schute hier im Hafen, dem Tod nahe.«

Olaf Haraldson führte eilig das Pferd in den Stall. Dann ging er ohne Schwert und ohne Helm hinaus auf die Straße. Er eilte rasch zwischen den Häusern hindurch, bis er hinab zum Hafen kam, und suchte Ackes Schute. Der König stand unten im Schiffsraum bei dem Kranken, bevor seine Mannen ihn daran hindern konnten.

»Acke«, sagte König Olaf, »gar manches Mal habe ich draußen auf dem Meer Jagd auf dich gemacht, und du bist mir immer entkommen. Nun bist du hier in meiner Stadt vom Siechtum ereilt worden. Das ist mir ein Zeichen, daß Gott dein Leben in meine Hand gegeben.«

Acke antwortete nicht. Er war ganz machtlos; der Tod war ihm sehr nahe. Olaf Haraldson legte die Hände auf seine Brust und betete zu Gott: »Gib mir dieses meines Feindes Leben.«

Aber die Königin, die den König ohne Helm und Schwert zum Hafen hatte eilen sehen, war in den Königshof gegangen, hatte seine Waffen geholt und einige seiner Mannen gerufen. Sie kam ihm nun auf das Schiff nach.

Aber als sie vor dem engen Schiffsraum stand, hörte sie König Olaf für den Kranken beten.

Astrid blickte zum König und zu Acke hinein, ohne zu verraten, daß sie da war. Sie sah, wie, während des Königs Hände auf Stirn und Brust des Sterbenden ruhten, die Todesblässe aus seinem Antlitz verschwand; er begann leicht und still zu atmen, er hörte auf zu stöhnen, und endlich versank er in süßen Schlummer.

Astrid ging sachte zurück, dem Königshof zu. Schwer schleppte sie des Königs Schwert über die Straße. Ihr Antlitz war fahler als das des Sterbenden. Ihre Atemzüge waren so schwer wie Todesröcheln.

Es war am Morgen des Allerheiligentags, und König Olaf wollte zur Messe gehen. Er kam aus dem Königshaus und schritt über den Hof dem Tor zu. Mehrere Mannen standen draußen auf dem Hof, um den König in die Messe zu begleiten. Als er nun kam, stellten sie sich in zwei Reihen auf, und der König ging zwischen ihnen hindurch.

Astrid stand oben auf dem schmalen Gang vor der Frauenkemenate und blickte auf den König hinab. Er trug einen breiten Goldreif ums Haupt und war in einen langen Mantel aus rotem Samt gekleidet. Er ging sehr still; Feiertagsfriede lag auf seinem Antlitz. Astrid erschrak, als sie sah, wie sehr er Gottes heiligen Männern und Königen glich, die in Holz geschnitzt über dem Altar der Marienkirche thronten. Ganz unten am Tor stand ein Mann im Schlapphut, einen großen Mantel um die Schultern geworfen. Als der König sich ihm näherte, ließ er den Mantel fallen, zückte ein bloßes Schwert, das er darunter verborgen, hoch in die Luft und stürzte sich auf den König.

Aber als er ganz nahe kam, fiel König Olafs Blick hell und milde auf ihn, und er hielt in seinem Lauf inne. Er ließ das Schwert zu Boden fallen und sank auf die Knie.

König Olaf stand still und sah den Mann mit demselben klaren Blick an, und der Mann versuchte, die Augen von ihm zu wenden, aber er konnte nicht. Endlich begann er zu schluchzen und zu weinen.

»Oh, König Olaf, König Olaf«, klagte er, »deine Feinde sandten mich her, um dich zu töten, aber als ich deines Angesichts Heiligkeit sah, fiel das Schwert aus meiner Hand. Deine Augen, König Olaf, haben mich zu Boden gestreckt.«

Astrid sank auf dem Söller in die Knie. »O Gott, hab Erbarmen mit mir Sünderin«, sagte sie. »Weh mir, weh mir, weh mir, daß ich mit Lüge und List dieses Mannes Weib geworden.«

Am Abend des Allerheiligentags war klarer Mondenschein. Der König war rings um den Hof gegangen und hatte einen Blick in den Stall und den Viehhof geworfen, um nachzusehen, ob alles in Ordnung war, und er war auch in den Hütten gewesen, wo Leibeigene und Dienstleute wohnten und hatte gesehen, daß sie gut verpflegt wurden. Als er wieder zum Königshof zurückkehrte, sah er, wie ein Weib mit schwarzer Kapuze über dem Kopf sich zum Hoftor schlich. Er glaubte sie zu erkennen und folgte daher ihren Schritten. Sie ging durch das Tor, kreuzte den Marktplatz und huschte durch die engen Gäßchen zum Älf hinab.

Olaf Haraldson folgte ihr, so leise er konnte. Er sah sie auf eine der hohen Brücken hinausgehen, dort stehenbleiben und hinab ins Wasser blicken. Gleich darauf streckte sie die Arme empor und ging, schwer seufzend, so weit auf die Brücke vor, daß der König deutlich sah, daß sie sich in den Älf stürzen wollte.

Der König näherte sich ihr mit unhörbaren Schritten, die er in vielen Gefahren gelernt hatte. Zweimal schon hatte die Frau den Fuß erhoben, um den Sprung ins Wasser zu tun, doch stets hatte sie sich wieder besonnen. Bevor sie noch einen neuen Versuch machen konnte, hatte Olaf Haraldson den Arm um ihren Leib gelegt und sie von der Brücke zurückgerissen.

»Du Unglückliche«, sagte er zu ihr, »du willst das tun, was Gott verboten hat.«

Als die Frau seine Stimme hörte, schlug sie beide Hände vors Gesicht, um es zu verbergen. Aber König Olaf wußte, wer sie war. Das Rauschen ihrer Kleider, die Form ihres Kopfes, der Glanz der Ringe um ihre Arme hatten ihm schon gesagt, daß es die Königin war.

Im ersten Augenblick hatte Astrid gekämpft, um sich freizumachen, aber dann wurde sie plötzlich still und versuchte dem König den Glauben, daß sie sich habe töten wollen, zu nehmen.

»Oh, König Olaf, warum schleichst du einer armen Frau nach, die zum Fluß hinabgegangen, um zu sehen, wie sich der Mond im Wasser spiegelt? Was soll ich von dir denken?«

Astrids Stimme klang ruhig und scherzend. Der König stand schweigend.

»Du hättest mich so erschrecken können, daß ich in den Fluß gestürzt wäre«, sagte Astrid. »Glaubst du vielleicht, daß ich mich ertränken wollte?«

Der König antwortete: »Ich weiß nicht, was ich glauben soll. Gott wird mich erleuchten.«

Astrid lachte laut auf und küßte ihn. »Tötet man sich, wenn man glücklich ist wie ich? Tötet man sich im Paradies?«

»Ich verstehe es nicht«, sagte König Olaf in seiner stillen Weise. »Gott wird mich erleuchten. Er wird mir sagen, ob ich schuld daran bin, daß du eine so große Sünde begehen wolltest.«

Astrid kam nun auf ihn zu und streichelte sein Antlitz. Die Ehrfurcht, die sie stets für König Olaf empfunden, hatte sie bis jetzt abgehalten, ihm die ganze Zärtlichkeit ihrer Liebe zu zeigen. Nun schloß sie ihn mit einem Mal leidenschaftlich in ihre Arme und küßte ihn unzählige Male, dann begann sie mit einer Stimme zu sprechen, die süß und zwitschernd war.

»Höre nun, wie stark meine Liebe zu dir ist«, sagte sie.

Sie bewog König Olaf, auf einem umgestülpten Boote Platz zu nehmen. Sie selbst kniete zu seinen Füßen.

»König Olaf«, sagte sie, »ich will nicht länger Königin sein. Wer jemanden so lieb hat wie ich dich, kann nicht Königin sein. Ich wollte, du zögest tief in den Wald und ließest mich deine Magd sein. Da könnte ich dir dienen, jeden Tag. Da würde ich dein Essen bereiten, dein Lager richten und deine Hütte bewachen, wenn du schläfst. Niemand außer mir dürfte dir dienen. Wenn du abends von der Jagd heimkämest, würde ich dir entgegengehen und mich vor dir auf dem Wege auf die Knie werfen und sagen: König Olaf, mein Leben ist dein! Und du würdest lächeln und deine Lanze auf meine Brust senken und sagen: Ja, dein Leben ist mein. Du hast nicht Vater, nicht Mutter, du bist mein, und in meiner Hand ist dein Leben.«

Als Astrid dies sagte, nahm sie spielend König Olafs Schwert aus der Scheide. Sie drückte den Griff in König Olafs Hand, doch die Spitze führte sie gegen ihr Herz. »Sage nun dies zu mir, König Olaf«, sagte sie, »so, als wären wir einsam im Walde und ich wäre deine Magd. Sage dies: dein Leben ist mein.«

»Dein Leben ist Gottes«, sagte der König.

Astrid lachte leicht. »Mein Leben ist dein«, wiederholte sie mit großer Zärtlichkeit in der Stimme, und in demselben Augenblick fühlte König Olaf, daß sie das Schwert gegen ihre Brust drückte.

Aber der König hielt sein Schwert mit kräftiger Hand. Er raffte es an sich, bevor es Astrid gelungen war, sich etwas zuleide zu tun.

Und er sprang auf. Zum ersten Mal in seinem Leben war er so erschrocken, daß er zitterte. Die Königin hatte durch seine Hand sterben wollen, und beinahe wäre es ihr gelungen.

Aber im selben Augenblick kam eine Eingebung über ihn. Er begriff ihre Verzweiflung. »Sie hat sich vergangen«, dachte er. »Sie hat eine Sünde auf dem Gewissen.« Er beugte sich über Astrid. »Sage, was du verbrochen hast«, sagte er. Astrid hatte sich in verzweifeltem Weinen auf die groben Planken der Brücke geworfen.

»So weint keine Schuldfreie«, dachte der König. »Aber wie kann die edle Königstochter eine so schwere Angst auf sich geladen haben?« fragte er sich. »Wie kann der hohen Ingegerd Gewissen mit einem Verbrechen belastet sein?«

»Ingegerd, sage mir, worin hast du gefehlt?« fragte er aufs neue. Aber Astrids Kehle wurde von Schluchzen zusammengeschnürt, und sie konnte nicht antworten. Statt dessen streifte sie die funkelnden Ringe und Armspangen ab und reichte sie mit abgewandtem Antlitz dem König.

Wie wenig glich all dies der frommen Königstochter, von der Hjalte gesprochen. »Ist das Hjaltes Ingegerd, die hier zu meinen Füßen schluchzt?« dachte der König. Er beugte sich hinab und faßte Astrid an den Schultern. »Wer bist du, wer bist du?« sagte er und schüttelte ihren Arm. »Ich sehe, daß du nicht Ingegerd bist. Wer bist du?«

Noch immer schluchzte Astrid so, daß sie nicht antworten konnte. Aber um dem König Klarheit über das zu geben, was er zu wissen verlangte, ließ sie ihr langes Haar herab und schlang eine Locke um ihre Arme, streckte sie gegen dem König aus und saß dann wartend da mit gebeugtem Rücken und gesenktem Haupte.

Der König dachte: »Sie will bekennen, daß sie eine von denen ist, die Fesseln tragen. Sie will mir sagen, daß sie eine Magd ist.«

Wieder kam eine Eingebung über König Olaf, die ihn den Zusammenhang begreifen ließ.

»Hat nicht der Sveakönig eine Tochter, die das Kind einer Magd ist?« fragte er plötzlich.

Er hörte kein Wort von Astrid, nur immer stärker werdendes Wimmern.

»Hat mir der Sveakönig«, fragte nun König Olaf, »nicht das Kind seiner Königin gegönnt, sondern das der Magd geschickt?«

Auch jetzt bekam er keine Antwort, aber er hörte Astrid beben und zähneklappern, als friere sie.

König Olaf hatte noch eine Frage: »Hast du, die ich zu meiner Gattin gemacht, so schimpflichen Sinn, daß man dich dazu gebrauchen kann, die Ehre eines Mannes herabzusetzen? Bist du so niedrig, daß du dich darüber freust, wenn meine Feinde mich verlachen?«

Astrid hörte an der Stimme des Königs, wie bitter er durch den Schimpf litt, der ihm zugefügt worden war. Sie vergaß darüber ihr eigenes Leid und hörte auf zu weinen: »Nimm mein Leben«, sagte sie.

Und König Olaf empfand eine schwere Versuchung. Stich die elende Magd tot, sagte der alte, sündige Mensch in ihm. Zeige dem Sveakönig, was es kostet, mit Norwegens König seinen Spott zu treiben!

Olaf Haraldson fühlte in diesem Augenblick keine Liebe zu Astrid. Er haßte sie, weil sie ein Werkzeug seiner Demütigung war. Er wußte, daß alle ihn loben würden, wenn er Böses mit Bösem vergalt. Aber wenn er die Beleidigung nicht bestrafte, dann würden die Skalden ihn zum Gespött machen und seine Feinde aufhören, ihn zu fürchten.

Er hatte nur eine Sehnsucht: Astrid niederzustoßen, ihr Leben auszulöschen. Wenn er Astrid als blutige Leiche auf ihr Schiff legte und sie ihrem Vater zurücksandte, würde man dann nicht von König Olaf sagen, daß er ein würdiger Sproß des großen Königs Harald Harfager war?

Aber König Olaf hielt sein Schwert in der Hand und fühlte den Griff, in dessen Gold er einmal hatte einritzen lassen: »Selig sind die Friedfertigen! Selig sind die Demütigen! Selig sind die Barmherzigen!« Und jedesmal, wenn er in der Angst der Stunde das Schwert hart umklammerte, um Astrid niederzustoßen, fühlte er diese Worte in seiner Hand. Er glaubte jeden Buchstaben zu spüren.

Er entsann sich des Tages, an dem er zum ersten Mal diese Worte gehört. »Dies soll mit goldenen Buchstaben auf dem Griff meines Schwertes stehen«, hatte er gesagt, »so daß die Worte die Hand brennen mögen, wenn ich mein Schwert mit zügellosem Mut führen will oder für eine ungerechte Sache.«

Nun fühlte er, wie der Schwertgriff in seiner Hand brannte.

König Olaf sagte laut zu sich selbst: »Ehedem bist du vieler Gelüste Diener gewesen. Nun hast du nur einen Herrn, und der ist Gott.«

Mit diesen Worten steckte er das Schwert in die Scheide. Und er begann auf der Brücke auf und ab zu gehen. Astrid lag noch immer in derselben Stellung. König Olaf sah, wie sie sich in Todesfurcht zusammenduckte, jedesmal, wenn er an ihr vorbeiging. »Ich werde dich nicht töten«, sagte er zu Astrid, aber seine Stimme klang hart vor Haß.

Noch eine Weile ging König Olaf auf der Brücke auf und nieder. Dann kam er auf Astrid zu und fragte mit derselben harten Stimme nach ihrem wirklichen Namen, und darauf konnte sie antworten.

König Olaf sah nun, wie dieses Weib, das er am höchsten geschätzt, auf der Brücke lag, wie ein zuschanden geschossenes Tier. Er kam Astrid näher und sprach, als hätte diese kein Leben mehr und könnte das nicht hören, was er sagte.

»Man hatte mir gesagt, daß es eine Königstochter gebe, deren Herz so hoch und heilig sei, daß sie jeglichem Frieden schenke, der in ihre Nähe komme. Man hatte von ihrer Sanftmut gesprochen, in deren Nähe sich jeder geborgen fühle wie ein schutzloses Kind bei der Mutter. Und als dieses schöne Weib, das nun hier liegt, zu mir kam, da glaubte ich, sie wäre Ingegerd, und sie wurde mir sehr teuer. Sie war hold und fröhlich, und sie machte meine schweren Stunden leicht. Wenn sie auch zuweilen anders sprach und handelte, als ich es von der stolzen Ingegerd erwartete, war sie mir doch allzu teuer, als daß ich an ihr hätte zweifeln können. Sie schlich sich in meinen Sinn mit ihrer Freude und mit ihrer Schönheit.«

Er schwieg eine Weile und dachte daran, wie lieb Astrid ihm gewesen, und wie mit ihr das Glück in sein Haus gezogen.

»Ich könnte ihr verzeihen«, sagte er dann laut. »Ich könnte sie in Liebe auf meinen Armen emporheben, aber das darf ich nicht tun, denn meine Seele würde doch heimatlos bleiben. Oh, du schönes Weib«, sagte er, »warum wohnt die Lüge in dir? Warum ist bei dir keine Sicherheit, keine Traulichkeit!«

Er hätte noch länger geklagt, aber da erhob sich Astrid. »König Olaf, sprich nicht so zu mir«, sagte sie. »Ich will lieber sterben. Vergiß nicht, daß dies mein Ernst ist.«

Darauf versuchte sie einige Worte zu sagen, um sich zu entschuldigen. Sie sagte ihm, wie sie nach Kungahälla gefahren, nicht in der Absicht, ihn zu betrügen, sondern um ein paar Wochen hindurch Fürstin zu sein, um bedient zu werden, um auf dem Meer zu segeln. Aber sie gedachte zu gestehen, wer sie war, sobald sie Kungahälla erreicht hatte. Dort erwartete sie,

Hjalte zu finden und andere Mannen, die Ingegerd kannten. Aber wie durch eine böse Macht vertrieben, waren alle fort, die Ingegerd kannten, und da war sie zur Lüge verlockt worden. »Als ich dich sah, König Olaf«, sagte sie, »vergaß ich alles, um dein werden zu können. Und ich dachte, daß ich mich mit Freuden töten lassen wollte, wenn ich nur für einen Tag dein Weib sein könnte.«

König Olaf antwortete ihr: »Wohl verstehe ich, daß es ein Spiel für dich bedeutete, was für mich todesschwerer Ernst war. Nie hast du bedacht, was es bedeutet, zu kommen und zu einem Manne zu sagen: Ich bin die, die du heiß begehrst. Ich bin die hochgeborene Jungfrau, die zu gewinnen der größte Ruhm ist. Und nun bist du nicht dieses Weib; du bist eine lügenhafte Magd.«

»Ich habe dich liebgehabt, seit ich deinen Namen nennen hörte«, sagte Astrid leise.

Der König ballte seine Hand ingrimmig gegen sie. »Wisse es, Astrid, nach Ingegerd habe ich mich gesehnt, so wie kein Mann sich nach einem Weib sehnte. An ihr wollte ich mich festhalten, so wie die Seele des Toten an den tragenden Engeln, um emporzusteigen. Ich glaubte, sie sei so fromm, daß sie mir helfen könnte, ein schuldfreies Leben zu leben.« Und er brach in wilde Sehnsucht aus, und er sprach davon, daß er nach der Gewalt schmachte, die die Heiligen des Herrn besaßen, aber daß er zu schwach und zu sündig sei, um diese Vollkommenheit zu erreichen. »Aber die Königstochter würde mir geholfen haben«, sagte er, »sie, die heilig Holde, würde mir geholfen haben.

O Gott«, sagte er, »wohin ich mich auch wende, sehe ich Sünder, wo ich gehe, begegne ich solchen, die mich zur Sünde verlocken. Warum ließest du nicht die Königstochter kommen, die keinen bösen Gedanken in ihrem Herzen trägt? Ihre milden Augen hätten den rechten Weg für mich erspäht. Sobald ich gegen ein Gebot Gottes hätte handeln wollen, würde ihre milde Hand mich zurückgehalten haben.«

Eine tiefe Müdigkeit der Verzweiflung überkam Olaf Haraldson. »Das war es, worauf ich gehofft hatte«, sagte er, »einen guten Menschen an meiner Seite zu haben. Nicht beständig einsam unter Wildheit und Arglist zu wandern! Nun fühle ich, daß ich unterliegen werde. Ich vermag es nicht länger, zu streiten. Gott hat mir nicht die Frau schenken wollen, die mir beistehen sollte auf meiner Wanderung. Nun weiß ich, daß ich niemals die Heiligenkrone erringen werde.«

Und der König schwieg in trostloser Verzweiflung. Da trat Astrid näher zu ihm heran.

»König Olaf«, sagte sie, »das, was du nun sagst, haben mir sowohl die Prinzessin wie Hjalte schon längst gesagt, aber ich wollte nicht glauben, daß du etwas anderes seist als ein guter, tapferer Held und ein edler König. Erst seit ich unter deinem Dach lebe, hat meine Seele angefangen, dich zu fürchten. Ich habe gefühlt, daß es schlimmer ist als der Tod, mit einer Lüge auf der Zunge vor dich hinzutreten.

Nie hat etwas mich so erschreckt«, fuhr Astrid fort, »als da ich begriff, daß du ein Heiliger bist, als ich dich die Späne in deiner Hand verbrennen sah, als ich gewahrte, daß die Krankheit auf dein Geheiß floh und das Schwert aus deines Feindes Hand fiel. Es hat mich zu Tode erschreckt, daß du ein heiliger Mann bist. Und ich beschloß zu sterben, bevor du erfahren würdest, daß ich dich betrogen habe.«

König Olaf antwortete nicht. Astrid sah zu ihm auf. Seine Augen waren zum Himmel gerichtet. Sie wußte nicht, ob er sie hörte.

»Oh, diesen Augenblick, den wir nun erleben«, sagte sie, »den habe ich gefürchtet, jeden Tag und jede Stunde, seit ich herkam. Lieber wollte ich sterben, als ihn erleben.«

Noch immer schwieg Olaf Haraldson.

»König Olaf«, sagte sie, »ich wollte etwas für dich tun, dir mein Leben geben. Ich wollte mich in den grauen Älf stürzen, damit du keine Lügnerin an deiner Seite zu haben brauchst. Je mehr ich von deiner Heiligkeit sah, desto deutlicher erkannte ich, daß ich von dir gehen mußte. Ein Heiliger Gottes kann keine lügnerische Magd zum Weib haben.«

Noch immer schwieg der König, aber nun erhob Astrid die Augen zu seinem Angesicht, und sie rief: »König Olaf, dein Antlitz strahlt!«

Während Astrid sprach, war es König Olaf, als wären seine Augen einer Erscheinung geöffnet.

Alle Sterne des Firmaments sah er ihre Plätze verlassen und am Himmel fliegen wie schwärmende Bienen. Aber plötzlich hatten sie sich alle über seinem Haupte vereint und eine glanzumflossene Krone gebildet.

»Astrid«, sagte er mit bebender Stimme. »Gott hat zu mir gesprochen. Es ist so, wie du sagst. Ich soll Gottes Heiliger werden.« Seine Stimme zitterte vor Rührung, und sein Antlitz leuchtete in der Nacht.

Aber als Astrid das Licht sah, das sein Haupt umstrahlte, erhob sie sich. Die letzte Hoffnung war für sie erloschen.

»Nun will ich gehen«, sagte sie. »Nun weißt du, wer du bist; niemals kannst du mich mehr an deiner Seite dulden. Aber denke meiner in Milde. Ohne Glück und Freude lebte ich mein ganzes Leben. Denke, ich bin geschlagen worden, ich bin in Lumpen gegangen. Verzeih mir, wenn ich fort bin. Meine Liebe hat dir nicht geschadet!«

Als Astrid in schwerer Verzweiflung über die Brücke fortschritt, erwachte Olaf Haraldson aus seiner Verzückung. Er eilte ihr nach.

»Warum willst du gehen?« fragte er. »Warum willst du gehen?«

»Muß ich nicht gehen, jetzt, wo du ein Heiliger bist?« flüsterte sie kaum hörbar.

»Nimmer sollst du gehen, gerade jetzt mußt du bleiben«, sagte König Olaf. »Ein geringer Mann war ich zuvor und mußte zittern vor allem Bösen. Ein armer, irdischer König war ich, zu arm, um dir meine Gnade zu schenken. Doch nun ist mir des Himmels Kraft gegeben. Wenn du schwach bist, so bin ich stark durch den Herrn. Wenn du fällst, so kann ich dich aufrichten. Gott wird mich schirmen; Astrid, du kannst mir nicht schaden, aber ich kann dir beistehen. Ach, wie ich spreche! In dieser Stunde hat Gott so überreich seine Liebe in mein Herz gegossen, daß ich nicht weiß, ob du gefehlt hast.«

Und in großer Milde hob er die bebende Gestalt empor; und sie, die noch immer schluchzte und sich kaum aufrecht halten konnte, zärtlich stützend, so kehrten sie zurück in den Königshof.

Margareta Fredkulla

So ging es zu, als Margareta Fredkulla, die nach Norwegen ritt, um sich mit dem König Magnus Barfot zu vermählen, in das Storgardsdorf in Westgotland kam, das am südlichen Älfufer liegt, ein Stück oberhalb von Kungahälla:

Vor allen anderen hatten die beiden alten Mütterchen Karin Wullum und Valborg Toot, die oben im großen Wald gewesen waren, um Moos zu sammeln, einen Schimmer der Prinzessin, von einer hohen Bergspitze aus, zu sehen bekommen. Sie hatten allsogleich ihre Traglasten abgeworfen und waren hinunter ins Dorf gestürzt, um zu erzählen, daß etwas Helles und Zartes über den Waldweg reite, daß schöne Menschen unter den Bäumen einherzogen. Aber niemand, der sie hörte, wollte ihnen Glauben schenken. »Wehe euren trüben Augen!« rief man ihnen zu. »Das kann keine Prinzessin gewesen sein; das war sicherlich nichts anderes als der Moornebel, der unter den roten Fichtenstämmen tanzte.«

Gleich nach den alten Weiblein kam Rasmus, der Köhlerjunge, gelaufen. Die Augen leuchteten in seinem Gesicht, und er war so atemlos, als er ins Dorf kam, daß er kaum zu sprechen vermochte. Aber sobald er Atem genug hatte, begann er überlaut zu rufen: »Freut euch! Die Prinzessin kommt! Ich habe die Schöne unter den Bäumen reiten sehen. Freut euch!«

Rasmus, der Köhlerjunge, hatte auf dem dreieckigen Platz mitten im Dorf haltgemacht, da, wo drei Wege sich begegnen. Ein paar Bauern standen da und flüsterten miteinander davon, daß der Krieg mit Norwegen bald aufs neue ausbrechen würde, und als sie Rasmus hörten, glaubten sie, er wollte seinen Spott mit ihrem Unglück treiben. »Bärenjunges«, sagten sie und drohten ihm mit den Fäusten, »schweig, wenn dir dein Leben lieb ist! Kein Wort mehr davon, du Wechselbalg!«

Aber Rasmus, der Köhlerjunge, war nicht so leicht zum Schweigen zu bringen. Er begann noch einmal mit seinem Sprüchlein! »Die Prinzessin kommt. Die Vögel des Fichtenwalds hörte ich zwitschern, um sie zu grüßen. Wie sie einherzog, schwang sich das Eichhörnchen aus den Baumwipfeln herab und saß still auf dem untersten Zweig, den Schwanz aufrecht in die Höhe und mit Augen wie Feuerkohlen. Und der Auerhahn flog zwischen den Bäumen auf, knatternd wie Donner.«

Als er dies gesagt hatte, stürzte Per, der Schmied, vor und nahm Rasmus, den Köhlerjungen, beim Ohr. »Die Prinzessin!« zischte er ihn an, »du sagst, daß du die Prinzessin gesehen hast! Es war ein Geist, verstehst du, ein schöner Waldgeist. Die Prinzessin kommt nicht. Gott erbarme sich, die Prinzessin kommt nicht!«

Aber obgleich niemand das Gerücht glauben wollte, lief es im Augenblick durchs ganze Dorf, und Leute kamen von allen Seiten auf den Platz, um zu hören, was der Knabe zu sagen hatte. Das Storgardsdorf war während des damaligen Kriegs zum größten Teil verbrannt worden und bestand nun zumeist aus schwarzen Brandstätten, auf denen man aus Furcht vor dem Krieg nicht gewagt hatte, neue Häuser zu errichten. Aber aus Kellern und elenden Erdlöchern, in denen die Menschen hausten, kamen sie herangeschlichen, abgezehrt und in Lumpen. Sie gingen sehr still und trauten sich kaum recht, zu Rasmus, dem Köhlerjungen, hinzutreten, so, als wagten sie es nicht, seine Botschaft zu hören.

Aber als Per, der Schmied, sah, daß ihrer immer mehr kamen, kniff er den Jungen so derb ins Ohr, daß er jammerte. Gleichzeitig versuchte der Schmied mit klugen Worten den Knaben zum Schweigen zu überreden.

»Du sollst keinen Scherz mit uns armen Bauern treiben, die im Grenzland leben, in diesen schlimmen Zeiten, wo die Könige des Nordens den Frieden nicht halten«, sagte er. »Wir sind Schafe, die von der Herde getrennt wurden. Wir werden von Bären gejagt, wir werden in Abgründe gestürzt. Jeden Tag und jede Stunde blicken wir dem Tod ins grimmige Antlitz.«

Während der Schmied sprach, kamen immer mehr und mehr Bauern zusammen. Da kam einer mit Namen Hallvard, der am vorigen Tage so sicher gewesen war, daß der Krieg von neuem beginnen würde, daß er seine Schatzkiste hinaus auf die Heerstraße gestellt und alle Vorübergehenden gebeten hatte, daraus zu nehmen, was sie wollten. Und da kamen die Leute aus Westerhof, die all ihr Erbgut in Bier und Essen verwandelt hatten und den Krieg erwarteten, indes sie sich in Sünden wälzten; und zum Schluß kamen die Menschen von einem kleinen Hof ganz am Ende des Dorfes, die sich jüngst daran gemacht hatten, selbst ihr Heu zu verbrennen und ihr Vieh zu schlachten, damit die Norweger keinen Nutzen davon haben sollten.

Als der Schmied all diese Menschen kommen sah, stumm und

still, aber mit Augen, in denen der Wahnsinn brannte, da erschrak er vor dem Gedanken, daß sie zu allem fähig sein könnten, wenn sie jetzt in ihrer Hoffnung auf Frieden genarrt würden.

»Begreifst du nicht, daß es die Waldelfe war?« sagte er wieder zu Rasmus und sprach laut, damit alle ihn hören sollten. »Die geht dort oben im Wald um und lächelt und winkt und verdreht euch Köhlern den Kopf. Das kannst du dir wohl denken, daß die Waldelfe weiß, daß König Inge mit dem norwegischen König Magnus im vorigen Sommer zu Kungahälla über den Frieden verhandelte. Sie weiß wohl, daß da als Friedensbedingung festgelegt wurde, daß Inges Tochter nach Norwegen kommen und sich mit König Magnus vermählen soll. Und da die Waldelfe sich nun denken kann, daß wir alle einhergehen und nach der Friedensjungfrau spähen, verzaubert sie unsere Augen und zeigt sich in der Gestalt einer Prinzessin. Solchen Schabernack spielt das Trollpack nur zu gerne.«

Rasmus, der Köhlerjunge, stand still und hörte Per, dem Schmied, ganz scheinheilig zu, so daß dieser glaubte, er hätte den Knaben überzeugt, und ihn losließ. Aber kaum war Rasmus befreit, als er auch schon noch lauter als vorher zu schreien begann: »Die Prinzessin kommt! Ich habe die Prinzessin gesehen!« Und damit man ihm glauben sollte, erzählte er von der Krone, die gleich einer Blume mit Perlentau geschmückt war, und von der Satteldecke, die so prächtig leuchtete wie der rote Fliegenpilz.

Aber da trat das alte Mütterchen Sigrid Torsdotter aus der Menge. Sie schwang ihren Stock hoch in die Luft und begann zu rufen: »Wer ist es, der sagt, daß die Prinzessin kommt? Ich weiß, was kommt. Den lieben langen Winter saß ich allein in meiner Hütte und sah den Rauch vom Herd aufqualmen. Aber jeden Abend war der Rauch voll Zeichen. Er füllte sich vor meinen Augen mit Gestalten, die Schwert und Panzer trugen. Und ich weiß, was es bedeutet, wenn der Rauch voll Krieger ist. Es sind die Vorboten des Kriegs, die in dunkler Nacht, wenn wir in tiefem Schlummer liegen, an unsere Häuser herangeschlichen kommen. Wir hören sie nicht, wenn sie nahen, denn wir schlafen, aber wir erwachen, wenn der rote Hahn auf dem Dache zu krähen beginnt, wenn wir erstickt werden in unseren raucherfüllten Hütten, wenn die Mannen des norwegischen Königs das Siegesgeschrei ausstoßen.«

Alle Menschen fühlten Schauer und Furcht, als sie Sigrid

Torsdotter hörten, aber der Köhlerjunge stellte sich ihr gerade in den Weg.

»Ich schere mich einen blauen Teufel um Eure Rauchwolken«, sagte er. »Ich habe die Prinzessin gesehen. Zart und schön leuchtete ihr Angesicht unter der Krone.«

Per, der Schmied, der für die getäuschten Hoffnungen der armen Menschen fürchtete, warf sich über Rasmus, den Köhlerjungen, und schleifte ihn fort zu der Erdhöhle, wo er seine Schmiede hatte, steckte ihn dort hinein und wälzte vor den Eingang einen großen Stein, der als Tür diente.

Aber Rasmus schrie ohne Unterlaß: »Ich habe die Prinzessin gesehen! Ihr solltet euch freuen, daß sie kommt!«

Aber kaum hatte Per, der Schmied, den Köhlerjungen fortgeschafft, als ein Mann, der seit mehreren Jahren friedlos im großen Wald umherwanderte, hinab ins Dorf kam. Er sah aus wie ein wildes Tier, in seinen Fellen und mit seinem langen, ungestutzen Bart, aber er lachte laut vor Freude und schwenkte einen grünen Zweig über seinem Haupt als Friedenszeichen. Er lief durch das ganze Dorf, blieb bei jedem schwarzen Brandplatz stehen und rief so laut, daß man es bis hinab in die dunklen Keller hörte, in denen das Volk wohnte: »Die Prinzessin kommt. Ich habe die Prinzessin gesehen.«

So kam der Friedlose auch zu Folkes, des Landrichters großem Hof, und rief dort ebenso laut, aber Folke, der Landrichter, der ihn hörte, kam alt und gebückt aus einem Kellergang und rief ihm zu: »Friede sei mit dir, du Friedloser. Du mußt nicht mit Lügen kommen, um uns zu locken, dir zu verzeihen. Ich hebe den Fluch von deinem Haupt. Du sollst nicht in den Wald zurückkehren. Wir sind selbst gleich Friedlosen; wir verdammen keinen, geächtet von uns zu gehen.«

»Warum willst du mir nicht glauben?« sagte der Friedlose. »Weißt du nicht, daß König Inge gelobt hat, im Lenz die Friedensjungfrau zu entsenden.«

Als er dies sagte, sah der Alte ihn mit müden, hoffnungslosen Blicken an. »Nicht weiß ich, daß es jetzt Frühling ist«, sagte er. »Freund, für uns arme Bauern ist nun Herbst und Frühling ein und dasselbe. Für uns kann der Schnee auf dem Acker liegenbleiben, denn wir werden ihn nicht mit unseren Pflügen furchen. Der Regen mag in den Wolken hängenbleiben und der Samen still in der Erde liegen, ohne zu keimen und zu wachsen. Wir werden nicht säen noch ernten. Wir sitzen still und harren des Verderbens.«

Aber mittlerweile kamen arme Jäger und Knechte, die ihren Herren entlaufen waren, aus dem Wald herab und brachten dem Volk, das sich auf dem dreieckigen Platz versammelt hatte, neue Kunde. Aus vielen Augen begann die Hoffnung zu leuchten, nur das alte Mütterchen Sigrid Torsdotter saß noch trübe und düster da und erzählte von ihren Träumen.

»Wehe dem, der hofft, ehe er die Prinzessin mit eigenen Augen geschaut«, rief sie. »Wenn es am Waldessaum flimmert von einem silberbehuften Fohlen, wenn die Perlenkrone übers Tal leuchtet, dann ist es Zeit für die Grenzbauern, zu hoffen.«

Kaum hatte sie dies gesagt, als Karin Wullum und Valborg Toot ein »Mutter Gottes, hilf uns!« ausstießen und zum Waldessaum aufsahen, wo der Weg aus dem dichten Wald wie aus einem Kellergewölbe hervorkam.

Und alle begannen durcheinander zu rufen: »Kommt her und seht! – Was ist das? Mutter Gottes, hilf uns! – Beschattet eure Augen mit der Hand und blickt zum Wald auf! – Macht das Kreuzeszeichen und seht zum Wald auf! – Ist es nicht eine Jungfrau, die dort naht, mit herrlichem Troß? Sehen wir sie alle?«

All die erschreckten und verwilderten Menschen begannen zu rufen und die Hände emporzustrecken.

»Ist dies nicht ein Waldgeist?« schrien sie. »Ist es nicht ein Gaukelspiel der Hölle? Sehen wir alle eine Prinzessin?«

Sie warfen sich auf die Knie und fingen an zu beten und fromme Lieder zu singen. Sie eilten zum Glockenstuhl und läuteten, um zu prüfen, ob die schöne Jungfrau ein Troll war und Glockengeläute fürchtete. Aber als die alte Sigrid Torsdotter mit ihren weitsichtigen Augen sah, daß eine Jungfrau aus dem dunklen Wald geritten kam, da zögerte sie nicht mehr, sondern war die erste, die rief: »O du Liebe, du Zarte, du Morgensonne und Blume. Du bist keine Waldelfe, du bist eine Königstochter! Dankt, lobt den Herrn! O Teure, daß du endlich gekommen bist! Daß du nun hinabreitest in unser Tal!«

Sigrid Torsdotter schwang den Stock hoch über ihrem Haupt, und von allem Volk gefolgt, eilte sie der Prinzessin entgegen.

»Du Liebe, du Reine, du Morgensonne und Blume!« riefen sie alle ihr zu.

Und als sie ihr ganz nahe waren, riefen sie: »Du Liebe, du Zarte, wie leuchtest du herrlich unter der Krone, schlage das Seidentuch zurück. Laß uns dich recht sehen!«

Sie drängten sich dicht an den großen schwarzen Traber, der

feierlich einherschritt unter seiner Purpurdecke, mit großem wehendem Federbusch am Ohr, die Mähne in Flechten geteilt und mit Goldbändern durchwunden.

»Du Liebe, du Reine!« riefen sie. »Es ist wohl sanft, das große schwarze Pferd. Oh, Liebe, daß du endlich gekommen bist!«

Wie Margareta Fredkulla, die Friedensjungfrau, geritten kam, folgten ihr viele edle Herren und Frauen aus ihres Vaters Land, aber vor ihrem Pferde ging ein armer Bauer, der eine zerbrochene Lanze in der Hand trug und unablässig rief: »Hier reitet die schöne Friedensjungfrau. Hier reitet Margareta Fredkulla!«

Während ihres ganzen Rittes durch das Grenzland hatte die Prinzessin gesehen, wie Ruhe und Freude sich unter dem Volk ausbreitete. Wohin immer sie gekommen war, hatte sie Bauern gesehen, die den Pflug in die Erde senkten, und Hausmütter, die Linnen auf die Bleiche trugen. Hungrige Herden waren auf die Weide geführt worden; die Jugend hatte wieder gewagt, sich mit Armspangen und Ringen zu schmücken. Helme und Schwerter waren in die Waffentruhe geworfen worden.

Wo immer sie vorbeigezogen war, waren ihr Kinder und Frauen mit Blumen und mit zartem Frühlingslaub entgegengeeilt. Und oben im tiefen Wald war der alte wilde Köhler gelaufen gekommen und hatte sie in seine Hütte gebeten und ihr erfrorene Beeren vorgesetzt. Aber niemals war die schöne Königstochter mit solcher Freude begrüßt worden wie im Storgardsdorf. Ein paar der Männer nahmen das Pferd am Zügel und begannen, es behutsam den steilen Abhang hinabzuführen.

»Gott segne dich!« riefen sie ihr zu. »Gott segne dein schönes Angesicht! Gott segne dich, Fredkulla!«

Während der Zug sich hinab zum Storgardsdorf bewegte, liefen die Bauern neben der Königstochter einher und erzählten ihr keuchend, wie sie geharrt und gelitten hatten. Sie sagten ihr alles, was sie während des langen Unfriedens ausstehen mußten.

Als sie endlich hinab auf den dreieckigen Platz gekommen waren, nahm Fredkulla die Zügel an sich und hielt den stattlichen Traber an. Sie hatte nie zuvor soviel Elend gesehen. Sie sah auf die Brandstätten, die geplünderten Häuser und auf die armen Menschen. Und ihre Augen füllten sich mit Tränen. Aber da küßten die Bauersfrauen ihre Hände und riefen ihr zu, nun wären sie nicht mehr betrübt, da sie gekommen sei. Nun hatten sie die Friedensjungfrau in ihrer Mitte, nun waren ihre Leiden vorüber. »Denke nicht an uns, o Fredkulla«, sagten sie, »weine nicht über unser Elend. Denke an König Magnus, den herrlichen Helden, dem du angehören sollst. Lächle ihm in Huld. Streichle in Gedanken sein langes helles, seidenblasses Haar.«

Und da sie noch immer still auf dem Pferd saß und weinte, fingen sie alle an, sie zu trösten.

»Jetzt ist es nicht Zeit zu weinen, Jungfrau«, riefen sie. »Siehst du, hier liegt der Älf, und am andern Ufer ist Norwegen, da ist das schiffreiche Kungahälla, wo dein Bräutigam deiner harrt. Gott segne dich! König Magnus freut sich wohl der Stunde, da er dich in seine Arme schließen darf. Sieh, Jungfrau, nun weiß man es schon längs der Älfgestade, daß du gekommen bist. Sieh die Freudenfeuer, die auf allen Hügeln aufflammen! Sieh das Volk hinab zum Älf strömen! Und höre, dort drüben rufen sie schon: ›Fredkulla, Heil!‹ Du kannst die Worte hören, sie werden deutlich über das Wasser getragen.«

Aber Fredkulla ließ sich nicht trösten, sondern hielt noch immer betrübt das Pferd an und ließ ihre Blicke von dem einen zum andern wandern. Alle waren krank und zerlumpt. Sie sahen so verwildert aus, daß sie nicht mehr menschenähnlich waren.

Da erhob sie die Hand zum Zeichen, daß sie sprechen wollte, und es wurde still rings um sie.

Dann sprach Margareta Fredkulla auf dem Platz des niedergebrannten Storgardsdorfs, und alle die armen Menschen hörten sie, und ebenso hörten sie die hohen Herren und Frauen, die in ihrem Gefolge ritten.

»Ich will, daß ihr alle es im Sinn behaltet, was ich nun gelobe, bei Gott und allen Heiligen. Solange ich Worte auf meiner Zunge, solange ich Blut in meinem Herzen habe, solange will ich dem Werk des Friedens dienen.«

Hier verstummte sie, als begriffe sie, daß in diesem Versprechen eine Gefahr lag, und dann fügte sie hinzu: »Und sollte es mich auch Glück und Leben kosten.« Als die Königstochter dieses Gelöbnis abgelegt hatte, blickte sie mit freudigem Mut auf und weinte nicht mehr. Sie trieb das Pferd auf dem Weg vorwärts, der hinab zur Flußfähre führte. Aber da saß am grünen Wegesrand ein kleiner Hirtenbube. Der war so froh wie nur irgendeiner, und er wollte der Prinzessin das Beste geben, was er hatte. So fing er an, ihr ein kleines Liebeslied vorzusingen, von einem König hoch oben im Norden, der sich nach der Kaisertochter im Morgenland sehnte.

Und wieder saß Fredkulla still auf dem Pferd und lauschte dem Knaben, der mit hoher und klarer Stimme sang:

Eine gibt es, die mich bindet,
Tag und Nacht an sie zu denken.
Und sie wird doch nimmer, nimmer
Mir ihr Herz in Liebe schenken.
Die holde Maid im Osten
Hat kriegerischen Mut;
Matilda, Kaisertochter,
Dir weih ich Gut und Blut.

Nichts köstlicher auf Erden
Als stolz-vielliebe Fraue.
Ach, nun folget mir mein Sehnen
Wohl über Feld und Aue.
Vom Thing die Sorge reitet
Still neben mir zu Pferde,
Die Sorge, daß ich niemals
Der Schönen Liebster werde.

So lautete die Weise, und als die Königstochter sie zu Ende gehört hatte, lächelte sie dem Knaben zu und fragte, wer sie gedichtet hätte. Und da war keiner, der die Antwort des Hirtenknaben zu verhindern gewußt hätte.

»Es ist König Magnus, der das Lied gedichtet hat, in Gedanken an Matilda, des Kaisers Tochter.«

Ach, welche Betrübnis ergriff da die liebliche Fredkulla.

»Hat König Magnus die Weise gedichtet!« rief sie. »Was soll ich dann bei ihm, der sich in Liebessehnsucht nach der Kaiserstochter des Morgenlandes verzehrt? Für mich hat er keine Weisen gedichtet, die von Mund zu Mund gehen, wohl übers ganze Land. Zu mir trägt er keine Liebe im Herzen.«

Und in großer Bestürzung vernahmen die armen Bauern, wie die Jungfrau ihr Gefolge rief.

»Oh, liebe Herren und gute Frauen, geleitet mich wieder heim! Habt Erbarmen mit mir, ihr meines Vaters gute Diener! Laßt mich nicht zu König Magnus ziehen. Hört ihr nicht das Lied? Nicht nach mir schmachtet er, dieser Mann. Er sehnt sich nach einer schönen Kaisertochter.«

Als Fredkulla dies sagte, hörte sie, wie die Volksschar, die den Weg entlang stand und wartete, laut rief: »Fredkulla, Heil!« Und von all den Tausenden, die aus dem großen Kungahälla strömten, um sie zu empfangen, ertönte es in vielstimmigem Widerhall: »Fredkulla, Heil!« Aber die Jungfrau fuhr fort, zu klagen und zu bitten. »Liebe, gute Herren und edle Frauen, führt mich heim! Hörtet ihr nicht das Liedchen? Wir begehen eine Sünde gegen den König. Ich will mir den Namen einer Königin nicht erzwingen. Ich will nur heim.«

Doch all die Menschen, die am Älfgestade standen, riefen immer wieder: »Fredkulla, Fredkulla!«

Da hielt Fredkulla sich die Hände vor die Ohren. Sie hatte schon das Pferd gewendet und es mit lauten Zurufen vorwärts getrieben.

»Ach, daß das Volk doch schwiege«, sagte sie. »Fredkulla rufen sie, aber es wird wohl auch Friede werden, wenn ich nicht komme. König Magnus beginnt keinen Krieg um meinetwillen. Es bringt ihm nur Freude, wenn ich wieder heimkehre.«

Noch immer riefen die Leute, die am Wegessaume standen und warteten, »Fredkulla«. Aber alle, die am nächsten standen, fingen an zu fragen und sich zu verwundern: »Wohin reitet sie? Wohin reitet sie?« Und als sie sahen, daß sie hinauf zum Walde reiten wollte, da stürmten sie ihr nach.

»Höre, Königstochter, was die alte Frau sagt«, riefen sie.

»Ich bin gebeugt von der Last der Jahre«, sagte sie, »soll mir nun der Krieg meinen Sohn rauben?«

»Nun, Königstochter«, schrien sie, »nun werden alle Türen im ganzen Tal ins Schloß fallen. Nun werden die Waffentruhen geöffnet! Der Bauer wird die Pflugschar aus der Erde reißen. Warum hältst du die Hände vor die Ohren? Du mußt hören, hören, hören!«

»Fredkulla«, riefen sie, während sie hinter ihr herjagten. »Du trägst deinen Namen vergebens. Fredkulla, wir wagen nicht, Samen in die Erde zu streuen! Fredkulla, unsere Tochter wird dieses Jahr nicht Hochzeit feiern! Fredkulla, wenn unsere Gehöfte niedergebrannt sind, werden unsere alten Frauen einen Schandpfahl aufrichten auf der verbrannten Erde, und darauf werden sie deinen Namen schreiben, Fredkulla, Fredkulla!«

Der ganze Haufe aus dem Storgardsdorf war hinter ihr her. Sie brüllten rings um sie, all die unglücklichen Menschen.

»Fredkulla, denke an uns, wenn wir fallen! Wenn uns unsere Herden geraubt werden, denk an uns! Wenn wir wilde Taten verüben, denke an uns! Denke an uns, wie wir immer an dich denken werden!«

»Du darfst nicht heimwärts reiten, Jungfrau. Du darfst nicht von uns reiten. Was hast du eben erst geschworen, du Meineidige! Hörst du, was das Volk dir vom andern Älfgestade zuruft?«

Und das Volk aus dem Storgardsdorf umringte Fredkulla und warf sich vor ihr auf den Weg.

»Über unsere Leiber, Jungfrau, kannst du heimreiten!« riefen sie.

Aber einige küßten die Hände der Jungfrau und baten leise und herzinniglich. »Oh, bleibe, reite nicht fort!«

Sie sah, daß sie ihr nichts zuleide tun wollten. Aber das arme, elende, kriegsmüde Volk wußte sich keinen Rat. Einige griffen nach den Zügeln des Pferdes, um es umzuwenden.

Da hielt Fredkulla ihr Pferd an, obgleich sie wohl wußte, daß sie unversehrt nach Hause reiten konnte, denn wenn auch einige wilde und friedlose Männer aus dem Wald da waren, denen sie Verzeihung versprochen und die nun drohend die Messer gegen sie zückten, so küßten sie doch gleichzeitig den Saum ihres Gewandes. Sie ließ die Reitgerte mitten in die Schar sausen und rief: »Hinweg, hinweg!« Und als die Bauern das sahen, wichen sie von ihr zurück und standen da, von Verzweiflung gelähmt. Sie sahen, daß eine solche Angst auf ihr lastete, daß sie es nicht wagten, ihre Barmherzigkeit anzurufen.

»Dein Wille geschehe, o Jungfrau!« riefen sie. »Dein Weg ist frei.«

Fredkulla saß regungslos, und ihre Blicke glitten sehnsuchtsvoll zu den bewaldeten Hügeln in der Ferne, hinter denen die Heimat lag, in die sie fliehen wollte – wie ein verwundetes Tier in seine Höhle flieht. Eine lange Weile blieb sie so sitzen und starrte aus Augen, die so heiß waren, daß jegliche Träne in ihnen vertrocknete. Dann wandte die Königstochter ganz still ihr Pferd und ritt wieder hinab ins Tal. Sie kehrte um, freiwillig, nicht gezwungen, aus Liebe zu dem großen schönen Frieden. Wieder ging es hinab ins Tal, aber nicht rasch und munter, nur Schritt für Schritt.

Sachte ritt Fredkulla den Waldabhang hinab zum Storgardsdorf, vorbei an den Brandstätten, hinunter zum Älf und zur Fähre.

Das Volk schlich stumm hinter ihr her und flüsterte und sagte, man sollte die Jungfrau ungestört lassen; niemand sollte es wagen, ihre Tat zu preisen.

Als Fredkulla in dem großen Nachen über den Älf fahren sollte, da stieg sie vom Pferd und blieb stehen, blickte ins Wasser hinab und begann leise zu sich selbst zu sprechen.

»Siehst du hier dieses große Wasser«, sagte sie, »das unerbittlich hinab zum Meer fließt? Die weichen Wogen, sie dürfen nicht zögern, sich in die Umarmung des Starken zu werfen, wenn es auch bitter und furchtbar scheint. Wenn die Welle auch eine kleine friedliche schilfumkränzte Bucht findet auf ihrem Weg, nie darf sie dort weilen. Und wenn sie zurückkehren wollte zu dem friedlichen Quell im tiefen Versteck des Waldes – sie kann es nicht. Sie muß vorwärts, unerbittlich vorwärts. Siehst du, so will es die Bestimmung. Du mußt die sanfte Welle sein, die in den Unfrieden der Welt gegossen werden soll.«

Aber mittlerweile kamen ein paar stolze Rittersleute aus Kungahälla geritten und näherten sich der Fähre. Möge nun die Jungfrau den Blick vom Boden erheben! Möge sie König Magnus schauen! Auf dem Helm ruht der goldene Löwe, der sein Wahrzeichen ist; es flattert das Banner über seinem Haupt, es leuchtet sein rotseidenes Gewand. Möge sie ihn sehen! Er selbst ist des Nordens Löwe! Möge sie sehen, wie das lange, seidenblasse Haar um die Schultern flattert. Da kam er. Eine Staubwolke flog vor ihm auf. Er kam. Ein schwarzer Schatten ritt im Abendsonnenschein weit über das Feld, und die Erde bebte unter dem Ritt.

Schlage die Augen auf, Jungfrau, und lächle dem Bräutigam zu! Denke nicht mehr, daß du dich unter diese raschen Hufe, die dir entgegenkommen, werfen wolltest, um dem Tod zu begegnen.

Die Königin auf der Ragnhildsinsel

Es war einmal ein König, der von Osten den Nordre Älf entlanggeritten kam, um hinab nach Kungahälla zu ziehen. Das Jahr neigte sich seinem Ende zu. Die Luft war schwer und der Himmel grau, so wie es um diese Zeit oft ist.

Der Pfad, über den der König ritt, schlängelte sich über hügelige Strandwiesen. Hier und dort lugten Erlengebüsche aus den Riedgrashügeln hervor, und längs des Weges hatten sie sich so gehäuft, als wären sie neugierig, den Vorüberreitenden zu sehen. Sie drängten sich sogar hinaus auf den Weg, so daß es dem König schwer wurde, sein Pferd zwischen ihnen hindurchzuführen.

Die Jahreszeit war so vorgerückt, daß alles entlaubt und alles Leben in Wiese und Wald zur Ruhe gegangen war. Auf dem Boden lagen die Sommerblätter blaß und verwelkt, und von dem langen Herbstregen waren sie zu einer fahlen Decke zusammengedrückt worden, unter der zahllose Spinnen und Erdschnecken im Winterschlaf lagen.

Grau und neblig war es ringsumher, und der König dachte: »Das ist kein schöner Weg für einen König.« Aber gerade vor ihm am Wegesrand erhob sich der schöne Fontinsberg.

Ganz unten am Fuß ward er von klargelbem Sand umgürtet, dann erhob sich lotrecht ein Stück nackte Bergwand; eine Reihe blaugrüner Fichten lief um einen schmalen Vorsprung. Höher hinauf war zersplittertes Gestein, von kleinen blinkenden Rinnen durchfurcht, dann kam eine Reihe Birken mit weißen Stämmen und rotbraunem Geäst. Dann erhob sich ein tiefgrüner Tannenwald, der dicht und kräftig oben auf der flachen Bergeshöhe wuchs. Aber der König hatte keine Freude daran, dem schönen Berg so nahe zu sein, denn Nebelzipfel strichen über die Bergwand, und Wolkenzapfen hingen über sie hinab, und aus allen Klüften und Gehölzen stieg grauer Regenrauch auf. Und so kam es, daß der vielfarbige Fontinsberg den König ebenso grau dünkte wie alles andere.

Der König seufzte tief und schwer, indes er durch die Erlenbüsche ritt, die auf ihn und sein Pferd einen ganzen Regen großer Tropfen schüttelten.

Mit einem Mal wurde er so betrübt, wie er wohl noch nie gewesen war.

»So ergeht es mir immer«, dachte er, »alles ist grau und regnerisch, wohin ich auch komme. Segle ich auf dem Meer, so steigt der Nebel auf, daß ich die Hand vor dem Auge nicht sehe, und reite ich des Nachts aus, so hüllt der Mond sich in die schwärzesten Wolken, um mir nicht leuchten zu müssen.«

»Ich glaube, wenn ich einmal zum Himmel fahre«, sagte der König zu sich selbst, »werden alle Sterne erlöschen. So ist es mit allem, was ich unternehme! Anderen Königen wurde Pracht und Ehre und Ruhm und Glanz, aber ich bin ein richtiger König Nebelwetter. Ich habe nur an Aufruhr zu denken, und ein großer Teil des Landes verweigert mir den Gehorsam. Da ging es den alten Königen anders, sie saßen in Upsala und regierten das ganze Reich. Denen konnte es freilich gefallen, König zu sein. Gott hat es wohl so bestimmt, daß es mir allzeit so ergehen soll!« Gleichzeitig kämpfte er gegen diese trübe Stimmung an. Er hielt das Pferd an und horchte, ob nicht Vogelgezwitscher als gutes Zeichen gedeutet werden könnte. Aber der Himmel war glattgrau, und der Berg stand in Nebel gehüllt, und alle Vögel waren fortgezogen. Der einzige Laut, den man in der sumpfigen Gegend hörte, war der leichte Klang von Wassertropfen, die von den Erlenzweigen zu Boden fielen.

Und das Haupt des Königs sank immer tiefer.

»Ich möchte etwas Brennendrotes sehen«, sagte er. »Etwas Rabenschwarzes möchte ich sehen, das Goldglanz in der Tiefe hat; ich möchte klaren Gesang und klingendes Lachen hören.«

Wieder sah er sich um, aber alles war unverändert, und er merkte, daß selbst der sonst glitzernde Fluß dunkel wie die Nacht zwischen den Schilfgestaden dahinfloß. Da wurde er so niedergeschlagen, daß alles, was er sein eigen nannte, ihn häßlich und wertlos dünkte. Er dachte an seinen schönen Königshof, als wäre er eine elende Köhlerhütte. All seine Siege verwandelten sich in Niederlagen, und all seine Untertanen schienen ihm schmähliche Schurken oder arme Bettler.

»Aber gegen all das ließe sich noch ankämpfen«, dachte er, »wenn nicht meine Königin das Härteste von allem wäre. Es ist doch ohnehin schon schwer genug zu leben, muß ich auch noch damit gequält werden, an eine Frau zu denken. Die Sorge, die ich für das Reich trage, ist so groß, daß sie mir keine ruhige Stunde läßt. Und doch verlangen die Menschen von mir, daß ich mir eine neue Last aufbürde.«

Es verhielt sich so, daß der König mit einer norwegischen Königstochter vermählt war. Seine Königin war eine reiche und mächtige Prinzessin, aber das Unglück wollte es, daß man sie dem König schon angetraut hatte, als sie noch ein Kind war. Man hatte das so einrichten müssen, damit kein anderer kam und sie wegholte, aber nun wäre es dem König lieber gewesen, nicht an sie gebunden zu sein.

Schon seit dem Hochzeitstag hauste die Königin auf einer kleinen felsigen Insel, die im Nordre Älf gerade gegenüber von Kungahälla lag und Ragnhildsinsel genannt wurde. Dort hatte man einen Turm aus Stein gebaut, damit sie wohlbehütet aufwachsen konnte, bis sie alt genug war, um von ihrem Gatten heimgeholt werden zu können.

Aber der König hatte sich all die Zeit gar nicht um sie gekümmert, obgleich er wohl wußte, daß die Königin herangewachsen war, und viele ihn daran erinnerten, daß er sie nun heimführen müßte. Er konnte sich kein Herz fassen, sie an seinen Hof zu holen. Er schützte schwere Zeiten und Aufruhr vor; und Jahr um Jahr ließ er die Königin in dem grauen Turm mit ein paar alten Frauen, die ihr aufwarteten. Sie bekam nichts anderes zu sehen als den grauen Fluß.

Nun war er endlich auf dem Weg, die Königin zu holen. Aber während er so an sie dachte, war ein solcher Mißmut über ihn gekommen, daß er sich von seinem Gefolge getrennt hatte, um allein zu reiten und ungestört gegen seinen Kummer ankämpfen zu können.

Er kam nun aus den Erlen heraus und ritt über eine weite Wiese. Wenn Sommer gewesen wäre, hätte er hier große Herden von Kühen und Schafen gesehen, aber nun war es gänzlich öde und nichts anderes zu erblicken als aufgewühlter Boden und abgeweidete Grashügel. Und der König gab seinem Pferd die Sporen und ritt, so rasch er konnte, über die Wiese, um nicht noch mißmutiger zu werden, als er schon war.

Er war ein tapferer Mann, und hätte die Königstochter in einem verzauberten Schloß gefangen gesessen, von Riesen und Drachen bewacht, er wäre spornstreichs geritten gekommen, um sie zu befreien; aber nun wollte es das Unglück, daß sie wohlverwahrt in ihrem Turm saß und auf ihn wartete und daß niemand auf der ganzen weiten Welt sie ihm streitig machte.

Er bereute bitter, daß er sich schon mit ihr vermählt hatte.

»Alles, was groß und stolz und schön ist, das bleibt mir verweigert«, sagte er. »Nicht einmal das ist mir beschieden, mir mein Weib erkämpfen zu können.«

Er ritt immer langsamer und langsamer, denn nun lief der

Weg einen steilen Hügel hinan, und auf der anderen Seite fing die lange Straße von Kungahälla an.

Von der Kuppe des Hügels sah der König deutlich die kleine Ragnhildsinsel vor sich, wo seine Königin saß und auf ihn wartete.

Er sah sie düster mitten in dem schwarzen Älf liegen; er sah die grauen Torfwälle über den fahlen Erdboden laufen; er sah die Steinwände des Turms. Alles dünkte ihn unheimlich und abschreckend. Da war kein Heidekrauthügelchen, das ihm entgegenglühte; kein grünes Hälmchen leuchtete auf der Weide. Der Herbst hatte alles mit Stumpf und Stiel ausgerottet. Aber wonach der König sich sehnte, das war blitzendes Rot, ein scharfes Schwarz, das ins Goldene spielt, und er glaubte zu wissen, daß hier nicht der rechte Platz war, um das zu finden. Je länger er den Turm ansah, desto klarer wurde es ihm, daß er aus dem Felsen selbst hervorgewachsen sein mußte. Es schien ihm unmöglich, daß er auf gewöhnliche Weise von Menschen errichtet worden sein sollte. Der Berg selbst war es, der einmal hatte wachsen wollen, wie Wald und Gras aus der Erde wachsen. So mußte der Turm entstanden sein.

Wie er nun an seine Königin dachte, die dort aufgewachsen war, glaubte er, sie müsse einem grob behauenen Steinbild gleichen, wie er es über dem Eingangstore einer Kirche gesehen. Er dachte sie sich als eine graue Gestalt mit langem unbeweglichen Gesicht, plattem Körper und mit Händen und Füßen, die zweimal länger und breiter waren, als die irgendeines anderen Menschen.

»Aber das ist mein Schicksal«, dachte der König und ritt weiter. Und er kam der Fähre so nahe, daß der Wächter auf der andern Seite das Horn zu den Lippen hob, um die Ankunft des Königs zu verkünden. Die Zugbrücke wurde aufgezogen und das Tor des festen Turms öffnete sich.

Da erhob der König das Haupt und hielt das Pferd an.

»Ich bin ja doch noch König«, sagte er, »und kein Mensch kann mich zwingen, das zu tun, was ich nicht will. Niemand auf der ganzen Welt kann mich bewegen, diesem Steinbild zu begegnen. Ich muß doch wohl irgend etwas davon haben, daß ich ein König bin.«

Damit drehte er sein Pferd herum und ritt denselben Weg zurück, den er gekommen war. Er ritt in stürmender Eile, gleichsam als hätte er Angst, gefangen zu werden; und er verlangsamte den Trab seines Pferdes nicht eher, als bis er in das

Erlengebüsch auf den Strandwiesen unter dem Fontinsberg gekommen war.

Die Königin mußte weiter in dem Turm sitzen und trauern und sich sehnen. Und sie hatte zarte Wangen und brennende rote Lippen; sie hatte wallendes, rabenschwarzes Haar, golddurchsponnen; sie hatte eine Stimme klar wie Gesang und ein klingendes Lachen.

Aber was half das dem König? Er ritt fort, über den schmalen Weg zwischen den Erlen.

Reors Geschichte

Es war da ein Mann, der hieß Reor. Er war aus Fuglekärr im Kirchspiel Svarteborg und galt für den besten Schützen der Gegend. Er wurde getauft, als König Olof die alte Lehre in Viken ausrottete, und war fortan ein eifriger Christ. Er war von freier Geburt, aber arm, schön, aber nicht hochgewachsen, stark, aber sanft. Er zähmte junge Fohlen mit Blick und Wort allein, und er konnte mit einem einzigen Zuruf die kleinen Vöglein an sich locken. Er hielt sich fast immer im Wald auf, und die Natur hatte große Macht über ihn. Das Wachstum der Pflanzen und das Knospen der Bäume, das Spiel der Hasen in den Waldlichtungen und der Sprung des Barsches in dem abendstillen See, der Kampf der Jahreszeiten und der Wechsel der Witterung, dies waren die Hauptgeschehnisse in seinem Leben. Schmerz und Freude bereitete ihm derlei und nicht das, was sich unter den Menschen zutrug.

Eines Tages tat der geschickte Jäger einen guten Fang. Er traf im tiefen Waldesdickicht einen alten Bären und erlegte ihn mit einem einzigen Schuß. Die scharfe Spitze des grünen Pfeils drang in das Herz des Gewaltigen, und er sank dem Jäger tot zu Füßen. Es war Sommer und der Pelz des Bären war weder dicht noch glatt, dennoch zog der Schütze ihn ab, rollte ihn zu einem harten Bündel zusammen und ging mit dem Bärenfell auf dem Rücken weiter.

Er war noch nicht lange gewandert, als er einen überaus starken Honigduft verspürte. Der kam von den kleinen, blühenden Pflanzen, die den Boden bedeckten. Sie wuchsen auf dünnen Stielen, hatten lichtgrüne, glatte Blätter, die sehr schön geädert waren, und auf der Spitze des Stengels ein kleines Büschelchen, das dicht mit weißen Blüten besetzt war. Die kleinen Kronen waren nach winzigem Maßstab geraten, doch aus ihnen ragte eine kleine Bürste von Stempeln auf, deren blütenstaubgefüllte Knöpfchen auf weißen Saiten zitterten. Reor dachte, während er so unter ihnen einherging, daß diese Blumen, die einsam und unbemerkt im Waldesdunkel standen, Botschaft um Botschaft, Ruf um Ruf aussandten. Der starke honigsüße Duft war ihr Ruf, der verbreitete die Kunde ihres Daseins weit unter die Bäume und hoch hinauf in die Wolken. Aber es lag etwas beängstigendes in dem schweren Duft. Die Blumen hatten ihre

Becher gefüllt und ihre Tischlein gedeckt, der geflügelten Gäste harrend, aber niemand kam. Sie sehnten sich zu Tode in ihrer trüben Einsamkeit in dem dunklen, windstillen Waldesdickicht. Sie schienen schreien und jammern zu wollen, weil die schönen Schmetterlinge nicht kamen, um bei ihnen zu Gast zu sein. Da wo die Blumen am dichtesten beisammenstanden, deuchte es ihn, als sängen sie zusammen ein eintöniges Lied: »Kommt, ihr schönen Gäste, kommt heute, denn morgen sind wir tot. Morgen liegen wir auf dem trocknen Laub.«

Doch es sollte Reor vergönnt sein, das frohe Ende des Blumenmärchens zu sehen. Er vernahm hinter sich ein Flattern wie das allerleiseste Lüftchen und sah einen weißen Schmetterling im Dunkel zwischen den dicken Stämmen umherirren. Unruhig suchend flog er hin und her, als wüßte er den Weg nicht. Er war nicht allein, ein Schmetterling nach dem andern tauchte im Dunkel auf, bis endlich ein ganzes Heer der weißbeschwingten Honigsucher versammelt war. Aber der erste war der Anführer und er fand, vom Duft geleitet, die Blumen. Nach ihm kam das ganze Schmetterlingsheer herangestürmt. Es stürzte sich auf die sehnsüchtigen Blumen, wie der Sieger sich auf die Beute stürzt. Wie ein Schneefall von weißen Flügeln senkten sie sich auf sie herab. Und nun gab es ein Fest- und Trinkgelage um jede Blume. Der Wald war voll von stillem Jubel.

Reor ging weiter. Doch nun war es, als folgte ihm der honigsüße Duft auf dem Fuße, wohin er auch ging. Und er empfand, daß sich drinnen im Wald eine Sehnsucht verbarg, stärker als die der Blumen. Daß da etwas war, was ihn zu sich zog, so wie die Blumen die Schmetterlinge angelockt hatten. Er ging mit einer stillen Freude im Herzen einher, so, als harrte er eines großen unbekannten Glückes. Das einzige, was ihn ängstigte, war, ob er auch den Weg zu diesem finden konnte, was sich nach ihm sehnte.

Vor ihm auf dem schmalen Pfad kroch eine weiße Schlange. Er bückte sich, um das glückbringende Tier aufzuheben, aber die Schlange glitt ihm aus den Händen und eilte rasch den Pfad hinauf. Da rollte sie sich zusammen und lag still, doch als der Schütze wieder nach ihr griff, glitt sie so glatt wie Eis zwischen seinen Fingern durch. Nun war Reor ganz und gar darauf erpicht, das klügste Tier zu besitzen. Er lief der Schlange nach, konnte sie aber nicht erreichen, und sie lockte ihn von dem Pfad fort auf den ungebahnten Waldboden.

Dieser war mit Föhren bestanden, und in einem Föhrenwalde

findet man selten Rasen. Aber jetzt verschwanden plötzlich das trockne Moos und die braunen Nadeln, Farnkräuter und Preißelbeerbüsche zogen sich zurück, und Reor fühlte seidenweiches Gras unter seinen Füßen. Über der grünen Matte zitterten federleichte Blumenrispen auf sanftgeneigten Stengeln, und zwischen den langen schmalen Blättern zeigten sich die kleinen, halberblühten Blumen der Steinnelke. Es war nur eine ganz kleine Stelle, und darüber breiteten die hochstämmigen Föhren ihre knorrigen, braunen Äste mit dichten Nadelbüscheln. Doch zwischen diesen konnten die Sonnenstrahlen viele Wege zur Erde finden, und es war erstickend heiß.

Aber gerade vor dieser kleinen Wiese erhob sich eine Felswand lotrecht aus dem Boden. Sie lag im hellen Sonnenschein, und man sah deutlich die moosigen Steinflächen, die frischen Brüche, da, wo der Winterfrost zuletzt gewaltige Blöcke gelöst hatte, die großen Stauden Steinwurz, die die braunen Wurzeln in erdgefüllte Spalten drängten, und die zollbreiten Absätze, wo die Säulenflechte ihre rotgestreiften Pokale aufrichtete und eine grasgrüne Moosart auf nadelfeinen Stiftchen die kleinen grauen Mützen erhob, die ihre Befruchtungsorgane enthielten.

Diese Felswand schien in allen Stücken jeder andern Felswand zu gleichen, aber Reor bemerkte sogleich, daß er gerade vor die Giebelwand einer Riesenbehausung gekommen war, und er entdeckte unter Moos und Flechten die Angeln, auf denen das Steintor des Berges sich drehte.

Er glaubte jetzt, daß die Schlange sich in das Gras verkrochen habe, um sich da zu verbergen, bis sie unbemerkt in den Felsen schlüpfen konnte, und er gab die Hoffnung auf, sie zu fangen. Er spürte jetzt wieder den honigsüßen Duft der sehnsüchtigen Blumen und merkte, daß hier oben unter der Bergwand eine erstickende Hitze herrschte. Es war auch seltsam still: kein Vogel rührte sich, keine Nadel spielte im Wind, es war, als hielte alles den Atem an, um in unbeschreiblicher Spannung zu warten und zu lauschen. Reor war gleichsam in ein Gemach gekommen, wo er nicht allein war, obgleich er niemanden sah. Er hatte das Gefühl, als ob jemand ihn beobachtete, es war ihm, als würde er erwartet. Er empfand keine Angst, nur ein wohliger Schauer durchrieselte ihn, so, als sollte er bald etwas überaus Schönes zu sehen bekommen.

In diesem Augenblick gewahrte er wieder die Schlange. Sie hatte sich nicht versteckt, sie war vielmehr auf einen der Blöcke gekrochen, die der Frost von der Felswand abgesprengt hatte.

Und dicht unter der weißen Schlange sah er den lichten Leib eines Mädchens, das im weichen Gras lag und schlief. Sie lag ohne andre Decke als ein paar spinnwebdünne Schleier, gerade, als hätte sie sich dort hingeworfen, nachdem sie die Nacht hindurch im Elfenreigen getanzt, aber die langen Grashalme und die zitternden, federleichten Blumenrispen erhoben sich hoch über der Schlafenden, so daß Reor nur undeutlich die weichen Linien ihres Körpers gewahren konnte. Er trat auch nicht näher, um besser zu sehen, aber sein gutes Messer zog er aus der Scheide und warf es zwischen das Mädchen und die Felswand, damit die den Stahl fürchtende Riesentochter nicht in den Berg fliehen konnte, wenn sie erwachte.

Dann blieb er in tiefe Gedanken versunken stehen. Eines wußte er sogleich: das Mägdlein, das hier schlief, wollte er besitzen; aber noch war er nicht recht einig mit sich selbst, wie er gegen sie handeln sollte.

Doch da lauschte er, der die Sprache der Natur besser kannte als die der Menschen, dem großen ernsten Wald und dem strengen Berg. »Sieh«, sagten sie, »dir, der du die Wildnis liebst, geben wir unsre schöne Tochter. Besser ziemt sie dir als die Töchter der Ebene. Reor, bist du der edelsten Gabe würdig?«

Da dankte er in seinem Herzen der großen wohltätigen Natur und beschloß, das Mädchen zu seiner Frau zu machen und nicht nur zu seiner Magd. Und da er dachte, daß sie, wenn sie das Christentum und Menschensitte angenommen hatte, sich bei dem Gedanken, daß sie so unverhüllt dagelegen habe, schämen würde, löste er die Bärenhaut von seinem Rücken, entrollte das Fell und warf den grauen, zottigen Pelz des alten Bären über sie.

Doch als er dies tat, erdröhnte hinter der Felswand ein Lachen, von dem die Erde erzitterte. Es klang nicht wie Hohn, nur so, als hätte jemand in großer Angst gewartet, der lachen mußte, als er ganz plötzlich davon befreit wurde. Die furchtbare Stille und die drückende Hitze hatten nun auch ein Ende. Über das Gras schwebte ein erquickender Wind, und die Nadeln begannen ihren rauschenden Gesang. Der glückliche Jäger fühlte, daß der ganze Wald den Atem angehalten hatte, in Unruhe, wie die Tochter der Wildnis von dem Menschensohn behandelt werden würde.

Die Schlange schlüpfte jetzt in das hohe Gras; aber die Schlummernde lag in Zauberschlaf versunken und regte sich nicht. Da rollte Reor sie in die grobe Bärenhaut, so daß nur ihr Kopf aus dem zottigen Fell hervorguckte. Obgleich sie sicherlich eine Tochter des alten Riesen im Berge war, war sie doch zart und fein gebaut, und der starke Schütze hob sie in seine Arme und trug sie fort durch den Wald.

Nach einem Weilchen fühlte er, wie jemand seinen breitrandigen Hut abhob. Da sah er auf und merkte, daß die Riesentochter erwacht war. Sie saß ganz ruhig in seinem Arm, aber nun wollte sie sehen, wie der Mann aussah, der sie trug. Er ließ es gewähren, er machte größere Schritte, aber sagte nichts.

Da mußte sie wohl gemerkt haben, wie heiß ihm die Sonne auf den Kopf brannte, nachdem sie ihm den Hut abgenommen hatte. Sie hielt ihn darum über seinen Kopf wie einen Sonnenschirm, aber sie setzte ihn ihm nicht auf, sondern hielt ihn so, daß sie immerzu in sein Gesicht sehen konnte. Da deuchte es ihn, daß er nichts zu fragen, nichts zu sagen brauchte. Stumm trug er sie hinab zu seiner Mutter Hütte. Doch sein ganzes Wesen durchbebte Glückseligkeit, und als er auf der Schwelle seines Heims stand, da sah er, wie die weiße Schlange, die Glück ins Haus bringt, unter die Grundmauer schlüpfte.

Das Wasser in der Kirchenbucht

Vor einigen hundert Jahren lebte im Jössesprengel in Värmland ein ungewöhnlich starker, strenger Propst, der sich nach besten Kräften mühte, die Jösseháringer zu frommen und gottesfürchtigen Menschen zu machen. Nicht genug damit, daß er ihnen Trunksucht und Rauflust abzugewöhnen trachtete, auch das Schmuggeln nach Norwegen und anderes Unrecht – das hatten schon viele Geistliche vor ihm versucht –, nein, er verbot ihnen auch, die mächtigen Geister in Feld und Wald und Wasser anzubeten und zu fürchten, und dies war etwas, woran die geistlichen Herren sich sonst hüteten, zu rühren.

Die früheren Pfarrer hatten wohl gedacht, wo es nun einmal Hexen im Wald und Nixe im Strom und Heinzelmännchen im Haus gab, so könne man es auch den Leuten nicht verwehren, sich vor ihrer Arglist zu schützen, entweder durch Opfer oder dadurch, daß man einen Vertrag mit ihnen schloß; aber von solchen Dingen wollte der jetzige Propst nichts hören. Gott und sein Wort, das war das einzige, woran die Menschen sich zu halten hatten, und tat man dies nur, so brauchte man nicht zu glauben, daß es etwas anderes gebe, das die Macht habe, einem zu schaden oder einen ins Verderben zu stürzen.

Obgleich der Propst ein gewaltiger Prediger war, so war es doch von Anfang an klar, daß all seine Reden gegen die Unterirdischen in den Wind gesprochen sein mußten. Die meisten Zuhörer fürchteten nur, daß er die Naturgeister gegen sie aufreizen würde, und es entstand eine solche Feindschaft gegen ihn, daß er auch in allem anderen, wofür er eiferte, keinerlei Erfolg hatte. Schließlich kam es so weit, daß alles, dem er entgegenwirken wollte, geschätzt und geehrt wurde; aber um Gottes Sache stand es mit jedem Tage, den er im Kirchspiel blieb, nur noch schlimmer.

Gerade um die Zeit, als er von all dem Mißerfolg, der ihn getroffen, ganz niedergeschmettert war, ging er eines Abends aus, um sich durch einen Spaziergang zu erquicken. Sein Haus lag am Seeufer, und er ging seinen gewöhnlichen Weg über die Landstraße zur Kirche und wieder zurück. Zu wiederholten Malen sah er über den See hin, der gefroren und schneebedeckt dalag, und dachte dabei an die Mühe, die die Frühlingssonne sich geben mußte, um das Eis zu schmelzen. Sie war damit noch nicht weit gediehen. Er sah sogar, daß ein paar Schlitten über den blankgefahrenen Weg glitten, der vom Pfarrhof abzweigte und quer über den See zum benachbarten Kirchspiel führte.

Aber was verschlug es der Sonne, wenn es langsam ging, das Eis aufzutauen? Sie war doch auf jeden Fall sicher, damit fertig zu werden. Wenn er für sein Teil nur die Zuversicht gehabt hätte, daß auch seine Arbeit von Erfolg gekrönt sein würde, dann wollte er nicht nach Widerstand oder Beschwerden irgendwelcher Art fragen.

Mitten auf dem Wege faltete er die Hände und wandte den Blick zum Himmel. »O Gott«, sagte er, »wenn du siehst, daß meine Arbeit nie Früchte tragen wird, so gib mir ein Zeichen, und ich will aufhören, Priester zu sein. Ich schwöre dir, ich bin bereit, Tagelöhner zu werden und mein täglich Brot durch meiner Hände Arbeit zu verdienen, wann immer du mir zeigst, daß ich mein Werk nicht so tun kann, daß es dir zum Wohlgefallen dient.«

Es war seltsam. Kaum hatte er dies gesagt, als er merkte, daß es wunderlich still um ihn wurde. Oder richtiger gesagt, es dünkte ihn, daß seine Ohren sich allem verschlossen, was sie sonst vernahmen, und daß er statt dessen gleichsam eine neue Art von Gehör bekam. Er hörte seine eigenen Schritte nicht, nicht das Knirschen der Schlittenkufen, nicht das Klappern der Dreschflegel, die in den benachbarten Bauernhöfen auf den Tennenböden aufschlugen. Aber dafür konnte er Laute und Stimmen vernehmen, wie sie sonst nicht zu Menschenohren dringen, und mit dieser neuen Gabe hörte er, wie es dreimal hintereinander unten vom See her rief:

»Die Zeit ist erfüllt, aber der Mann ist nicht gekommen.«
»Die Zeit ist erfüllt, aber der Mann ist nicht gekommen.«
»Die Zeit ist erfüllt, aber der Mann ist nicht gekommen.«

Es kam dumpf und gedämpft, nicht von der Eisrinde, die den See deckte, sondern aus der Tiefe darunter. Es war wie das unheimliche Heulen ausgehungerter Wölfe und kam so wild und schaurig unter dem Eis herangerollt, als stände dort unten ein wildes, blutdürstiges Tier und schrie nach Beute.

Sowie der dritte Ruf verklungen war, dünkte es den Lauscher, daß eine Luke in seinem Kopf sich schloß, und nun hörte er wiederum nichts anderes als jene Laute, die man gewöhnlich vernimmt. Der Wind säuselte ganz sachte im Schilf des Strandes, der Schnee knirschte unter dem Fuß, und von einem hochbeladenen Wagen, der eben vorbeifuhr, klingelte leise ein schwaches Glöckchen.

Aber die Erinnerung an den Ruf vom Seegrund war in ihm lebendig. Einmal ums andere vermeinte er, den raubgierigen, tierischen Laut zu hören, und all die Angst, die er in seiner Kindheit vor Nöck und Nix empfunden hatte, stieg von neuem in ihm auf und ließ ihn vom Scheitel bis zur Sohle erbeben. Sie bekam solche Macht über ihn, daß er anfing zu laufen, dem Pfarrhof zu. Aber nach ein paar Schritten hielt er inne und suchte seines Schreckens Herr zu werden. »Du bist ein Christenmensch und ein Diener Gottes«, sagte er zu sich selbst, »die unreinen Geister in Wald und Feld und See sollen nicht die Freude haben, zu sehen, daß du sie fürchtest.«

Er zwang sich, langsam zu gehen, aber unwillkürlich duckte er Kopf und Schultern, wie man es tut, wenn man eines Überfalls von rückwärts gewärtig ist. Bald jedoch richtete er sich empor. Sein Herz schlug nun mit gleichmäßigen Schlägen, und ein Gefühl neubelebter Hoffnung durchströmte ihn.

»Du hast ja Gott um Zeichen gebeten«, sagte er zu sich selbst, »du hast ja Gott um ein Zeichen gebeten.«

Als er in den Pfarrhof zurückkehrte, trug er den Kopf hoch und ging seinen gewöhnlichen, festen Schritt.

Ehe er sich in sein Arbeitszimmer begab, öffnete er die Küchentür und bedeutete dem Gesinde, falls sie einen Wanderer sähen, der vom Weg abweiche, um sich auf den See zu begeben, so sollten sie ihn zurückrufen und ihm sagen, der Propst wünsche mit ihm zu sprechen.

Es währte nicht lange, so hörte man fremde Schritte im Hausflur. Die Tür zum Zimmer des Propstes öffnete sich, und ein junger Bursche trat herein. Er trug eine Friesjacke und gelbe Beinkleider aus Sämischleder, wie alle anderen Bauernburschen im Sprengel, aber aus einer gewissen Zierlichkeit und Schmuckheit in der Kleidung glaubte der Propst schließen zu können, daß er einen wohlbestallten Mann vor sich habe.

Der Propst sah den Eintretenden lange und prüfend an, bevor er etwas sagte. Er fühlte sich sogleich zu ihm hingezogen. Es war ein ziemlich kleiner, aber schlanker und gut gewachsener Mann, schön, mit grauen Augen, die wie leichtgekräuseltes Wasser bei starkem Sonnenschein glitzerten, und mit einem Lächeln, so hell, daß es den ganzen Menschen überstrahlte.

»Wenn ich diesen Mann davor bewahren kann, heute nacht über das Eis zu gehen und zu ertrinken«, dachte der Propst, »so soll mir dies ein Zeichen von Gott sein, daß ich fortfahren darf, ihm zu dienen.«

Volle zwei Stunden hatte der Propst mit dem Fremden gesprochen. Nun stockte das Gespräch schon eine Zeitlang, und es war still in der Stube. Draußen war es schon längst dunkel geworden, aber auf dem Schreibtisch brannte ein Talglicht, und bei seinem Scheine konnte man die zwei Männer unterscheiden. Der Bauer saß auf dem äußersten Rand eines Stuhls, noch immer sein glitzerndes Lächeln im Gesicht, während der Propst, der vor seinem Schreibtisch saß, sich sichtlich in einem Zustand großer Angst befand. Er hatte die Arme auf die Tischplatte gestützt und saß vorgebeugt da, den Kopf in den Händen. Hie und da stieß er einen Seufzer aus, so tief, daß er seine ganze Gestalt erschütterte.

Mit all seinem Reden hatte er nun doch nicht vermocht, dem anderen das bestimmte Versprechen abzuringen, daß er über die Landstraße heimkehren werde. Er machte nur Ausflüchte, bald sagte er, sie erwarteten ihn zu einer bestimmten Zeit daheim, dann wieder, er sei zu müde, den langen Umweg rings um den See herum zu machen. Der Propst erbot sich, ihn über die Landstraße nach Hause zu kutschieren, allein er wollte nicht darauf eingehen. Er hatte Angst, jetzt zu fahren, wo die Wege so schlecht waren; er hatte Angst vor allem, nur nicht davor, über das Eis heimzugehen.

Da saß nun der Propst und überdachte alles, was sie gesprochen hatten; er mußte herausfinden, wie er den Mann anzupakken hatte, um ihn zu retten. Das war ja das Wunderliche an ihm, daß er dem Propst immer wieder entglitt und sich nicht fangen ließ. Es war so gewesen, als steckte man die Hand in rinnendes Wasser und versuchte, es festzuhalten.

Der Propst hatte damit begonnen, ihm zu sagen, daß er ihn deshalb gebeten habe, hereinzukommen, um ihm davon abzuraten, den Seeweg zu nehmen. Er wisse, daß das Eis hier vorne in der Kirchenbucht unsicher sei. Darauf hatte der Fremde nur geantwortet, heute morgen, bei seinem Aufbruch von daheim, sei das Eis eine Elle dick gewesen. In einem Tag könne es wohl nicht aufgetaut sein, wenn die Sonne auch stark geschienen habe. – Nein, draußen auf dem See habe es keine Gefahr, das glaubte der Propst auch gar nicht, aber in der Bucht, da wo der Fluß mündete. – Da hatte der Bursche ausgesehen, als hätte er alle Mühe, nicht hell aufzulachen. Er war doch Fischer und hatte all sein Lebtag hier an diesem See gehaust, da konnte sich der Propst doch denken, daß er klug genug war, sich vor einer Flußmündung in acht zu nehmen.

Aber nun war da noch ein besonderer Grund, weshalb er sich hüten sollte, gerade an diesem Abend über das Eis zu gehen. Und der Propst erzählte ihm, was er eben erst auf der Landstraße gehört hatte. Es war merkwürdig, wie wenig der Mann darauf gab, nicht mehr als auf ein Liedchen, das die Leute alle Tage trällern. Wollte man sich um derlei kümmern, hatte er gesagt, dann könnte man sich nie auf einen See wagen.

Der Propst hatte ihn gefragt, ob er ihm denn nicht glaube. Ja, gewiß glaubte er ihm. Er hatte sie auch schon in der Tiefe brüllen und toben hören, aber er wußte, daß das nur Schreckschüsse waren. Es waren die kleinen Seekobolde, die Allotria trieben. Sie waren eben auch Jösseháringer und liebten es, zu spielen und zu tollen.

Die ganze Zeit stand er da und lächelte, und er war unmöglich dazu zu bringen, die Warnung ernstzunehmen. Da stieg in dem Propst die Angst auf, daß es ihm nie gelingen würde, ihn davon zu überzeugen, daß ihm Gefahr drohe. Es sah aus, als könnte das gar keine so schwere Sache sein, aber hier stellte sich offenbar etwas Besonderes in den Weg. Der Propst sagte sich selbst, daß er herausfinden müsse, was dies sei, wenn er Macht über den Mann gewinnen sollte.

Der Fischer war übrigens recht mitteilsam und schwatzte, wie man so sagt, das Blaue vom Himmel herunter. Der Propst hatte schon erfahren, daß er Gille Folkesson hieß und am anderen Seeufer wohnte. Verheiratet war er auch, hatte eine junge schöne Frau, auf die er nicht wenig stolz war. Sie stammte nicht von Kleinhäuslern ab, wie er selbst, nein, sie war die Tochter eines Großbauern. Nun, er stand sich ja auch gut, wenn er auch nur ein Fischer war. Sie hätte es als Bäuerin nicht besser treffen können.

»Sie wird es nicht mehr so gut haben, wenn du hingehst und dich ertränkst«, hatte der Propst gesagt. Aber das nahm Gille wiederum nur als Spaß und hätte laut gelacht, wenn er sich nur getraut hätte.

Er war der zufriedenste Mensch unter der Sonne, und es läßt sich nicht leugnen, daß er ein klein wenig prahlte. Er hatte sein Boot selbst gemacht, und es war so leicht, daß es nur so übers Wasser flog, wenn er die Ruder noch so leise berührte. Er hatte auch größeres Fischerglück als irgendein anderer. Dies machte es, daß er in Wohlstand lebte, obgleich er kein Land besaß. Es war gar nichts Seltenes, daß er auf einen Zug so viele Fische in seine Netze bekam, daß sie im Boot gar keinen Platz fanden.

Diese Reden von seinem Fischerglück hatten den Propst stutzig gemacht. »Du bist wohl einer, der sich ganz auf sein Glück verläßt, he?« hatte er ganz plötzlich gefragt. »Ja freilich«, kam die Antwort, und dabei glitzerte es noch stärker als früher in den Augen des Fischers, »ich habe wohl auch guten Grund dazu.«

Er hatte sich ein wenig gesträubt, zu erklären, was er damit meinte, aber der Propst hatte es bald aus ihm herausbekommen. Es kam ihn auch schwer an, darüber zu schweigen. Er schien nun bei dem angelangt, was ihm näher lag als alles andere.

Er erzählte dem Propst, wie seine Mutter, ein paar Monate, ehe er, Gille, auf die Welt kam, in einer schönen Sommernacht einen Weg gewandert war, der durch einen dichten Wald führte. Die Äste hatten sich so eng über ihr verflochten, daß sie beinahe in der Dunkelheit ging, obgleich es kurz nach Johannis war, wo die Nächte doch hell sind. Ganz plötzlich hatte sich der Wald gelichtet, und der Pfad hatte jäh abfallend zu einer großen halbkreisförmigen Bucht hinabgeführt, fast ebenso schön wie die Kirchenbucht hier vor dem Pfarrhof. Sie war von grünen, üppigen Wiesen umgeben, und auf diesen Wiesen, die voll großer Blumen waren und von Tau glitzerten, hatte ein weißes Pferd gegrast. Es war das schönste Tier, das sie je gesehen hatte. Die Mähne war so lang, daß sie auf die Hufe herabging, der ganze Leib apfelfarben, die Beine schmal und biegsam wie die Sehne eines Bogens, und der Schwanz so dick wie eine Roggengarbe und so lang, daß er auf dem Boden nachschleifte. Kaum mehr als einen Augenblick durfte sie sich an dem Anblick erfreuen. Denn als sie sich durch die hochblumigen Strandpflanzen näher an das Pferd heranschleichen wollte, erblickte es sie und floh. Aber nicht dem Land zu, sondern gerade hinaus in den See. Es sprang durch das seichte Wasser, so daß der Schaum um seinen Bug sprühte, und sowie es in die Tiefe kam, tauchte es unter, ohne einen Versuch zu machen, zu schwimmen. Da wußte die Mutter, daß dies niemand anderes gewesen sein konnte, als der Nöck, der sich, wenn er ans Land geht, in Gestalt eines Pferdes zu zeigen pflegt. Die Mutter hatte für sich selbst keine Angst gehabt, aber sie dachte an das Kind, das sie unter dem Herzen trug, und bangte, daß diese Begegnung ihm Nachteil bringen könnte. Zur größeren Sicherheit war sie zu einem »weisen

Mann« gegangen, hatte ihn gefragt und den Bescheid erhalten, daß dies dem Kinde nicht schaden würde. Wenn sie einen Sohn bekäme, sollte sie einen Fischer aus ihm machen, denn der Nöck würde sich sicherlich seiner annehmen, so daß er gutes Fischerglück haben würde. Aber würde aus dem Kinde wirklich ein Fischer, dann müßte er sich vor einer einzigen Sache in acht nehmen, und das war, niemals aus dem See zu trinken, in dem er seine Fische fing.

Dies hatte Gille auch immer vermieden, obgleich es manchmal gar nicht so leicht gewesen war. Es war schwer, sich mit keinem einzigen Tropfen Wasser zu laben, wenn man an heißen Sommertagen in seinem Boot auf dem See lag. Wenn er zu Fremden kam, wagte er es kaum, ein Glas zum Munde zu führen. Es gab Leute, die über derlei nur lachten, und sie versuchten, ihn aus purem Unverstand zu verleiten, Seewasser zu trinken. Sie konnten nicht glauben, daß dies etwas für ihn bedeuten würde. Es kam auch hier und da vor, daß die Seekobolde kleine Versuche machten, ihn zu verlocken, Seewasser zu trinken. Aber bisher hatte er sich tapfer gehalten, und es war ihm in allen Stücken gut gegangen, wie es ihm vorausgesagt war. Und viele, ja unzählige Male hatte er gesehen, daß die kleinen Seejungfern, die nicht größer waren als Barsche und die holdseligste Gestalt bis zu den Hüften hatten, wo der Fischschwanz anfing, in ganzen Schwärmen um sein Boot geschwommen waren, wenn er an schönen Sommerabenden still lag und angelte, und sie hatten ihm einen Fisch nach dem anderen an den Angelhaken gehängt. Und ebenso hatte er auch im Herbst bei Sturm und Unwetter, wenn sein Garn sich verwirrte, bei ihnen Hilfe gefunden.

Als der Propst diese Geschichte aus Gilles eigenem Mund hörte, da hatte sie ihn nicht so erregt wie jetzt, wo er nur daran dachte. Während Gille sprach, hatte er ganz deutlich die lieblichen kleinen Värmlandseen vor sich gesehen mit ihrem Badestrand und ihren Angelstellen, wo er als Knabe seine fröhlichsten Stunden verbracht hatte. Er sah das Wasser blinken und spiegeln, es ging bis in seine Kammer hinein, es wogte sanft und schmeichelnd rings um ihn. Er hatte das Gefühl gehabt, als gehörten Gille und seine Zaubergeschichten und das Fischen und das sorglose Leben auf dem See zusammen, er hatte nichts Anstößiges darin sehen können. Er war wie vom Wellenrauschen eingelullt gewesen. Auch hatte er nicht recht gewußt, ob Gille es ernst meinte oder im nächsten Augenblick sagen würde, er habe nur gescherzt. Und so hatte er nur ganz sanftmütig gesagt, es könne gefährlich sein, Hilfe von solchen anzunehmen, die nicht unserer Welt angehören.

Aber Gille hatte wieder gesagt, für ihn habe es keine Gefahr, solange er das Wasservolk nicht dadurch herausforderte, daß er Wasser aus dem See trank, wo er fischte; täte er das, geriete er freilich in ihre Gewalt. Wie es jetzt war, hatte er nur Hilfe und Nutzen von ihnen.

Um dies zu beweisen, erzählte er dem Propst eine Geschichte von seiner Hochzeit.

Als Gille vor den Traualtar treten sollte, da war es ihm so schlimm ergangen, daß er sich fast nicht zu rechten Zeit im Hochzeitshause hatte einfinden können. Einer der Nachbarn hatte versprochen, ihm ein Pferd zu leihen, aber am selben Tag war dies Pferd krank geworden, und da stand nun Gille und guter Rat war teuer. Da hatte er plötzlich ein Pferd erblickt, das auf der Strandwiese ging und graste. Es war ein schönes Tier, ein rosigweißer Apfelschimmel, die Mähne so lang, daß sie bis zur Erde reichte, wie nur das Pferd den Kopf senkte, und der Schwanz dick wie eine Roggengarbe. Gille hatte das Pferd nie zuvor gesehen und wußte nicht, wem es gehörte, aber er meinte, Not kennt kein Gebot. Er mußte ein Pferd haben, gleichviel, wo er es hernahm, sonst konnte er zur Trauung nicht zurechtkommen. Er versuchte das fremde Pferd einzufangen, und siehe da, es ging kinderleicht. Es ließ sich auch vor das Wägelchen spannen und zog es, ohne zu murren. Gille glaubte freilich zu merken, daß es einen wunderlichen Gang hatte und nicht recht eingefahren war, so daß es sich nicht auf Zeichen und Zurufe verstand, aber er war ja in seine Bräutigamsgedanken versunken und achtete nicht groß auf das Pferd, sondern war schon zufrieden, wenn es nur vorwärts ging. Aber als er in das Haus der Braut kam, da liefen die Leute heraus, um sein Pferd anzusehen, und vergaßen Braut und Bräutigam darüber, es zu loben und zu rühmen. Niemand konnte sich erklären, wo Gille ein solches Tier herbekommen habe. Das mußte zum allermindesten in des Königs Stall aufgewachsen sein. Gille beeilte sich, es abzuschirren, und stellte das Pferd zu den anderen. Er legte ihm schönes Futter vor, sagte ihm Dank für seine guten Dienste, aber band es nur mit einer Schleife fest. Als die Trauung vorüber war, gingen die Leute wieder heraus, um sich das Pferd anzusehen, aber da war es verschwunden. Gille gab sich selbst die Schuld, weil er es nicht sicher genug angebunden hatte, und sagte, es wäre vermutlich heimgelaufen. Dort im Hochzeitshause hatte er sich nicht anmerken lassen wollen, daß ihm die Sache nicht recht geheuer vorkam, aber er war zur Überzeugung gelangt, daß es niemand anderes als der Nöck sein konnte, der ihm den Dienst erwiesen hatte, ihm auf seiner Bräutigamsfahrt das Pferd zu machen.

Er hatte auch noch andere Begebenheiten erzählt, aber es war vor allem dieses, das ihn in dem Glauben bestärkt hatte, daß er in dem Wasservolk Freunde hatte und es nicht zu fürchten brauchte.

Der Propst fand Gefallen an dem Mann, und seine Geschichten hatten ihn, wie schon gesagt, an sein Jugendleben im Wald und auf dem See erinnert, und das war es, was ihn gleichsam zur Ruhe gewiegt und ihn verhindert hatte, Gille zuzurufen, doch einzuhalten und in seiner Gegenwart nicht von solchen Dingen zu sprechen.

Es gab Menschen genug, die nicht an diese Wesen glaubten, die das Volk in der Natur gesehen zu haben vorgab, doch der Propst gehörte nicht zur Zahl dieser. Aber eins war es, zu glauben, daß sie da waren, ein anderes, Hilfe und Beistand von ihnen anzunehmen, wie es dieser Fischer tat. Diese Wesen waren ihrer Natur nach böse, und für den, der sich mit ihnen einließ, nahm es immer ein schlechtes Ende. Das wußte die Kirche, und aus diesem Grunde verbot sie allen Umgang mit ihnen. Auch Gille Folkesson würden sie Unglück bringen, wenn der Propst nicht imstande war, ihn aus den Fesseln seines Aberglaubens zu lösen.

Tausenderlei Geschichten hatte der Propst von dem Treiben dieser Geschöpfe gehört. Alle endeten sie so, daß sie sich auf den, welcher eine Zeitlang in ihrer Gunst gestanden und ihre Wohltaten genossen hatte, stürzten, wenn er ihnen ganz blind glaubte, und ihn zugrunde richteten. Alles an ihnen war List, Tücke und Bosheit. Sie gehörten in die Unterwelt, und ihr einziges Trachten war es, die Menschen in ihre Dunkelheit hinabzuziehen.

Nun erkannte er, der Propst, daß dies ihre deutliche Absicht mit diesem Fischer war. Er war in Sicherheit eingelullt, er glaubte an ihre freundliche Gesinnung. Keine Warnung hatte mehr die Macht, ihn abzuschrecken, und in dieser Nacht sollte er in das Netz fallen, das von seiner Geburt an für ihn ausgespannt war. Ja, so mußte es kommen, wenn der Propst nicht imstande war, ihn zu retten.

Der Propst stand da und erwog diese Aufgabe in Gedanken

hin und her. Eins gab es, worauf Gille sein Vertrauen und seine Zuversicht setzte, und das war, daß er noch nie Wasser aus dem See getrunken hatte, in dem er seine Angeln und Netze auswarf. Aber was war nun das für ein Glaube, konnte man darauf vertrauen? Eine falsche Stütze war das, eine, die in dieser Nacht versagen würde; denn der Propst hatte gehört, daß man unten in der Tiefe auf Gille wartete. Eine morsche Planke war es, die ihn nicht tragen konnte. Wenn er fortfuhr, darauf zu bauen, mußte er elendiglich zugrunde gehen.

Der Propst sah deutlich, daß diese Planke Gille Folkesson entrissen werden mußte, ehe es zu spät war. Konnte er nur nicht mehr auf die bauen, dann würde er auch nicht mehr seine Hoffnung auf Nix und Nöck setzen, sondern auf den lebendigen Gott. Konnte er nicht mehr auf sie bauen, dann war er an Leib und Seele errettet und kam glücklich und wohlbehalten heim zu seinem jungen Weib. In seiner ganzen Gemeinde wußte der Propst keinen Menschen, zu dem er sich so hingezogen fühlte wie zu diesem Gille Folkesson. Er konnte ihn ob seiner Verbindung mit den unreinen Geistern nicht so tadeln, wie er sollte, aber es wandelte ihn eine große Sehnsucht an, ihn aus ihrer Gewalt zu erretten. Das Herz tat ihm in der Brust weh, wenn er diesen Mann ansah, der da jung, schön und sorglos vor ihm saß und doch verurteilt war, in dieser selbigen Nacht zu sterben.

Der Propst sah einen Weg, ihn zu erretten, hatte ihn von Anfang an gesehen, aber er wußte nicht, ob er nicht eine Sünde und eine Entheiligung beging, wenn er dieses Mittel anwendete. Aber konnte es eine größere Sünde geben, als einen Menschen mit Leib und Seele der Gewalt der dunklen Mächte zu überantworten? Vielleicht war es erlaubt, in einem solchen Fall zu diesem Ausweg zu greifen? Es lockte ihn und es widerstrebte ihm doch wieder. Es widerstrebte ihm sehr. Er war in furchtbarer Pein. Er brauchte einen Fingerzeig Gottes.

Wenn der Mann da vor ihm von seinem Glauben an die morsche Planke frei werden könnte, frei in der Art, daß er eine Stütze, eine neue Hoffnung bekam? Wenn er so ganz und gar befreit werden könnte, daß er sich nicht in Gefahr zu fühlen brauchte, sondern im Gegenteil gesichert und beschützt, wäre das nicht die größte Wohltat, die man ihm erweisen könnte?

Plötzlich schrak der Propst aus seinen Gedanken auf. Der Fischer war es müde geworden, zu warten, und stand nun von seinem Stuhl auf. Im selben Augenblick war auch der Entschluß des Propstes gefaßt. Er konnte den Mann nicht in sein Verderben rennen lassen. Er mußte ihn aufhalten, mußte tun, was in seinen Kräften stand, um ihn zu retten. »Ich sehe, du willst gehen, Gille«, sagte er. Dabei erhob er sich, und Gille wich in aller Eile zur Tür zurück, wie um leichter entkommen zu können. »Du darfst nicht glauben, Gille, daß ich dich mit Gewalt zurückhalten werde, wenn ich gleich Lust dazu hätte. Du kannst gehen, wohin du willst, und ich sehe schon, es wird der Seeweg sein.«

»Das wird es wohl, Herr Propst. Ich komme schon auf jeden Fall heim.«

»Aber du mußt wissen, Gille, wenn ich dich jetzt, so wie du willst, den Seeweg gehen lasse, dann ist dies für mich, als schickte ich dich geradewegs in den Tod. Ich bin so sicher, Gille, daß du den nächsten Morgen nicht erlebst, wenn du dich heute nacht aufs Eis begibst, als ich es wäre, wenn ich wüßte, daß blutrünstige Mörder dir vor meinem Hause auflauern. Darum, Gille, will ich dich zum Tode bereiten, so wie ich es täte, wenn du in den letzten Zügen lägest. Ich will dir das heilige Abendmahl geben.«

Gille legte unwillkürlich die Hand auf die Türklinke. Er hätte sich dem, was kommen sollte, am liebsten entzogen, doch der Propst hielt ihn zurück.

»Du darfst nicht gehen, Gille«, rief er mit einer mächtigen Stimme, die vor Gemütsbewegung brach. »Ich bin dein Seelsorger, und ich muß meine Pflicht gegen dich tun, sonst kann ich es nicht vor dem verantworten, der Herr ist über dich wie über mich.«

Der Fischer sah drein wie ein gegen seinen Willen hin und her gezerrter und gezwungener Mann, doch war er nun so sehr von der Ehrfurcht vor dem Propst befangen, daß er stehenblieb. Und sobald dieser merkte, daß Gille ihm zu gehorchen gedachte, begann er mit seinen Vorbereitungen.

Er nahm die kleinen Abendmahlskelche hervor, deren er sich bediente, wenn er zu Sterbenden gerufen wurde, entzündete noch eine Kerze und hing seinen Talar um.

Es war kein Wein in der Flasche, die er neben dem Kelch verwahrte, doch er schickte nicht in den Keller, um sie füllen zu lassen. »Möge Gott mir gnädig sein«, dachte er. »Ich fülle den Kelch mit dem Naß, das heilig genug ist, in seinem zweiten Sakrament zu dienen.«

Er ließ Gille vor seinem Stuhl niederknien, erteilte ihm die

Absolution, las die Worte des heiligen Abendmahls, reichte ihm das Brot und führte den Kelch an seine Lippen.

Im nächsten Augenblick sprang der Fischer schreckensbleich auf. »Was hast du mir im Kelch gegeben, Pfaffe?« rief er und packte den Propst hart am Arm.

»Ich habe dir das gegeben, was du in deinem heidnischen Aberglauben nie zu kosten gewagt hast«, sagte der Propst. »Ich habe dir Wasser aus der Kirchenbucht gegeben, aber ich habe es geheiligt und geweiht. Jetzt ist es über deine Lippen geströmt, nicht als Wasser, sondern als Christi Blut. Möge es die Macht des natürlichen Wassers überwinden! Möge es deine Seele befreien von ...«

Er kam nicht weiter. Gille Folkesson hörte ihn nicht. »Wasser aus der Kirchenbucht«, schrie er so jammervoll wie ein Verwundeter. »Wasser aus der Kirchenbucht!«

Im nächsten Augenblick war er aus dem Zimmer und lief durch den Flur in den Hof.

Der Propst eilte ihm nach, aber Gille stürmte dahin wie ein Tollhäusler, und es war unmöglich, ihn einzuholen. Während er so lief, rief er mit einer Stimme, die nicht weniger schaurig klang als die Stimme vom Seegrund, die der Propst am Abend vernommen hatte:

»Die Zeit ist erfüllt, und der Mann kommt.«

Die halbe Nacht war der Propst mit Knechten und Nachbarsleuten auf dem Eis gewesen und hatte nach Gille Folkesson gesucht, der den Pfarrhof in Sinnesverwirrung verlassen hatte. Endlich hatte man nahe der Flußmündung ein Loch in dem schwachen Eis entdeckt, ein Mann war ganz vorsichtig hingekrochen und hatte Gilles Hut auf dem Wasser schwimmend gefunden. Da brauchte man nicht weiter zu suchen, sondern konnte heimgehen.

Auf dem Nachhauseweg sprachen die Männer natürlich von Gille. Sie kannten ihn gut und erzählten einander von dem Bündnis, das zwischen ihm und dem Wasservolk bestanden haben sollte.

»Es ist sicher, daß sie dort unten ihm dienten«, sagte ein Bursche und stampfte auf das Eis. »Aber jetzt ist es so ausgegangen, wie derlei immer ausgeht. Er ist schließlich doch in ihre Gewalt geraten.«

»Er muß sich wohl doch nicht genug in acht genommen haben«, sagte einer. »Er muß Seewasser getrunken haben.«

In demselben Augenblick, in dem dies gesagt war, hörten sie aus ihrer Mitte eine Stimme, die zu reden und zu erzählen begann. Es war eine schwache zitternde Stimme, die Stimme eines alten, gebrochenen Mannes. Die Leute konnten sich anfangs gar nicht denken, wem sie gehörte, sie blieben verwundert stehen. Es war kein schwacher oder alter Mann unter ihnen gewesen, als sie sich aufs Eis begeben hatten.

Aber da merkten sie, daß es der Propst war, der sprach, und sie scharten sich dicht um ihn, um zu hören, was er sagte. Sie sahen sein Antlitz nicht, aber es dünkte sie, daß er gebeugt und zitternd dastand und sich kaum aufrecht zu halten vermochte.

Noch nie hatten sie einen Menschen so vernichtet gesehen. Es war junges, sorgloses Volk, die meisten von ihnen, aber sie standen rings um den gebrochenen Mann und weinten wie die Kinder, während er so sprach.

Als er ihnen gesagt, was er an diesem Abend erlebt hatte, ging er einsam ans Land. Die anderen schlichen stumm hinter ihm drein, gerade nur so weit, daß sie ihn im Auge behielten und sahen, daß er heimzuwanken vermochte und nicht auf dem Weg liegenblieb.

»Mit dem ist es zu Ende«, flüsterten sie einander zu. »Der kommt nie mehr auf eine Kanzel.«

Es war Weihnachtsnacht, eine richtige Weihnachtsnacht. Die Kobolde hoben die Felsblöcke auf hohe Goldsäulen und feierten Mittwinterfest. Die Heinzelmännchen tanzten in neuen roten Mützen um die Weihnachtsgrütze. Alte Götter zogen in grauen Unwettermänteln über das Himmelsgewölbe. Und auf dem Österhaninger Kirchhof stand das Höllenpferd. Es scharrte mit den Hufen in dem gefrorenen Boden, bezeichnete den Platz für ein neues Grab.

Nicht weit davon auf dem alten Schloß Årsta lag Mamsell Friederike und schlief. Årsta ist, wie man weiß, ein altes Gespensterschloß, aber Mamsell Friederike schlief einen guten, ruhigen Schlummer. Sie war jetzt alt geworden und recht müde nach vielen schweren Arbeitstagen und vielen langen Reisen – sie war ja beinahe rings um die Erde gefahren –, darum war sie in ihr Kindheitsheim zurückgekehrt, um Ruhe zu finden.

Vor dem Schloß tönte eine kecke Fanfare in die Nacht hinaus. Der Tod hatte sich auf sein Rößlein Grau gesetzt und war zum Schloßtor geritten. Sein weiter Purpurmantel und der stolze Federbusch des Hutes wehten im Nachtwind. Der strenge Ritter wollte ein schwärmerisches Herz bezwingen, darum trat er in so seltenem Staat auf. Vergebliche Mühe, Herr Ritter, vergebliche Mühe! Das Tor ist verschlossen, und deine Herzensdame schläft. Eine bessere Gelegenheit mußt du suchen und geeignetere Stunde. Lauere ihr auf, wenn sie zur Frühmette fährt, strenger Herr Ritter, lauere ihr auf auf dem Kirchweg!

Die alte Mamsell Friederike schlief ruhig in ihrem geliebten Heim. Niemand konnte die süße Ruhe besser als sie verdienen. Wie ein Weihnachtsengel war sie eben in einem Kreis von Kindern gesessen und hatte ihnen von Jesus und den Hirten erzählt, erzählt, bis ihre Augen strahlten und ihr ganzes verwelktes Gesicht wie verklärt war. Jetzt auf ihre alten Tage gab es auch niemanden, der etwas gegen Mamsell Friederikes Aussehen einzuwenden hatte. Wer die kleine, zarte Gestalt sah, die kleinen, feinen Händchen und das kluge, freundliche Gesicht, wollte im Gegenteil dieses Bild seinem Gedächtnis einprägen als die wunderschönste Erinnerung.

In Mamsell Friederikes Zimmer befand sich unter andern Reliquien und Erinnerungen ein kleiner trockener Strauch. Das war die Jerichorose, die Mamsell Friederike aus dem fernen Morgenland mitgebracht hatte. Jetzt in der Weihnachtsnacht begann sie ganz von selbst zu blühen. Die trocknen Zweige bedeckten sich mit roten Knospen, die wie Feuerfunken schimmerten und das ganze Zimmer erleuchteten.

Bei dem Schein dieser Funken sah man, daß eine kleine und zarte, aber recht alte Dame in einem großen, gelben Fauteuil saß und Salon hielt. Es konnte nicht Mamsell Friederike selbst sein, denn die lag und schlief in guter Ruh, und dennoch war sie es. Sie saß da und hielt Empfang für Erinnerungen, das Zimmer war voll von ihnen. Menschen und Heime und Gegenstände und Gedanken und Diskussionen kamen geflogen. Kindheitserinnerungen und Jugenderinnerungen, Liebe und Tränen, Ehrenbezeugungen und bitterer Hohn, alles kam auf die bleiche Gestalt zugesaust, die dasaß und alle mit einem gütigen Lächeln ansah. Sie hatte ein scherzendes oder wehmütiges Wort für sie alle.

Nachts bekommen alle Dinge ihre rechte Gestalt und Form. Und so, wie man erst da des Himmels Sterne sehen kann, sieht man auch auf Erden vieles, was man tagsüber niemals sieht. So konnte man auch jetzt im Schein der roten Knospen der Jerichorose eine Menge wunderlicher Gestalten in Mamsell Friederikes Salon sehen. Da war die steife »ma chère mère«, die gutmütige Beate, Menschen aus dem Morgen- und aus dem Abendland, die schwärmerische Nina, die energische kämpfende Herta in ihrem weißen Kleid.

»Kann mir jemand sagen, warum dieses Geschöpf immer weiß gekleidet sein muß?« scherzte die kleine Gestalt im Fauteuil, als sie sie erblickte.

Aber alle Erinnerungen sprachen zu der Alten und sagten: »Sieh, wieviel du geschaut und erfahren, wieviel du gewirkt und genützt hast! Bist du nicht müde, willst du nicht zur Ruhe gehen?«

»Noch nicht«, antwortete der Schatten in dem gelben Fauteuil, »ich habe noch ein Buch zu schreiben. Ich kann nicht zur Ruhe gehen, ehe es fertig ist.«

Damit verschwanden die Schatten. Die Jerichorose erlosch, und der gelbe Fauteuil stand leer.

In der Österhaninger Kirche feierten die Toten Mitternachtsmesse. Einer von ihnen stieg zu den Glocken hinauf und läutete das Christfest ein, ein anderer ging umher und entzündete die Weihnachtskerzen, und ein dritter begann mit knochigen Fingern auf der Orgel zu spielen. Durch die geöffnete Tür kamen die übrigen aus Nacht und Gräbern in das helle, strahlende Haus des Herrn gewallt. Gerade so, wie sie hier im Leben gewesen waren, kamen sie, nur ein bißchen bleicher. Sie öffneten die Banktüren mit rasselnden Schlüsseln und wisperten und flüsterten, während sie den Gang hinaufgingen.

»Das sind alle die Lichter, die *sie* den Armen geschenkt hat, die leuchten jetzt in Gottes Haus.«

»Wir liegen warm in unsern Gräbern, solange *sie* den Armen Kleider und Holz gibt.«

»Seht, *sie* hat so viele kräftige Worte gesprochen, die die Menschenherzen aufgeschlossen haben, diese Worte sind unsere Bankschlüssel.«

»*Sie* hat schöne Gedanken über Gottes Liebe gedacht. Diese Gedanken heben uns aus unseren Gräbern empor.«

So wisperten und flüserten sie, bevor sie sich in die Bänke setzten und ihre bleichen Stirnen zum Gebet in verwelkte Hände neigten.

Aber in Årsta kam jemand in Mamsell Friederikes Zimmer und legte freundlich die Hand auf den Arm der Schlafenden.

»Auf, meine Friederike, es ist Zeit, zur Frühmette zu fahren.«

Die alte Mamsell Friederike schlug die Augen auf und sah Agathe, ihre geliebte tote Schwester, mit einer Kerze in der Hand am Bette stehen. Sie erkannte sie wohl, denn sie war ganz unverändert, so wie sie hier auf Erden gewesen war. Mamsell Friederike erschrak nicht, sie freute sich nur, die Geliebte zu sehen, an deren Seite sie gerne den langen Schlummer schlafen wollte.

Sie stand auf und kleidete sich in aller Eile an. Es war keine Zeit zu Gesprächen; der Wagen stand vor dem Tor. Die andern mußten schon fort sein; denn niemand außer Mamsell Friederike und ihrer toten Schwester regte sich im Haus.

»Weißt du noch, Friederike«, sagte die Schwester, als sie im Wagen saßen und rasch zur Kirche fuhren, »weißt du noch, wie du früher immer dasaßest und wartetest, daß irgendein Ritter dich auf dem Weg zur Kirche entführen sollte?«

»Darauf warte ich noch immer«, sagte die alte Mamsell Friederike und lachte. »Ich fahre diesen Weg nie, ohne nach meinem Ritter auszulugen.«

Wie sehr sie sich auch beeilt hatten, so kamen sie doch zu spät. Der Priester stieg von der Kanzel herab, als sie in die

Kirche eintraten, und der Schlußpsalm begann. Nie hatte Mamsell Friederike einen so herrlichen Gesang gehört. Es war, als ob Himmel und Erde eingestimmt hätten, als hätte jede Bank und jeder Stein und jede Planke mitgesungen.

Nie hatte sie die Kirche so überfüllt gesehen: Auf dem Altartisch und auf den Kanzelstufen saßen Menschen, sie standen in den Gängen, sie drängten sich in den Bänken, und draußen war der Weg voll Leute, die nicht hereinkommen konnten. Die Schwestern fanden doch Platz, vor ihnen wich die Menge zurück.

»Friederike«, sagte ihre Schwester, »sieh die Menschen an.«

Und Mamsell Friederike sah und sah.

Da merkte sie, daß sie wie die Frau im Märchen zu der Messe der Toten gekommen war. Sie fühlte, wie ihr ein kalter Schauer über den Rücken lief, aber es erging ihr jetzt wie oft zuvor, sie fühlte mehr Neugierde als Angst.

Und nun sah sie, wer in der Kirche war. Lauter Frauen waren da: graue, gebeugte Gestalten, mit rundgeschnittenen Kragen und verblaßten Mantillen, mit Hüten von vergangenem Glanz und gewendeten oder abgestoßenen Röcken. Sie sah eine ungeheure Menge verrunzelter Gesichter, eingesunkner Lippen, trüber Brillen und verschrumpfter Hände, doch keine einzige Hand, die zwei glatte Ringe trug.

Ja, nun verstand Mamsell Friederike. Das waren alle die entschlafenen alten Jungfern im Lande Schweden, die in der Österhaninger Kirche Mitternachtsmesse feierten.

Da beugte sich ihre tote Schwester zu ihr.

»Schwester, bereust du, was du für diese deine Schwestern getan hast?«

»Nein«, sagte Mamsell Friederike. »Woran sollte ich mich wohl freuen, wenn nicht, daß es mir beschert war, für sie zu arbeiten: Ich opferte einmal mein Ansehen als Schriftstellerin für sie. Ich bin froh, daß ich wußte, was ich opferte, und es dennoch tat.«

»Dann kannst du bleiben und weiter zuhören«, sagte die Schwester.

In demselben Augenblick hörte man jemand drüben im Chor sprechen, eine sanfte, aber deutliche Stimme.

»Schwestern«, sagte die Stimme, »unser beklagenswertes Geschlecht, unser unwissendes und verhöhntes Geschlecht, bald wird es nicht mehr sein. Gott hat gewollt, daß wir von der Erde aussterben.

Ihr Lieben, wir werden bald nur mehr eine Sage sein. Das Maß der alten Jungfern ist erfüllt. Der Tod reitet auf dem Kirchweg umher, um die letzte von uns zu treffen. Vor der nächsten Mitternachtsmesse ist sie tot, die letzte alte Mamsell.

Schwestern, Schwestern! Wir waren die Einsamen auf Erden. Die Zurückgesetzten beim Gastmahl, die danklos Dienenden im Heim. Hohn und Lieblosigkeit umgab uns. Unsere Wanderung war schwer und unser Name fiel dem Gespött anheim.

Aber Gott hat sich erbarmt.

Einer von uns gab er Kraft und Genie. Einer von uns gab er niemals versagende Güte. Einer gab er des Wortes herrliche Gabe. Sie wurde alles, was wir hätten sein sollen. Sie warf Licht über unser dunkles Schicksal. Sie ward die Dienerin des Heims, wie wir es gewesen, aber tausend Heimen gab sie ihre Gabe. Sie war die Pflegerin der Kranken, wie wir es gewesen, aber sie kämpfte gegen die gewaltige Seuche des Vorurteils. Sie erzählte ihre Märchen tausend Kindern. Sie hatte ihre armen Freunde in allen Ländern. Sie gab aus volleren Händen als wir und mit wärmerem Gemüt. In ihrem Herzen war kein Raum für unsere Bitterkeit, denn sie hat fortgeliebt. Ihr Ruhm war wie der einer Königin. Sie hat den Zoll der Dankbarkeit von Millionen Herzen eingehoben. Ihre Worte sind in den großen Fragen der Menschheit schwer ins Gewicht gefallen. Ihr Name ist durch neue und alte Welten erklungen. Und doch ist sie nur eine alte Mamsell.

Sie hat unser dunkles Schicksal erklärt. Gesegnet sei ihr Name!«

Und die Toten stimmten in tausendfachem Echo ein: »Gesegnet sei ihr Name!«

»Schwester«, flüsterte Mamsell Friederike, »kannst du ihnen nicht verbieten, mich armen sündigen Menschen hochmütig zu machen?«

»Aber Schwestern, Schwestern«, fuhr die Stimme fort, »sie hat sich gegen unser Geschlecht gewendet mit all ihrer großen Macht. Auf ihren Ruf nach Freiheit und Arbeit sind die alten, verhöhnten Gnadenbrotempfängerinnen ausgestorben. Sie hat die Schranken der Tyrannei um die Kinder niedergebrochen. Sie hat die jungen Mädchen in die volle Tätigkeit des Lebens versetzt. Sie hat der Einsamkeit, der Unwissenheit, der Freudlosigkeit ein Ende gemacht. Keine unglücklichen, verachteten alten Jungfern ohne Aufgabe und Lebensinhalt wird es mehr geben, keine solchen, wie wir gewesen sind.«

Wieder erklang das Echo der Schatten, jubelnd wie ein Jagdlied im Wald, wie der Ruf einer frohen Kinderschar: »Gesegnet sei ihr Angedenken!«

Darauf wallten die Toten aus der Kirche, und Mamsell Friederike trocknete sich eine Träne aus dem Augenwinkel.

»Ich gehe nicht mit heim«, sagte ihre tote Schwester. »Willst du nicht auch gleich hierbleiben?«

»Ich möchte wohl, aber ich kann nicht. Da ist ein Buch, das ich zuerst fertig haben muß.«

»Nun dann, gute Nacht, und nimm dich vor dem Ritter auf dem Kirchweg in acht«, sagte ihre tote Schwester und lächelte schelmisch nach alter Gewohnheit.

Dann fuhr Mamsell Friederike heim. Ganz Årsta schlief noch, und sie ging still in ihr Zimmer, legte sich nieder und schlummerte noch einmal ein.

Einige Stunden später fuhr sie zur wirklichen Frühmette. Sie fuhr im gedeckten Wagen, aber sie ließ das Fenster herab, um die Sterne sehen zu können, möglich ist es wohl auch, daß sie wie einst nach ihrem Ritter aussah.

Und da war er, da sprengte er zum Wagenfenster heran. Prächtig saß er auf seinem sich bäumenden Roß. Der Purpurmantel flatterte im Wind. Sein bleiches Antlitz war streng, aber schön.

»Willst du mein werden«, flüsterte er.

Hingerissen ward sie in ihrem alten Herzen von der hohen Gestalt mit der wehenden Feder. Sie vergaß, daß sie noch ein Jahr leben mußte. »Ich bin bereit«, flüsterte sie. »Dann komme ich in einer Woche und hole dich von deines Vaters Hof.«

Er beugte sich herab und küßte sie, und damit verschwand er; aber sie begann zu frieren und zu zittern unter dem Kuß des Todes.

Ein kleines Weilchen später saß Mamsell Friederike in der Kirche, auf demselben Platz, auf dem sie als Kind gesessen hatte. Hier vergaß sie Ritter und Gespenster und saß lächelnd in stiller Verzückung in dem Gedanken an die Offenbarung von Gottes Herrlichkeit.

Aber, ob sie nun müde war, weil sie die ganze Nacht nicht geschlafen hatte, oder ob die Wärme und der Kerzenrauch eine einschläfernde Wirkung auf sie ausübten, wie auf so viele andere – genug, sie schlummerte ein, nur einen Augenblick, sie konnte es nicht hindern.

Vielleicht war es auch so, daß Gott ihr die Pforte in das Land der Träume öffnen wollte.

In dem kurzen Augenblick, in dem sie einschlummerte, sah sie nun ihren strengen Vater, ihre schöne elegante Mutter und die häßliche kleine Petrea in der Kirche sitzen. Und die Seele des Kindes wurde von einer Angst zusammengepreßt, größer als ein Erwachsener sie je erfahren hatte. Auf der Kanzel stand der Priester und sprach von dem strengen, strafenden Gott, und das Kind saß bleich und zitternd da, als wenn die Worte Axthiebe wären und durch sein Herz gingen.

»O welcher Gott, welcher furchtbare Gott!«

In der nächsten Sekunde war sie wach, aber sie zitterte und schauerte so wie unter dem Kuß des Todes auf dem Kirchweg. Noch einmal war ihr Herz von der wilden Verzweiflung ihrer Kindheit gefangen.

Sie hatte es mit einemmal so eilig, daß sie sogleich aus der Kirche hasten wollte. Sie mußte heim und ihr Buch schreiben, ihr herrliches Buch von dem Gott des Friedens und der Liebe.

Nichts weiter, was jetzt erwähnenswert scheinen kann, widerfuhr Mamsell Friederike vor der Neujahrsnacht. Leben und Tod, so wie Tag und Nacht, herrschten in der letzten Woche des Jahres in stiller Eintracht über die Erde. Aber als die Neujahrsnacht kam, da nahm der Tod das Zepter und verkündete, daß die alte Mamsell Friederike nun ihm angehören solle.

Hätte man dies nur gewußt, so hätte wohl alles Volk von Schweden ein gemeinsames Gebet an Gott gerichtet, seinen reinsten Geist, sein wärmstes Herz behalten zu dürfen. Da hätte man in Angst und Sorgen in so manchem Heim in fernen Ländern gewacht, wo sie liebende Herzen zurückließ. Dann hätten die Armen, die Kranken und Notleidenden ihre eigene Not vergessen, um der ihrigen zu gedenken, und dann hätten alle Kinder, die unter den Segnungen ihres Wirkens herangewachsen waren, die Hände gefaltet und um noch ein Jahr für ihre beste Freundin gebetet. Ein Jahr, damit sie ihrem Lebenswerk volle Klarheit gebe und es durch den Schlußstein kröne.

Denn der Tod kam zu früh für Mamsell Friederike.

Sturm war draußen in der Neujahrsnacht, Sturm in ihrem Innern. Sie fühlte alle Qualen des Lebens und des Todes in ihrem Innern ringen.

»Angst!« seufzte sie, »Angst!«

Aber die Angst wich, und der Friede kam, und sie flüsterte

leise: »Christi Liebe – beste Liebe – Gottesfriede – das ewige Licht!«

Ja, das war es nun, was sie in ihrem Buch hätte schreiben wollen, und vielleicht vieles andere ebenso Schöne und Herrliche. Wer weiß? Nur eines wissen wir, daß Bücher in Vergessenheit geraten, aber ein Leben wie das ihre vergißt man nie.

Die Augen der alten Seherin schlossen sich, und sie versank in Visionen.

Ihr Körper kämpfte mit dem Tode, aber sie wußte es nicht. Ihre Nächsten saßen weinend um das Totenbett, aber sie merkte es nicht. Ihr Geist hatte seinen Flug angetreten.

Nun wurde der Traum für sie Wirklichkeit und die Wirklichkeit Traum. Nun stand sie, wie sie sich schon in ihrer Jugendvision gesehen hatte, wartend am Himmelstor mit unzähligen Scharen von Toten rings um sich. Und der Himmel tat sich auf. Er, der Einzige, der Seligkeitbringende, stand in dem geöffneten Tor. Und seine unendliche Liebe weckte in den harrenden Geistern und in ihr die Sehnsucht, in seine Arme zu fliegen. Und ihre Sehnsucht trug alle diese und sie, und sie schwebten wie auf Flügeln empor, empor.

Am nächsten Tage herrschte Trauer im Lande Schweden, Trauer in weiten Teilen der Erde.

Friederike Bremer war tot.

Eine Geschichte aus Halstanäs

Irgendwo am Weg lag einmal ein alter Hof, der Halstanäs genannt wurde. Der hatte den Waldsaum dicht hinter sich und war niedrig gebaut, mit langen Reihen rotgestrichener Häuser. Neben dem Wohnhaus stand ein großer Faulbaum, der das rote Ziegeldach mit schwarzen Beeren übersäte. Eine Feierabendglocke mit einem Schirmdach hing oben über dem Stallgiebel.

Dicht vor der Küchentür war ein Taubenschlag mit kleinen, niedlichen Balustraden vor den Fluglöchern, an der Mauer hing ein Eichhörnchenbauer, das aus zwei kleinen, grünen Häusern und einem großen Stahlrad bestand, und vor der großen Fliederhecke war eine ganze lange Reihe rindegedeckter Bienenkörbe aufgestellt.

Der Hof hatte einen Teich, der voll breiter Karauschen und schlanker Wassereidechsen war. Ferner hatte er ein Hundehaus am Einfahrtstor und weiße Zauntüren an der Allee und an den Gartenwegen und überall, wo sich eine Zauntür anbringen ließ.

Er hatte große Dachböden mit dunklen Dachkammern, die altväterische Offiziersröcke bargen und hundertjährige Frauenhüte. Er hatte große Kisten, mit Seidenschals und »Brautputz« angefüllt, er hatte alte Spinette und Violinen und Gitarren und Fagotte. In Schränken und Sekretären lagen handgeschriebene Lieder und vergilbte alte Briefe, an den Wänden im Flur hingen Jagdgewehre und große Pistolen und lederbezogene Jagdtaschen, auf dem Boden lagen Lappenteppiche, aus Überresten alter Atlaskleider und Baumwollgardinen zusammengesetzt. Der Hof hatte einen großen Erker, wo die Hundsrose Sommer um Sommer ein schwankes Holzstaket hinanklomm. Er hatte große, gelbe Flurtüren, die mit Drückern und schweren Eisenriegeln verschlossen wurden, er hatte einen Flur, der mit Wacholderreisig bestreut war, er hatte niedrige Fenster mit vielen kleinen Scheiben und schweren Holzladen.

Eines Sommers kam der alte Oberst Beerencreutz gerade zu diesem Hof gefahren. Es dürfte wohl einige Zeit nach dem Jahr gewesen sein, wo er von Ekeby fortzog. Zu dieser Zeit war er in einem Bauernhof in Svartsjö einquartiert, und er begab sich nur selten auf Reisen. Er hatte wohl die Kalesche und das Pferd behalten, aber sie mußten jetzt so ziemlich das ganze liebe Jahr in Ruhe bleiben. Er sagte immer, nun sei er ernstlich alt geworden, und für alte Leute wolle es sich am besten schicken, daheim zu sitzen.

Beerencreutz fiel es auch schwer, die Arbeit zu verlassen, die er angefangen hatte. Er war damit beschäftigt, Teppiche für seine beiden Zimmer zu weben, große, vielfarbige Teppiche in reichen, wunderbar ausgeklügelten Mustern. Dies nahm ihm unendlich viel Zeit, vor allem, weil er seine eigene Webmethode hatte. Er benutzte nämlich keinen Webstuhl, sondern spannte das Garn quer über das eine seiner Zimmer, von Wand zu Wand. Das tat er, um den ganzen Teppich auf einmal übersehen zu können. Aber dann das Schiffchen hineinzuschmuggeln und die Fäden zu einem festen Teppichgewebe zusammenzubringen, das war keine kleine Mühe. Und dann war da das Muster, das er selbst erdachte, und die Farben, die zusammengestimmt werden mußten. Das nahm dem Obersten mehr Zeit, als irgend jemand geglaubt hätte.

Denn während Beerencreutz daran arbeitete, daß das Muster richtig ausgehe, saß er oft da und dachte an unsern Herrgott. Der saß wohl an einem noch größeren Webstuhl und hatte noch ein wunderbareres Muster zu weben. Und er begriff, daß es in diesem Gewebe sowohl helle wie dunkle Farben geben müsse, damit es sich richtig ausnehme. Aber Beerencreutz konnte bisweilen dasitzen und so lange über das alles nachgrübeln, bis er zu sehen vermeinte, wie sein Leben und das Leben der Menschen, die er gekannt und mit denen er gelebt hatte, einen kleinen Teil von Gottes großem Gewebe bildete, und er sah das Stück so deutlich vor sich ausgebreitet, daß er sowohl die Konturen als auch die Farben unterscheiden konnte. Und wenn man nun Beerencreutz recht angelegentlich gefragt hätte, dann hätte er gestanden, daß er sein eigenes und seiner Freunde Leben in den Teppich webte, in einer geringen Nachbildung dessen, was er vermeinte, in Gottes Webstuhl dargestellt gesehen zu haben.

Doch so beschäftigt der Oberst auch war, er pflegte doch gern eine kleine Reise zu ein paar alten Gastfreunden zu machen, jedes Jahr gleich nach Johanni. Er hatte es von altersher am liebsten, durchs Land zu reisen, wenn der Klee noch auf den Wiesen duftete und blaue und gelbe Mittsommerblumen den Wegrand entlang blühten, in zwei langen, ununterbrochnen Linien.

Dieses Jahr war der Oberst kaum auf die große Landstraße hinausgekommen, als er seinen alten Freund, den Fähnrich von Örneclou, traf. Und der Fähnrich, der das ganze liebe Jahr auf

Reisen war und alle Höfe in Värmland kannte, gab ihm einen guten Rat. »Fahrt nach Halstanäs und besucht den Fahnenjunker Vestblad«, sagte er. »Ich kann Euch sagen, Bruder, daß ich keinen Hof im ganzen Lande weiß, wo ich mich wohler fühlte.«

»Was ist das für ein Vestblad, von dem Ihr sprecht, Bruder?« sagte der Oberst. »Ihr könnt doch nicht den tollen Fahnenjunker meinen, Bruder, den die Majorin zur Tür hinauswarf?«

»Just den meine ich«, sagte der Fähnrich, »aber Vestblad ist nicht mehr der, der er war. Er hat sich mit einem feinen Fräulein verheiratet, mit einem so recht durabeln Frauenzimmer, Oberst, das einen Menschen aus ihm gemacht hat. Das war freilich ein höchst unerwartetes Glück für Vestblad, daß eine so ausgezeichnete Dame sich in ihn verliebte. Sie war wohl nicht gerade sehr jung, aber jung war Vestblad ja auch nicht. Lieber Bruder, Ihr müßt nach Halstanäs fahren, um das Wunderwerk der Liebe zu schauen.«

Und so fuhr der Oberst nach Halstanäs, um zu sehen, ob Örneclou die Wahrheit gesprochen hatte. Er hatte sich wohl bisweilen gefragt, was aus Vestblad geworden sein könnte. In seiner Jugend hatte er es so wild getrieben, daß nicht einmal die Majorin auf Ekeby Nachsicht mit ihm haben konnte. Sie hatte ihn nicht länger als ein paar Jahre auf Ebeky dulden können, dann war sie gezwungen gewesen, ihn fortzujagen. Vestblad war so tief verkommen gewesen, daß ein Kavalier kaum mit ihm hatte umgehen wollen. Und nun behauptete Örneclou, daß er Haus und Hof besitze und mit einem hervorragenden Frauenzimmer verheiratet sei.

So fuhr der Oberst nach Halstanäs hinauf und sah da auf den ersten Blick, daß dies ein richtiger alter Herrenhof war. Er brauchte nur die Birkenallee zu sehen, mit allen den eingeschnittenen Namen und den hohen, verzweigten Bäumen. Solche Birken hatte er nie anderswo als auf alten, ansehnlichen Landsitzen gesehen.

Der Oberst fuhr langsam in den Hof ein, und mit jedem Augenblick wurde er vergnügter. Da waren Lindenhecken von der richtigen Sorte, so dicht, daß man darauf gehen konnte, und da waren ein paar Terrassen mit Steinstufen, die so lange dort lagen, daß sie sich halb in die Erde eingegraben hatten.

Als der Oberst an dem Teich vorüberfuhr, sah er die dunklen Rücken der Karauschen in dem gelblichen Wasser schimmern. Die Tauben flogen mit schmetternden Flügelschlägen vom Weg empor, das Eichhörnchen ließ sein Rad stehen, der Kettenhund lag still mit der Schnauze auf den Vorderbeinen, wedelte mit dem Schwanz und knurrte leise dazu.

Dicht neben dem Erker sah der Oberst einen Ameisenhaufen, wo die Ameisen ungestört in ihren Angelegenheiten auf und ab gingen. Er sah auf die Blumeneinfassung an der Rasenkante, da wuchsen alle die alten Sorten: Narzissen und Morgenstern und Hauslauch. Aber oben auf dem Graswall, da wuchsen kleine weiße Maßliebchen, die hier so alt geworden waren, daß sie sich selbst säten und wie Unkraut gehalten wurden.

Beerencreutz wiederholte es bei sich selbst: Das war wirklich ein richtiger Herrenhof, hier hatten Pflanzen, Tiere und Menschen das allerbeste Gedeihen.

Als er endlich am Haustor vorfuhr, wurde er so freundlich willkommen geheißen, wie er es sich nur wünschen konnte, und sobald er sich vom Reisestaub gereinigt hatte, geleitete man ihn zu Tisch. Und man bewirtete ihn gut und reichlich mit althergebrachten Speisen, und zum Nachtisch bekam er Spritzkuchen, Kuchen, wie seine Mutter sie ihm vorzusetzen pflegte, wenn er zu Weihnachten aus der Schule heimgekommen war, und wie er ihresgleichen nie in der Welt gegessen hatte.

Und Beerencreutz betrachtete mit Erstaunen Fahnenjunker Vestblad. Er sah ihn still und vergnügt umhergehen, mit einer langen Pfeife im Mund und der Hauskappe auf dem Kopf. Er hatte einen alten Hausrock, aus dem es ihm schwerfiel, herauszukriechen, wenn er sich zum Mittagessen feinmachen sollte. Das war das einzige Überbleibsel von dem früheren Wilden, das Beerencreutz an ihm sah. Er ging und beaufsichtigte die Arbeitsleute, wies die Tagewerke an, sah nach, wie es auf Feld und Wiese wuchs, pflückte eine Rose für seine Frau, als er durch den Garten ging, und fluchte nicht und spie nicht aus.

Aber am verwundertsten wurde der Oberst, als er sah, daß der alte Fahnenjunker Vestblad Bücher führte. Er nahm den Oberst in das Kontor und zeigte ihm große Bücher mit roten Lederrücken. Und die führte er selbst. Er liniierte sie mit roter und schwarzer Tinte und richtete Konti und Namen ein und schrieb alles auf bis zum Briefporto hinunter.

Und Fahnenjunker Vestblads Frau, die ein geborenes Edelfräulein war, nannte Beerencreutz Vetter, und sie waren bald so weit, daß sie den Verwandtschaftsgrad nachrechneten, und sie sprachen von allen Verwandten. Und schließlich bekam Beerencreutz solch ein Vertrauen zu Frau Vestblad, daß er sich mit ihr über die Teppichweberei beriet.

Es war eine ausgemachte Sache, daß Beerencreutz über Nacht bleiben müsse. Er wurde in ein breites Himmelbett mit einem ganzen Berg von Polstern gebettet, in das beste Gastzimmer rechts vom Flur, dicht neben dem Schlafgemach. Der Oberst schlief gut, sowie er ins Bett gekommen war, aber mitten in der Nacht erwachte er. Er stand da sogleich aus dem Bett auf, der alte Oberst, und ging und schlug die Läden vom Fenster zurück.

Er hatte die Aussicht nach dem Garten, und nun sah er in der hellen Sommernacht alle alten Apfelbäume des Hofs, die knorrig dastanden mit wurmstichigen Blättern und mit unzähligen Stützen unter den morschen Ästen. Er sah den großen Wildapfelbaum, von dem man zum Herbst ganze Tonnen ungenießbare Früchte ernten würde. Er sah die Ananaserdbeeren, die gerade anfingen, unter dem dichten Laub zu erröten.

Der Oberst stand und sah das an, als wenn es ihm nicht möglich wäre, zu schlafen. An seinem Fenster daheim im Bauernhof hatte er einen steinigen Waldhügel und ein paar Wacholderbüsche. Es war nicht zu verwundern, daß ein Mann wie Beerencreutz sich unter gestutzten Hecken und blühenden Rosen heimischer fühlte.

Wenn man einen Garten in stiller Nacht sieht, hat man oft das Gefühl, daß er nicht echt und wirklich sein könne. Er kann so still sein, daß man eher glaubt, sich in einem Theater zu befinden, glaubt, die Bäume seien gemalt und die Rosen aus Papier zusammengekleistert. Und etwas Derartiges war es auch, was der Oberst fühlte, als er da stand. Es kann nicht möglich sein, dachte er, daß all dies richtig ist. Das ist wohl ein dummer Traum. Aber da fielen von dem großen Rosenbusch, der dicht unter dem Fenster stand, sacht ein paar Rosenblätter zu Boden, und da fühlte er wieder, daß alles echt war. Alles war echt und richtig; Tag und Nacht war derselbe Friede über allem.

Als er sich wieder niederlegte, ließ er die Fensterläden offenstehen. Er lag in seinem hochgetürmten Bett und sah einmal ums andre auf den Rosenbusch hinaus. Er konnte keine Worte dafür finden, wie sehr er ihm gefiel. Es deuchte ihn ganz wunderlich, daß ein Mann wie Vestblad jede Nacht ein solches Paradies vor seinem Fenster haben solle.

Je mehr der Oberst an Vestblad dachte, desto mehr verwunderte es ihn, daß dieses Fohlen in einen solchen Stall geraten war.

Es war nicht viel mit ihm los gewesen zu der Zeit, als er von

Ekeby fortgejagt wurde. Es ließ sich nicht leicht voraussehen, daß er ein vermögender, wohlbestallter Mann werden würde.

Der Oberst lag da und lachte leise, und es kam ihm in den Sinn, ob Vestblad sich jetzt wohl noch dessen erinnerte, wie er sich einstmals in der Welt zu belustigen gepflegt hatte, als er noch auf Ekeby hauste. In einer recht dunklen, unheimlichen Nacht hatte er sich wohl mit Phosphor bestrichen, sich auf ein schwarzes Pferd gesetzt und war fortgeritten über die gutsherrlichen Hügel, wo Schmiede und Müller ihre Wohnstätten hatten. Und wenn dann irgendeine alte Frau zufällig hinausguckte und einen Reiter vorübersprengen sah, in blauweißem Lichte leuchtend, dann hatte sie sich beeilt, Läden und Gitter wohl zu verschließen, und hatte gesagt, daß es heute nacht wohl das beste wäre, seine Gebete andächtig zu sprechen, denn nun wäre der böse Feind in Person auf der Seelenjagd.

Ach ja, einfältiges Volk auf diese Art zu schrecken, damit hatte sich mancher in früherer Zeit ergötzt. Aber Vestblad trieb den Spaß weiter als irgendein anderer, von dem der Oberst je gehört hatte.

Da war ein altes Wurzelweib in Viksta gestorben, was ein Kätnergut von Ekeby war. Und Vestblad erfuhr das zufällig, und ebenso erfuhr er, daß die Leiche aus dem Haus gebracht und in eine Scheune getragen worden war. Als es Nacht wurde, zog Vestblad die Feuerkleider an, bestieg das schwarze Pferd und ritt spornstreichs davon. Und die Leute auf dem Kätnergut, die noch auf und im Freien gewesen waren, hatten einen Feuerreiter zur Scheune hinauf reiten sehen, wo die Leiche lag, hatten ihn sie dreimal umkreisen und dann durch das Tor verschwinden sehen. Sie hatten den Reiter auch herauskommen, wieder dreimal das Haus umkreisen und dann verschwinden sehen.

Am Morgen aber, als man zur Scheune kam, um nach der Leiche zu sehen, war sie fort gewesen. Und da glaubte man, daß der böse Feind sich der Toten bemächtigt und sie entführt hätte, und damit hatte man sich zufriedengegeben.

Aber ein paar Wochen später fand man die Leiche oben auf dem Heuschober in der Scheune, und da entstand ein großer Lärm über die Sache. Da spähte man aus, wer der Feuerreiter war, und die Bauern lauerten Vestblad auf, um ihm einen Denkzettel zu geben, und die Majorin wollte ihn nicht mehr an ihrem Tisch und in ihrem Haus sehen, sondern füllte seinen Ranzen und bat ihn, anderswohin zu ziehen.

Und Vestblad zog hinaus in die Welt und machte sein Glück.

Der Oberst fühlte etwas ganz Wunderliches, wie er da im Bett lag. Es war beinahe, als wolle er anfangen, sich zu fürchten. Er hatte früher gar nicht so recht bedacht, wie abscheulich diese Geschichte eigentlich war. Er hatte vielleicht sogar darüber gelacht; es war ja nicht üblich, daß man sich das, was einem alten Wurzelweib geschah, sonderlich zu Herzen nahm. Aber Gott erbarme sich, wie wütend wäre man geworden, wenn einer unserer eigenen Mutter so etwas angetan hätte.

Den Oberst überkam ein erstickendes Gefühl. Er atmete mühsam.

Was Vestblad getan hatte, stand erschreckend furchtbar vor ihm. Es wurde zu einem förmlichen Alp. Er fürchtete sich, die tote Alte hinter dem Bett hervorkommen zu sehen. Es war ihm, als müsse sie hier in der Nähe sein.

Und aus den vier Ecken des Zimmers erklang es dem Oberst mit entsetzlicher Gewißheit: Das verzeiht Gott nicht. Das hat Gott nicht vergessen.

Der Oberst schloß die Augen, aber da sah er mit einem Male Gottes großen Webstuhl vor sich, dessen Gewebe aus Menschenschicksalen bestand. Und er glaubte das Viereck zu sehen, das Fahnenjunker Vestblads Leben war, und er sah es auf drei Seiten von Dunkel umgeben. Und er, der sich auf Gewebe und Muster verstand, er sah ein, daß die vierte Seite auch mit Dunkel belegt werden mußte. Es ging nicht anders an, sonst war das Gewebe verfehlt. Der kalte Schweiß brach auf seiner Stirn hervor. Es deuchte ihn, daß er auf das Unerbittlichste und Härteste in der ganzen Welt hinabschaue. Er sah, wie das Schicksal, das ein Mensch sich in seinem verflossenen Leben geschaffen hatte, ihn verfolgen mußte. Und da dachte mancher, daß er dem entkommen könnte!

Entkommen, entkommen! Alles war aufgezeichnet und eingeritzt, und die eine Farbe und Figur zwang die andre hervor, und alles wurde so, wie es werden mußte.

Oberst Beerencreutz setzte sich plötzlich in seinem Bett gerade auf, er wollte hinaussehen auf Blumen und Rosen und denken, daß unser Herrgott dennoch vielleicht vergessen könnte.

Da, in demselben Augenblick, wo Beerencreutz sich im Bett aufsetzte, öffnete sich die Schlafzimmertür, und ein fremder Mann steckte den Kopf herein und nickte dem Oberst zu.

Es war jetzt so hell, daß der Oberst den Mann ganz deutlich sah. Das war wahrhaftig das häßlichste Gesicht, das er je gesehen hatte. Es hatte graue Schweinsaugen und eine eingedrückte Nase und einen dünnen, borstigen Bart. Er konnte nicht sagen, daß der Mann wie ein Tier wäre, denn Tiere sind meistens schön. Aber er hatte doch einen tierischen Stempel. Sein Unterkiefer war vorgeschoben, das Kinn war dick, und seine Stirn verschwand ganz unter dem struppigen Haar.

Er nickte dem Oberst dreimal zu, und dazwischen kicherte er jedesmal mit einem breiten Grinsen. Dann streckte er eine Hand aus, die rot von Blut war, und zeigte sie gleichsam triumphierend.

Bis dahin hatte der Oberst in einer Art Lähmung stillgesessen, nun aber sprang er auf und war mit zwei Schritten an der Tür. Doch als er hinkam, war der Mann verschwunden, und die Tür war versperrt.

Der Oberst wollte schon rufen und klopfen, als ihm einfiel, daß die Tür von seiner Seite verriegelt sein mußte, da er dies selbst am Abend besorgt hatte. Und als er sie untersuchte, verhielt es sich so, und sie war durchaus nicht geöffnet worden.

Und den Oberst überfiel eine Art Beschämung darüber, daß er auf seine alten Tage anfing, Gespenster zu sehen. Er ging und legte sich ohne weiteres nieder.

Als die Nacht endlich vorbei und das Frühstück verzehrt war, war der Oberst noch beschämter über sich selbst. Er hatte sich in solchen Schrecken versetzt, daß er gezittert hatte und von kaltem Schweiß bedeckt gewesen war. Er erwähnte mit keinem Wort die ganze Sache.

Aber später am Tag machten Vestblad und er einen Rundgang um die Besitzung. Und als sie nun an einem Arbeiter vorbeikamen, der dastand und Torf stach, erkannte Beerencreutz den wieder. Das war der Mann, den er in der Nacht gesehen hatte, er erkannte ihn Zug für Zug. »Lieber Bruder, diesen Mann würde ich nicht einen Tag länger in meinem Dienst behalten«, sagte Beerencreutz, als sie ein Stück gegangen waren. Und nun erzählte er Vestblad, was er in der Nacht gesehen hatte. »Ich erzähle dies einzig und allein, damit Ihr Euch warnen laßt, Herzensbruder, und diesen Menschen aus Eurem Dienst jagt.«

Aber Vestblad wollte nicht, er wollte gerade diesen Arbeiter nicht fortjagen. Und als Beerencreutz immer eindringlicher wurde, bekannte er endlich, daß er gegen diesen Mann nichts tun wollte, weil er der Sohn eines Wurzelweibes war, das auf Viksta nahe von Ekeby gestorben war. »Ihr erinnert Euch der Sache wohl, Bruder«, fügte er hinzu.

»Ist das so, dann würde ich lieber ans Ende der Welt ziehen, als einen einzigen Tag in der Nähe dieses Mannes leben«, sagte Beerencreutz. Und eine Stunde später reiste er seiner Wege und war beinahe erzürnt darüber, daß seine Warnung kein Gehör fand.

»Hier geschieht ein Unglück, bevor ich wieder herkomme«, sagte der Oberst zu Vestblad, als er Abschied nahm. Im nächsten Jahre um dieselbe Zeit machte sich der Oberst bereit, nach Halstanäs zu fahren. Doch ehe er hinkam, mußte er grausige Kunde vernehmen. Genau ein Jahr nach der Nacht, die er dort verbracht hatte, waren Fahnenjunker Vestblad und seine Frau in ihrem Schlafzimmer ermordet worden von einem ihrer Kätner, einem Mann mit dickem Stiernacken, eingedrückter Nase und Schweinsaugen.

Der dienstbare Geist

Krus Erik Erson, der Dorfschuster, und sein Lehrling, Konstantin Karlsen, hatten die ganze Woche im Pfarrhof gesessen und Schuhe gemacht; und nun, so etwa um neun Uhr am Samstagabend, waren sie auf dem Heimweg zu ihren an der äußersten Grenze des Kirchspiels gelegenen Behausungen.

Es war Herbst, und die Sonne war schon längst untergegangen; aber sie wanderten darum doch nicht durch die Dunkelheit, sondern vielmehr durch klare Luft und Mondschein. Es war so schön, wie man es sich nur denken konnte. Der See unterhalb des Pfarrhofs lag spiegelblank da, und eine silberne Straße ging darüber hinweg, und auf den Feldern sah man an jedem Halm Tautropfen hängen, die im Mondschein zu weißen Perlen wurden. Nur hie und da, wenn sie ein Gehölz zu durchkreuzen hatten, wurde es dunkel um sie. Der Herbst war noch nicht weit vorgeschritten, die Bäume waren noch belaubt, und ihre Kronen breiteten sich wie tiefschwarze Wölbungen über den Köpfen der Wanderer aus.

Es kam sie ein bißchen ungewohnt an, zu gehen, nachdem sie sechs Tage über die Schusterbank gebückt dagesessen hatten. Sie pusteten unter der Last ihrer Ränzel, und keiner von ihnen sprach ein Wort.

Aber der Weg aus dem Pfarrhaus führte am Friedhof vorbei, und als Krus Erik Erson die alten Grabkreuze über die Kirchhofmauer schimmern sah, da kamen ihm plötzlich allerlei Gedanken.

»Ja, Konstantin«, sagte er, und seine Stimme klang ängstlich und sehnsüchtig zugleich, so etwa, wie man, nachts an einem fremden Obstgarten vorbeigehend, davon spricht, wie schön es wäre, ein paar Äpfel mitnehmen zu können. »Das wäre doch prächtig, wenn man ein bißchen Graberde kriegen könnte.«

»Graberde«, sagte der Lehrling und war so verdutzt, daß er stehen blieb. »Davon könnt Ihr doch haben, soviel Ihr mögt. Aber was wolltet Ihr denn damit anfangen?«

Krus Erik blieb ebenfalls stehen. Er war jetzt so ergriffen von dem, wovon sie sprachen, daß er kein lautes Wort herausbringen konnte, sondern flüstern mußte.

»Auf diese Art bekommt man nämlich einen ›Spirrtus‹. Und wer einen Spirrtus hat, der kann alles haben, was er will. Da brauchte unsereins nie mehr ein paar Schuhe zu machen. Man könnte sich ein Haus bauen, so hoch wie der Glockenturm, und sich Pferde und Wagen anschaffen und brauchte keinen Schritt mehr zu gehen.«

Der Lehrling war aus einem Haus, wo große Frömmigkeit und Gottesfurcht herrschte und aller Aberglaube in Acht und Bann getan war. Er stand in dumpfem Staunen da und konnte gar nicht glauben, daß Krus Erik das ernst meinte.

»Es ist doch wohl nicht möglich, daß Ihr an derlei glaubt, Meister Erik«, sagte er.

»Und ob ich es glaube«, sagte der andere.

Und wie sie so vor dem Gottesacker standen, begann er von diesem und jenem zu erzählen, der sich einen Spirrtus verschafft und sich seiner bedient hatte.

Aber es gelang ihm nicht, bei dem Lehrling Glauben zu finden. Der war ein hochaufgeschossener schöner siebzehnjähriger Bursche von gutmütigem, aber ein wenig schläfrigem Aussehen. Er fragte in aller Unschuld: »Wenn Ihr so fest daran glaubt, warum verschafft Ihr Euch nicht selbst einen solchen Helfer?«

Doch Krus Erik antwortete düster: »Das kann ich nicht. Es geht über meine Kraft.«

Und seufzend schob er sein Ränzel höher auf die Schulter und setzte seinen Weg fort.

Konstantin blieb stehen. Es sah aus, als sei ein leises Interesse an der Sache in ihm erwacht.

Als Krus Erik ein paar Schritte gegangen war, blieb er auch stehen und drehte sich nach dem Lehrling um.

»Du kannst doch nicht meinen, Konstantin«, und die Stimme zitterte bei dem bloßen Gedanken an etwas so Unerhörtes, »du meinst doch nicht etwa, ich könnte auf den Friedhof gehen und dort Erde einsammeln?«

»Nein«, sagte der Lehrling nachdenklich. »Wenn Ihr wirklich daran glaubt, begreife ich schon, daß Ihr es nicht könnt.«

»Ich kann nie nachts an einem Friedhof vorbeigehen, ohne mir einen Spirrtus zu wünschen«, sagte Krus Erik. »Aber ich kann mir keinen verschaffen. Drum lohnt es nicht, daß wir noch länger hier stehenbleiben, Konstantin.«

Und er setzte seine Wanderung fort, aber langsam, gleichsam in der Hoffnung, aufgehalten zu werden.

Der Lehrling folgte ihm auch jetzt nicht. Die Sache war nämlich so: Wenn es jemand auf Erden gab, dem er so recht von

Herzen gut war, so war es Krus Erik. Die Eltern daheim waren so streng, daß sie weder Scherz noch Spiel duldeten. Der Schuster hingegen war voll Späßchen und Schnurren, und es ließ sich so leicht mit ihm umgehen, als zählte er selbst erst siebzehn Jahre. Und als Konstantin ihn nun so alt und gebeugt am Weg stehen sah, da wandelte ihn die Lust an, ihm eine Freude zu machen.

Er stieß mit dem Fuß an ein Rasenstück, so daß die Tauperlen in die Luft sprühten.

»Seht Ihr, Krus Erik, ich habe vor einer Erdscholle so wenig Angst wie vor der andern, und wenn Ihr nur ein kleines Weilchen auf mich warten wollt, sollt Ihr haben, was Ihr Euch wünscht.«

Er hatte, während er so sprach, sein Ränzel abgenommen und es auf die Straße geworfen. Nun war er mit einem Satz über den Straßengraben und die Mauer gesprungen und stand schon auf dem Kirchhof, ehe noch Krus Erik ihm befehlen konnte, von seinem Vorhaben abzustehen.

Es war auch notwendig, daß alles für den Meister so überraschend kam. Denn Krus Erik lag das Wohl seiner Lehrlinge ebenso sehr am Herzen wie sein eigenes. Er hätte, wenn er gefragt worden wäre, Konstantin nie und nimmer erlaubt, nächtlicherweile einen Kirchhof zu betreten.

Es wäre für Konstantin ein leichtes gewesen, ein wenig Erde aus einem Grab in der Nähe der Friedhofsmauer zu nehmen. Aber das wollte er nicht. Es bot sich ihm nicht so oft Gelegenheit, sich irgendwie auszuzeichnen, aber Mut hatte er, und es war ihm nicht unerwünscht, daß Krus Erik sich davon überzeugte.

Endlich machte er bei einem Grabhügel halt, der mitten auf dem Friedhof lag, lockerte mit dem Fuß ein Rasenstück und grub dann mit den Händen die oberste Erdschicht ab.

Als er glaubte, tief genug gekommen zu sein, nahm er ein paar Hände voll Erde und füllte die Taschen seines Kittels damit. Wie viel Erde für einen brauchbaren Spirrtus nötig war, konnte er freilich nicht so genau wissen, aber er dachte, zwei Taschen voll würden schon reichen.

Die ganze Zeit war er mit Eifer bei der Sache und verspürte nicht die leiseste Furcht. Seine Gedanken waren bei Krus Erik, was würde der wohl anfangen, wenn er einen Spirrtus in seiner Gewalt hatte?

Ganz totenstill war es rings um ihn. Er fand es beinahe

schmählich, daß er nichts von alledem sah und hörte, was Leute auf Kirchhöfen zu hören und zu sehen pflegen. Nun konnte er mit gar keinem Abenteuer prahlen, wenn er zum Meister zurückkam.

Er schüttete die aufgeworfenen Erdschollen wieder in die Grube und legte den Rasen zurecht. Er tat dies ganz langsam, damit es noch ein Weilchen dauerte. Krus Erik sollte ja nicht glauben, er hätte Eile fortzukommen.

Mitten in der Arbeit hielt er inne und wurde ganz still, aber es war kein Gespenst, das ihn erschreckt hatte, nur ein wunderlicher, kleiner Gedanke.

Er kam sich mit einem Male recht dumm vor, daß er sich so abmühte, um Krus Erik einen Spirrtus zu verschaffen. Warum behielt er ihn denn nicht selber? Er hatte ihn wahrhaftig ebenso nötig wie der Meister.

Blitzschnell sah er eine kleine graue Hütte mit einem einzigen Gelaß vor sich, das war sein Heim, einen mageren, traurigen, todkranken Mann, das war sein Vater, eine abgearbeitete blasse Frau, das war seine Mutter. Weiß Gott, er brauchte einen Spirrtus nötiger als irgend jemand.

Während er noch so dachte, fiel ein Blatt von einem Baum. Es raschelte, wie es an seinem Kopf vorbeiflatterte, und er sprang hastig auf.

Mit verwirrten Blicken sah er sich um. War etwas geschehen, während er über das Grab gebeugt dagestanden hatte? Wachten die Toten am Ende auf? Es ging bestimmt ein Flüstern von Grab zu Grab. Dort in dem schwarzen Schatten der Bäume schimmerte etwas Weißes. Da standen die Toten in hellen Scharen. Sie waren die ganze Zeit dagewesen. Im nächsten Augenblick würde er sie sehen.

Er war erschrocken, einen Augenblick, aber er lief nicht davon, sondern blieb stehen. Er zwang seine Blicke. Die durften nicht nach allen Seiten irren und nach Gespenstern ausspähen. Er wollte sich nicht einschüchtern lassen, wollte nicht atemlos und zitternd zu Krus Erik zurückkommen.

Und vor den festen Blicken verschwand alles. Die Luft wurde gleichsam von Spuk und Gespenstern gesäubert, und er konnte ruhig den Rückweg antreten.

Die Graberde für sich zu behalten, daran dachte er gar nicht mehr.

Wozu sollte das gut sein? Es war ja nur Erde.

Es kam ihm recht seltsam vor, daß ein so kluger Mann wie

Krus Erik sich sein ganzes Leben lang in Sehnsucht nach solchen Kindereien hatte verzehren können.

Das war auch was Rechtes, um sich danach zu sehnen. Konstantin steckte die Hände in seine wohlgefüllten Taschen. Nur ein bißchen Erde.

Aber im selben Augenblick stieß Konstantin einen schrillen, gellenden Schrei aus, so wild und angstvoll, als hätte ein Gespenst sich auf ihn gestürzt.

Als seine Hände sich in die Taschen versenkten, da hatte er gefühlt, daß das, was da lag, nicht Erde war, sondern die Überreste toter Menschen. Es waren Finger, Zehen, glatte Augäpfel, verrunzelte Haut, verfilztes Haar, Fleisch, Knochensplitter, Sehnen.

Und all das war klebrig, kalt, weich, in Auflösung begriffen. Er riß die Hände heraus, und in wildester Flucht setzte er über die Mauer und eilte der Landstraße zu, während er zugleich versuchte, seine Taschen umzukehren, um sich von ihrem entsetzlichen Inhalt zu befreien. Die ganze Zeit schrie er, weniger aus Angst als aus Ekel. Als er wieder auf dem Wege stand und sich nach Krus Erik umsah, merkte er, daß dieser schon weit über die Kirche hinausgelaufen war.

Konstantin packte in aller Eile sein Ränzel und warf es über die Schulter. Am liebsten wäre er so rasch gelaufen wie die Beine ihn tragen wollten, aber er mochte sich nicht auslachen lassen. Und so biß er die Zähne zusammen und schlug seinen gewohnten gemächlichen Trab ein, bis er schließlich beim Meister anlangte, der an der Ecke des Gemeindehauses stand und auf ihn wartete.

»Nun, wie steht es mit dir?« fragte Krus Erik, und als Konstantin antwortete, mit ihm stände es ganz gut, stellte er keine weiteren Fragen. Denn, seht ihr, Krus Erik wußte ja, wenn man den Verdacht hegt, daß jemand etwas Wunderliches gesehen hat, dann ist es nicht ratsam, gleich mit ihm darüber zu sprechen, sondern man muß erst einige Zeit verstreichen lassen.

Wie es mit dem Einsammeln der Graberde gegangen war, das sah er nur zu gut an Konstantins umgestülpten Taschen.

Im Sommer und so tief in den Herbst hinein wie nur möglich schlief Konstantin auf dem Dachboden, wo er sich mit ein paar Brettern einen Verschlag abgeteilt hatte, den er seine Kammer nannte. Groß war sie freilich nicht, eine schmale kleine Bettstatt nahm fast den ganzen Raum ein, aber sie hatte das Gute, daß er sich am Sonntagmorgen da ausschlafen konnte. Hätte er unten in der Stube bei den Eltern gelegen, dann hätte er beizeiten aufstehen müssen, damit die Mutter das Bett zurechtmachen konnte, ehe sie zur Kirche ging.

Seit er bei Krus Erik zu arbeiten begonnen, war es keine Seltenheit, daß er am Sonntag schlief, bis die Wanduhr unten in der Stube zwölf schlug, aber am Tag nach dem Abenteuer auf dem Kirchhof passierte ihm das nicht, an dem Morgen erwachte er schon vor neun. Sogleich erinnerte er sich an alles. Er spürte den Ekel noch in den Fingerspitzen. Es kribbelte in ihnen, sowie er nur daran dachte, was sie berührt hatten.

Natürlich war es alles nur Einbildung gewesen, pure Angst. Er wußte ja, es war nichts anderes als Erde gewesen, was er in die Taschen gesteckt hatte. Aber Krus Erik hatte doch recht gehabt. Es war kein Spaß, nachts auf den Friedhof zu gehen und da Graberde zu holen.

Plötzlich war er mit einem Satz aus dem Bett. Man denke, wenn Mutter und Krus Erik sich auf dem Weg zur Kirche träfen, und wenn nun der Meister erzählte, daß Konstantin gestern abend auf dem Friedhof gewesen sei, um dort einen Spirrtus zu holen. Er mußte gleich mit dem Meister sprechen und ihn bitten, reinen Mund zu halten, Mutter würde ja ganz außer sich geraten.

So eilig er es auch hatte, konnte er es doch nicht über sich bringen, die Schuhe so staubig und schmutzig anzuziehen, wie sie waren. Er nahm Schuhlack und Bürste aus dem Ränzel und zog den Schuh über die Hand.

Da fiel eine ganze Menge Erde heraus.

Konstantin zog heftig den Atem ein und stieß ihn mit einem Pfeifen wieder aus. Er wußte, woher es kam, daß er Erde in den Schuhen hatte. Sie mußte hineingefallen sein, als er auf dem Friedhof seine Taschen ausgeleert hatte. Die Schuhe waren ja oben so weit. Jaja, es konnte gar nicht anders zugegangen sein.

Er sah sich die Erdschollen an. Sie waren ganz wie andere Erde. Ja gewiß, alles andere war nur Einbildung gewesen.

Er leerte beide Schuhe aus und scharrte die Erde mit dem Fuß zusammen.

Viel war es nicht, aber ... vielleicht konnte es doch zu einem Spirrtus reichen.

Wieder öffnete er das Ränzel, zog eine kleine Blechdose heraus, in der er Nägel und Pflöckchen zu verwahren pflegte, leerte sie aus und legte die Graberde hinein.

Krus Erik sollte seinen Spirrtus haben. Er sollte sehen, daß Konstantin Manns genug gewesen, ihn heimzubringen.

Obgleich Konstantin sich kaum die Zeit genommen hatte, das Brot und die Milch zu kosten, die die Mutter ihm hingestellt hatte, kam er doch nicht rechtzeitig zu Krus Erik. Der Meister war schon in die Kirche gegangen. Konstantin eilte ihm nach, um ihn womöglich auf dem Weg einzuholen, und das wäre ihm wohl auch gelungen, wären die Schuhe nicht gewesen.

Er wußte nicht, was in die gefahren war. Sie schlappten bei jedem Schritt wie nie zuvor und rieben den Fuß auf. Die Haut begann so zu brennen, daß er stehenbleiben mußte.

Er legte die Schuhe ab und setzte sich am Wegesrand nieder.

Barfuß zu gehen, konnte er sich nicht entschließen, und mit den Schuhen kam er nicht vom Fleck. Er hatte schon wunde Stellen an beiden Füßen.

Während er noch so ratlos auf der Erde saß, kam ein Wagen herangefahren, und darin saßen Oest Samuel Andersson und ein Fremder, der wie ein Stadtherr aussah. Sie fuhren ganz langsam, was ihn wundernahm, denn Oest Samuel war Pferdehändler und pflegte sonst immer wie ein Wilder zu fahren.

Oest Samuel war ein guter alter Freund von Konstantins Eltern. Ihre Hütte lag auf einer Trift unter dem Oesthof, und er hatte ihnen manches liebe Mal mit Rat und Tat beigestanden, namentlich seit Vater die schlimme Krankheit hatte, die ihn fast immer ans Bett fesselte.

Als Oest Samuel Konstantin sah, zog er die Zügel an und fragte ihn, wohin er wolle.

Ja, er wolle zur Kirche, aber er habe wunde Füße, und so müsse er wohl wieder umkehren.

Da bot ihm Oest Samuel an, hinten aufzusitzen. Er fuhr nicht zur Kirche, sondern zum Kirchenvorsteher in Aspnäs, aber Konstantin sparte immerhin den halben Weg.

Konstantin sprang hinten auf den Wagentritt. Dies war ja immerhin eine gute Fügung.

Vorne im Wagen sprachen sie über Konstantin. Zuerst sagte der Fremde etwas, aber in so leisem Ton, daß er es nicht hören konnte. Oest Samuel hingegen hatte eine dröhnende Stimme, und er verstand es nicht, sie zu dämpfen. Konstantin hörte, wie er zugab, der Junge sehe nicht so übel aus und sei ganz ordentlich, aber er habe keinen rechten Schneid, und das wäre doch so nötig. Der Vater läge beständig krank, die Mutter rackerte sich fast zu Tode, aber der Junge ginge am liebsten herum und stähle unserem lieben Herrgott den Tag. Jetzt hätten sie ihn zu einem Schuster in die Lehre getan, und der Meister sagte, er sei brav und willig, aber er glaubte doch nicht, daß ein rechter Schuster aus ihm werden könnte, er hätte keine glückliche Hand und wäre langsam.

Wieder sagte der Fremde mit seiner leisen Stimme etwas. Er mußte wohl daran erinnert haben, daß Konstantin vielleicht hörte, was sie sagten.

Doch Oest Samuel antwortete unbekümmert, dieser Bursche höre nichts. Der gehe immer herum wie im Schlafe.

Woher es nun kommen mochte, aber an diesem Tag schlief Konstantin nicht. Er hörte nicht nur dies, sondern auch alles andere, was die beiden Gefährten sprachen.

Dort wo der Weg nach Aspnäs von der Landstraße abzweigte, hielt Oest Samuel das Pferd an. Konstantin stieg aus, und die anderen fuhren weiter zu dem Bauernhof.

»Du mußt dich aber tüchtig sputen, wenn du noch in die Kirche kommen willst, bevor der Pfarrer von der Kanzel steigt«, rief Oest Samuel ihm nach.

Aber weiß Gott, es war für Konstantin nicht so leicht, sich zu sputen. Jeder Schritt tat ihm weh. Er kam nicht rascher vom Fleck als eine Schnecke. Vielleicht wollte der Spirrtus nicht, daß er ihn hergebe.

Und so war der Gottesdienst zu Ende und die Kirchenbesucher waren auf dem Heimweg, als Konstantin noch kaum das Kirchdorf erreicht hatte.

Einer der ersten, denen er begegnete, war der Kirchenvorsteher aus Aspnäs, der mitten über die Straße geschritten kam, so groß und breit, als wolle er sie für sich allein behalten.

Der Schuhmacherlehrling, der auf jedem Hof im Kirchspiel gearbeitet hatte, erkannte den Kirchenvorsteher sofort. Er stellte sich gerade vor ihn hin, streckte die Hand aus und sagte Grüßgott.

Der Kirchenvorsteher reichte ihm die rechte Hand, in der er den Stock mit dem großen Silberknopf hielt. Er nahm den Stock nicht in die andere Hand, sondern ließ Konstantin, so gut dies eben gehen wollte, die zusammengeballte Faust und den Stockgriff schütteln.

Aber der Junge ließ sich das nicht anfechten und sagte rasch: »Ich meinte, ich müßte Euch doch sagen, daß Ihr daheim Besuch habt. Oest Samuel und ein Herr aus Falun sind zu Euch gefahren. Ich weiß es, weil ich hinten auf dem Wagen aufsitzen durfte.«

»Soso, soso, das sind ja große Neuigkeiten. Ist es schon lange her, daß sie gefahren kamen?«

»Es wird wohl eine Stunde sein. Aber sie warten schon, bis Ihr heimkommt, denn sie wollen Eure graue Stute kaufen.«

Es war seltsam. Konstantin verspürte an diesem Tage keinen Respekt vor dem Kirchenvorsteher, keine Scheu. Er wagte sogar, ein wenig mit ihm zu scherzen.

»Ich hörte auch, um wie viel sie Euch voriges Jahr übers Ohr gehauen haben, als sie Euch ein Pferd abkauften, und ich weiß, was die Stute wert ist und wieviel Ihr dafür kriegen könnt, wenn Ihr nicht nachgebt.«

Im selben Augenblick, in dem er das hervorgestoßen hatte, ging er auch schon weiter, der Kirche zu. Er ging rasch, ohne sich um seinen wunden Fuß zu kümmern.

Der Kirchenvorsteher rief ihm nach, aber Konstantin tat, als höre er nicht, und schritt rüstig aus. Da kam der große schwere Mann hinter ihm hergelaufen.

Konstantin ging nur um so rascher. Es war ganz gut, wenn der Kirchenvorsteher es für ein anderes Mal lernte, den Stock in die andere Hand zu nehmen, wenn er jemand begrüßte.

Endlich befand er es für gut, stehenzubleiben. Der Kirchenvorsteher kam ganz außer Atem keuchend auf ihn zu.

Es könne doch nicht möglich sein, daß er so viel wisse, wie er da flunkerte. Es habe ihm wohl nur Spaß gemacht, daß ein alter Kerl sich zuschanden lief, um ihn einzuholen.

Konstantin machte ein beleidigtes Gesicht. Es lohnte sich ja nicht, zu sagen, was er wußte, wenn der Kirchenvorsteher glaubte, er löge.

Der Kirchenvorsteher musterte ihn mit einem raschen Blick. Dann steckte er die Hand in die Brusttasche, zog die Brieftasche heraus und zeigte ihm einen Fünfkronenschein.

»Ich glaube nicht, daß du lügst«, sagte er. »Erzähle, was du gehört hast, dann sollst du den haben.«

Der Schuhmacherlehrling, der noch ohne Lohn arbeitete, wurde ganz heiß vor Eifer, als er einen so großen Schein erblickte. Das hätte Oest Samuel sehen sollen, er, der glaubte, daß Konstantin weder sehe noch höre, sondern nur im Schlaf umhergehe.

Nun erzählte er natürlich, was er wußte, und bekam auch die versprochene Belohnung.

Als er mit dem Fünfkronenschein in der Tasche weiterwanderte, begegnete er endlich Krus Erik.

Gleich fiel ihm der Spirrtus ein. Dies war die allerbeste Gelegenheit, ihn dem Meister zu geben. Die beiden waren jetzt mutterseelenallein auf dem Weg, und niemand sah und hörte sie.

Aber Konstantin ging an Krus Erik vorbei, ohne stehenzubleiben. Gerade nur, daß er grüßte und hinwarf, er wolle Barsche fischen gehen. Er habe sich gerstern mit dem Jungen vom Pfarrhof verabredet.

Der Spirrtus steckte in seiner Tasche, als wäre er festgenietet. Er sagte sich, ehe er ihn weggebe, müsse er doch erst selbst erproben, ob er etwas tauge.

Am Montagmorgen, als Konstantin wieder an dem niedrigen schmalen Schustertisch Krus Erik gegenübersaß, war ihm so gottsjämmerlich zumute wie nie zuvor in seinem Leben.

Er war sich nun ganz klar darüber, daß er Krus Erik den Spirrtus abtreten müsse. Er wollte nichts mehr damit zu tun haben.

Den ganzen Sonntagnachmittag hatte er beim Fischen ganz merkwürdiges Glück gehabt. Einen großen Barsch nach dem andern hatte er heraufgezogen, während die anderen Jungen, die mit ihm im Boot waren, gar nichts gefangen hatten.

Es war nicht so leicht zu sagen, woher das kam. Er wußte nur, daß er die ganze Zeit eifrig und wachsam gewesen war, während die anderen geplaudert und an weiß Gott was gedacht hatten. Schließlich hatten die anderen sich geärgert, daß sie nichts fingen, und waren mitten in seinem besten Fischerglück heimgerudert. Und da das Boot und die Fischgeräte ihnen gehörten, hatten sie auch alle Barsche behalten. Wenn sie sich nicht darüber geärgert hätten, daß er allein Glück hatte, würden sie ihm vielleicht ein paar Fische gelassen haben. So aber mußte er mit leeren Händen abziehen.

Dies war schon recht verdrießlich gewesen, aber noch Schlimmeres erwartete ihn, als er nach Hause kam. Oest Samuel war bei den Eltern gewesen und hatte sich über ihn beklagt. Er hatte einem guten Freund behilflich sein wollen, ein Pferd zu kaufen, das ganz so wie eines war, das er einmal gehabt hatte. Aber nun hatten sie für des Kirchenvorstehers graue Stute vielzuviel bezahlen müssen, und das war Konstantins Schuld.

Der Kirchenvorsteher hatte nämlich nicht den Verstand gehabt, über den Handel zu schweigen, sondern kaum war der

Kauf glücklich abgeschlossen, erzählte er Oest Samuel, woher er wußte, wie hoch die Käufer gehen wollten. Und nun wußten die Eltern von dem Fünfkronenschein und der ganzen Sache.

Sie waren ganz verängstigt, weil er Oest Samuel erzürnt hatte. Was sollten sie anfangen, wenn er seine Hand von ihnen wegzog?

Mutter konnte gar nicht verstehen, was in ihn gefahren war. Nie hatte er so etwas getan. Wie konnte es ihm einfallen, anderer Leute Geheimnisse zu verraten und sich dafür noch bezahlen zu lassen? Er war ein rechter Judas.

Die fünf Kronen hatte die Mutter an sich genommen, um sie dem Kirchenvorsteher zurückzugeben. Solches Sündengeld konnten sie nicht behalten.

Konstantin suchte sich noch selbst weiszumachen, er glaube gar nicht, daß diese Graberde irgendwelche Macht habe. Aber im tiefsten Innern war er doch überzeugt, daß sie die Schuld an allem trug.

Heute morgen, als er von daheim fortgegangen war, war er fest entschlossen gewesen, sich des Teufelszeugs zu entledigen, sowie er nur Krus Erik träfe. Aber das Seltsame war, daß er es nicht vermocht hatte. Schon mehrere Male war er mit der Hand in die Tasche gefahren und hatte die Dose gefaßt, um sie herzugeben, aber immer wieder hatte es ihm leid getan. Es war doch etwas daran, ein solches Ding sein eigen zu nennen und sich den Kopf darüber zu zerbrechen, ob es wirklich Macht hatte. Bisher hatte es nur Elend über ihn gebracht, aber dennoch schien es ihm ganz unmöglich, sich davon zu trennen.

Er war von diesem Gedanken so benommen, daß er schlechter arbeitete als sonst, und Krus Erik merkte es. Aber Krus Erik hatte eine so prächtige Art, mit seinen Lehrlingen umzugehen. Er schalt sie nie, sondern er hatte seine kleinen Finten, die er anwendete, um sie zur Arbeit anzuhalten.

»Du, Konstantin«, sagte er, »ich habe nun zwei Paar Schuhe bezeichnet, die wollen wir heute fertig machen. Was meinst du, wenn wir um die Wette arbeiten? Du machst das eine Paar und ich das andere, und dann wollen wir sehen, wer zuerst fertig wird.«

Der Spirrtus glitt wieder in die Tasche. Konstantin ging mit Feuereifer auf den Vorschlag ein. Das war einmal eine gute Gelegenheit zu erproben, ob das Teufelszeug zu etwas taugte.

Sie nahmen Messer, Hammer, Zangen, Leisten, Leder, Schuhgarn, Nägel, Pfriem, Ahle, kurz alles, was zur Schusterei nötig ist, und legten es vor sich hin. Dann zählte der Meister feierlich: Eins, zwei, drei, und der Wettkampf begann.

Sie schnitten das Oberleder zu, kleisterten das Futter mit Roggenmehlpapp fest, und während dies dann auf dem Herd trocknete, drehten sie das Schuhgarn zu hartem Draht und befestigten an den Enden Schweineborsten.

Damit wurden sie alle beide zugleich fertig, aber Krus Erik wunderte sich nicht wenig, als er sah, wie behend Konstantin sich anstellte, als er den Faden drehte und die Borsten befestigte. Dies waren andere Griffe als seine gwöhnlichen. Dann hieß es, die Sohle zuschneiden und einweichen, um dann leichter damit hantieren zu können.

Es war merkwürdig zu sehen, wie rasch Konstantins Messer durch das harte Leder schnitt.

Erik Erson hatte anfangs etwas langsamer gearbeitet als gewöhnlich, damit Konstantin nicht mißmutig werde und die Hoffnung, zu gewinnen, aufgeben solle. Aber nun merkte er, daß er sich etwas mehr beeilen mußte, wollte er nicht selbst zurückbleiben.

Sie nahmen nun Ahle und Pechdraht, um das Oberleder zusammenzunähen. Die Hände des Lehrlings bewegten sich so rasch wie Vogelflügel. Krus Erik verlangte die Arbeit zu sehen. Er fürchtete, daß Konstantin vor lauter Eile etwas zusammenpfuschte.

Doch Konstantin zeigte ihm eine Naht, die ganz gerade und gleichmäßig war, eine rechte Perlsticharbeit.

Keinen Augenblick war es Krus Erik in den Sinn gekommen, er könnte am Ende nicht Sieger in diesem Kampf bleiben. Aber nun begann er ein wenig bedenklich zu werden.

Konstantin hatte schon einen Vorsprung. Und seine Finger bewegten sich so rasch wie bei einem, der auf einem Jahrmarkt Zauberkünste macht.

Als es zur Mittagsrast läutete, hatte Konstantin schon den ersten Schuh auf dem Leisten und klopfte jetzt auf die Sohle, um sie glatt und hart zu machen. Krus Erik war noch lange nicht so weit. Keiner von ihnen sah von der Arbeit auf, obgleich jetzt ihre freie Zeit war.

Konstantin dachte ganz flüchtig daran, wie er sich sonst zu freuen pflegte, wenn er ausruhen durfte, aber heute war es etwas anderes, heute ging die Arbeit ganz von selbst. Er wurde nicht müde, und nichts fiel ihm schwer. Er hatte früher gar nicht gewußt, daß es ein Spaß sein kann, zu arbeiten.

Sie wurden zum Mittagessen in die Küche gerufen. Als sie ein paar Bissen heruntergewürgt hatten, liefen sie, einer an dem andern vorbei, wieder in die Gesindestube, wo sie ihre Werkstatt aufgeschlagen hatten.

Das andere Hofgesinde merkte, was da vorging. Und statt ihre Mittagsrast zu halten, stellten sich die Leute hin und sahen den zwei Schustern zu.

Alle hielten es zuerst für ausgemacht, daß Krus Erik als erster fertig werden würde. Aber als sie ein Weilchen zugesehen hatten, begannen sie langsam ihre Meinung zu ändern.

Einer nach dem anderen sagte zu Krus Erik, einen so tüchtigen Lehrling wie diesen habe er gewiß noch nie gehabt.

Krus Erik saß jetzt da und hämmerte Nägel in die Sohle. Er schlug ungleich und heftig, und alle sahen, daß er keine so gute Arbeit machte wie sonst.

Für Konstantin hingegen legte sich alles zurecht. Alles paßte an die richtige Stelle. Jeder Hammerschlag traf.

»Das werden schöne Schuhe«, sagten die Leute. »Du kannst bald dein eigener Herr sein.«

Die Knechte gingen ihrer Wege, und die Schuhmacher arbeiteten, klopften und hämmerten schweigend weiter. Plötzlich stieß Krus Erik einen leisen Schrei aus. Er hatte daneben geschlagen, der Hammer hatte den Daumennagel getroffen.

Konstantin warf einen raschen Blick zu Krus Erik hinüber. Es gab niemanden, der so gut gegen ihn gewesen war, so viel Geduld mit ihm gehabt hatte. Jetzt erst fiel ihm ein, daß es dem Meister vielleicht weh tun würde, wenn es sich zeigte, daß der Lehrling rascher und besser Schuhe machen konnte als er. Der Alte sah ganz elend aus, wie er da saß und sich abrackerte.

Es war auch vielleicht kein ganz ehrlicher Kampf, Konstantin mußte zugeben, daß er an einem anderen Tage, wo er keinen Spirrtus in der Tasche hatte, nicht so hätte arbeiten können.

Er merkte, daß Krus Erik sich nicht einmal die Zeit nahm, den Daumen ins Wasser zu stecken. Er hatte natürlich Angst, daß Konstantin einen zu großen Vorsprung gewinnen könnte.

Der Lehrling fühlte wohl, daß er den Meister schonen und ein bißchen langsamer arbeiten sollte, aber er konnte sich nicht halten. Es war eine solche Arbeitslust über ihn gekommen.

Als die Uhr fünf schlug, standen beide Schuhe fertig vor ihm. Er schob sie zu Krus Erik hinüber.

Der Meister legte den Schuh, den er in der Hand hielt und der noch nicht fertig gesohlt war, beiseite. Er prüfte die Arbeit des Lehrlings lange und eingehend.

»Du brauchst heute nichts mehr zu machen. Du kannst nach Hause gehen«, sagte er still.

»Arbeiten wir morgen auch hier?«

»Ja, ich arbeite hier«, sagte Krus Erik. Und als er nun den Kopf hob, flog ein scharfer, haßerfüllter Blick zu Konstantin hinüber, »aber du nicht. Ich kann nicht mit einem Lehrling dasitzen, der besser arbeitet als ich selber.«

Konstantin erwiderte nichts, er nahm nur seine Mütze und ging auf die Tür zu. Auf der Schwelle drehte er sich um. Die Hand fuhr unwillkürlich in die Tasche, aber sie verblieb da, sie kam nicht wieder in die Höhe.

»Schönen Dank auch, behüt Euch Gott«, sagte er und schloß sachte die Tür hinter sich zu.

Konstantin stand im Mondenschein daheim auf dem Hof und schoß mit einer Armbrust nach der Scheibe.

Er hatte sie sich vor langer Zeit einmal gemacht, als er etwa zwölf, dreizehn Jahre alt war, aber damals hatte er nie rechtes Glück mit dem Schießen gehabt. Es war noch nie vorgekommen, daß er das traf, worauf er zielte.

Jetzt hingegen schoß er einmal ums andere ins Schwarze einer kleinen Schießscheibe, die er auf die Scheunenmauer gezeichnet hatte.

Er sah prächtig aus, wie er dastand und schoß, und eine der Schwestern war herausgekommen, um ihm zuzusehen. Er prahlte und rühmte sich seiner Geschicklichkeit, wie er dies nie getan hatte.

Er fühlte eine unbändige Lust, sich auszuzeichnen, zu zeigen, wie behend und stark und geschmeidig er war. Er hoffte, daß auch Mutter ans Fenster treten und sehen würde, wie gut er schoß.

Aber im tiefsten Herzen hatte er eine Todesangst. Auf dieses Schießen war er nur verfallen, um nicht an Krus Erik und den Spirrtus und das ganze Elend denken zu müssen.

So unglücklich er auch war, fühlte er doch, daß er den Spirrtus mehr liebte als alles andere auf Erden. Es ging ihm wohl so wie den Leuten, die den Branntwein liebten. Sie konnten nicht davon lassen, wenn sie gleich wußten, daß er sie zugrunde richtete.

Der Spirrtus hatte ihm nichts anderes als Unglück eingetragen. Dennoch fühlte er sich stolz und stark und zu allem möglichen fähig, solange er ihn in der Tasche hatte.

Er hätte gern jemanden gefragt, ob es böse oder unrecht war, daß er den Spirrtus behielt. Doch mit Mutter getraute er sich nicht von so etwas zu sprechen, und Krus Erik war ihm ja böse.

Plötzlich hörte er zu schießen auf und wandte sich an die Schwester, die daneben stand und ihn betrachtete. Und in fliegender Eile erzählte er ihr all das Seltsame, das ihm widerfahren war.

Sie saß schweigend da, so lange er sprach. Sie glich so ganz der Mutter, wie sie da saß und mit deutlichem Mißfallen zuhörte.

Als er geschlossen hatte, drang sie darauf, das ganze der Mutter zu erzählen.

»Du willst es ihr klatschen?«

»Nein, aber ich will Mutter bitten, herauszukommen, damit du es ihr sagen kannst.«

Er verbot es ihr in höchster Unruhe, aber sie hielt an ihrem Vorhaben fest und stand auf, um ins Haus zu gehen.

»Tu das nicht, ich schieße auf dich«, rief er und hob den Bogen.

Er drehte sich um, als er das rief. Er hatte schon den Pfeil auf den Bogen gelegt. Doch sie lachte ihn aus. Der Bogen war klein und schwach und der Pfeil ein Holzpflöckchen ohne Spitze. Nicht einmal einen Sperling hätte er mit dieser Waffe erlegen können.

»Schieße nur, so viel du willst, ich gehe doch zur Mutter«, sagte sie eigensinnig.

Im selben Moment kam der Pfeil herangeschwirrt und traf sie gerade ins Auge …

Sie lag lange krank, mehrere Monate mußte sie im Hospital verbringen.

Als sie wieder heimkam, hatte sie nur ein Auge.

Während ihrer Abwesenheit war Konstantin wieder der alte geworden. Er ging wieder zu Krus Erik in die Lehre. Er war artig und bescheiden, ein bißchen ungeschickt und gleichmütig, ganz wie früher.

»Du darfst nicht glauben, daß ich auf dein Auge gezielt habe«, sagte er. »Ich schoß auf den Dachfirst, aber als der Pfeil abflog, da war es, als hätte eine Hand darauf geschlagen, so daß er gerade auf dich losflog.«

»Ich habe gesehen, daß du nicht nach meiner Richtung geschossen hast«, sagte sie.

»Ich bin nachts mit ihm auf den Kirchhof gegangen. Ich hatte solche Angst vor ihm.«

Sie saß da und grübelte. Sie war seit dem Unglück ganz wie ein alter kluger Mensch geworden. Sie war kein Kind mehr.

»Ich möchte wissen, was es war«, sagte sie.

»Es war wohl nichts. Aber ich sehne mich nach ihm. Jeden Tag sehne ich mich nach ihm.«

»Ich denke«, sagte sie zögernd ... »wenn du nur glauben würdest, wenn du dir nur einbilden könntest, daß du ihn hast, dann könntest du ebensogut schießen und Schuhe machen wie damals, als du ihn noch in der Tasche hattest.«

»Nein«, sagte er, »ich habe es versucht, aber es geht nicht. Es ist dasselbe, als wollte dir jemand sagen: Wenn du dir nur einbildest, daß du dein Auge noch hast, würdest du ebensogut sehen wie früher. Das sind Dinge, über die man selbst keine Macht hat.«

Die Rache bleibt nicht aus

Es war ein langes und recht breites Tal. An seiner einen Seite erhob sich eine Reihe zackiger Küstenberge, an der andern ein gleichmäßig hoher Kamm, den dichter Wald deckte. Unten im Tal stand eine Kirche, und rings um sie her war eine weite, offene Gegend, in der aller Wald ausgerodet war.

Es war an einem Sonntagabend, und der Sonnenuntergang lag brennend hinter den Küstenbergen. Leute, die den ganzen Tag drinnen in den Hütten geschlafen hatten, traten auf ihre Schwellen und streckten sich und spitzten die Ohren, um zu erlauschen, ob nicht von einer der vier Ecken der Welt her Tanzmusik erschalle. Wem es glückte, einen einzigen Geigenton aufzufangen, der machte sich davon über die schmalen, schneeigen Dorfwege und kam dann wie von ungefähr dahergegangen, langsam und bedächtig, aber die »Tanzhütte« als sicheres Ziel im Sinn.

So kam Gruppe auf Gruppe zur Tür Arilds, des Köhlers am Waldessaum, hereingeglitten. Da fragte niemand danach, wer kam; der neue Gast stand ein Weilchen unten an der Tür und gewöhnte die Augen an den Rauch, der sich unter dem Rauchfang hervorwälzte und in das Zimmer qualmte, bis er den Weg zu dem Loch im Dach fand; und dann mischte sich der neue Ankömmling auch ins Spiel. Der Reigentanz ging über den bloßen Erdboden, das Stroh war weggetreten, die Ferkel hatte man von der Grube unter das Dachloch geschafft, wo sie sich am liebsten aufhielten; großer Schwingraum war nicht vorhanden, aber Arild selbst spielte die Geige, und der Tanz verlief im Winterquartier ebensogut, wie er an einem Sommerabend über den Waldeshang gegangen wäre.

Arild hatte eine Frau, die Tora hieß; die pflegte sich immer in eine dunkle Ecke zu verkriechen, wenn er zum Tanz lud. Sie war menschenscheu und schreckhaft, war fast immer als Hirtin im Wald umhergezogen und stand in dem Ruf, mehr sehen zu können als andere.

An diesem Abend war sie ungewöhnlich vergnügt, sie versteckte sich nicht, sondern saß vorn am Kamin, die Flamme brannte dicht neben ihr. Es war wenig Farbe in ihrem breiten, fetten Gesicht; die Augen, die hell wie Wasser waren, blickten lebendig, und sie bewegte die großen Hände, während sie sprach. Wenn die Leute sie bemerkten, traten sie aus den Reihen der Tanzenden und kamen heran, um sie zu begrüßen.

Wessen Hand sie dann ergriffen hatte, den hielt sie fest, bis sie das erzählt hatte, was ihr heute morgen geschehen war. Es bereitete ihr Verlegenheit, es herauszubringen, aber gleichzeitig war sie doch so stolz darauf, daß sie es nicht verschweigen konnte.

Den Leuten fiel es sonst schwer, das Lachen zu verbeißen, wenn sie erzählte, was sie gesehen und geträumt hatte. Nun sollte man sich aber überzeugen, daß ihre prophetische Gabe etwas wert sei.

Als sie im Morgengrauen dalag, hatte ihr geträumt, daß ihre drei Ziegen droben im dichten Wald in die Irre gingen. Sie hatte sie so jämmerlich meckern hören, daß sie erwachte. Als sie nun nachsah, erblickte sie alle Ziegen in ihrer Hürde unten an der Tür, und sie hatte ja zuerst gedacht, dies sei nur ein gewöhnlicher Traum. Aber dann war eine Unruhe über sie gekommen: »Nein, das ist ein bedeutungsvoller Traum«, hatte sie zu sich selbst gesagt.

Damit war sie aufgestanden, hatte sich in Fellkleider gehüllt, hatte das Nebelhorn über die Schulter geworfen und war in den Wald hinaufgewandert. Sie war vom Weg abgewichen, war nach der Anweisung des Geistes gegangen und nahe daran gewesen, sich im Dickicht zu verirren. Sie lachte leise, als sie das erzählte. Ob sie wüßten, was das wäre, im dichten Wald vom Weg abzukommen? Grundloser Boden, der bei keiner Kälte zufröre, Gestrüpp, das jeden leeren Raum zwischen den Stämmen ausfülle, Schneehaufen und Wurzeln und stechende Dornen und umgestürzte Bäume, so sei es oben im Wald.

»Aber dort oben fand ich drei wilde Böcke«, sagte sie. »Kommt und seht, was ich dort fand.« Sie führte ihren Gast die Reihen der Tanzenden entlang zu dem Bett hin, das mauerfest und durch Türen geschützt war. Sie öffnete die Tür, leuchtete mit einem Kienspan hinein, und da sah man drinnen drei Männer liegen. Sie waren alle in zerrissenen Fetzen; so abgemagert waren sie, daß die Backenknochen schwarze Schatten auf ihre Wangen warfen, aber ihre Züge waren kühn und schön. Sie schliefen so fest, daß weder der Tanz noch Toras Vorzeigen sie wecken konnte.

»Das sind meine drei wilden Böcke, die ich im Dickicht gefunden habe«, sagte sie. »Es sind drei arme Gesellen, die sich im tiefen Wald verirrt haben und dort acht Tage umhergewandert sind. Wäre ich nicht gekommen, so wären sie jetzt tot. Den ganzen Tag habe ich Essen für sie gekocht, und jetzt schlafen sie. Seht, wie sie schlafen.«

»Es ist Gottes Gnade, die dich sie retten ließ, Tora«, sagten ihre Gäste.

»Gott wollte, daß ich nicht allzeit zum Gespött sein sollte«, sagte das Weib.

So verstrich der Abend. Als aber die Schlafenszeit herankam, da wurde die Freude unterbrochen. Die Tür wurde mit Macht aufgestoßen, und ein langer, großer Mann kam herein. Er durchbrach den Kreis der Tanzenden, stellte sich mitten in den Raum und erhob die Hand.

Das war der Pfarrer, Herr Ane, und er kam, um den Tanz in der Sonntagsnacht zu verbieten. Er hatte an diesem Tag in der Kirche gestanden und leeren Wänden gepredigt. Er hatte geglaubt, Krieg und Pest müßten alle Menschen dahingerafft haben, aber nein, hier waren sie, hier in der Spielhütte waren sie zu finden. Und der Pfarrer verkündigte Buße und Kirchenstrafe über sie alle.

Nun, da er sie gefunden hatte, sollten sie seine Predigt hören. Und er sprach und zertrümmerte ihre Freude und schreckte sie mit dem furchtbaren künftigen Leben, so daß sie vermeinten, niemals mehr den Fuß zum Tanz heben zu können.

»Tanzt nun, wenn es euch gelüstet«, sagte der Pfarrer, »tanzt nun, ihr wißt jetzt, wohin ihr tanzt.«

Einige schlichen sich stumm von dannen, andere standen verlegen da und suchten sich tapfer zu halten, sie begannen aber bald leise zu schluchzen. Ein Dirnlein, das eben noch am wildesten getanzt hatte, fiel auf die Knie und küßte die Hand des Pfarrers.

Keiner wagte ihm zu widersprechen, außer Tora. Sie, die sonst immer bange war, kam breit und ihrer Sache sicher heran. »Pfarrer«, sagte sie, »hier haben wir jeden Sonntagabend getanzt, alle diese Jahre, und doch ist dies ein Haus Gottes. Du sollst hören, wie Gott heute seinen Segen über mich ergossen hat.«

»Du Hexe«, sagte der Pfarrer, »willst du schweigen! Was an Segen zu dir kommt, das ist des Teufels Segen. Heute abend rede ich zu Menschen, die sich bekehren und bessern können, mit dir rechne ich ein andermal ab.«

Damit ging der Pfarrer, und in der Hütte herrschte große Betrübnis. Arild versuchte ein paar Striche auf der Geige, aber er legte sie gleich wieder fort. Die meisten von denen, die getanzt hatten, gingen heim.

Tora saß wieder am Herd, sie warf neue Scheite in die Glut und schien ebenso froh wie zuvor. Einige, die sahen, daß sie den Mut nicht verloren hatte, gingen auf sie zu und begannen, übel vom Pfarrer zu sprechen.

»Luthers Lehre hat Herrn Ane wild und toll gemacht«, sagte ein Bauer. »Früher, als er noch dem Papst zugehörte, durfte man sogar im Pfarrhof tanzen.«

»Er ist nicht so gut, wie er sich stellt, weißt du, Tora«, sagte ein anderer.

»Tut er mir etwas, dann werde ich schon erzählen, wie er zu seinem Geld gekommen ist«, sagte Tora.

Und da nun viele sie fragten, was sie meine, erzählte sie: »Der Pfarrer, Herr Ane, war einmal sehr arm, aber er hatte einen Bruder, der ein Großbauer und sehr reich war.

Der Bauer starb, und Herr Ane zog in seinen Hof, der näher zur Kirche lag, als sein eigener. Und sobald er in den Hof gekommen war, fing er an, nach dem Geld des Bruders zu suchen, aber er konnte es nicht finden. Er grub in der Erde und riß die Kellermauer und die Küchenwand ein, um das Geld zu finden, aber es wollte sich ihm nicht zeigen.

Das Geld kam nicht zu Herrn Ane, obgleich er in langen Gebeten zu Gott darum flehte. Und Herr Ane wurde krank und verzweifelt vom Suchen und Nichtfinden.

In der ganzen Umgegend lachte man Herrn Ane aus, weil er seinen Kummer nicht verhehlte. ›Hast du meines Bruders Geld gesehen?‹ konnte er den ärmsten Bettler fragen.

Da kam meine Mutter, die nichts mehr war als ein armes Bettelweib, das von Hof zu Hof zog, eines Abends in das Pfarrhaus und bat Herrn Ane, ihr Unterkunft für die Nacht zu gewähren.

›Du sollst kein Obdach haben, wenn du mir nicht sagen kannst, wo mein Bruder sein Geld verwahrt hat‹, sagte Herr Ane zu ihr.

›Wenn ich das wüßte, Herr Ane‹, sagte Mutter, ›dann brauchte ich wohl nicht auf der Landstraße umherzuziehen und mein Brot zu erbetteln.‹

Und sie bat ihn um Gottes Barmherzigkeit willen, er möge ihr Obdach gewähren, denn es war nicht gut für sie, in ihrem hohen Alter draußen unter freiem Himmel zu liegen.

Aber Herr Ane erwiderte, bei dem, was er gesagt hätte, müsse es sein Bewenden haben, und sie könne kein Obdach bekommen, wenn sie ihm das Geld nicht verschaffe.

›Aber wenn mir das gelingt, kann ich dann Obdach im Pfarrhof haben bis zu meiner Todesstunde?‹ sagte Mutter. ›Das sollst du‹, sagte Herr Ane.

Da bat Mutter, der sehr bange wurde vor dem, was sie auf sich genommen hatte, Herr Ane möge ihr große Linnenlaken geben, und in die hüllte sie sich, als wäre sie eine Leiche. Dann ging sie auf den Kirchhof und nahm Graberde und streute sie über sich, und dann ließ sie sich von Herrn Ane die Kirchentür öffnen, und er folgte ihr in die Kirche und half ihr auf einen Dachbalken.

Und da lag nun Mutter auf dem Balken unter dem Dach. Aber sie erduldete alles mit fröhlichem Mut, in der Hoffnung, sich dadurch ein geschütztes Alter zu erringen.

Nun, es mochte gegen Mitternacht sein. Da wurde es hell in der Kirche, und ein paar Steine im Boden hoben sich, und einer der Toten kam herauf in die Kirche. Es war ein großer, derber Mann, er ging mehrere Male um die Kirche herum, da erblickte er meine Mutter. ›Bist du tot?‹ sagte er zu ihr. Und sie wagte nicht zu antworten. Da hatte es den Anschein, als wolle er zu ihr hinaufklettern. Und Mutter sagte mit heiserer Stimme: ›Ja, ich bin tot.‹ Und da ließ er sie sein.

Aber dieser Tote war des Pfarrers Bruder, und er ging nun wieder zu seinem Grab. Er holte daraus eine Tonne hervor, die voll Silber und Gold war, und Mutter sagte, sie hätte gesehen, wie er die Gold- und Silbermünzen nahm und mit ihnen spielte; er warf sie über sich, als sitze er im Bad und bespritze sich mit Wasser.

Aber als er sich satt gespielt hatte, schüttete er das Geld ins Grab hinunter und stieg in seinen Sarg, und die Steine legten sich von selbst wieder auf ihren Platz zurecht.

Mutter blieb bis zum Morgen auf ihrem Balken hängen, und dann kam der Pfarrer, Herr Ane, und fragte, ob sie noch am Leben sei. Jawohl, Mutter war frisch und gesund. ›Dann komm und iß einen Bissen‹, sagte der Pfarrer. ›Nein, zuerst will ich mir ein Obdach verdienen für meine alten Tage‹, sagte Mutter.

Sie bat den Pfarrer, er solle Leute schicken, und dann ließ sie den Boden über seines Bruders Grab aufbrechen und den Sarg herausheben. Und als sie dies taten, war nichts Wunderliches zu merken; aber als Mutter sagte: ›Seht nun nach, was noch in dem Grabe liegt‹, da begann der Tote sich in seinem Sarge hin und her zu wälzen. Aber Mutter bedeutete die Burschen nur, sich mit der Arbeit zu sputen.

Mutter hielt ihre Hand auf dem Sargdeckel, denn sie hörte, wie der Tote drinnen arbeitete. Und sie holten aus dem Grab eine große Tonne voll Gold- und Silbergeld. Und Mutter war froh, als sie den Toten wieder unten im Grab hatten und der Kirchenboden über ihm geschlossen war.

›Gib mir zu essen‹, sagte meine Mutter dann zum Pfarrer, ›ich habe jetzt ein tüchtiges Stück Arbeit für dich getan.‹

Und der Pfarrer gab ihr zu essen und behielt sie sieben Tage bei sich, dann hieß er sie wieder gehen.

Als Mutter so von neuem auf die Straße geworfen war, verfluchte sie ihn und sagte: ›Das Geld, das ich dir verschafft habe, soll dein Unglück werden.‹

Und Mutter erzählte, der Pfarrer hätte ihr gesagt, er fürchte sich vor nichts, was ein Bettelweib ihm anhaben könne.

›Die Rache bleibt nicht aus‹, sagte Mutter. Das war Mutters Sprichwort, daß die Rache nicht ausbleibe.

Aber ihre Rache an dem Pfarrer blieb aus«, fuhr Tora fort, »und nun heißt er ihre Tochter eine Hexe.«

»Er hätte die große Kiste neben seinem Bett nicht so vollgepfropft mit Geld, wenn meine Mutter nicht gewesen wäre«, fuhr Tora fort und richtete sich auf. »Er könnte nicht dasitzen und Geld über sich werfen und wälzen, wie er es zu tun pflegt, er gerade so wie der Tote, wenn meine Mutter ihm nicht geholfen hätte.«

Als Tora dies sagte, hörte man ein leises Scharren. Es war nicht ganz nahe, aber auch nicht weit weg. Niemand wußte, was es sein könnte. Es war, als versuche jemand, ein Loch in die Hauswand zu feilen.

»Wer schleift Messer in meinem Hause?« rief Tora plötzlich.

Nun wurde es ganz still. Als aber das Gespräch wieder in Fluß gekommen war, begann es aufs neue zu knirschen und zu scharren.

Tora nahm einen Kienspan, ging zum Bett hin und sah hinein. Da lagen die drei Wanderer ausgestreckt und schliefen, wie sie den ganzen Abend geschlafen hatten.

Nun war es wieder eine Weile still, dann begann das Unwesen abermals. Jeder hörte deutlich, wie Messer gegen Stein und Leder gerieben und geschliffen wurden. »Gott helfe uns, das ist ein Omen«, sagte Tora. »Möge uns nichts Böses widerfahren, weil wir Übles vom Pfarrer gesprochen haben!«

Aber am nächsten Morgen lag der Pfarrer, Herr Ane, ermordet in seinem Bett, und sein großer Geldschrein war verschwunden. Und es wurde allsogleich bekannt, daß die drei wandernden Gesellen, die bei Arild dem Köhler gelegen und ihre Müdigkeit ausgeschlafen hatten, die Urheber des Mordes waren.

Sie hatten Tora vom Geld des Pfarrers erzählen hören, während sie dalagen und taten, als schliefen sie. Und sie hatten sofort den Mord geplant und sich daran gemacht, ihre Messer zu schleifen.

Und seit diesem Tage gehen die Worte des alten Bettelweibes wie ein Wahrspruch durch die Umgegend. »Die Rache bleibt nicht aus«, sagt man. »Gott kann mit einer Sage fällen. Gott kann mit einem Traume schlagen. Die Rache bleibt nicht aus.«

Peter Nord und Frau Fastenzeit

1

So traulich wie ein Heim steht das kleine Städtchen vor mir. Es ist so klein, daß ich alle seine Winkel und Ecken kennenlernen, mit jedem Kinde gut Freund werden und alle Hunde beim Namen rufen konnte. Wer über die Straße ging, wußte, bei welchem Fenster er den Blick aufschlagen mußte, um ein schönes Gesicht hinter der Scheibe zu erblicken, und wer durch den Stadtpark wanderte, kannte die Zeit, wann er da gehen mußte, um die Person zu treffen, die er treffen wollte.

Auf die schönen Rosen im Nachbargarten war man fast ebenso stolz, als wenn sie im eigenen gestanden hätten. Geschah etwas, was kleinlich oder gewöhnlich war, so schämte man sich, als wäre es in der eigenen Familie passiert, aber bei dem allergeringsten Ereignis, einer Feuersbrunst oder einer Marktschlägerei, brüstete man sich und sagte: »Seht nur, welches Gemeinwesen! Geschehen solche Dinge anderswo? Welche wunderbare Stadt!«

Und in dieser meiner geliebten Stadt verändert sich nichts. Komme ich wieder einmal hin, so werde ich dieselben Häuser und Kaufläden wiederfinden, die ich von altersher kenne, dieselben Gruben im Steinpflaster werden mich zu Fall bringen, dieselben steifen Lindenhecken, dieselben rundgeschnittenen Fliedersträucher meinen bewundernden Blick fesseln. Wieder werde ich sehen, wie der alte Ratsherr, der die ganze Stadt regiert, mit elefantenschweren Schritten die Straße hinabgewandert kommt. Patriarch und Vorsehung, welch ein Gefühl der Sicherheit hat man nicht, wenn man dich so wandern sieht! Und der taube Halfvorson wird noch immer in seinem Garten umhergehen und graben, während seine wasserklaren Augen suchend starren, als wollten sie sagen: »Alles, alles haben wir durchforscht, jetzt Erde, wollen wir uns bis in dein Innerstes bohren.«

Aber wer nicht mehr da sein wird, das ist der kleine runde Peter Nord. Ihr wißt doch, der kleine Värmländer, der in Halfvorsons Kramladen stand, er, der die Kunden mit seinen kleinen mechanischen Erfindungen und seinen weißen Mäusen unterhielt. Von ihm ist eine ganze Geschichte zu erzählen. Über alles und alle in der Stadt gibt es Geschichten. Nirgends geschehen so wunderliche Dinge.

Er war ein Bauernjunge, der kleine Peter Nord. Er war klein und rund, er war braunäugig und hatte ein lachendes Gesicht. Sein Haar war heller als Birkenlaub im Herbst, die Wangen waren rot und flaumig. Und ein Värmländer war er. Niemand, der ihn sah, konnte glauben, daß er aus einem anderen Land komme. Mit prächtigen Eigenschaften hatte ihn die treffliche Heimat ausgerüstet. Hurtig war er bei seiner Arbeit, rasch mit den Fingern, flink mit der Zunge, klar im Kopf. Und dazu ein Narr, gutmütig und hoch hinaus, gefällig und streitlustig, neugierig und plapperhaft. Der Tollkopf, er war nicht imstande, einem Bürgermeister größere Ehrfurcht zu zeigen als einem Bettler. Aber Herz hatte er, verliebt war er jeden zweiten Tag, und die ganze Stadt zog er ins Vertrauen.

Die Arbeit im Laden verrichtete dieses glücklich veranlagte Kind in irgendeiner übernatürlichen Weise. Die Kunden wurden bedient, während er die weißen Mäuse fütterte. Geld wurde gewechselt und gezählt, während er seine kleinen, selbstgehenden Wagen mit Rädern versah. Und indes er den Kunden von seiner allerletzten Verliebtheit erzählte, ließ er das Litermaß nicht aus den Augen, aus dem der braune Sirup sich sachte herabringelte. Und es machte den bewundernden Zuhörern Spaß, zu sehen, wie er plötzlich über den Ladentisch sprang und auf die Straße stürzte, wo er mit einem vorbeigehenden Gassenjungen einen Strauß ausfocht, um dann mit ruhiger Stirn in den Laden zurückzukehren und den Knoten an einem Paket zu knüpfen oder ein Stück Stoff fertig zu messen.

War es nicht natürlich, daß er der Günstling der ganzen Stadt wurde? Wir fühlen uns alle verpflichtet, bei Halfvorson einzukaufen, seit Peter Nord hingekommen war. Und selbst der alte Ratsherr war stolz, wenn Peter Nord ihn in eine dunkle Ecke zog und ihm den Käfig mit den weißen Mäusen zeigte. Es war sehr spannend und aufregend, die Mäuse zu zeigen, denn Halfvorson hatte ihm verboten, sie im Laden zu halten.

Da aber kamen mitten in dem heller werdenden Februar ein paar trübe Tage mit nebligem Tauwetter. Peter Nord wurde auf einmal ernst und still. Er ließ die weißen Mäuse ihren Drahtkäfig benagen, ohne sie zu füttern. Er versah seine Obliegenheiten tadellos. Er balgte sich nicht mit den Gassenjungen. Konnte Peter Nord es vielleicht nicht vertragen, daß das Wetter umgeschlagen hatte?

Ach, nein, die Sache war die, daß er einen Fünfzigkronenschein oben auf einem der Wandbretter gefunden hatte. Er hatte geglaubt, daß er mit einem Stoffballen hinaufgeschleudert worden war, und ganz unbemerkt hatte er ihn unter einen Pack gestreiften Kattun geschoben, der damals unmodern war und nie von den Wandbrettern heruntergenommen wurde.

Der Knabe hegte in seinem Herzen einen unbändigen Groll gegen Halfvorson, der ihm eine ganze Mäusefamilie totgeschlagen hatte, und nun wollte er sich rächen. Noch sah er die weiße Mutter mitten unter ihren hilflosen Jungen vor sich. Sie hatte keinen einzigen Versuch gemacht zu fliehen, sondern war in unerschütterlichem Heldenmut auf ihrem Platz liegengeblieben und hatte den herzlosen Mörder aus roten brennenden Augen angestarrt. Verdiente dieser nicht auch eine angstvolle Stunde? Peter Nord wollte sehen, wie er totenbleich aus dem Kontor stürzte und nach dem Fünfzigkronenschein suchte. Er wollte dieselbe Angst in seinen wasserklaren Augen sehen, die er in den granatroten der weißen Maus erblickt hatte. Der Krämer sollte nur suchen, er sollte den ganzen Raum umkehren, bevor Peter Nord ihn die Banknote finden ließ.

Aber der Fünfzigkronenschein blieb den ganzen Tag in seinem Versteck liegen, ohne daß jemand danach fragte. Er war ganz neu, bunt und leuchtend und hatte die Zahl Fünfzig groß in allen Ecken. Wenn Peter Nord allein im Laden war, lehnte er eine Leiter an die Regale und kletterte zu dem Kattunballen hinauf. Dann zog er den Fünfzigkronenschein hervor, entfaltete ihn und bewunderte seine Schönheit. Mitten im eifrigsten Handeln konnte er Angst bekommen, daß dem Fünfzigkronenschein etwas zugestoßen sei. Dann tat er, als suchte er etwas auf dem Wandbrett und tastete unter dem Kattunballen herum, bis er den glatten Schein unter seinen Fingern rascheln fühlte.

Dieser Schein hatte mit einem Male eine übernatürliche Gewalt über ihn erlangt. Ob wohl etwas Lebendiges darin war? Die von breiten Ringen umgebenen Zahlen waren wie saugende Augen. Der Knabe küßte sie alle und flüsterte: »Solche wie du möchte ich viele haben, furchtbar viele.«

Er begann sich allerlei Gedanken über den Schein zu machen, und darüber, daß Halfvorson nicht danach fragte. Vielleicht gehörte er gar nicht Halfvorson? Vielleicht lag er schon lange im Laden? Vielleicht hatte er überhaupt keinen Besitzer mehr?

Gedanken sind ansteckend. Beim Abendbrot hatte Halfvorson angefangen, von Geld und Geldmenschen zu sprechen. Er erzählte Peter Nord von allen den armen Jungen, die Reichtümer gesammelt hatten. Er begann mit Whittington und schloß mit Astor und Jay Gould. Halfvorson kannte ihre ganze Geschichte, er wußte, wie sie gestrebt und entbehrt, was sie erfunden und gewagt hatten. Er wurde ganz beredt, als er auf alles dies kam. Er durchlebte die Leiden der jungen Geldmenschen, er begleitete sie bei ihren Erfolgen, er jubelte bei ihrem Sieg. Peter Nord hörte ganz gespannt zu.

Halfvorson war vollkommen taub, aber dies war kein Hindernis für ein Gespräch, denn er las einem alles, was man sagte, von den Lippen ab. Hingegen konnte er seine eigene Stimme nicht hören. Die rollte darum so wunderlich eintönig dahin, wie das Tosen eines fernen Wasserfalls. Aber diese wunderliche Art zu sprechen bewirkte es, daß alles, was er sagte, einem im Ohr nachhallte, so daß man es viele Tage nicht abschütteln konnte. Armer Peter Nord!

»Was unumgänglich notwendig ist, um reich zu werden«, sagte Halfvorson, »das ist der Heckpfennig. Aber den kann man nicht verdienen. Merke dir, den haben alle auf der Straße gefunden, oder zwischen dem Futter und dem Oberstoff eines Rokkes, den sie auf einer Auktion gekauft haben, oder sie haben ihn im Spiel gewonnen, oder von einer schönen und barmherzigen Dame als Almosen bekommen. Aber nachdem sie im Besitz dieser gesegneten Münze waren, ist ihnen alles geglückt. Der Geldstrom sprudelte daraus hervor wie aus einer Quelle. Das erste, was nottut, Peter Nord, das ist der Heckpfennig.«

Halfvorsons Stimme klang immer dumpfer und dumpfer. Der junge Peter Nord saß wie betäubt da und sah eitel Gold vor sich. Auf dem Tuch des Eßtisches stapelten sich Haufen von Dukaten auf, auf dem Fußboden wogte es weiß von Silber, und die wirren Muster der schmutzigen Tapeten verwandelten sich in Bankscheine, groß wie Tischtücher. Aber gerade vor seinen Augen flatterte die Zahl Fünfzig von breiten Ringen umgeben und lockte ihn wie die schönsten Augen. »Wer weiß«, lächelten die Augen, »vielleicht ist der Fünfzigkronenschein droben auf dem Wandbrett solch ein Heckpfennig?«

»Merke nun wohl«, sagte Halfvorson, »nächst dem Heckpfennig sind noch zwei Dinge für den notwendig, der es weit bringen will. Arbeit, eisenharte Arbeit, Peter Nord, heißt das eine Ding; und das andere heißt Verzicht. Verzicht auf Liebe und Spiel, auf Plaudern und Lachen, auf den Morgenschlummer und den Abendspaziergang. Wahrlich, wahrlich, zwei Dinge sind notwendig für den, der das Glück erobern will. Arbeit heißt das eine, und das andre Verzicht.«

Peter Nord sah aus, als wenn er weinen wollte. Freilich wollte er reich werden, freilich wollte er glücklich werden, aber das Glück sollte nicht so ängstlich kommen, nicht so sauer erworben sein. Ganz von selbst sollte sie sich einstellen, Frau Fortuna. Wenn Peter Nord sich gerade mit den Gassenjungen balgte, dann sollte die edle Dame ihre Sänfte an der Ladentür halten lassen und dem Värmlandjungen den Platz an ihrer Seite anbieten. Aber jetzt grollte Halfvorsons Stimme noch immer in seinen Ohren. Sein ganzes Hirn ward davon erfüllt. Er glaubte nichts anderes, wußte nichts anderes. Arbeit und Verzicht, Arbeit und Verzicht, das war das Leben und des Lebens Ziel. Er begehrte nichts anderes, er wagte nicht zu glauben, daß er sich je etwas anderes gewünscht hatte.

Am nächsten Tage getraute er sich gar nicht, den Fünfzigkronenschein zu küssen, er wagte es nicht einmal, ihn anzusehen. Er war still und gedrückt, ordentlich und fleißig. Alle seine Obliegenheiten versah er so tadellos, daß jeder merken konnte, daß etwas mit ihm los sein mußte. Der alte Ratsherr hatte Mitleid mit dem Jungen und tat, was er konnte, um ihn zu trösten.

»Gehst du heute abend auf den Fastnachtsball?« fragte der Alte. »So, so, nein? Ja, dann will ich dich einladen, Peter Nord. Und laß mich sehen, daß du hinkommst, sonst erzähle ich Halfvorson, wo du deinen Mäusekäfig hast.«

Peter Nord seufzte und versprach, auf den Ball zu gehen.

Fastnachtsball, man denke, daß Peter Nord auf den Fastnachtsball sollte. Peter Nord sollte alle schönen Damen der Stadt sehen, fein, weiß gekleidet, blumengeschmückt. Aber Peter Nord durfte natürlich mit keiner einzigen von ihnen tanzen. Nun, das war ihm auch einerlei. Er war nicht in der Laune zu tanzen.

Auf dem Ball lehnte er in einer Tür und machte nicht einen Schritt zum Tanz. Einige hatten ihn zu überreden versucht, aber er war standhaft gewesen und hatte nein gesagt. Er könne diese Tänze nicht. Auch würde keine von diesen feinen Damen mit ihm tanzen wollen. Er war allzu gering für sie.

Aber wie er so dastand, begann es in seinen Augen zu funkeln und zu leuchten, und er fühlte, wie die Freude durch alle Glieder zuckte. Es kam von der Tanzmusik, es kam vom Blumenduft, es kam von allen den schönen Gesichtern, die er vor sich hatte. Nach einem kleinen Weilchen schon war er so strahlend froh, daß, wenn Freude Feuer wäre, die Flammen lichterloh um ihn aufgelodert wären. Und wenn die Liebe es wäre, wie so viele behaupten, dann wäre es ihm auch nicht besser ergangen. Er war immer in irgendein schönes Mädchen verliebt, aber bis jetzt immer nur in eine zugleich. Doch als er jetzt alle diese schönen Damen auf einmal sah, da verheerte nicht mehr eine einzige Flamme das sechzehnjährige Herz, sondern es war ein ganzer Waldbrand.

Von Zeit zu Zeit sah er auf seine Stiefel herab, die nichts weniger als Ballschuhe waren. Aber wie hätte er mit den breiten Absätzen den Takt stampfen und sich auf den dicken Sohlen im Kreis drehen können! In seinem Innern war etwas, was an ihm riß und zerrte, ihn wie einen geschlagenen Ball in den Tanzsaal schleudern wollte. Er widerstand noch ein Weilchen, obgleich die Bewegung in ihm immer stärker wurde, je weiter die Nacht fortschritt. Er wurde ganz schwindlig und lebenswarm. Heißa, er war nicht mehr der arme Peter Nord! Er war der junge Wirbelwind, der das Meer aufpeitscht und den Wald umreißt.

Ganz plötzlich wurde eine Hambopolka gespielt. Da geriet der Bauernjunge ganz außer sich. Er fand, daß diese wie seine eigne Värmländer Polka klang.

In einem Nu stand Peter Nord mitten im Saal. Alle feinen Herrenmanieren waren von ihm abgeglitten. Er war nicht mehr auf dem Rathausball, sondern daheim in der Scheune, beim Mittsommernachttanz. Er ging mit krummen Knien und zog den Kopf zwischen die Schultern. Ohne aufzufordern, schlang er einer Dame den Arm um den Leib und riß sie mit sich. Und dann begann er Polka zu tanzen. Das Mädchen folgte ihm halb widerwillig, beinahe geschleift. Sie war nicht im Takt, sie wußte gar nicht, was dies für ein Tanz war. Aber plötzlich ging alles wie von selbst. Das Geheimnis des Tanzes offenbarte sich ihr. Die Polka trug sie, hob sie empor, sie hatte Flügel an den Füßen, sie wurde so leicht wie Luft. Es war ihr, als flöge sie dahin. Denn die Värmlandpolka ist der wunderbarste Tanz. Sie verwandelt die schwerfüßigen Söhne der Erde. Lautlos schweben sie auf zolldicken Sohlen über ungehobelte Scheunendielen. Sie wirbeln umher, so leicht wie das Laub im Herbststurm. Diese Polka ist weich, hurtig, still, gleitend. Ihre edlen, maßvollen Bewegungen befreien die Körper, so daß sie sich leicht, elastisch schwebend fühlen.

Während Peter Nord seinen heimatlichen Tanz tanzte, wurde

es still im Ballsaal. Anfangs lachte man, aber allmählich dämmerte es allen auf, daß dies Tanz war, dieses Dahinschweben in gleichmäßigen raschen Wirbeln, ja wahrlich, wenn irgend etwas Tanz war, so war es dies.

Plötzlich bemerkte Peter Nord mitten in seinem Taumel, daß rings um ihn eine wunderliche Stille herrschte. Er blieb plötzlich stehen und fuhr sich mit der Hand über die Stirne. Keine schwarze Scheunendiele, keine laubgeschmückten Wände, keine hellblaue Sommernacht, keine muntere Bauerndirne war in der Wirklichkeit zu erblicken, in die er jetzt schaute. Er schämte sich und wollte sich fortschleichen. Aber schon war er umringt und bestürmt. Die jungen Damen drängten sich um den Ladenjungen und riefen: »Ach tanzen Sie mit uns, tanzen Sie mit uns!«

Sie wollten diese Polka lernen. Alle wollten sie sie lernen. Der Ball kam ganz aus dem Geleise und war jetzt wie eine Tanzschule. Alle versicherten, daß sie bisher gar nicht gewußt hätten, was tanzen heiße. Und Peter Nord war ein großer Mann an diesem Abend.

Er mußte mit all den feinen Damen tanzen, und sie waren über die Maßen freundlich gegen ihn. Er war ja nur ein Junge und übrigens solch ein fröhlicher Tollkopf. Man konnte nicht anders als ihn verwöhnen.

Das war das Glück, fühlte Peter Nord. Der Günstling der Damen zu sein, es wagen mit ihnen zu sprechen, sich mitten in dem strahlenden Licht zu bewegen, gefeiert und behätschelt zu werden, ja gewiß, das war das Glück.

Und als der Ball zu Ende war, war er zu glücklich, um selbst darüber betrübt zu sein. Er hatte das Bedürfnis heimzukommen, um in Ruhe alles das zu überdenken, was ihm an diesem Abend widerfahren war.

Halfvorson war unverheiratet, aber er hatte eine Nichte im Haus, die im Kontor arbeitete. Sie war arm und von Halfvorson abhängig, aber sie benahm sich recht hochmütig gegen ihn und gegen Peter Nord. Sie hatte viele Freunde unter den angeseheneren Leuten der Stadt und wurde in Familien eingeladen, in die Halfvorson nie kommen konnte. Sie und Peter Nord gingen zusammen von dem Ball nach Hause.

»Wissen Sie, Nord«, fragte Edith Halfvorson, »daß Halfvorson wegen verbotenen Branntweinhandels angeklagt werden wird? Sie könnten mir wirklich sagen, Nord, wie es sich mit dieser Sache verhält?«

»Ach, das ist gar nicht der Mühe wert, solch ein Aufhebens davon zu machen«, sagte Peter Nord.

Edith seufzte. »Natürlich wird etwas daran sein. Und dann gibt es Prozeß und Geldstrafen und Schande ohne Ende. Ich möchte so gerne wissen, wie die Sache steht.«

»Es ist wohl am besten, nichts zu wissen«, sagte Peter Nord.

»Sehen Sie, Nord, ich will in die Höhe kommen«, fuhr Edith fort, »und Halfvorson mit hinaufziehen, aber er plumpst mir immer wieder hinunter. Ganz unversehens tut er etwas, was auch mich unmöglich macht. Ich sehe ihm jetzt an, daß er etwas im Schilde führt. Wissen Sie nicht, Peter, was es ist? Es wäre gut, es zu wissen.«

»Nein«, sagte Peter Nord, nicht ein Wort mehr konnte er sagen. War es menschlich, mit ihm, der von seinem ersten Ball kam, von derlei zu sprechen?

Hinter dem Laden befand sich ein kleiner Verschlag für den Ladenjungen. Da saß Peter Nord von heute und ging mit Peter Nord von gestern ins Gericht. Wie blaß und feige der Kerl aussah. Jetzt sollte er hören, was er war. Ein Dieb und ein Geizhals. Kannte er das siebente Gebot? Von Rechts wegen sollte er eine Tracht Prügel haben. Ja, das sollte er.

Gott sei gedankt und gelobt, daß er ihn auf den Ball geführt und seinen Sinn geändert hatte. Pfui, wie häßlich es in ihm ausgesehen hatte, aber jetzt war alles anders. Als ob der Reichtum es wert wäre, daß man ihm Gewissen und Seelenruhe opferte?! Als ob er soviel wert wäre wie eine weiße Maus, wenn man dabei nicht vergnügt sein durfte! Er klatschte in die Hände und rief jubelnd: »Frei, frei, frei!« Nicht die leiseste Sehnsucht, den Fünfzigkronenschein zu besitzen, war mehr in seiner Seele. Wie gut war es doch, glücklich zu sein.

Als er sich niedergelegt hatten, nahm er sich vor, Halfvorson zeitig am nächsten Morgen die fünfzig Kronen zu zeigen. Dann aber bekam er Angst, daß der Krämer am nächsten Tag vor ihm in den Laden kommen, den Schein suchen und ihn finden könnte. Dann würde er wohl glauben, daß Peter Nord ihn versteckt hatte, um ihn zu behalten. Dieser Gedanke ließ ihm keine Ruhe. Er versuchte sich ihn aus dem Sinne zu schlagen, aber es gelang ihm nicht. Er konnte nicht einschlafen. Da stand er auf, schlich sich leise in den Laden und tastete nach dem Fünfzigkronenschein. Dann schlummerte er süß ein mit der Banknote unter dem Kopfkissen.

Eine Stunde später wurde er geweckt. Ein greller Lichtschein fiel ihm blendend in die Augen, eine Hand griff suchend unter sein Kopfkissen und eine grollende Stimme zankte und fluchte.

Ehe noch der Knabe recht wach war, hatte Halfvorson schon die Banknote in der Hand und zeigte sie zwei Frauen, die in der Tür zum Verschlag standen. »Seht ihr, daß ich recht hatte«, sagte Halfvorson, »seht ihr, daß es der Mühe wert war, euch zu wecken und als Zeuginnen mitzunehmen. Seht ihr, daß er ein Dieb ist!«

»Nein, nein, nein«, schrie der arme Peter Nord. »Ich wollte nicht fehlen. Ich habe den Schein ja nur aufgehoben.«

Halfvorson hörte ja nichts. Die beiden Frauen standen mit dem Rücken zum Verschlag, wie fest entschlossen, weder zu hören noch zu sehen.

Peter Nord hatte sich im Bett aufgesetzt. Er sah mit einem Male jämmerlich schwach und klein aus. Seine Tränen strömten. Er jammerte laut.

»Onkel«, sagte Edith, »er heult.«

»Laß ihn heulen!« sagte Halfvorson, »laß ihn nur heulen!« Und er trat näher und sah den Knaben an. »Kann mir schon denken, daß du heulst, mein Lieber«, sagte er. »Aber das verfängt bei mir nicht.«

»Oh, oh!« rief Peter Nord, »ich bin kein Dieb. Ich habe den Schein nur zum Spaß versteckt – um Sie zu ärgern. Ich wollte Sie wegen der Mäuse strafen. Ich bin kein Dieb. Kann niemand mich hören? Ich bin kein Dieb.«

»Onkel«, sagte Edith, »hast du ihn jetzt genug gequält, können wir vielleicht gehen und uns niederlegen?«

»Ich kann mir schon denken, daß sich das greulich anhört«, sagte Halfvorson, »aber da läßt sich nichts machen.« Er war ganz munter, förmlich ausgelassen. »Ich habe lange ein Auge auf dich gehabt, mein Lieber«, sagte er zu dem Knaben. »Immer hattest du irgend etwas wegzustecken, wenn ich in den Laden kam. Aber jetzt bist du ertappt. Jetzt habe ich Zeugen gegen dich, und jetzt hole ich die Polizei.«

Der Junge stieß einen gellenden Schrei aus. »Kann mir denn niemand helfen, kann mir denn niemand helfen?« rief er. Aber nun war Halfvorson schon verschwunden, und die Frau, die dem Haushalt vorstand, kam auf ihn zu.

»Geschwind, aufgestanden und in die Kleider, Peter Nord! Halfvorson holt die Polizei und indessen kannst du dich davonmachen. Das Fräulein geht wohl in die Küche und packt dir ein bißchen Proviant ein. Ich will unterdessen deine Sachen zusammensuchen.«

Das furchtbare Weinen hörte sogleich auf. Nach einem kleinen Weilchen war der Junge fertig. Er küßte den beiden Frauen die Hand, demütig wie ein geschlagener Hund. Und dann eilte er fort.

Sie blieben in der Tür stehen und sahen ihm nach. Als er verschwunden war, seufzten sie erleichtert auf.

»Was wird Halfvorson jetzt sagen?« sagte Edith.

»Er wird ganz froh sein«, antwortete die Haushälterin.

»Er hat das Geld dem Knaben absichtlich hingelegt, glaube ich. Er wollte ihn nur los sein.«

»Warum denn? Der Junge war doch der beste, den wir seit Jahr und Tag im Laden gehabt haben.«

»Er wollte ihn wohl bei der Branntweingeschichte nicht zum Zeugen haben.«

Edith stand stumm da und atmete heftig. »Wie gemein, wie gemein«, murmelte sie. Sie ballte die Fäuste gegen das Kontor und gegen das kleine Guckloch in der Tür, durch das Halfvorson in den Laden sehen konnte. Sie hatte selber nicht übel Lust, von all dieser Niedrigkeit fort in die Welt zu fliehen.

Ganz rückwärts im Laden hörte sie ein Geräusch. Sie lauschte, trat näher, ging dem Ton nach und fand endlich hinter einer Heringstonne den Käfig mit Peter Nords weißen Mäusen.

Sie hob ihn auf, stellte ihn auf den Ladentisch und öffnete das Türchen. Maus um Maus eilte heraus und verschwand hinter Kisten und Tonnen.

»Möget ihr gedeihen und euch vermehren«, sagte Edith, »laßt mich sehen, daß ihr Schaden anrichtet und euern Herrn rächt.«

2

Freundlich und zufrieden lag das kleine Städtchen unter seinem roten Berg da. Es war so in Grün eingebettet, daß der Kirchturm noch gerade daraus hervorragte. Garten an Garten kletterte auf schmalen Terrassen die Anhöhen hinan, und wenn sie nach dieser Richtung nicht weiter konnten, stürzten sie sich mit Sträuchern und Bäumen quer über die Straße und breiteten sich zwischen den zerstreuten Häusern und dem schmalen Erdstreif darunter aus, bis der breite Fluß ihnen Halt gebot.

In der Stadt war es ganz still und stumm. Kein Mensch war zu sehen, nur Bäume und Sträucher und hie und da ein Haus. Das einzige Geräusch, das man hörte, war das Rollen der Kugel über die Kegelbahn, und das klang wie ferner Donner an einem Sommertag. Es gehörte mit zu der Stille.

Doch jetzt knirschte das holprige Steinpflaster des Marktes unter genagelten Absätzen. Der Laut grober Stimmen schlug an die Wand des Rathauses und der Kirche, hallte vom Berg wider und eilte unbehindert die lange Straße hinab. Vier Wanderer störten die Vormittagsruhe.

Ach, die süße Stille, der jahrelange Feierfriede! Wie erschraken sie! Man konnte förmlich sehen, wie sie die Bergpfade hinaufflüchteten.

Einer der Lärmenden, die in das Städtchen einbrachen, war Peter Nord, der Junge aus Värmland, der vor sechs Jahren des Diebstahls bezichtigt aus der Stadt geflohen war. Die mit ihm gingen waren drei Tagediebe aus der großen Handelsstadt, die nur ein paar Meilen entfernt lag.

Wie war es dem kleinen Peter Nord ergangen? Gut war es ihm ergangen. Er hatte den allvernünftigsten Freund und Begleiter gefunden.

Als er an jenem dunklen, regenschweren Februarmorgen aus dem Städtchen fortlief, da sangen und klangen die Polkamelodien ihm im Ohr. Und eine von ihnen war hartnäckiger als alle andern.

Es war die, die sie alle beim Rundtanz gesungen hatten:

Nun ist es wieder Weihnachtsfest,
Ja, ja, Weihnachtsfest.
Und dann ist Ostern nicht mehr weit,
Doch leider, leider ist's nicht so,
Nein, nein, ist's nicht so,
Nach Weihnacht kommt die Fastenzeit.

Das hörte der kleine Flüchtling so deutlich, so deutlich. Und damit drang die Weisheit, die in dem alten Reigen verborgen liegt, in den kleinen genußsüchtigen Värmländerjungen ein, drang in jede Fiber, vermischte sich mit jedem Blutstropfen, nistete sich in Hirn und Mark ein. So ist es, so ist es gemeint. Zwischen Weihnachten und Ostern, zwischen den Festen der Geburt und des Todes, kommt die Fastenzeit des Lebens. Vom Leben soll man nichts verlangen. Es ist eine arme kalte Fastenzeit. Man darf ihm nie glauben, wie es sich auch verstellen mag.

Im nächsten Augenblick ist es wieder grau und häßlich. Kann nichts dafür, das arme Ding, versteht es nicht besser!

Und Peter Nord war beinahe stolz, daß er dem Leben sein tiefstes Geheimnis abgelauscht hatte.

Und er glaubte, die gelbe, bleiche Frau Fastenzeit in Bettlergestalt, die Aschenrute in der Hand, über die Erde schleichen zu sehen. Und er hörte, wie sie ihn anknurrte: »Du wolltest das Fest der Freude und der fröhlichen Laune mitten in jener Fastenzeit feiern, die man Leben nennt. Darum soll Schimpf und Schande dein Los sein, bis du dich besserst.«

Aber er hatte sich gebessert, und Frau Fastenzeit hatte ihn beschützt. Er hatte nicht weiter als bis in die große Handelsstadt fliehen müssen, denn er wurde gar nicht verfolgt. Und dort im Arbeiterviertel hatte Frau Fastenzeit ihre sichere Wohnstatt. Peter Nord wurde Arbeiter in einer Fabrik. Er wurde stark und energisch. Er wurde ernst und sparsam. Er hatte schmucke Sonntagskleider, er erwarb sich einige Kenntnisse, er lieh sich Bücher aus und ging zu Vorträgen. Eigentlich war von dem kleinen Peter Nord nichts mehr übrig als das flachsblonde Haar und die braunen Augen.

Diese Nacht hatte etwas in ihm geknickt, und die schwere Arbeit in der Fabrik machte den Riß immer größer, so daß der närrische Värmländer dadurch ganz herausschlüpfen konnte. Er schwätzte kein dummes Zeug mehr, denn in der Fabrik war das Sprechen verboten, und dadurch gewöhnte er sich das Schweigen an. Er machte keine Erfindungen mehr, denn seit er im Ernst Federn und Räder zu bedienen hatte, machten sie ihm keinen Spaß mehr. Er verliebte sich nicht, denn die Frauen des Arbeiterviertels konnten ihn nicht mehr fesseln, seit er die Schönheiten des Städtchens kennengelernt hatte. Er hatte keine Mäuse, keine Eichhörnchen mehr und nichts, womit er spielen konnte. Er hatte keine Zeit, er sah ein, daß derlei nur unnütz war, und er dachte mit Entsetzen an die Zeit, wo er sich noch mit Gassenjungen gebalgt hatte.

Peter Nord glaubte nicht, daß das Leben anders sein könnte als grau, grau, grau. Peter Nord langweilte sich immer, aber er war selbst so sehr daran gewöhnt, daß er es gar nicht merkte. Peter Nord war stolz auf sich selbst, weil er so tugendhaft geworden war. Er datierte seine Einkehr von der Nacht, da der Frohsinn ihn verließ und Frau Fastenzeit seine Begleiterin und Freundin ward.

Doch wie konnte der tugendhafte Peter Nord mitten an einem Arbeitstag in das Städtchen kommen, begleitet von drei Strolchen, die schmutzig und versoffen aussahen?

Er war doch immer ein guter Junge gewesen, der arme Peter Nord. Und diesen drei Strolchen hatte er immer zu helfen versucht, so gut er es konnte, obwohl er sie verachtete. Er hatte ihnen Holz in ihre elende Baracke gebracht, wenn der Winter sehr hart war, und er hatte ihre Kleider gestopft und geflickt. Diese Kerle hielten wie Brüder zusammen, hauptsächlich, weil sie alle drei Peter hießen. Dieser Name vereinte sie fester, als wenn sie wirklich Geschwister gewesen wären. Und nun litten sie es um dieses Namens willen, daß der Knabe ihnen Freundschaftsdienste erwies, und wenn sie am Abend ihren Grog in Ordnung hatten und bequeme Stellungen auf den Holzstühlen einnahmen, warteten sie ihm, der dasaß und die grinsenden Löcher ihrer Strümpfe stopfte, mit Galgenhumor und abenteuerlichen Lügen auf. Das schien Peter Nord Vergnügen zu machen, obgleich er es nicht zugestehen wollte. Diese Kerle waren jetzt für ihn beinahe dasselbe, was einstmals in der Welt die Mäuse gewesen waren.

Nun geschah es, daß diesen Strolchen allerlei Klatsch aus der kleinen Stadt zu Ohren kam. Und nun nach sechs Jahren brachten sie Peter Nord die Nachricht, daß Halfvorson ihm die fünfzig Kronen absichtlich hingelegt hatte, um ihn als Zeugen unmöglich zu machen. Und ihre Meinung war, daß Peter Nord in das Städtchen ziehen und Halfvorson eine Tracht Prügel geben sollte.

Aber Peter Nord war klug und besonnen und mit der Weisheit dieser Welt ausgerüstet. Er wollte sich durchaus nicht auf so etwas einlassen.

Die drei Peter verbreiteten die Geschichte im ganzen Arbeiterviertel. Alle Leute sagten zu Peter Nord: »Geh hin und prügle Halfvorson durch, dann wirst du ins Loch gesteckt, und es gibt einen Prozeß, und die Sache kommt in die Zeitungen, und der Kerl ist vor dem ganzen Land blamiert.«

Aber Peter Nord wollte nicht. Es konnte ja recht vergnüglich sein, aber Rache ist ein teurer Spaß, und Peter Nord wußte, wie arm das Leben ist. Das Leben gestattet solche Belustigungen nicht.

Da waren die drei Strolche eines Morgens in aller Frühe zu ihm gekommen und hatten gesagt, jetzt wollten sie an seiner Statt gehen und Halfvorson durchbleuen, denn »Recht müsse Recht bleiben«, sagten sie.

Und Peter Nord hatte versprochen, sie alle drei totzuschlagen, wenn sie auch nur einen Schritt nach dem Städtchen gingen.

Da hielt der eine von ihnen, der klein und untersetzt war und der lange Peter hieß, Peter Nord eine Rede.

»Diese Erde«, sagte er, »ist ein Apfel, der an einem Faden über einem Feuer hängt, um gebraten zu werden. Mit dem Feuer meine ich die Hölle, Peter Nord. Und der Apfel muß nahe am Feuer hängen, um süß und weich zu werden, aber wenn der Faden reißt und der Apfel in das Feuer fällt, so ist er verdorben. Darum ist der Faden eine sehr wichtige Sache, Peter Nord. Weißt du, was mit dem Faden gemeint ist?«

»Ich denke, es muß ein Drahtseil sein«, sagte Peter Nord.

»Mit dem Faden meine ich die Gerechtigkeit«, sagte der lange Peter mit düsterem Ernst. »Wenn auf der Erde nicht Gerechtigkeit geschieht, so purzelt alles in das Feuer. Darum darf sich der Rächer der Pflicht, zu strafen, nicht entziehen, oder, wenn er nicht will, müssen andere gehen.«

»Es ist das letzte Mal, daß ich euch einen Grog spendiert habe«, sagte Peter Nord, gänzlich unberührt von der Rede.

»Ja, da hilft nichts«, sagte der lange Peter, »Gerechtigkeit muß sein.«

»Wir tun es nicht, um Dank von dir zu ernten, sondern damit der ehrliche Name Peter nicht in Verruf kommt«, sagte der eine, der Rollpeter hieß und lang und mürrisch war.

»So, so, ist der Name so hochgeachtet?« sagte Peter Nord wegwerfend.

»Ja, und es ist eine kitzlige Sache, daß sie nun überall in den Gasthäusern sagen, du hättest die fünfzig Kronen doch wohl stehlen wollen, da du nun nicht haben willst, daß der Kaufmann bestraft wird.«

Dieses Wort traf tief. Peter Nord sprang auf und sagte, nun wolle er gehen und den Kaufmann durchpeitschen.

»Ja, und wir kommen mit und helfen dir«, sagten die Strolche.

Und so zogen sie vier Mann hoch in das Städtchen. Anfangs war Peter Nord mürrisch und grämlich und zorniger über seine Freunde als über seinen Feind. Doch als er zu der Flußbrücke kam und die Stadt sah, war er ganz verwandelt. Es war, als wäre er dort einem kleinen weinenden Flüchtling begegnet und in diesen hineingeschlüpft. Und je heimischer er in dem alten Peter Nord wurde, desto mehr ward es ihm bewußt, welches blutige

Unrecht der Kaufmann ihm angetan hatte. Nicht genug damit, daß er ihn hatte verlocken und ins Unglück stürzen wollen, nein, noch schlimmer, er hatte ihn aus dieser Stadt vertrieben, wo Peter Nord all sein Lebtag hätte Peter Nord bleiben können. Ach, wie fröhlich hatte er es doch damals gehabt. Wie lustig und vergnügt war er gewesen, wie hatte doch sein Herz offengestanden und wie schön war die Welt gewesen! Herrgott, wenn er doch nur hier hätte weiterleben können! Und er dachte an sich selbst, so wie er jetzt war – schweigsam und langweilig, ernst und arbeitsam –, ganz wie an einen verlorenen Menschen.

Nun packte ihn ein wahnsinniger Groll gegen Halfvorson, und statt wie früher hinter den Kameraden einherzugehen, schoß er an ihnen vorbei.

Aber die Strolche, die nicht nur gekommen waren, um Halfvorson zu strafen, sondern um überhaupt ihrer Wut Luft zu machen, wußten kaum, was sie beginnen sollten. Hier war für einen gereizten Mann nichts zu tun. Es gab keinen Hund, den man hetzen, keinen Straßenkehrer, mit dem man Krakeel anfangen, keinen feinen Herrn, dem man ein Schimpfwort nachschleudern konnte.

Das Jahr war noch nicht weit vorgeschritten, gerade so weit, daß der Frühling eben in den Sommer überging. Es war die weiße Zeit der Kirschblüten, wo Fliedertrauben hohe, rundbeschnittene Büsche schmücken und die Apfelblüten duften. Diese Männer, die unmittelbar von der Straße und vom Hafen in das Reich der Blumen gekommen waren, fühlten sich wunderlich davon berührt. Drei Paar Fäuste, die bisher entschlossen geballt waren, lösten sich, und drei Paar Absätze donnerten weniger hart gegen das Pflaster.

Vom Markt aus sahen sie einen Fußpfad, der sich die Hügel hinanschlängelte. Ihm entlang wuchsen junge Kirschbäume, die mit ihren weißen Kronen Bogen und Wölbungen bildeten. Die Wölbungen waren schwebend leicht, und die Zweige unsagbar schwach, alles zart, fein und kindlich.

Dieser Kirschenweg zog die Blicke der Männer auf sich. Was war dies doch für ein unpraktisches Nest, wo man Kirschbäume dahin pflanzte, wo jedweder die Kirschen nehmen konnte. Die drei Peter hatten die Stadt bisher als einen Herd der Ungerechtigkeit betrachtet, voll Grausamkeit und Tyrannei. Jetzt begannen sie sie auszulachen und ein wenig zu verachten.

Aber der vierte im Bunde lachte nicht. Seine Rachsucht loderte immer wilder auf, denn er fühlte es, dies war die Stadt, wo er hätte wohnen und wirken sollen. Dies war sein verlorenes Paradies. Und ohne nach den andern zu fragen, ging er rasch die Straße hinauf.

Sie folgten nach, und als sie merkten, daß es hier nur eine Straße gab, und als sie dieser entlang nur Blumen und wieder Blumen sahen, steigerte sich ihre Verachtung und ihre Heiterkeit. Es geschah vielleicht zum erstenmal in ihrem Leben, daß sie Blumen Aufmerksamkeit schenkten, aber hier konnten sie nicht anders, denn die Fliedertrauben fegten ihnen die Mützen vom Kopf, und die Blätter der Kirschenblüten regneten auf sie herab.

»Was glaubt ihr, was mögen wohl in dieser Stadt für Leute wohnen?« fragte der lange Peter nachdenklich.

»Bienen«, antwortete sogleich der Holzschuhpeter, der seinen Namen daher hatte, daß er einmal mit einem Holzschuhmacher in demselben Hause gewohnt hatte.

Natürlich bekamen sie allmählich einige Menschen zu Gesicht. An den Fenstern, hinter blanken Scheiben und weißen Gardinen, zeigten sich ein paar schöne junge Gesichter, und sie sahen Kinder auf den Terrassen spielen. Aber kein Lärm störte die Stille. Es kam ihnen vor, als könnte selbst die Posaune des Jüngsten Gerichts diese Stadt nicht wecken. Was sollten sie hier anfangen!

Sie gingen in einen Laden und kauften Bier. Da stellten sie mit rauher Stimme mehrere Fragen an den Kaufmann. Sie fragten, ob die Feuerwehr ihre Spritze in Ordnung habe und wie es wohl mit dem Schwengel der Kirchenglocke stände für den Fall, daß es zum Sturmläuten kommen sollte.

Dann tranken sie das Bier auf der Straße aus und warfen die Flaschen fort. Eins, zwei, drei, alle Flaschen an denselben Eckstein, ein Krachen und Klirren, und alle Scherben flogen ihnen um die Ohren. Es tat ihnen förmlich wohl, wieder ein bißchen Lärm zu machen.

Da hörten sie hinter sich Schritte, wirkliche Schritte, Stimmen, harte, deutliche Stimmen, Lachen, lautes Lachen und dazu ein Klirren wie von Metall. Sie stutzten und zogen sich in einen Torweg zurück. Das klang wie eine ganze Kompanie.

Das war es auch. Aber eine Kompanie von jungen Mädchen. Die Dienstmägde der Stadt zogen in gesammeltem Trupp auf die Stadtweiden, um die Kühe zu melken.

Das machte auf diese Großstädter, diese Weltbürger, den stärksten Eindruck. Dienstmädchen mit Milcheimern. Das war beinahe rührend!

Urplötzlich traten sie aus dem Tor hervor und riefen: »Buh!«

Die ganze Mädchenschar zerstob augenblicklich. Die Mägde kreischten und liefen davon. Die Röcke flatterten, die Kopftücher lösten sich, die Milchkübel rasselten auf die Straße.

Und zugleich vernahm man die ganze Straße entlang dumpfe Laute von Toren und Türen, die zugeworfen wurden, von Klinken und Riegeln und Schlössern.

Ein Stück weiter unten auf der Straße stand eine große Linde. Und darunter saß eine alte Frau an einem Tisch mit Karamels und Backwerk. Sie rührte sich nicht, sie sah sich nicht um, sie saß ganz mäuschenstill. Schlafen tat sie auch nicht.

»Die ist aus Holz«, sagte der Holzschuhpeter.

»Nein, aus Ton«, meinte der Rollpeter.

Sie gingen alle drei in einer Reihe. Gerade vor der Alten kamen sie ins Schwanken. Sie gingen gegen sie los. Der Tisch bekam einen Puff. Und die Alte fing zu zanken an.

»Weder Holz noch Ton«, sagte sie, »lauter Gift und Galle.«

Die ganze Zeit hatte Peter Nord sich gar nicht um sie gekümmert, aber jetzt waren sie endlich bei Halfvorsons Haus angelangt, und da erwartete er sie.

»Es läßt sich wohl nicht in Abrede stellen, daß das meine Angelegenheit ist«, sagte er stolz, und wies auf den Laden. »Ich will allein hineingehen und die Sache abmachen. Bringe ich es nicht zuwege, so könnt ihr euer Glück versuchen.«

Sie nickten. »Geh du nur, Peter Nord! Wir warten hier draußen.«

Peter Nord trat in den Laden, fand dort einen jungen Mann allein und fragte nach Halfvorson. Er bekam sogleich den Bescheid, daß dieser verreist war. Da fing er ein Gespräch mit dem Ladendiener an und erfuhr so mancherlei über seinen Herrn.

Halfvorson war wegen des Branntweinhandels gar nicht angeklagt worden. Wie er sich gegen Peter Nord benommen hatte, das wußte die ganze Stadt. Aber niemand sprach jetzt mehr von der Geschichte. Halfvorson hatte es weit gebracht, und jetzt war er nicht mehr so bösartig. Er war nicht mehr unbarmherzig gegen seine Schuldner und hatte aufgehört, dem Ladenjungen aufzulauern. In den allerletzten Jahren hatte er sich auf die Gärtnerei geworfen. Er hatte rings um das Haus in der Stadt einen Blumengarten angelegt und einen Küchengarten draußen vor dem Stadttor. Jetzt arbeitete er so eifrig in seinen Gärten, daß er kaum mehr daran dachte, Geld zu sammeln.

Peter Nord gab es einen Stich ins Herz. Natürlich war der

Mann gut. Er hatte im Paradies bleiben dürfen. Natürlich wurde man gut, wenn man hier wohnte.

Edith Halfvorson lebte noch beim Onkel, aber sie war jetzt krank. Seit sie im Winter die Lungenentzündung gehabt hatte, war ihre Brust schwach.

Während Peter Nord sich dies und noch mehr erzählen ließ, standen die drei Männer draußen und warteten.

In Halfvorsons schattenlosem Garten hatte man eine Birkenlaube errichtet, damit Edith sich dort an den schönen, warmen Frühlingstagen aufhalten konnte. Sie kam nur langsam wieder zu Kräften, aber für ihr Leben bestand keine Gefahr mehr.

Bei einigen ist es so, daß man glauben muß, sie wollen nicht leben. Bei der ersten Krankheit, die sie befällt, legen sie sich hin, um zu sterben. Halfvorsons Nichte war schon längst aller Dinge müde, des Kontors, des kleinen trüben Ladens, des Gelderwerbs. Als sie siebzehn Jahre alt war, reizte es sie, sich einen vornehmen Verkehr und einen guten Freundeskreis zu erkämpfen. Dann setzte sie sich das Ziel, Halfvorson auf den Weg der Tugend zu bringen, aber jetzt war alles erreicht. Sie sah keine Möglichkeit, aus dem Einerlei des Kleinstadtlebens herauszukommen. Sie wollte gerne sterben.

Sie war eine der elastischen, eine der Stahlfedernaturen. Nichts als Nerven und Lebendigkeit, wenn etwas sie drückte und quälte. Wie hatte sie sich doch mit List und Verstellung, mit weiblicher Güte und weiblichem Trotz gemüht, bis sie ihren Oheim dahin gebracht hatte, einzusehen, daß weitere Peter-Nord-Geschichten nicht mehr vorkommen dürften! Aber jetzt war er zahm und gebändigt, und sie hatte nichts mehr, was sie fesselte. Ja, und nun sollte sie doch nicht sterben! Sie lag da und dachte nach, was sie anfangen sollte, wenn sie gesund wurde.

Plötzlich fuhr sie zusammen. Jemand hatte sehr laut gesagt, er wolle allein zu Halfvorson gehen und seine Angelegenheit mit ihm abmachen. Und dann antwortete ein anderer: »Geh du nur, Peter Nord!«

Aber Peter Nord war ja der furchtbarste, der unglückseligste Name auf der Welt. Er bedeutete ja ein Wiedererwachen all der alten Abscheulichkeiten. Edith richtete sich bebend auf, und gerade da kamen drei unheimliche Gestalten um die Ecke und stellten sich vor sie hin und starrten sie an. Nur ein niedriges Staket und eine dünne Hecke lag zwischen ihr und der Straße.

Edith war allein. Die Mägde waren zum Melken gegangen, und Halfvorson arbeitete in seinem Garten vor der Stadt, obgleich er dem Ladenjungen aufgetragen hatte, zu sagen, daß er verreist sei, denn er schämte sich seiner Gärtnermarotte. Edith fürchtete sich schrecklich vor den drei Männern sowie vor dem, der in den Laden gegangen war. Sie war überzeugt, daß sie ihr etwas zuleide tun wollten, und darum begann sie über die schlüpfrigen, steilen Pfade und die kleinen, morschen Holzstufen, die von Terrasse zu Terrasse führten, den Berg hinaufzulaufen.

Den fremden Männern war es ein Hauptspaß, daß sie vor ihnen davonlief. Sie konnten es sich nicht versagen, sich so zu stellen, als wenn sie sie einholen wollten. Einer von ihnen kletterte auf das Staket, und alle drei brüllten mit furchtbarer Stimme.

Edith lief, so wie man im Traum läuft, keuchend, strauchelnd, in Todesangst, mit der entsetzlichen Empfindung, nicht von der Stelle zu kommen. Alle erdenklichen Gefühle stürmten auf sie ein und erschütterten sie so sehr, daß sie glaubte sterben zu müssen. Ja, wenn einer dieser Kerle sie nur mit der Hand berührte, wußte sie, daß sie sterben mußte. Als sie die oberste Terrasse erreicht hatte und es wagte, sich umzusehen, merkte sie, daß die Männer unten auf der Straße standen und gar nicht mehr nach ihr hinsahen. Da ließ sie sich wie ohnmächtig zu Boden sinken. Aber die Anstrengung war zu groß gewesen, sie hatte sie nicht ertragen können. Sie fühlte, wie etwas in ihr riß. Gleich darauf strömte Blut über ihre Lippen.

Die Mägde fanden sie, als sie vom Melken heimkamen. Für diesmal wurde sie ins Leben zurückgerufen. Aber dennoch wagte niemand zu hoffen, daß sie lange am Leben bleiben würde.

Sie konnte an diesem Tage nicht soviel sprechen, um zu erzählen, in welcher Weise sie erschreckt worden war. Hätte sie es getan, wer weiß, ob die fremden Männer lebendig aus der Stadt gekommen wären. Es erging ihnen ohnehin schlimm genug. Denn nachdem Peter Nord wieder zu ihnen herausgekommen war und erzählt hatte, daß Halfvorson nicht daheim sei, gingen sie alle vier im besten Einvernehmen durch das Stadttor und suchten sich einen sonnigen Abhang, wo sie die Zeit, bis der Kaufmann zurückkehrte, verschlafen konnten.

Aber als am Nachmittag alle Männer der Stadt, die draußen auf dem Felde gearbeitet hatten, wieder heimkamen, erzählten ihnen die Frauen von dem Besuch der Landstreicher, von ihren drohenden Fragen im Laden, wo sie Bier gekauft hatten, und ihrem ganzen herausfordernden Auftreten. Die Frauen vergrößerten und übertrieben die Sache, denn sie hatten den ganzen Nachmittag daheim gesessen und sich gegenseitig Angst gemacht. Die Männer glaubten Haus und Heim bedroht. Sie beschlossen, die Friedensstörer zu greifen, wählten einen beherzten Mann zum Anführer, nahmen tüchtige Knüttel mit und zogen von dannen.

Nun kam Leben in die Stadt. Die Frauen traten vor die Haustüren und machten einander bange. Die Stimmung war zugleich unheimlich und erwartungsvoll.

Es dauerte nicht lange, so kamen die Jäger mit ihrer Beute zurück. Sie hatten alle vier. Sie hatten sie im Schlaf umzingelt und sie gefangen. Das Kunststück hatte gerade keinen besondern Heldenmut erfordert.

Jetzt kehrten sie mit ihnen in die Stadt zurück, indem sie sie wie Vieh vor sich hertrieben. Der Taumel des Rachedurstes hatte sich der Sieger bemächtigt. Sie schlugen, um zu schlagen. Wenn einer von den Gefangenen die Faust gegen sie ballte, bekam er einen Schlag auf den Kopf, der ihn umwarf, und dann hagelten die Schläge auf ihn nieder, bis er sich erhob und weiterging. Die vier Männer waren dem Tod nahe.

Es ist so schön in den alten Liedern. Da muß zuweilen der gefangene Held in Fesseln im Triumphzug des siegreichen Feindes schreiten. Aber er ist auch im Unglück noch stolz und schön, und die Blicke suchen ihn ebenso wie den Glücklichen, der ihn besiegt hat. Die Kränze und die Tränen der Schönheit gehören dem noch im Unglück Beneidenswerten.

Aber wer wollte wohl für den armen Peter Nord schwärmen? Sein Rock war zerrissen und sein flachsblondes Haar klebrig von Blut. Er bekam die meisten Schläge, denn er leistete am meisten Widerstand. Ganz schrecklich sah er aus, wie er da einherging. Er brüllte, ohne es zu wissen. Jungens hängten sich an ihn fest, und er schleppte sie lange Strecken weit mit. Einmal blieb er stehen und schleuderte all das Kleinzeug auf die Straße. Gerade als er im Begriff war zu entfliehen, bekam er mit einem Knüttel einen Schlag auf den Kopf und fiel zu Boden. Er fuhr wieder in die Höhe, halb betäubt, und schwankte weiter, während Peitschenhiebe auf ihn herabhagelten und die Jungen sich ihm wie Blutegel an Arme und Beine hängten.

So begegneten sie dem alten Ratsherrn, der von seiner Whistpartie im Wirtshausgarten kam. »So, so«, sagte er zum Vortrab, »ihr wollt die in den Kotter bringen?«

Und er stellte sich an die Spitze des Zugs und ordnete ihn. Augenblicklich sah alles anständig aus. Gefangene und Gefangenenwärter marschierten in Frieden und Ordnung weiter. Doch die Wangen der Städter glühten, einige stießen mit den Knütteln auf das Pflaster, andere schulterten sie wie Gewehre. Und dann wurden die Gefangenen der Stadt der Polizei in Gewahrsam gegeben und in das Arrestlokal auf dem Marktplatz geführt.

Die Retter der Stadt blieben noch lange auf dem Markt stehen und sprachen von ihrem Mut und von der großen Heldentat. Und in der kleinen Gaststube, wo der Rauch so dicht wie eine Wolke steht und gewichtige Männer ihren Mitternachtstoddy brauen, da taucht die Heldentat vergrößert wieder auf. Da wachsen die in den Schaukelstühlen, da blähen sich die in den Sofaecken, da sind sie alle Helden. Welche Tatkraft schlummert doch in der kleinen Stadt der großen Erinnerungen! Du furchtbares Erbteil, du altes Wikingerblut!

Doch dem alten Ratsherrn wollte die Sache nicht recht gefallen. Er konnte sich nicht recht damit befreunden, daß das Wikingerblut wieder in Wallung geraten war. Und dieser Gedanke ließ ihn nicht schlafen, er ging wieder auf die Straße und schlenderte gemächlich dem Marktplatz zu.

Das kleine Städtchen lag in dem sanften Licht der Frühlingsnacht da. Der einzige Zeiger der Turmuhr wies auf elf. Über die Kegelbahn rollten keine Kugeln mehr. Die Rollgardinen waren herabgelassen. Es war, als wenn die Häuser mit gesenkten Lidern schliefen. Die lotrecht aufsteigenden Berge standen schwarz, wie in tiefer Trauer da. Aber mitten in all dem Schlummer wachte jemand – der Blumenduft schlief nicht! Der schlich sich über die Lindenhecken, stürmte aus den Gärten, jagte die Straße hinauf und hinab, kletterte zu jedem Fenster empor, das angelehnt stand, zu jeder Dachluke, die frische Luft einließ.

Jeder, zu dem der Blumenduft drang, sah alsogleich seine ganze kleine Stadt vor sich, obgleich die Dunkelheit sich leise auf sie herabgesenkt hatte. Er sah sie als die Stadt der Blumen, wo nicht Haus an Haus lag, sondern Garten an Garten. Er sah die Kirschbäume, die weiße Bogen über den steilen Waldweg spannten, die Fliederbüsche, die Knospen, die zu prächtigen Rosen schwollen, die stolzen Päonien, und die Haufen von Blütenblättern auf dem Boden unter den Faulbäumen.

Der alte Ratsherr ging in tiefe Gedanken versunken. Er war

so weise und so alt. Das siebzigste Jahr hatte er erreicht, und fünfzig Jahre hatte er die Geschicke der Stadt gelenkt. Aber in dieser Nacht fragte er sich, ob er recht getan habe, wenn er immer gedämpft und beschwichtigt hatte. »Ich hatte die Stadt in meiner Hand«, dachte er, »aber ich habe sie nicht zu etwas Großem gemacht.« Und er gedachte ihrer großen Vergangenheit und zweifelte immer mehr, ob er auch recht getan habe.

Er stand unten auf dem Markt, da, wo die Aussicht sich über den Fluß eröffnet. Ein Boot kam herangerudert. Ein paar Städter kehrten von einer Ausfahrt zurück. Lichtgekleidete Mädchen führten die Ruder. Sie steuerten unter die Brückenwölbung, aber da war die Strömung so stark, daß sie sie zurücktrieb. Es gab einen heftigen Kampf. Ihre schlanken Körper bogen sich nach rückwärts, bis sie in einer Linie mit dem Bootsrande lagen. Weiche Armmuskeln spannten sich. Die Ruder krümmten sich wie Bogen. Lachen und Rufe erfüllten die Luft. Einmal ums andre siegte die Strömung. Schmählich wurde das Boot zurückgetrieben. Und als die Mädchen schließlich am Marktkai landen und es den Männern überlassen mußten, das Boot heimzubringen, wie waren sie rot und ärgerlich und wie lachten sie! Und wie klang ihr Lachen die Straße hinab! Wie belebten ihre breitrandigen, lichten Hüte, ihre leichten, flatternden Sommerkleider die stille Nacht.

Da tauchten vor den Gedanken des alten Ratsherrn, denn im Dunkel konnte er sie nicht klar sehen, ihre lieblichen, jungen Gesichtchen, ihre schönen, klaren Augen und ihre roten Lippen auf. Da richtete er sich stolz in die Höhe. Die kleine Stadt war doch nicht ohne allen Glanz. Andere Gemeinwesen konnten sich anderer Dinge rühmen, aber keinen Ort kannte er, der reicher an dem augenerquickenden Reiz von Blumen und Frauen war.

Da dachte der Alte mit neuerwachtem Mut an sein Wirken. Nein, er brauchte nicht für die Zukunft der Stadt zu zittern. Eine solche Stadt brauchte sich nicht durch strenge Gesetze zu schützen.

Und so erbarmte er sich der armen Gefangenen. Er ging und weckte den Polizeimeister und sprach mit ihm. Und dieser dachte wie er. Sie gingen selbander zum Gefängnis und öffneten Peter Nord und seinen Kameraden die Tür.

Und daran tat die Obrigkeit recht. Denn die kleine Stadt ist wie die Venus von Milo. Sie hat lockenden Reiz, und ihr fehlen die festhaltenden Arme.

3

Es ist, als müßte ich die Wirklichkeit verlassen und in die Welt des Märchens und der Unwahrscheinlichkeit fliehen, um zu erzählen, was sich jetzt begab. Wäre der junge Peter Nord ein Peter Schweinehirt gewesen, mit einer goldenen Krone unter dem Hut, dann würde alles ganz einfach und natürlich erscheinen. Aber jetzt will mir wohl niemand glauben, wenn ich sage, daß auch Peter Nord einen Königsreif um sein flachsblondes Haar trug. Niemand kann ja wissen, wieviel merkwürdige Dinge sich in dem kleinen Städtchen zutragen. Niemand kann ahnen, wieviel verzauberte Prinzessinnen da herumgehen und auf den Hirtenknaben des Märchens warten.

Zuerst sah es aus, als sollte es weiter zu keinen Abenteuern kommen. Denn als Peter Nord von dem alten Ratsherren befreit worden war und zum zweitenmal mit Schimpf und Schande aus der Stadt fliehen mußte, da kamen ihm dieselben Gedanken, wie als er das erstemal entfloh. Da klangen ihm plötzlich wieder Polkamelodien im Ohr, und am allerlautesten unter ihnen erklang der alte Reigen:

Nun ist es wieder Weihnachtsfest,
Ja, ja, Weihnachtsfest.
Und dann ist Ostern nicht mehr weit,
Doch leider, leider ist's nicht so.
Nein, nein, ist's nicht so,
Nach Weihnacht kommt die Fastenzeit.

Und er sah deutlich, wie die gelbe, blasse Frau Fastenzeit mit ihrem Rutenbündel im Arm über die Erde schlich. Und sie rief ihm zu: »Verschwender! Verschwender! Du wolltest das Fest der Rache und der Genugtuung in jener Fastenzeit feiern, die man Leben nennt. Kann man sich hier solche Ausgaben gestatten, du Dummkopf?«

Darauf hatte er ihr abermals Gehorsam gelobt und war ein stiller, sparsamer Arbeiter geworden. Wieder stand er friedlich und besonnen bei der Arbeit. Niemand hätte glauben können, daß er es war, der vor Zorn gebrüllt und die kleinen Kinder auf die Straße geschleudert hatte, so wie der verfolgte Elch die Hunde abschüttelt.

Doch einige Wochen später kam Halfvorson zu ihm in die Fabrik. Er suchte ihn auf den Wunsch seiner Nichte auf. Sie wollte, wenn möglich, noch an demselben Tag mit ihm sprechen.

Peter Nord begann zu zittern und zu beben, als er Halfvorson erblickte. Es war, als hätte er eine schlüpfrige Schlange gesehen. Er wußte nicht, was er lieber wollte – ihn schlagen oder von ihm fortlaufen; aber plötzlich bemerkte er, daß Halfvorson sehr bekümmert aussah.

Der Kaufmann hatte ein Aussehen, wie man es hat, wenn man im starken Winde geht. Die Gesichtsmuskeln waren angespannt, der Mund zusammengekniffen, die Augen rot und voll Tränen. Er kämpfte sichtlich mit irgendeinem Leid. Das einzige, was unverändert war, das war die Stimme. Sie war ebenso unmenschlich ausdruckslos.

»Sie brauchen wegen der alten Geschichte nichts zu fürchten, und auch wegen der neuen nicht«, sagte Halfvorson. »Es ist wohl bekannt geworden, daß Sie mit jenen Kerlen waren, die dieser Tage bei uns daheim soviel Aufstand machten. Und da wir annahmen, daß sie von hier seien, konnte ich Sie ausfindig machen. Edith wird bald sterben«, fuhr er fort, und sein Gesicht zuckte krampfhaft. »Sie will mit Ihnen sprechen, ehe sie stirbt. Aber wir führen nichts Böses gegen Sie im Schilde.«

»Gewiß komme ich«, sagte Peter Nord.

Bald waren sie beide an Bord des Dampfers. Peter Nord saß da, fein geputzt in seinem Sonntagsstaat. Und unter dem Hut spielten und gaukelten alle seine Knabenträume, einen richtigen Königsreif schlossen sie um sein blondes Haar. Ediths Botschaft raubte ihm förmlich die Besinnung. Hatte er nicht immer gedacht, daß feine Damen ihn lieben würden? Und nun war da eine, die ihn sehen wollte, bevor sie starb. Das Wunderbarste alles Wunderbaren! Nun saß er da und dachte an sie, wie sie einst gewesen war. Wie stolz, wie lebensfrisch! Und jetzt sollte sie sterben. Sie tat ihm so innig leid. Aber daß sie alle die Jahre seiner gedacht hatte! Eine warme, süße Wehmut kam über ihn.

Nun war er wieder ganz heraus, der alte, närrische Peter Nord. Sobald er sich dem Städtchen näherte, verließ ihn Frau Fastenzeit mit Unmut und Verachtung.

Halfvorson konnte keinen Augenblick stillstehen. Der heftige Sturm, den er allein bemerkte, trieb ihn auf dem Verdeck hin und her. Wenn er an Peter vorbeikam brummte er ein paar Worte, so daß dieser erfuhr, welche Pfade seine betrübten Gedanken wandelten. »Sie fanden sie auf dem Boden, halbtot – und rings um sie lauter Blut«, sagte er einmal. Und ein andermal: »War sie nicht gut? War sie nicht schön? Wie konnte es ihr so schlecht ergehen?« Und ein andermal: »Sie hat mich auch gut gemacht. Konnte es nicht mit ansehen, daß sie den ganzen langen Tag betrübt dasaß und mit ihren Tränen das Kassabuch ruinierte.« Dann kam dies: »Ein schlaues Ding übrigens. Schmeichelte sich bei mir ein. Machte es mir behaglich daheim, verschafft mir Verkehr mit den Vornehmen. Durchschaute sie freilich, aber konnte nicht widerstehen.« Er wanderte bis zum Vorderdeck. Als er zurückkam, sagte er: »Ich kann es nicht ertragen, daß sie sterben soll.«

Und alles das sagte er mit dieser hilflosen Stimme, die er weder dämpfen noch modulieren konnte. Peter Nord hatte die stolze Empfindung, daß ein solcher Mann wie er, der einen Königsreif um die Stirn trug, gar nicht das Recht hatte, Halfvorson zu zürnen. Dieser war ja durch sein Gebrechen von den Menschen getrennt und konnte ihre Liebe nicht erringen. Darum mußte er sie alle als Feinde behandeln. Es ging nicht an, ihn mit demselben Maßstab zu messen wie andere Menschen.

Aber dann versank Peter Nord wieder in seine Träume. Sie hatte sich also seiner alle diese Jahre erinnert, und jetzt konnte sie nicht sterben, ohne ihn gesehen zu haben. Ach, man denke, daß ein junges Mädchen alle die Jahre herumgegangen war und an ihn gedacht, ihn geliebt und vermißt hatte.

Sobald er ans Land gekommen war und das Haus des Kaufmanns erreicht hatte, wurde er zu Edith geführt, die ihn draußen in der Laube erwartete.

Der glückliche Peter Nord wurde nicht aus seinen Träumen gerissen, als er sie erblickte. Sie war ein liebliches Traumwesen, dieses Mädchen, das um die Wette mit den wurzellosen Birken, die sie umgaben, dahinwelkte. Ihre großen Augen waren dunkler und klarer geworden. Ihre Hände waren so dünn und durchsichtig, daß man fürchtete, diese vergeistigte Materie zu berühren.

Und sie liebte ihn. Natürlich mußte er sie sogleich wiederlieben, heiß, innig, glühend. Als sie sah, wie er dastand und sie anstarrte, begann sie zu lächeln, mit dem verzweifeltesten Lächeln der Welt, diesem Lächeln der Kranken, das sagt: »Sieh, so bin ich geworden. Zähle nicht auf mich. Ich kann nicht mehr schön und reizend sein. Ich muß bald sterben.«

Das rief ihn zur Wirklichkeit zurück. Er sah, daß er es nicht mit einem Traumbilde zu tun hatte, sondern mit einer Seele, die im Entfliehen war, und darum die Wände ihres Kerkers so dünn und durchsichtig gemacht hatte. Nun war es so deutlich in seinem Gesicht und in der Art, wie er Ediths Hand faßte, zu sehen, wie er mit einemmal ihre Leiden litt, wie er alles andere über dem Schmerz, daß sie sterben mußte, vergaß, daß die Kranke dasselbe Mitleid mit sich selbst fühlte und Tränen in ihre Augen traten.

Oh, welches Mitgefühl hatte er vom ersten Augenblick an für sie. Er begriff gleich, daß sie ihre Bewegung nicht zeigen wollte. Natürlich war es ergreifend für sie, ihn, den sie so lange entbehrt hatte, wiederzusehen. Aber nur ihre Schwäche war daran schuld, daß sie sich jetzt verriet. Sie wollte natürlich nicht, daß er es bemerkte. Und darum brachte er ein unverfängliches Gesprächsthema aufs Tapet. »Wissen Sie, wie es meinen weißen Mäusen ergangen ist?« fragte er.

Sie sah bewundernd zu ihm auf. Es war, als wollte er ihr den Weg ebnen. »Ich habe sie in den Laden gelassen«, sagte sie, »sie haben sich gut gehalten.«

»Ach nein, wirklich! Sind noch welche von ihnen da?«

»Halfvorson sagt, daß er Peter Nords Mäuse niemals loswerden kann. Sie haben Sie gerächt, verstehen Sie?« sagte sie bedeutungsvoll.

»Es war eine ausgezeichnete Rasse«, antwortete Peter Nord stolz.

Das Gespräch stockte einen Augenblick. Edith schloß die Augen, wie um zu ruhen, und er schwieg ehrfurchtsvoll. Seine letzte Antwort verstand sie nicht. Er hatte gar nichts auf ihre Bemerkung von der Rache erwidert. Als er angefangen hatte, von den Mäusen zu sprechen, hatte sie geglaubt, er verstünde, was sie damit sagen wolle.

Sie wußte ja, daß er vor ein paar Wochen hergekommen war, um sich zu rächen. Der arme Peter Nord! Oftmals hatte sie gedacht, wie es ihm wohl ergehen mochte. So manche Nacht war das Heulen des erschreckten Jungen in ihren Träumen ertönt. Zum Teil um seinetwillen, um nie mehr eine solche Nacht zu erleben, hatte sie angefangen, ihren Onkel zu bessern, hatte das Haus zu einem Heim für ihn gemacht, hatte den Einsamen es schätzen gelehrt, einen teilnehmenden Freund in seiner Nähe zu haben. Jetzt war ihr Schicksal wieder mit Peter Nord verknüpft. Sein Rachezug hatte sie zu Tode erschreckt. Als sie sich nach dem schweren Anfall ein wenig erholt hatte, hatte sie Halfvorson gebeten, ihn auszukundschaften.

Und nun saß Peter Nord da und glaubte, daß sie ihn aus

Liebe gerufen habe. Er konnte ja nicht wissen, daß sie ihn für rachsüchtig, roh und verkommen hielt, für einen Trinker und Raufbold. Er, der seinen Kameraden im Arbeiterviertel ein leuchtendes Vorbild war, konnte nicht ahnen, daß sie ihn herbeschieden hatte, um ihm Tugend und gute Sitte zu predigen, um, wenn nichts andres half, ihm zu sagen: »Sieh mich an, Peter Nord! dein Unverstand, deine Rachgier sind die Ursache meines Todes. Denke daran und beginne ein anderes Leben.«

Er war voll Lebenslust und Träumerei gekommen, um das Fest der Liebe zu feiern, und sie lag da und dachte daran, ihn in die schwarzen Tiefen der Reue zu versenken.

Aber es mußte ihr wohl etwas von dem Glanz des Königsreifens entgegenstrahlen und sie nachdenklich stimmen, so daß sie beschloß, ihn zuerst ins Verhör zu nehmen.

»Aber Peter Nord, waren wirklich Sie mit diesen drei furchtbaren Kerlen da?«

Er errötete und sah zu Boden. Dann mußte er ihr die ganze Geschichte von dem Rachezug mit all seiner Schmach erzählen. Fürs erste, wie unmännlich lange er gezögert hatte, sich Gerechtigkeit zu verschaffen, und wie er nur gezwungen gegangen war, und wie er dann anstatt selbst zu schlagen, geprügelt und gepeitscht worden war. Er wagte nicht aufzusehen, während er sprach, er wagte nicht zu hoffen, selbst von diesen milden Augen mit Nachsicht beurteilt zu werden. Wie er dasaß, fühlte er, daß er sich all des Glanzes entkleidete, mit dem sie ihn in ihren Träumen umgeben haben mußte.

»Aber Peter Nord, wie wäre es denn gegangen, wenn Sie Halfvorson angetroffen hätten?« fragte Edith, als er zu Ende gesprochen hatte.

Er ließ den Kopf immer tiefer hängen. »Ich sah ihn ja ohnehin«, sagte er. »Er war gar nicht verreist. Er arbeitete in seinem Garten vor dem Stadttor. Der Junge im Laden hatte mir alles erzählt.«

»Nun, warum haben Sie sich dann nicht gerächt?« fragte Edith.

Nichts sollte ihm erspart bleiben. Aber er fühlte, daß ihre Blicke sich forschend auf ihn hefteten, und er begann gehorsam: »Als die Männer sich auf einem Abhang schlafen gelegt hatten, ging ich und suchte Halfvorson auf, denn ich wollte ihn allein für mich haben. Er ging da herum und richtete Stäbchen in einem Erbsenbeet auf. Es mußte am Tag vorher einen Platzregen gegeben haben, denn die Erbsen waren zu Boden gefallen, einige Blätter waren ganz zerfetzt, andere voll Erde. Es sah aus wie ein Krankenhaus. Und Halfvorson war der Doktor. Er richtete sie so zart in die Höhe, streifte die Erde ab und half den armen, kleinen Dingern die Stäbchen zu umfassen. Ich stand da und sah zu. Er hörte mich ja nicht und er hatte keine Zeit, aufzublicken. Ich versuchte zornig zu bleiben, aber was sollte ich tun? Ich konnte doch nicht auf ihn losstürzen, solange er mit den Erbsen beschäftigt war. Meine Zeit kommt wohl noch, dachte ich.

Aber plötzlich sprang er auf, schlug sich vor die Stirn und stürzte zum Treibbeet. Da hob er die Glasfenster ab und guckte hinein, und ich guckte auch, denn er sah aus, als wenn er in der bittersten Verzweiflung wäre. Ja freilich, da sah es schlimm aus. Er hatte vergessen, die Pflanzen vor der Sonne zu schützen, und es war wohl unter den Glasfenstern furchtbar heiß gewesen. Die Gurken lagen wie halbtot da und rangen nach Atem; einige Blätter waren versengt und andere hingen schlaff herab. Ich war auch ganz erschrocken, so daß ich alle Vorsicht vergaß, und da erblickte Halfvorson meinen Schatten. ›Du hör einmal, nimm die Gießkanne, die beim Spargelbeet steht, lauf zum Fluß hinunter und hol Wasser‹, sagte er, ohne aufzusehen; er glaubte wohl, es sei der Gärtnerjunge, und so lief ich.«

»Taten Sie das, Peter Nord?«

»Ja, sehen Sie, die Gurken brauchten doch nicht unter unserer Feindschaft zu leiden. Es kam mir wohl auch vor, daß das charakterlos sei, aber ich konnte nicht anders. Ich wollte doch sehen, ob sie sich erholen könnten. Als ich zurückkam, hatte er die Fenster aufgehoben und starrte noch ebenso verzweifelt vor sich hin. Ich gab ihm die Kanne in die Hand, und er begann zu gießen. Ja, man konnte sehen, wie gut das den Gurken im Beet tat. Es war mir fast, als richteten sie sich in die Höhe, und ihm schien es wohl auch so, denn er fing zu lachen an. Da lief ich fort.«

»Sie liefen fort, Peter Nord, Sie liefen fort?« Edith hatte sich in ihrem Ruhesessel aufgerichtet.

»Ich konnte ihn nicht schlagen«, sagte Peter Nord.

Immer deutlicher merkte Edith den Strahlenkranz um den Kopf des armen Peter Nord. So, sie brauchte ihn also nicht mit der schweren Last der Sünde um den Hals in die Tiefen der Reue zu versenken. Ein solcher Mann war er also! Ein so weichherziger und feinfühliger Mann! Sie sank zurück, schloß die Augen wieder und dachte nach. Sie brauchte es ihm nicht zu sagen. Es wunderte sie selbst, welch große Erleichterung es ihr gewährte, ihn nicht betrüben zu müssen.

»Ich bin so froh, daß Sie sich die Rachegedanken aus dem Kopf geschlagen haben, Peter Nord«, begann sie freundlich. »Gerade darum wollte ich Sie bitten. Jetzt kann ich ruhig sterben.«

Sie rang nach Atem. Sie war nicht unfreundlich. Sie sah nicht aus, als hätte sie sich in ihm getäuscht. Sie mußte ihn doch sehr lieb haben, wenn sie alle diese Feigheit entschuldigen konnte. Denn wenn sie sagte, daß sie ihn hergerufen habe, um ihn zu bitten, von seinen Racheplänen abzustehen, geschah dies wohl nur aus Schüchternheit, um ihm nicht den wirklichen Grund des Rufs gestehen zu müssen. Darin hatte sie ganz recht. Ihm, dem Mann, kam es zu, das erste Wort zu sagen.

»Wie können sie Sie sterben lassen?« rief er aus. »Halfvorson und alle die andern, wie können sie es? Wenn ich hier wäre, ich wollte es Ihnen verwehren, zu sterben. Ich würde Ihnen all meine Kraft geben. Ich würde all Ihre Leiden auf mich nehmen.«

»Ich habe keine großen Schmerzen«, sagte sie, über diese kühnen Versprechungen lächelnd.

»Ich stelle mir vor, daß ich Sie forttragen möchte wie ein erfrorenes Vögelchen, Sie unter die Weste stecken wie ein Eichhörnchen. O Gott, wie schön wäre es doch zu arbeiten, wenn etwas so Warmes und Weiches daheim auf einen wartete. Aber wenn Sie gesund wären, so würden wohl viele ...«

Sie sah ihn mit müdem Staunen an, bereit, ihn in seine Schranken zu weisen. Aber sie mußte wohl wieder etwas von dem Zauberkranz der Träume um das Haupt des Knaben gesehen haben, denn sie übte Nachsicht gegen ihn. Er meinte wohl nichts damit. Er mußte wohl so sprechen wie er sprach. Er war ja nicht wie andere.

»Ach«, sagte sie gleichgültig. »Nicht so viele, Peter Nord. Wohl kaum einer, der es ernst meinte.«

Aber nun trat wieder eine Wendung zu seinen Gunsten ein. In ihr erwachte plötzlich der Heißhunger der Kranken nach Mitleid. Sie wollte das Mitgefühl, die Zärtlichkeit haben, die der arme Arbeiter ihr schenken konnte, es war ihr ein Bedürfnis, lange in der Nähe dieser tiefen, uneigennützigen Teilnahme zu weilen. Die Kranken können ja an derlei nie genug haben. Sie wollte sie in seinen Blicken und in seinem ganzen Wesen lesen. Worte waren ihr gleichgültig.

»Es macht mir Freude, Sie hier zu sehen«, sagte sie. »Bleiben

Sie noch ein Weilchen sitzen und erzählen Sie, wie es Ihnen in diesen sechs Jahren ergangen ist.«

Während er sprach, lag sie da und schlürfte dieses Unsagbare ein, was von ihm zu ihr strömte. Sie hörte und hörte nicht. Aber durch irgendeine wunderbare Sympathie fühlte sie sich gestärkt und belebt.

Übrigens machten ihr auch seine Erzählungen Eindruck. Sie führten sie in die Arbeiterviertel, in eine neue Welt voll gärender Hoffnungen und Kräfte. Wie man dort glaubte und sich sehnte! Wie man haßte und litt!

»Wie glücklich sind doch die Unterdrückten«, sagte sie.

In einem Anfall von Lebenslust kam es ihr in den Sinn, daß dies etwas für sie sein könnte, die immer Druck und Zwang brauchte, um das Leben lebenswert zu finden.

»Wenn ich gesund wäre«, sagte sie, »wäre ich vielleicht mitgegangen. Es wäre schön gewesen, sich zusammen mit jemandem, dem man gut ist, in die Höhe zu arbeiten.«

Peter Nord zuckte zusammen. Hier war ja das Geständnis, auf das er die ganze Zeit gewartet hatte. »Ach, können Sie nicht leben!« bat er, und er strahlte vor Glück.

Sie wurde aufmerksam. »Das ist ja Liebe«, sagte sie zu sich selbst. »Und jetzt glaubt er, daß ich auch verliebt bin. Solch ein närrischer Kauz, dieser Värmlandjunge!«

Sie wollte ihn sogleich wieder zur Vernunft bringen, aber etwas lag über Peter Nord an diesem siegreichen Tag, das sie zurückhielt. Sie brachte es nicht übers Herz, seine frohe Stimmung zu zerstören. Sie fühlte Mitleid mit seiner Torheit und ließ ihn weiter darin leben. »Es macht ja nichts, da ich doch bald sterben muß«, sagte sie zu sich selbst.

Aber gleich darauf verabschiedete sie ihn, und als er fragte, ob er wiederkommen dürfe, verbot sie es ihm ganz. »Aber«, sagte sie, »vergessen Sie den Kirchhof hier oben auf dem Hügel nicht, Peter Nord. Dorthin können Sie in ein paar Wochen gehen und dem Tod für diesen Tag danken.«

Als Peter Nord aus dem Garten kam, begegnete er Halfvorson. Dieser ging verzweifelt auf und ab und fand seinen einzigen Trost in dem Gedanken, daß Edith dem Schuldigen jetzt die Last der Reue aufbürdete. Um ihn überwältigt von Gewissensbissen zu sehen, einzig und allein darum hatte er ihn geholt. Doch als er den jungen Arbeiter traf, sah er, daß Edith ihm nicht alles gesagt haben konnte. Wohl sah er ernst aus, aber zugleich schien er schwindelnd glückselig.

»Hat Edith Ihnen jetzt gesagt, warum sie sterben muß?« fragte Halfvorson.

»Nein«, antwortete Peter Nord.

Halfvorson legte ihm die Hand auf die Schulter, wie um ihn nicht entkommen zu lassen.

»Ihretwegen stirbt sie, Ihrer verdammten Streiche wegen. Sie war wohl vorher ein bißchen krank, aber das hatte nichts zu bedeuten. Niemand glaubte, daß sie sterben würde. Aber dann kamen Sie mit diesen drei unglückseligen Schurken her, und sie erschreckten sie, während Sie in meinem Laden waren. Sie verfolgten sie, und sie lief vor ihnen fort, lief so, daß sie einen Blutsturz bekam. Aber das war es ja, was Sie wollten, Sie wollten sich an mir rächen, dadurch, daß Sie sie töteten. Wollten mich einsam und unglücklich sehen, ohne einen einzigen Menschen um mich, der mir gut ist. Alle meine Freude wollten Sie mir nehmen, alle meine Freude.«

Er wollte noch lange weitersprechen, Peter Nord mit Vorwürfen überschütten, ihn mit Flüchen morden; aber dieser riß sich los und lief davon, als ob ein Erdbeben die ganze Stadt erschüttere und alle Häuser im Begriff wären einzustürzen.

4

Hinter der Stadt erhebt sich die Bergwand lotrecht, aber wenn man auf steilen Steinstufen und nadelbedeckten, glatten Pfaden hinaufgeklettert ist, so findet man, daß der Berg sich zu einem großen welligen Plateau ausbreitet. Und dort oben findet man einen Märchenwald.

Auf der ganzen Breite des Bergs steht ein Nadelwald ohne Nadeln, ein Wald, der im Frühling stirbt und im Herbst grünt, ein lebloser Wald, der in Lebensfreude aufflackert, wenn andere Bäume das grüne Kleid des Lebens ablegen, ein Wald, der wächst, ohne daß jemand wissen kann wie, der grün im Frost und braun im Tau dasteht.

Es ist ein frisch angepflanzter Wald. Junge Fichten sind gezwungen worden, in den Rissen zwischen Felsblöcken Wurzel zu schlagen. Ihre zähen Wurzeln haben sich wie scharfe Keile in Spalten und Ritzen eingebohrt. Eine Zeitlang ging es gut, die jungen Bäume schossen in die Höhe, und die Wurzeln bohrten sich frohgemut in den grauen Stein. Aber endlich konnten sie nicht weiterkommen, und da bemächtigte sich des Waldes eine nur schlecht verhehlte üble Laune. Er wollte hoch hinaus, aber auch in die Tiefe. Da ihm der Weg nach unten versperrt war, schien ihn das Leben nicht mehr zu freuen. Jeden Frühling war er bereit, mißmutig die Lebensbürde abzuwerfen. In dem Sommer, als Edith sterben sollte, stand der junge Wald ganz braun da. Hoch über der Stadt der Blumen sah man auf dem Bergkamm einen düsteren Rand sterbender Bäume.

Aber dort oben auf dem Berg ist nicht alles Düsterkeit und Todeskampf. Wenn man so unter den braunen Bäumen einhergeht und sich so bedrückt fühlt, daß man am liebsten sterben wollte, sieht man grüne Bäume schimmern, Blumenduft schlägt einem entgegen; Vogelgesang jubelt und lockt. Da denkt man an das Schloß im schlummernden Wald, an das Paradies des Märchens, das von einer stechenden Dornenhecke umgeben ist. Und wenn man dann zu dem Grün, dem Blumenduft, dem Vogelgezwitscher kommt, sieht man, daß man sich auf dem versteckten Kirchhof des kleinen Städtchens befindet.

Das Heim der Toten liegt in einer mit Erde angefüllten Vertiefung des Bergplateaus. Und da innerhalb der grauen Steinmauern hat alles Welken und aller Lebensüberdruß ein Ende. Im Tor stehen Fliederbüsche, die sich unter schweren Blütentrauben neigen. Linden und Ahornbäume spannen mit überraschender Kraft einen himmelhohen Bogen über den ganzen Platz. Jasmin und Rosen entblühen freundlich der geweihten Erde. Um große alte Grabsteine schlingen sich Ranken von Immergrün und Efeu.

Hier ist eine Ecke, wo die Nadelbäume die Höhe eines Mastbaums erreichen. Müßte sich nicht eigentlich der junge Wald draußen schämen, wenn er sie sieht? Und da sind Hecken, die den Händen ihrer Pfleger ganz entwachsen sind, die ohne an Schere und Messer zu denken, blühen und sprießen.

Die Stadt hat jetzt auch einen anderen, neuen Friedhof, zu dem die Toten ohne sonderliche Mühe gelangen können. Es war recht beschwerlich für sie, im Winter hier herauszuwandern, wo die steilen Waldpfade mit Glatteis überzogen sind, und die Stufen schlüpfrig und schneebedeckt. Der Sarg knackte, die Träger keuchten, der alte Probst stützte sich schwer auf den Küster und den Totengräber. Jetzt braucht niemand dort oben begraben zu werden, der es nicht selbst gewünscht hat.

Schön sind die Gräber dort nicht. Die wenigsten verstehen es, den Toten eine schöne Wohnstatt zu bereiten. Aber das frische Grün ergießt seinen Frieden und seine Schönheit auf sie alle.

Seltsam feierlich ist es zu wissen, daß alle, die hier ruhen, gerne da liegen. Der Lebende, der nach einem heißen Arbeitstag hinaufflüchtet, geht wie unter Freunden einher. Die hier schlummern, haben ja auch die hohen Bäume und die Stille geliebt.

Kommt ein Fremder herauf, so erzählt man ihm nicht von Tod und Trauer, sondern auf den großen Steinplatten, auf den breiten Bürgermeistergräbern sitzt man und erzählt ihm von Peter Nord, dem Värmlandjungen, und seiner Liebe. Es ist, als eignete sich die Geschichte am besten dazu, hier oben erzählt zu werden, wo der Tod seine Schrecken verloren hat. Es ist, als müßte die geweihte Erde jubeln, daß sie auch einmal der Schauplatz erwachenden Glücks und neuerweckten Lebens sein durfte.

Denn es kam so, daß Peter Nord, als er von Halfvorson fortlief, seine Zuflucht oben auf dem Kirchhof suchte.

Zuerst lief er auf die Flußbrücke zu und schlug den Weg zur großen Fabrikstadt ein. Doch auf der Brücke machte der arme Flüchtling halt. Mit dem Königsreif um seine Stirn war es nun ganz vorbei. Er war verschwunden, als wäre er aus Sonnenstrahlen gesponnen gewesen. Peter Nord war von Kummer tief gebeugt, sein ganzer Körper zitterte, das Herz tat ihm weh, das Hirn brannte wie Feuer.

Da glaubte er zu sehen, wie Frau Fastenzeit ihm zum drittenmal entgegenkam. Sie war viel freundlicher, viel milder als einst, aber sie erschien ihm darum nur um so furchtbarer.

»Ach, du Armer«, sagte sie, »jetzt mußt du aber mit deinen Streichen doch endlich aufhören! Du wolltest das Fest der Liebe in der Fastenzeit feiern, die man Leben nennt, aber du siehst, wie es dir ergeht. Komm jetzt und bleibe mir treu. Jetzt hast du alles versucht, jetzt kannst du dich nur mehr an mich wenden.«

Aber er streckte ihr abwehrend die Arme entgegen. »Ich weiß, was du von mir willst. Du willst mich zur Arbeit und Entbehrung führen, aber ich kann nicht! Nicht jetzt, Frau Fastenzeit, nicht jetzt.«

Die gelbe, bleiche Frau Fastenzeit lächelte immer milder. »Du bist ja unschuldig, Peter Nord! Nimm dir das doch nicht so zu Herzen, wofür du nichts kannst. War Edith nicht gut gegen dich? Sahst du nicht, daß sie dir vergeben hat? Komm mit zur Arbeit! Lebe, wie du gelebt hast!«

Der Knabe wurde immer heftiger. »Meinst du, es ist besser für mich, daß ich gerade die getötet habe, die gut gegen mich war, sie, die mich liebte? Wäre es nicht besser gewesen, wenn ich jemanden ermordet hätte, den ich ermorden wollte? Ich muß es sühnen. Ich muß ihr das Leben retten. Jetzt kann ich nicht an Arbeit denken.«

»O du Narr«, sagte Frau Fastenzeit, »das Fest der Sühne, das du feiern willst, ist die allergrößte Vermessenheit.«

Da empörte sich Peter Nord vollends gegen seine langjährige Freundin. Er hohnlachte förmlich. »Was hast du mir eingeredet«, sagte er, »daß du eine brave, brummige Alte seiest, den Arm voll netter, kleiner Ruten. Du bist eine Hexe, Leben, du bist ein Ungeheuer. Du bist schön, und du bist entsetzlich. Du weißt selbst nichts von Maß und Ziel. Warum sollte ich es denn? Wie kannst du Fasten predigen, du, die du ein solches Übermaß von Schmerz auf mich wälzen wolltest? Was sind die Feste, die ich gefeiert habe, gegen die, die du dir unaufhörlich bereitest! Bleib mir vom Leib mit deiner gelben, bleichen Mäßigkeit. Jetzt will ich es ebenso toll treiben, wie du selbst.«

Nicht einen Schritt konnte er nach der großen Fabrikstadt machen. Ebensowenig konnte er umkehren und wieder über die lange Straße in das Städtchen wandern, nein, er schlug den Weg in die Berge ein, kletterte zum verhexten Tannenwald hinauf und irrte zwischen den steifen, stechenden Bäumen umher, bis ein freundlicher Pfad ihn zum Kirchhof führte. Dort suchte er sich ein Versteck in der Ecke, wo die Tannen die Höhe eines Mastbaumes erreichen, und da warf er sich todmüde zu Boden.

Er wußte nichts von sich. Er ahnte nicht, ob die Zeit verging oder ob alles jetzt stille stand. Aber nach einem Weilchen ertönten Schritte, und er erwachte zu halbem Bewußtsein. Es war ihm, als wäre er lange, lange fort gewesen! Nun sah er einen Leichenzug herankommen, und sogleich tauchte ein verwirrter Gedanke in ihm auf. Wie lange lag er schon da? War Edith schon tot? Suchte sie ihn hier auf? War die Tote im Sarg auf der Jagd nach ihrem Mörder? Er zitterte und bebte. Freilich lag er in dem dunkeln Tannendickicht verborgen, aber er zitterte vor dem, was geschehen wäre, wenn die Leiche ihn gefunden hätte. Er bog ein paar Zweige zurück und blickte hinaus. Ein gehetzter Flüchtling kann nicht wilder nach seinen Verfolgern ausblicken.

Der Leichenzug war der eines armen Mannes. Armselig und spärlich war das Geleit. Unbekränzt wurde der Sarg in die Gruft gesenkt. Keines der Gesichter zeigte Tränenspuren. Peter Nord hatte noch Verstand genug, um einzusehen, daß dies unmöglich Edith Halfvorsons Begräbnis sein konnte.

Aber wenn sie es auch nicht selbst war, wer weiß, vielleicht war es ein Gruß von ihr. Peter Nord fühlte, daß er nicht das Recht hatte, zu entfliehen. Sie hatte gesagt, er möge hinauf zum Friedhof gehen. Sie meinte wohl, daß er sie dort erwarten solle, damit sie ihm seine Strafe zuteil werden lassen konnte. Dieser Leichenzug war ein Gruß, ein Zeichen. Sie wollte, daß er sie dort erwartete.

Vor seinem kranken Hirn türmte sich jetzt die niedre Kirchhofsmauer so hoch wie ein Festungswall auf. Er starrte ängstlich auf das schwache Gitterpförtchen, es war wie die festeste Eichentür. Er war hier oben gefangen. Nie konnte er von hier fort, bis sie selbst kam und ihn seiner Strafe zuführte.

Was sie dann mit ihm beginnen würde, das wußte er nicht. Nur eines war deutlich und klar. Er mußte hier warten, bis sie kam und ihn holte. Vielleicht wird sie ihn mit sich ins Grab nehmen, vielleicht wird sie ihm gebieten, sich vom Berge hinunterzustürzen. Er konnte es nicht wissen – vorderhand mußte er warten.

Die Vernunft kämpfte einen verzweifelten Kampf: Du bist ja unschuldig, Peter Nord. Mache dir doch kein Herzeleid über das, was du nicht verschuldet hast. Sie hat dir keine Botschaft geschickt. Gehe hinaus zu deiner Arbeit! Erhebe den Fuß, und du bist über die Mauer, stoße mit einem Finger zu, und das Tor ist offen.

Nein, er konnte nicht. Meistens war er wie in einem Nebel, einer Betäubung. Die Gedanken kamen unklar, so wie wenn man eben im Einschlafen ist. Eines nur wußte er, er mußte bleiben, wo er war.

Nun kam die Nachricht zu ihr, die dalag und um die Wette mit den wurzellosen Birken dahinwelkte. Peter Nord, mit dem du an einem Sommertag gespielt, geht oben auf dem Kirchhof einher und wartet auf dich. Peter Nord, den dein Oheim zu Tode erschreckt hat, kann den Kirchhof nicht verlassen, bis dein blumengeschmückter Sarg heraufkommt, um ihn zu holen.

Das Mädchen schlug die Augen auf, gleichsam wie um noch einmal die Welt zu sehen. Sie schickte nach Peter Nord. Sie zürnte ihm wegen seines tollen Streiches. Warum konnte sie nicht in Ruhe sterben? Sie hatte nie gewünscht, daß er sich ihrethalben Gewissensbisse mache.

Der Bote kam ohne Peter Nord zurück. Er könne nicht kommen. Die Mauer sei zu hoch und das Tor zu stark. Nur eine könne ihn von dort fortbringen.

In diesen Tagen dachte man in der kleinen Stadt an nichts anderes. »Er geht noch immer dort herum, noch immer«, erzählte man einander jeden Tag. »Ist er verrückt?« fragten die Leute häufig, und einige, die mit ihm gesprochen hatten, antworteten, daß er es ganz gewiß würde, wenn »sie« kam. Aber sie waren sehr stolz auf diesen Märtyrer der Liebe, der ihrer Stadt Glanz verlieh. Arme Leute brachten ihm Essen. Die Reichen schlichen den Berg hinauf, um ihn wenigstens aus der Ferne zu sehen.

Aber Edith, die sich nicht vom Fleck rühren konnte, die machtlos dalag und sterben sollte, sie, die soviel Zeit zu denken hatte, womit beschäftigte sie sich wohl? Welche Gedanken wälzte sie Tag und Nacht in ihrem Hirn? Oh, Peter Nord, Peter Nord! Mußte sie nicht stets den Mann vor sich sehen, der sie liebte, der nahe daran war, um ihretwillen den Verstand zu verlieren, der wirklich oben auf dem Kirchhof einherging und auf ihren Sarg wartete.

Sieh da, das war etwas für die Stahlfedernatur in ihr. Das war etwas für die Phantasie, etwas für entschlummernde Gefühle. Sich vorzustellen, was er anfangen würde, wenn sie hinaufkam! Sich auszumalen, was er beginnen würde, wenn sie nicht als Tote hinkam.

Sie sprachen davon in der ganzen Stadt, sprachen davon und von nichts anderem. So wie die alten Städte ihre Säulenheiligen geliebt hatten, so liebte das Städtchen den armen Peter Nord. Doch niemand ging gerne auf den Kirchhof, um mit ihm zu sprechen. Er sah immer wilder und wilder aus. Immer dichter senkte sich die Dunkelheit des Wahnsinns auf ihn herab. »Warum beeilt sie sich nicht, gesund zu werden«, sagten sie von Edith. »Es wäre unrecht von ihr, zu sterben.«

Edith fühlte beinahe Zorn. Sie, die so fertig mit dem Leben war, sollte nun wieder die schwere Bürde auf sich nehmen müssen? Aber auf jeden Fall begann sie sich redlich zu mühen. In ihrem Körper wurde in diesen Wochen mit fieberhafter Kraft ausgebessert und instandgesetzt. Und es wurde nicht an Material gespart. In ungeheuren Massen wurde alles verbraucht, was Lebenskraft gibt, wie es auch heißen mochte: Malzextrakt oder Lebertran, frische Luft oder Sonnenschein, Träume oder Liebe.

Und was für herrliche Tage waren dies doch, lang, warm, regenlos!

Endlich erlaubte ihr der Arzt, sich hinauftragen zu lassen. Die ganze Stadt war in Angst, als sie den Weg antrat. Würde sie mit einem Wahnsinnigen zurückkommen? Konnten diese Wochen des Elends aus seinem Hirn ausgetilgt werden? Würde die Anstrengung, die sie gemacht hatte, um wieder zu leben, fruchtlos sein? Und wenn, wie würde es dann ihr selbst ergehen?

Wie sie dahinzog, blaß vor Spannung, aber doch voll Hoffnung, gab es Anlaß zur Unruhe genug. Niemand verhehlte sich, daß Peter Nord einen zu großen Raum in ihrer Phantasie eingenommen hatte. Sie war die Allereifrigste in der Anbetung dieses wunderlichen Heiligen. Alle Schranken waren für sie gefallen, als sie hörte, was er um ihretwillen litt. Doch was sollte aus ihrer Schwärmerei werden, wenn sie ihn wirklich sah? An einem Wahnsinnigen ist nichts Romantisches.

Als man sie bis an das Friedhofspförtchen getragen hatte, verließ sie die Träger und ging allein über den breiten Mittelgang. Ihre Blicke wanderten rund um den grünenden Platz, aber sie sah niemanden.

Plötzlich hörte sie ein leises Rascheln im Tannendickicht, und von dort sah sie ein wildes, verzerrtes Gesicht starren. Nie hatte sie ein Antlitz gesehen, das so deutlich den Stempel des Grauens trug. Sie erschrak selbst darüber, erschrak tödlich. Es fehlte nicht viel, so wäre sie geflohen.

Aber dann loderte ein großes, heiliges Gefühl in ihr auf. Jetzt konnte nicht mehr von Liebe und Schwärmerei die Rede sein, nur von Angst, daß ein Mitmensch, einer der Armen, die mit ihr das Jammertal der Erde durchwanderten, verlorengehen sollte!

Das Mädchen blieb stehen. Sie wich nicht einen Schritt zurück, sondern ließ ihn sich langsam an ihren Anblick gewöhnen. Aber alle Macht, die sie besaß, legte sie in den Blick. Sie zog den Mann dort an sich mit der ganzen Kraft des Willens, der die Krankheit in ihr selbst besiegt hatte.

Und er kam aus seinem Winkel, bleich, verwildert, ungepflegt. Er ging auf sie zu, ohne daß das Grauen aus seinen Zügen wich. Er sah aus, als wäre er von einem wilden Tier verhext, das gekommen war, um ihn zu zerreißen. Als er dicht neben ihr stand, legte sie ihm ihre beiden Hände auf die Schultern und sah ihm lächelnd ins Gesicht.

»Sieh da, Peter Nord. Wie ist es mit Ihnen? Sie müssen von hier fort! Was meinen Sie damit, daß Sie so lange hier oben auf dem Kirchhof bleiben, Peter Nord?«

Er zitterte und sank zusammen. Aber sie fühlte, daß sie ihn mit ihren Blicken unterjochte. Ihre Worte schienen hingegen gar keine Bedeutung für ihn zu haben.

Sie schlug einen etwas anderen Ton an. »Höre, was ich sage, Peter Nord. Ich bin nicht tot. Ich werde nicht sterben. Ich bin gesund geworden, um hier heraufzukommen und dich zu retten.«

Er stand noch immer in demselben stumpfen Entsetzen da. Wieder veränderte sich ihre Stimme. »Du hast mir nicht den Tod gebracht«, sagte sie immer inniger, »du hast mir das Leben gegeben.«

Dies wiederholte sie einmal ums andre. Und ihre Stimme ward zuletzt bebend vor Bewegung, trübe von Tränen. Aber er verstand nichts von dem, was sie sagte.

»Peter Nord, ich habe dich so lieb, so lieb«, rief sie aus.

Er blieb ebenso gleichgültig.

Nun wußte sie nichts mehr mit ihm anzufangen. Sie mußte ihn wohl mit in die Stadt hinabnehmen und gute Pflege und die Zeit walten lassen.

Doch wer weiß, mit welchen Träumen sie heraufgekommen war und was sie sich von dieser Begnung mit dem, der sie liebte, versprochen hatte. Nun, wo sie alles das aufgeben und ihn nur als einen Wahnsinnigen behandeln mußte, erfüllte sie ein Schmerz, als müßte sie das Kostbarste von sich lassen, was das Leben ihr geschenkt hatte. Und in der Bitterkeit dieses Verzichts zog sie ihn an sich und küßte ihn auf die Stirn.

Dies sollte ein Abschied von Leben und Glück sein. Sie fühlte, wie ihre Kräfte versagten. Tödliche Mattigkeit kam über sie.

Doch da glaubte sie bei ihm etwas wie ein schwaches Lebenszeichen zu merken, er war nicht mehr ganz so schlaff und stumpf. Es zuckte in seinen Gesichtszügen. Er zitterte immer heftiger, sie beobachtete alles mit immer größrer Angst. Er erwachte, aber wozu? Endlich begann er zu weinen.

Sie führte ihn zu einem Grabstein. Sie ließ sich darauf nieder, zog ihn zu sich herab und bettete sein Haupt in ihrem Schoß. So saß sie da und streichelte ihn, während er weinte.

Mit ihm ging etwas Ähnliches vor, wie wenn man aus einem bösen Traum erwacht. »Warum weine ich«, frage er sich. »Ach, ich weiß, ich habe so furchtbar geträumt. Aber es ist nicht wahr, sie lebt. Ich habe sie nicht gemordet. Wie töricht, über einen Traum zu weinen.«

Und so allmählich wurde ihm alles klar; doch seine Tränen flossen weiter. Sie saß da und liebkoste ihn, aber seine Tränen strömten noch lange.

»Das Weinen tut mir so wohl«, sagte er.

Dann sah er auf und lächelte. »Ist jetzt Ostern?« fragte er.

»Was meinst du damit?«

»Man kann es ja Ostern nennen, da die Toten auferstehen«, fuhr er fort. Dann, als wären sie langjährige Vertraute, begann er, ihr von Frau Fastenzeit zu erzählen und von seiner Empörung gegen ihr Regiment.

»Es ist jetzt Ostern, und ihre Regierungszeit hat ein Ende«, sagte sie.

Aber als er daran dachte, daß Edith dasaß und ihn liebkoste, mußte er wieder weinen. Es war ihm solch ein Bedürfnis zu weinen. Alles Mißtrauen gegen das Leben, das das Unglück dem kleinen Värmländer eingeflößt hatte, bedurfte der Tränen, um fortzuschmelzen. Das Mißtrauen, daß Liebe und Freude, Schönheit und Kraft nicht auf Erden blühen könnten, das Mißtrauen gegen sich selbst, alles das mußte fort. Alles das ging fort, denn es war Ostern: Die Tote lebte, und Frau Fastenzeit konnte nie mehr Macht erlangen.

Das Hünengrab

Es war um die Jahreszeit, wo das Heidekraut rot blüht. Auf der Sandhalde wuchs es in dichten Büscheln. Von niedrigen, baumähnlichen Stämmchen erhoben sich dichtsitzende grüne Zweige mit nadelharten, festen Blättern und kleinen, spät welkenden Blüten. Diese schienen nicht aus dem gewöhnlichen saftreichen Blumengewebe zu bestehen, sondern aus trocknen, harten Schuppen. Sie waren sehr unansehnlich von Größe und Gestalt; auch war ihr Geruch nicht sonderlich. Als Kinder der offenen Heide hatten sie sich nicht in der windgeschützten Luft entwikkelt, in der die Lilien ihre Kelchblätter entfalten, auch nicht in dem üppigen Erdreich, aus dem die Rosen die Nahrung für ihre schwellenden Kronen schöpfen. Was sie zu Blumen machte, war eigentlich die Farbe; denn leuchtend rot waren sie. Den Farbe schenkenden Sonnenschein hatten sie reichlich gehabt. Sie waren keine bleichen Kellergewächse, keine schattenfrohen Stubenhocker. Die gesegnete Fröhlichkeit und Stärke der Gesundheit lag über der ganzen blühenden Heide.

Das Heidekraut deckte das karge Feld mit seinem roten Mantel bis hinauf zum Waldessaum. Da erhoben sich auf einem sanft ansteigenden Bergfirst ein paar uralte, halb zusammengestürzte Grabhügel; und wie innig das Heidekraut sich auch an sie zu schmiegen suchte: es gab doch dort oben Risse, durch die große flache Felsenplatten durchschimmerten, Fetzen der rauhen Haut des Berges selbst. Unter dem größten Grabhügel ruhte ein alter König, Atle genannt. Unter den anderen schlummerten die seiner Mannen, die gefallen waren, als die große Schlacht dort auf der Halde geschlagen ward. Nun hatten sie schon so lange dagelegen, daß die Angst und die Ehrfurcht vor dem Tode von ihren Gräbern gewichen war. Der Weg ging zwischen ihren Ruhestätten hindurch. Wer nachts hier wanderte, dem kam es nie in den Sinn, sich umzusehen, ob wohl zu mitternächtlicher Stunde nebelumhüllte Gestalten auf der Spitze der Grabhügel säßen und in stummer Sehnsucht zu den Sternen emporblickten.

Es war ein glitzernder Morgen, taufrisch und sonnenwarm. Der Schütze, der seit dem Morgengrauen auf der Jagd gewesen war, hatte sich in das Heidekraut hinter König Atles Hügel geworfen. Er lag auf dem Rücken und schlief. Den Hut hatte er über die Augen gezogen und die Jagdtasche aus Fell, aus der die langen Ohren des Hasen und die gekrümmten Schwanzfedern des Auerhahns lugten, lag unter seinem Kopf. Pfeile und Bogen hatte er neben sich.

Aus dem Wald kam ein Mädchen, ein Bündelchen mit Essen in der Hand. Als sie auf die flachen Platten zwischen den Grabhügeln kam, dachte sie, was für ein guter Tanzplatz hier sei. Und sie bekam große Lust, ihn zu probieren. Sie warf das Bündelchen ins Heidekraut und begann ganz mutterseelenallein zu tanzen. Sie wußte nicht darum, daß hinter dem Königshügel ein Mann lag und schlief.

Der Schütze schlief noch immer. Brennend rot stand das Heidekraut gegen den tiefblauen Himmel. Der Ameisenlöwe hatte seinen Graben dicht neben dem Schlummernden aufgeworfen. Darin lag ein Stück Katzengold und funkelte, als wollte es alle alten Stoppeln der Sandhalde in Brand setzen. Über dem Kopf des Schützen breiteten sich die Auerhahnfedern wie ein Federbusch aus, und ihre Metallfarben schillerten vom tiefsten Purpur bis ins Stahlblau. Auf den unbeschatteten Teil seines Gesichts brannte glühender Sonnenschein. Aber er schlug die Augen nicht auf, um den Morgenglanz zu schauen.

Unterdessen fuhr das Mädchen fort, zu tanzen, und es drehte sich so eifrig, daß die geschwärzte Mooserde, die sich in den Unebenheiten der Blöcke angesammelt hatte, um sie schwirrte. Eine alte, trockne Fichtenwurzel, blank und grau vom Alter, lag ausgerissen im Heidekraut. Die nahm sie und drehte sich mit ihr herum. Späne lösten sich aus dem modernden Baum. Tausendfüßler und Ohrwürmer, die in den Ritzen genistet hatten, stürzten sich schwindlig in die lichte Luft und verbohrten sich in die Wurzeln des Heidekrauts.

Wenn die fliegenden Röcke die Heide streiften, flatterten daraus Scharen von kleinen grauen Schmetterlingen auf. Die Unterseite ihrer Flügel war weiß und glänzte wie Silber; sie wirbelten wie trockenes Laub im Sturm auf und ab. Sie schienen nun ganz weiß, und es war, als ob das rote Heidemeer weißen Schaum emporspritzte. Die Schmetterlinge hielten sich ein kurzes Weilchen schwebend in der Luft. Ihre zarten Flügel zitterten so heftig, daß der Farbenstaub sich löste und als dünner, silberweißer Flaum auf das Heidekraut fiel. Da war es, als würde die Luft von einem sonnig glitzernden Tauregen durchrieselt.

Ringsum im Heidekraut saßen Heuschrecken und rieben ihre

Hinterbeine gegen die Flügel, so daß es wie Harfensaiten klang. Sie hielten guten Takt und waren so eingespielt, daß jeder, der über die Heide ging, dieselbe Heuschrecke auf seiner Wanderung zu hören meinte, obgleich er sie bald zur Rechten, bald zur Linken hatte, bald vor, bald hinter sich. Aber die Tanzende war nicht zufrieden mit ihrem Spiel, sondern begann nach einem kleinen Weilchen selbst den Takt zu einem Tanzspiel zu trällern. Ihre Stimme war schrill und spröde. Der Schütze erwachte von dem Gesang. Er wendete sich seitwärts, richtete sich auf dem Ellbogen auf und sah über das Hünengrab hinweg zu ihr, die tanzte.

Er hatte geträumt, daß der Hase, den er soeben getötet hatte, aus der Jagdtasche gesprungen sei und seine eigenen Pfade genommen habe, um auf ihn zu schießen. Nun sah er zu dem Mädchen hinüber, schlaftrunken, wirr von Träumen; nach dem Schlaf brannte sein Kopf in der Sonne.

Sie war groß und von grobem Gliederbau; nicht hold von Angesicht, nicht leicht im Tanz, nicht taktfest im Gesang. Sie hatte breite Wangen, dicke Lippen und eine platte Nase. Sie war sehr rot im Gesicht, sehr dunkel von Haar, üppig von Gestalt, kräftig in den Bewegungen. Ihre Kleider waren dürftig, aber grell. Rote Borten faßten den gestreiften Rock ein, und bunte Wollgarnlitzen folgten den Nähten des Leibchens. Andere Jungfrauen gleichen Rosen und Lilien. Diese war wie das Heidekraut, stark, fröhlich, leuchtend.

Mit Freude sah der Schütze das große, prächtige Weib auf der roten Halde tanzen, mitten unter zirpenden Grashüpfern und flatternden Schmetterlingen. Und wie er sie so ansah, lachte er, daß der Mund sich von einem Ohr zum anderen zog. Aber da erblickte sie ihn plötzlich und blieb unbeweglich stehen.

»Du meinst wohl, ich sei von Sinnen«, war das erste, was sie hervorbrachte. Zugleich erwog sie, wie sie ihn bewegen könne, über das zu schweigen, was er gesehen hatte. Sie wollte nicht unten im Dorf erzählen hören, daß sie mit einer Fichtenwurzel getanzt habe.

Er war ein wortkarger Mann. Nicht eine Silbe brachte er über die Lippen. Er war so scheu, daß er nichts Besseres anzufangen wußte, als zu fliehen, obwohl er gern geblieben wäre. Hastig kam der Hut auf den Kopf und die Jagdtasche auf den Rücken. Dann lief er zwischen den Heidekrauthügeln fort.

Sie packte das Eßbündel und eilte ihm nach. Er war klein, steif von Bewegungen und hatte sichtlich geringe Kräfte. Sie holte ihn bald ein und schlug ihm den Hut vom Kopf, um ihn zu zwingen, stehenzubleiben. Eigentlich hatte er die größte Lust, zu bleiben, aber er war ganz wirr vor Schüchternheit und floh in noch größerer Hast. Sie lief ihm nach und begann, an seiner Tasche zu zerren. Da mußte er stehenbleiben, um die Tasche zu verteidigen. Das Mädchen fiel ihn mit aller Macht an. Sie rangen und sie warf ihn zu Boden. »Jetzt wird er's keinem erzählen«, dachte sie und war froh.

In demselben Augenblick erschrak sie doch sehr; denn er, der auf der Erde lag, schien ganz bleich und die Augen drehten sich in ihren Höhlen. Er hatte sich aber nicht verletzt. Es war die Gemütsbewegung, die er nicht vertragen hatte. Nie zuvor hatten sich so strittige und starke Gefühle in diesem einsamen Waldbewohner geregt. Er war froh über das Mädchen und zornig und scheu und dennoch stolz, daß sie so stark war. Er war ganz betäubt von alledem.

Die große, starke Jungfrau legte den Arm um seinen Rücken und richtete ihn auf. Sie brach Heidekraut und peitschte sein Gesicht mit den steifen Zweigen, bis das Blut in Bewegung kam. Als seine kleinen Augen sich wieder dem Tageslicht zuwendeten, leuchteten sie vor Freude beim Anblick des Mädchens. Noch immer schwieg er; aber die Hand, die sie um seinen Leib gelegt hatte, zog er an sich und streichelte sie sanft.

Er war ein Kind des Hungers und der zeitigen Mühsal. Trokken und bleichgelb, fleischlos und blutarm war er. Es rührte sie, daß er so verzagt war, er, der doch um die Dreißig sein mochte. Sie dachte, daß er wohl ganz mutterseelenallein tief im Walde leben müsse, da er so kläglich und so schlecht gekleidet war. Keinen hatte er wohl, der nach ihm sah, nicht Mutter noch Schwester oder Liebste.

Der große barmherzige Wald breitete sich über die Wildnis aus. Verbergend und schützend nahm er in seinen Schoß alles auf, was bei ihm Hilfe suchte. Mit hohen Stämmen hielt er Wacht um die Höhle des Bären, und in der Dämmerung dichter Gebüsche hegte er das mit Eiern gefüllte Nest der kleinen Vöglein.

Zu dieser Zeit, da man noch Leibeigene hielt, flüchteten viele von ihnen in den Wald und fanden Schutz hinter seinen grünen Mauern. Er ward für sie ein großer Kerker, den sie nicht zu verlassen wagten. Der Wald hielt seine Gefangenen in strenger Zucht. Er zwang die Stumpfen zum Nachdenken und erzog die in der Knechtschaft Verkommenen zu Ordnung und Ehrlichkeit. Nur dem Fleißigen schenkte er die Gnade des Lebens.

Die beiden, die sich auf der Heide getroffen hatten, waren Abkömmlinge solcher Gefangenen des Waldes. Sie gingen manchmal hinunter in die bebauten, bewohnten Täler, denn sie brauchten nicht mehr zu befürchten, in die Knechtschaft zurückgeführt zu werden, aus der ihre Väter geflohen waren; doch am liebsten nahmen sie den Weg durch das Waldesdunkel. Der Name des Schützen war Tönne. Sein eigentliches Handwerk war, den Boden urbar zu machen, aber er verstand sich auch auf andere Dinge. Er sammelte Reisig, kochte Teer, trocknete Schwämme und ging oft auf die Jagd. Sie, die tanzte, hieß Jofrid. Ihr Vater war Köhler. Sie band Besen, pflückte Wacholderbeeren und braute Bier aus dem weißblumigen Porsch. Beide waren sehr arm.

Früher hatten sie einander in dem großen Wald nie getroffen, aber jetzt deuchte sie, daß alle Wege des Waldes sich zu einem Netz verschlängen, in dem sie hin und her liefen und einander unmöglich vermeiden konnten. Nie wußten sie nun einen Pfad zu wählen, auf dem sie einander nicht begegneten.

Tönne hatte einmal einen großen Kummer gehabt. Er hatte lange mit seiner Mutter in einer elenden Reisigkoje gehaust; aber als er heranwuchs, faßte er den Plan, ihr ein warmes Häuschen zu bauen. In allen seinen Mußestunden ging er in den Holzschlag, fällte Bäume und spaltete sie in angemessene Stücke. Dann verbarg er das aufgehäufte Bauholz in dunklen Klüften unter Moos und Reisig. Er hatte im Sinn, daß seine Mutter nicht früher von all der Arbeit erfahren sollte, als bis er so weit war, die Hütte aufzubauen. Aber seine Mutter starb, ehe er ihr zeigen konnte, was er gesammelt hatte, ehe er ihr auch nur zu sagen vermochte, was er tun wollte. Er, der mit demselben Eifer gearbeitet hatte wie David, Israels König, als er Schätze für Gottes Tempel sammelte, trauerte bitterlich. Er verlor alle Lust an dem Bau. Für ihn war die Reisigkoje gut genug. Und doch hatte er's nicht viel besser in seinem Heim als ein Tier in seiner Höhle.

Als nun er, der bisher immer allein umhergeschlichen war, Lust bekam, Jofrids Gesellschaft zu suchen, bedeutete dieser Wunsch wohl sicherlich, daß er sie gern zur Liebsten und Braut haben wollte. Jofrid erwartete auch täglich, daß er mit ihrem Vater oder mit ihr selbst von der Sache sprechen werde. Aber Tönne brachte es nicht über sich. Man merkte ihm an, daß er von unfreier Abkunft war. Die Gedanken bewegten sich langsam in seinem Kopf wie die Sonne, wenn sie über das Himmelszelt zieht. Und schwerer war es für ihn, diese Gedanken zu zusammenhängender Rede zu formen, als für einen Schmied, einen Armreif aus rollenden Sandkörnern zu schmieden.

Eines Tages führte Tönne Jofrid zu einer der Schluchten, wo er sein Bauholz verborgen hatte. Er riß Zweige und Moos fort und zeigte ihr die abgehauenen Stämme. »Das hätte Mutter haben sollen«, sagte er. Und sah Jofrid erwartungsvoll an. »Dies hätte Mutters Hütte werden sollen«, wiederholte er. Merkwürdig schwer fiel es dieser Jungfrau, die Gedanken eines jungen Gesellen zu fassen. Da er ihr Mutters Bauholz zeigte, hätte sie doch verstehen müssen; aber sie verstand nicht.

Da beschloß er, ihr seine Absicht noch deutlicher zu erklären. Ein paar Tage später begann er, die Stämme zu der Stelle zwischen den Grabhügeln zu schleppen, wo er Jofrid zum ersten Male gesehen hatte. Sie kam, wie gewöhnlich, heran und sah ihn arbeiten. Sie ging jedoch weiter, ohne etwas zu sagen. Seit sie Freunde geworden waren, war sie ihm oft an die Hand gegangen, aber bei dieser schweren Arbeit schien sie ihm nicht helfen zu wollen. Tönne meinte doch, sie hätte verstehen müssen, daß es ihre Hütte war, die er jetzt zimmern wollte.

Sie verstand es ganz wohl, aber sie spürte keine Lust, sich einem Mann von Tönnes Art zu schenken. Sie wollte einen starken, gesunden Mann haben. Es schien ihr ein schlechtes Auskommen zu versprechen, wenn sie sich mit einem verheiratete, der so schwach und wenig begabt war. Und doch zog viel sie zu diesem stillen, scheuen Mann. Man denke doch, daß er sich so hart geplagt hatte, um seine Mutter zu erfreuen, und nicht das Glück genossen hatte, zur Zeit fertigzuwerden. Sie hätte über sein Schicksal weinen können. Und nun baute er die Hütte gerade da, wo er sie tanzen gesehen hatte. Er hatte ein gutes Herz. Und das lockte sie und band ihre Gedanken an ihn; aber sie wollte durchaus nicht seine Frau werden.

Jeden Tag ging sie über die Heide und sah die Hütte aufragen, dürftig und ohne Fenster; der Sonnenschein rieselte durch die undichten Wände.

Tönnes Arbeit ging sehr rasch vorwärts; aber er arbeitete nicht sorgfältig, sein Bauholz war nicht in Kanten behauen, kaum abgerindet. In die Diele legte er gespaltene junge Bäume. Sie wurde sehr uneben und schwankend. Das Heidekraut, das darunter blühte – denn es war nun ein Jahr seit dem Tag vergangen, an dem Tönne hinter König Atles Hügel gelegen und geschlafen hatte –, steckte ganz verwegen seine roten Trauben durch die Ritzen, und die Ameisen wanderten unbehindert aus und ein und musterten dies gebrechliche Menschenwerk.

Wohin Jofrid auch in diesen Tagen ihre Schritte lenken mochte: immer schwebte ihr der Gedanke vor, daß dort eine Hütte für sie erbaut würde. Ein eigenes Heim ward ihr bereitet, dort oben auf der Heide. Und sie wußte, daß, wenn sie nicht als Hausmutter einzog, der Bär oder der Fuchs dort hausen mochte. Denn so gut kannte sie Tönne, daß sie begriff: Wenn es sich zeigte, daß er vergeblich gearbeitet hatte, würde er niemals in die neue Hütte einziehen. Er würde weinen, der Arme, wenn er hörte, daß sie nicht dort hausen wolle. Es würde ein neuer Kummer für ihn sein, ebenso groß wie damals, als seine Mutter starb. Aber er mußte wohl sich selbst die Schuld geben; warum hatte er sie nicht rechtzeitig gefragt?

Sie glaubte, daß sie ihm schon dadurch ein Zeichen gab, daß sie ihm nie bei der Hütte half. Dazu hatte sie doch große Lust. Jedesmal wenn sie weiches weißes Moos sah, wollte sie es ausraufen, um es in die lecken Wände zu stopfen. Sie war auch geneigt, Tönne beim Mauern des Herdes zu helfen. Wie er dabei verfuhr, mußte sich ja aller Rauch in der Hütte sammeln. Aber es war ja gleichgültig, wie es da wurde. Da würde keine Speise kochen, kein Trank sieden. Dumm war's doch, daß diese Hütte niemals aus ihren Gedanken weichen wollte.

Tönne arbeitete mit glühendem Eifer; er war gewiß, daß Jofrid die Absicht verstehen mußte, sobald nur die Hütte fertig war. Er grübelte nicht viel über sie nach. Er hatte vollauf mit Holzspalten und Zimmern zu tun. Die Zeit verging rasch.

Eines Nachmittags, als Jofrid über die Heide ging, sah sie, daß eine Tür an die Hütte gekommen war und eine Steinplatte als Schwelle dalag. Da begriff sie, daß alles nun fertig sei, und sie ward sehr erregt. Tönne hatte das Dach mit Büschen und blühendem Heidekraut gedeckt; und eine starke Sehnsucht ergriff sie, unter dieses rote Dach zu treten. Er selbst war nicht bei dem Neubau, und sie entschloß sich, hineinzugehen. Diese Hütte war ja für sie gezimmert. Sie war ihr Heim. Jofrid konnte der Lust nicht widerstehen, sie anzusehen.

Drinnen sah es traulicher aus, als sie erwartet hatte. Wacholder war über den Boden gestreut. Frischer Duft von Nadeln und Harz füllte den Raum. Die Sonnenstrahlen, die durch Luken und Spalten hereinspielten, spannen goldene Bänder durch die Luft. Es sah da aus, als würde sie erwartet; in die Mauerspalten waren grüne Zweige gesteckt, und auf dem Herd stand eine frischgefällte Tanne. Tönne hatte nicht sein altes Hausgerät hineingestellt. Da war nur ein neuer Tisch und eine Bank, über die eine Elenhaut geworfen war.

Kaum war Jofrid über die Schwelle getreten, fühlte sie sich schon von dem fröhlichen Behagen eines Heims umgeben. Friedlich und ruhig ward ihr zumute, als sie so stand: von dort zu scheiden, schien ihr ebenso schwer, wie fortzugehen, und bei Fremden zu dienen. Jofrid hatte vielen Fleiß darauf gewandt, sich eine Art Aussteuer zu schaffen. Sie hatte mit kunstfertigen Händen Tücher gewebt, wie man sie braucht, um eine Stube zu schmücken; die wollte sie in ihrem eignen Heim aufhängen, wenn sie eins bekam. Nun mußte sie denken, wie sich diese Tücher wohl hier ausnehmen würden. Sie hätte sie gern in der neuen Hütte probiert.

Rasch eilte sie heimwärts, holte ihren Leinwandschatz und begann, die farbenprächtigen Stoffstücke unter der Decke aufzuhängen. Sie stieß die Tür auf, so daß die helle Abendsonne auf sie und ihre Arbeit fiel. Sie regte sich eifrig in der Stube, geschäftig und munter, ein Heldenliedchen trällernd. Von Herzen froh war sie. Es wurde gar prächtig da drinnen. Die gewebten Rosen und Sterne leuchteten wie nie zuvor.

Während sie arbeitete, hielt sie gute Ausschau über die Heide und die Hünengräber. Vielleicht kauerte Tönne jetzt hinter einem der Grabhügel und lachte sie aus. Der Königshügel lag gerade vor der Tür, und dahinter sah sie eben die Sonne versinken. Immer wieder blickte sie hin. Ihr war, als müsse dort jemand sitzen und sie betrachten.

Gerade als die Sonne so tief unten war, daß nur noch ein paar blutrote Strahlen über die alte Steinhalde spielten, sah sie, wer es war, der sie betrachtete. Der ganze Hügel war kein Hügel mehr, sondern ein großer, alter Kämpe, der narbig und ergraut dasaß und sie anstarrte. Rings um sein Haupt bildeten die Sonnenstrahlen eine Krone, und sein roter Mantel war so weit, daß er sich über die ganze Heide ausbreitete. Sein Haupt war groß und schwer, das Antlitz grau wie Stein. Seine Kleider und Waffen waren auch steinfarben und ahmten so genau die Tönung und das Moosflechtenkleid der Steine nach, daß man sehr scharf hinsehen mußte, um zu merken, daß es ein Kämpe und kein Steinhaufen war. Es war wie mit jenen Würmern, die Baumzweigen gleichen. Man kann zehnmal an ihnen vorbeigehen, ehe man merkt, daß, was man für hartes Holz gehalten hat, ein weicher Tierkörper ist.

Aber Jofrid konnte sich nicht länger darüber täuschen, daß es der alte König Atle selbst war, der da saß. Sie stand in der Tür, hielt die Hand beschattend über die Augen und sah ihm gerade in sein Steingesicht. Er hatte sehr kleine, schräge Augen unter seiner hochgewölbten Stirn, eine breite Nase und einen zottigen Bart. Und er lebte, dieser steinerne Mann. Er lächelte und blinzelte ihr zu. Angst und bang wurde ihr; und am meisten erschreckten sie seine dicken Arme mit den steifen Muskeln und die haarigen Hände. Je länger sie ihn ansah, desto breiter wurde sein Lächeln; und endlich hob er einen seiner mächtigen Arme, um sie zu sich zu winken. Da floh Jofrid heimwärts.

Aber als Tönne nach Haus kam und die Hütte mit bunten Tüchern geschmückt fand, faßte er so großen Mut, daß er seinen Fürbitter zu Jofrids Vater schickte. Der fragte Jofrid um ihre Meinung, und sie willigte ein. Sie war sehr zufrieden mit der Wendung, die die Sache genommen hatte; wenn sie ihre Hand auch halb gezwungen schenkte. Sie konnte dem Mann doch nicht nein sagen, in dessen Hütte sie schon ihre Aussteuer getragen hatte. Doch sah sie zuerst nach, ob der alte König Atle wieder ein Grabhügel geworden sei.

Tönne und Jofrid lebten viele Jahre glücklich. Sie standen in gutem Ruf. »Das sind gute Menschen«, sagte man. »Seht, wie sie einander beistehen, wie sie zusammen arbeiten, seht, wie eins nicht ohne das andere leben kann!«

Tönne wurde mit jedem Tag stärker, ausdauernder und weniger träge von Gedanken. Jofrid schien einen ganzen Mann aus ihm gemacht zu haben. Meist ließ er sie entscheiden; aber er verstand es auch, mit zäher Hartnäckigkeit seinen eigenen Willen durchzusetzen.

Wo Jofrid sich auch zeigte, gab es Scherz und Fröhlichkeit. Ihre Kleider wurden immer bunter, je älter sie wurde. Das ganze Gesicht war grellrot. Aber in Tönnes Augen war sie lieblich.

Sie waren nicht so arm wie mancher andere ihres Standes. Sie aßen Butter zur Grütze und mengten weder Kleie noch Baumrinde ins Brot. Das Porschbier schäumte in ihren Humpen. Ihre Schaf- und Ziegenherden vermehrten sich so rasch, daß sie sich Fleischnahrung gönnen konnten.

Einmal machte Tönne für einen Bauern drunten im Tal den

Boden urbar. Als der sah, wie Tönne und seine Frau in großer Fröhlichkeit zusammen arbeiteten, dachte auch er: »Das sind gute Menschen.« Der Bauer hatte jüngst seine Ehefrau verloren, die ihm ein halbjähriges Kind hinterlassen hatte. Er bat Tönne und Jofrid, seinen Sohn in Pflege zu nehmen. »Das Kind ist mir sehr teuer«, sagte er, »drum gebe ich es euch, denn ihr seid gute Menschen.« Sie hatten keine eigenen Kinder, so daß es sehr schicklich schien, dieses zu nehmen. Sie willigten auch ohne Zögern ein. Sie meinten, Vorteil davon zu haben, wenn sie das Kind eines Bauern aufzogen; auch erwarteten sie sich von einem Pflegesohn Freude für ihre alten Tage.

Aber das Kind wurde nicht alt bei ihnen. Ehe das Jahr um war, war es tot. Dies sei die Schuld der Pflegeeltern, sagten viele, denn das Kind war ganz frisch und gesund gewesen, bevor es zu ihnen kam. Damit wollte aber niemand sagen, sie hätten es vorsätzlich getötet; man meinte nur, daß sie etwas auf sich genommen hätten, was über ihr Vermögen gegangen war. Sie hatten nicht Verstand oder Liebe genug gehabt, um dem Kind die Pflege angedeihen zu lassen, deren es bedurfte. Sie hatten sich gewöhnt, nur an sich selbst zu denken und für ihr eignes Wohl zu sorgen. Sie hatten nicht Zeit, ein Kind zu betreuen. Sie wollten am Tage zusammen an die Arbeit gehen und nachts einen ruhigen Schlummer schlafen. Sie fanden, daß der Kleine zuviel von der guten Milch trinke, und sie gönnten es ihm nicht so wie sich selbst. Sie wußten aber nicht etwa, daß sie den Knaben schlecht behandelten. Sie dachten, daß sie geradeso für ihn sorgten wie rechte Eltern. Eher kam es ihnen vor, daß der Pflegesohn eine Strafe und Plage für sie gewesen war. Sie trauerten nicht über seinen Tod.

Frauen pflegen ihre Lust und Herzensfreude daran zu haben, mit Kindern umzugehen; aber Jofrid hatte einen Mann, für den sie in vielen Stücken die Sorge einer Mutter tragen mußte, und begehrte deshalb nicht, noch anderes zu betreuen. Gern sehen Frauen sonst auch die raschen Fortschritte der Kleinen; aber Jofrid hatte Freude genug, wenn sie sah, wie Tönne sich zu Verstand und Männlichkeit entwickelte; sie freute sich an der Zunahme der Herden und an dem Anbau unten auf der Heide.

Jofrid ging auf den Hof des Bauern und sagte ihm, daß das Kind gestorben sei. Da sprach der Mann: »Nun ist es mir ergangen wie dem, der so weiche Kissen in sein Bett legt, daß er bis auf den harten Grund sinkt. Gar zu gut wollte ich meinen Sohn hüten; und siehe: nun ist er tot!« Und er war betrübt.

Bei seinen Worten begann Jofrid bitterlich zu weinen. »Wollte Gott, daß du uns deinen Sohn nicht gegeben hättest!« sagte sie. »Wir waren zu arm. Er hat es nicht gut genug bei uns gehabt.«

»Dies wollte ich nicht sagen«, antwortete der Bauer. »Eher glaube ich, daß ihr das Kind verhätschelt habt. Doch ich will keinen Menschen anklagen; denn über Leben und Tod gebietet Gott allein. Nun ist es mein Wille, den Leichenschmaus meines einzigen Sohnes mit demselben Aufwand zu feiern, als wenn ein Erwachsener gestorben wäre; und zum Gastmahl lade ich Tönne und dich. Daraus mögt ihr sehen, daß ich keinen Groll gegen euch hege.«

So wohnten Tönne und Jofrid dem Leichenschmaus bei. Sie wurden freundlich bewirtet, und niemand sagte ihnen ein böses Wort. Wohl hatten die Frauen, die die Leiche entkleideten, erzählt, daß sie jämmerlich abgefallen sei und Spuren schwerer Vernachlässigung gezeigt habe. Das konnte aber wohl auch von der Krankheit herkommen. Niemand wollte Schlechtes von den Pflegeeltern glauben, denn man wußte, daß sie gute Menschen waren.

Jofrid weinte viel in diesen Tagen; namentlich, als sie die Frauen erzählen hörte, wie sie bei ihren kleinen Kindern wachen und sich für sie plagen müßten. Sie merkte auch, daß bei dem Leichenschmaus unter den Weibern beständig von Kindern gesprochen wurde. Einige hatten solche Freude an ihnen, daß sie gar nie aufhören konnten, von ihren Fragen und Spielen zu erzählen. Jofrid hätte gern von Tönne gesprochen; aber die meisten Frauen sprachen gar nicht von ihren Männern.

Spät abends kehrten Jofrid und Tönne von dem Leichenschmaus heim. Sie gingen sogleich zu Bett. Aber kaum waren sie eingeschlafen, als sie von einem leisen Wimmern geweckt wurden. Das ist das Kind, dachten sie, noch halb schlafend, und waren unwillig über die Störung. Aber plötzlich setzten sie sich beide im Bett auf. Das Kind war doch tot. Woher kam dieses Wimmern? Wenn sie ganz wach waren, hörten sie nichts; aber sobald sie einzuschlummern begannen, vernahmen sie es wieder. Kleine, schwache Füßchen hörten sie über die Steinplatte vor der Hütte gehen, ein kleines Händchen tastete an der Tür, und da sie nicht offen war, wanderte das Kind wimmernd und tappend die Wand entlang, bis es vor ihrer Lagerstätte stehenblieb. Wenn sie sprachen oder sich im Bett aufsetzten, vernahmen sie nichts; aber wenn sie einschlummern wollten, hörten sie deutlich die unsicheren Schritte und das erstickte Schluchzen.

Was sie nicht glauben wollten, was ihnen aber in den letzten Tagen als Möglichkeit vor Augen gestanden hatte: nun wurde es ihnen zur Gewißheit, daß sie das Kind getötet hatten. Wie hätte es sonst umgehen können?

Von dieser Nacht an war alles Glück von ihnen gewichen. Sie lebten in steter Furcht vor dem Gespenst. Tagsüber hatten sie wohl einige Ruhe, aber in den Nächten wurden sie von dem Weinen und dem erstickten Schluchzen des Kindes so gestört, daß sie nicht wagten, allein zu liegen. Jofrid ging oft weit über Land, um einen Menschen zu holen, der über Nacht in ihrer Hütte bleiben konnte. Kam ein Fremder, so hatten sie Ruhe; aber sobald sie allein waren, hörten sie das Kind.

In einer Nacht, für die sie keinen Gast gefunden hatten und die sie, des Kindes wegen, wieder schlaflos verbrachten, stand Jofrid aus dem Bett auf.

»Schlaf du nur, Tönne«, sagte sie. »Wenn ich mich wach halte, wird sich nichts hören lassen.«

Sie ging aus dem Haus, setzte sich auf die Türschwelle und überlegte, was sie tun sollten, um Ruhe zu finden; denn so konnten sie nicht weiterleben. Sie fragte sich, ob Beichte und Buße, Demütigung und Reue sie von dieser schweren Heimsuchung befreien könnten.

Da begab es sich, daß sie die Augen aufschlug und dieselbe Erscheinung sah wie schon einmal zuvor von dieser Stelle. Der Grabhügel war zu einem Kämpen geworden. Es war eine dunkle Nacht; dennoch konnte sie deutlich sehen und vernehmen, daß der alte König Atle dasaß und sie betrachtete. Sie sah ihn so genau, daß sie die mit Moos bewachsenen Armringe an seinen Handgelenken unterschied und wahrnehmen konnte, daß seine Beine mit gekreuzten Bändern umwickelt waren, zwischen denen die Wadenmuskeln schwollen.

Diesmal hatte sie keine Angst vor dem Alten. Er schien ihr ein Freund und Tröster im Unglück. Er sah sie gleichsam mitleidig an, als wolle er ihr Mut einflößen. Da dachte sie, daß dieser gewaltige Held einst seinen Tag gehabt hatte, an dem er die Feinde in Scharen auf die Heide niederstreckte und in den Blutströmen watete, die zwischen den Hügeln brausten. Was hatte er da nach einem toten Manne mehr oder weniger gefragt? Wie tief hatte das Seufzen der Kinder, deren Väter er erschlagen hatte, sein Steinherz gerührt? Federleicht hätte die Bürde von eines Kindes Tod auf seinem Gewissen gelegen.

Und sie vernahm sein Flüstern, dieselbe Weise, die das alte, steinkalte Heidentum zu allen Zeiten geflüstert hat. »Warum bereuen? Die Götter lenken das Geschick. Die Nornen spinnen des Lebens Faden. Warum sollten die Kinder der Erde trauern, daß sie getan, was die Unsterblichen sie zu tun zwangen?«

Da ermannte sich Jofrid und sagte zu sich selbst: »Was konnte ich dafür, daß das Kind starb? Gott allein ist's, der alles lenkt. Nichts geschieht ohne seinen Willen.« Und sie dachte, daß sie das Gespenst am besten abwehren werde, wenn sie alle Reue von sich fernhielt.

Aber da öffnete sich die Haustür, und Tönne kam zu ihr heraus. »Jofrid«, sagte er, »es ist jetzt in der Hütte. Es kam heran und klopfte an den Bettrand und weckte mich. Was sollen wir tun, Jofrid?«

»Das Kind ist ja tot«, sagte Jofrid. »Du weißt, daß es tief unter der Erde liegt. Das alles sind nur Träume und Hirngespinste.« Sie sprach hart und abweisend, denn sie fürchtete, daß Tönne in dieser Sache zu weichherzig sein und sie dadurch ins Unglück stürzen könne.

»Wir müssen ein Ende machen«, sagte Tönne.

Jofrid lachte grell auf. »Was willst du tun? Gott hat es uns auferlegt. Konnte er das Kind nicht am Leben erhalten, wenn er wollte? Er wollte es nicht; und jetzt verfolgt er uns um seines Todes willen. Sage mir, mit welchem Recht er uns verfolgt?«

Sie hatte ihre Worte von dem alten Steinkämpen, der finster und hart auf seinem Hügel saß. Es war, als habe er ihr alles eingegeben, was sie Tönne erwiderte.

»Wir müssen eingestehen, daß wir das Kind vernachlässigt haben, und Buße tun«, sagte Tönne.

»Niemals will ich für etwas leiden, das nicht meine Schuld ist«, sagte Jofrid. »Wer wollte, daß das Kind sterbe? Ich nicht, ich nicht. Welche Art von Buße willst du denn tun? Willst du dich geißeln oder fasten, wie die Mönche? Mich dünkt, du kannst deine Kräfte zur Arbeit brauchen.«

»Mit dem Geißeln habe ich es schon probiert«, sagte Tönne. »Es nützt nichts.«

»Siehst du!« sagte sie und lachte wieder.

»Da tut anderes not«, fuhr Tönne mit beharrlicher Entschlossenheit fort. »Wir müssen gestehen.«

»Was willst du Gott sagen, das er nicht schon wüßte?«

höhnte Jofrid. »Lenkt nicht er deine Gedanken? Was willst du ihm sagen?« Sie fand jetzt, daß Tönne dumm und eigensinnig sei. So hatte sie ihn zu Beginn ihrer Bekanntschaft gefunden; aber dann hatte sie nicht mehr daran gedacht, sondern ihn lieb gehabt wegen seines guten Herzens.

»Wir müssen dem Vater unsere Schuld gestehen, Jofrid, und ihm Buße bieten.«

»Was willst du ihm bieten?« fragte sie.

»Die Hütte und die Ziegen.«

»Sicherlich fordert er volle Mannesbuße für seinen einzigen Sohn. Die läßt sich mit allem, was wir besitzen, nicht bezahlen.«

»Wir wollen uns selber als Knechte in seine Gewalt geben, wenn er sich nicht mit weniger zufrieden gibt.«

Bei diesen Worten packte Jofrid kalte Verzweiflung, und sie haßte Tönne aus der Tiefe ihrer Seele. Alles, was sie verlieren mußte, stand klar vor ihr. Die Freiheit, für die einst die Ahnen das Leben gewagt, die Hütte, den Wohlstand, Ehre und Glück. »Merke meine Worte wohl, Tönne«, sagte sie heiser, halberstickt von Schmerz, »der Tag, an dem du solches tust, ist mein Todestag.«

Dann ward kein Wort mehr zwischen ihnen gewechselt; aber sie blieben auf der Türschwelle sitzen, bis der Tag anbrach. Keiner fand ein Wort, um zu begütigen und zu versöhnen. Beide fürchteten und verachteten einander. Eins maß das andere mit dem Maß seines Zorns und fand es engherzig und böse.

Seit dieser Nacht ließ Jofrid Tönne oft ihre Überlegenheit fühlen. Sie gab ihm in der Gegenwart Fremder zu verstehen, daß er einfältig sei, und half ihm bei der Arbeit so, daß er ihre Kraft erkennen mußte. Sie wollte ihm offenbar die Hausherrngewalt nehmen. Manchmal stellte sie sich sehr froh, um ihn zu zerstreuen und von seinen Grübeleien abzulenken. Er hatte noch nichts getan, um seinen Plan ins Werk zu setzen, aber sie glaubte nicht, daß er ihn aufgegeben habe.

In dieser Zeit wurde Tönne mehr und mehr, wie er vor seiner Heirat gewesen war. Er wurde mager und bleich, wortkarg und träg von Gedanken. Jofrids Verzweiflung ward mit jedem Tag größer, denn es war, als sollte ihr nun alles genommen werden. Doch kam ihre Liebe zu Tönne wieder, als sie ihn unglücklich sah. »Was gilt mir alles, wenn Tönne zugrunde geht?« dachte sie. »Es ist besser, mit ihm in der Knechtschaft zu leben, als ihn als Freien sterben zu sehen.«

Jofrid konnte sich jedoch nicht so plötzlich überwinden, Tönne zu gehorchen. Sie kämpfte einen langen und schweren Kampf. Aber eines Morgens, als sie erwachte, war ihr ungewöhnlich ruhig und mild zumute. Da war ihr, als könne sie nun tun, was er forderte. Und sie weckte ihn und sagte, daß es jetzt so werden solle, wie er wollte. Nur diesen einzigen Tag möge er ihr gönnen, damit sie von all dem Ihren Abschied nehmen könne.

Den ganzen Vormittag ging sie seltsam sanft umher. Leicht kamen ihr Tränen in die Augen, wie einem, der Abschied nimmt. Ihr schien, die Heide habe sich an diesem Tag, ihr zuliebe, besonders schön geschmückt. Der Frost war über sie hingezogen, die Blumen waren verschwunden, und das ganze Feld trug ein braunes Kleid. Aber als die Sonne des Herbsttags ihre schrägen Strahlen darüber hingleiten ließ, war es, als erglühe das Heidekraut aufs neue rot. Und sie gedachte des Tages, an dem sie Tönne zum erstenmal gesehen hatte.

Sie wünschte, daß sie den alten König noch einmal schauen dürfe; denn er hatte ja mitgeholfen, ihr Glück zu schaffen. Sie hatte sich in der letzten Zeit ernstlich vor ihm gefürchtet. Es war, als lauerte er darauf, sie zu packen. Aber jetzt konnte er keine Macht mehr über sie haben, meinte sie. Sie wollte aufmerken, ob sie ihn nicht sehen konnte, abends, wenn der Mondschein kam.

Um die Mittagszeit kamen ein paar umherwandernde Spielleute vorbeigezogen. Da hatte Jofrid den Einfall, sie zu bitten, den ganzen Nachmittag in ihrem Hause zu bleiben; denn nun wollte sie ein Fest feiern. Tönne mußte schnell zu ihren Eltern gehen und sie bitten, zu kommen. Dann liefen ihre kleinen Geschwister weiter ins Dorf hinab, um Gäste zu holen. Bald waren viele Menschen versammelt.

Die Fröhlichkeit war groß. Tönne hielt sich abseits in einer Ecke der Hütte, wie es seine Gewohnheit war, wenn Besuch kam; aber Jofrid war beinahe wild in ihrer Fröhlichkeit. Mit gellender Stimme führte sie die Tanzspiele an und bot eifrig den Gästen das schäumende Bier. Eng war es in der Stube, aber die Spielleute waren flink, und der Tanz hatte Leben und Lust. Es wurde erstickend heißt dort drinnen. Man stieß die Tür auf; und nun sah Jofrid erst, daß die Nacht angebrochen und der Mond aufgegangen war. Da trat sie in die Haustür und blickte in die weiße Welt des Mondscheins hinaus.

Es war starker Tau gefallen. Die ganze Heide war weiß, weil sich das Mondlicht in den zahllosen Tropfen spiegelte, die sich auf allen Zweiglein gesammelt hatten. Das kurze Moos, das ringsum auf Felsplatten und Steinen wuchs, war schon gefroren und von Reif bedeckt. Jofrid stieg hinab; wohlig schwankend war's unter dem Fuß. Sie ging ein paar Schritte über den Pfad, der ins Dorf hinabführte, gleichsam als wolle sie prüfen, welches Gefühl es sei, da zu gehen. Tönne und sie sollten am nächsten Tag Hand in Hand hier wandern; in tiefste Schmach hinein. Denn wie auch die Begegnung mit dem Bauern ablief, was er auch nahm und was er sie behalten ließ: sicherlich war Schmach ihr Los. Die an diesem Abend eine gute Hütte und viele Freunde hatten, würden am nächsten Tag von allen verabscheut sein, vielleicht auch all dessen beraubt, was sie erworben hatten, vielleicht sogar ehrlose Knechte. Sie sagte zu sich selbst: »Dies ist der Weg des Todes.« Und nun konnte sie nicht fassen, wie sie die Kraft haben sollte, ihn zu wandeln. Ihr war, als sei sie von Stein, eine schwere Steingestalt wie der alte König Atle. Trotzdem sie lebte, hatte sie das Gefühl, ihre schweren Steinglieder nicht regen zu können, um diesen Weg zu gehen.

Sie wendete ihre Blicke dem Königshügel zu und sah deutlich den alten Kämpen da sitzen. Aber in dieser Nacht war er wie zum Fest geschmückt. Er trug nicht mehr das graue, mit Moos bewachsene Steingewand, sondern weißes, schimmerndes Silber. Auch schmückte ihn wieder eine Krone von Strahlen, wie damals, als sie ihn zuerst sah; aber diese Krone war weiß. Und weiß leuchteten Brustplatte und Armring, glitzernd weiß waren Schwertgriff und Schild. Er saß da und betrachtete sie in stummer Gleichgültigkeit. Das seltsam Unergründliche, das in großen Steingesichtern liegt, hatte sich nun auf ihn herabgesenkt. Da thronte er dunkel und mächtig; und Jofrid hatte die unklare Vorstellung, daß er ein Bild von etwas sei, was in ihr lag und in allen Menschen, etwas, das in fernen Jahrhunderten begraben war, von vielen Steinen bedeckt und dennoch nicht tot. Sie sah ihn, den alten König, mitten im Menschenherzen sitzen. Über dessen unfruchtbare Felder breitete er seinen weiten Königsmantel. Da tanzte die Genußsucht, da jubelte das Prachtverlangen. Er war der große Steinheld, der Not und Armut vorüberwandern sah, ohne daß sein Steinherz gerührt ward. »Die Götter wollen es so«, sagte er. Er war der starke steinerne Mann, der ungesühnte Sünde tragen konnte, ohne zu wanken. Stets sagte er: »Warum trauern, da das, was du tatest, dir doch von den Unsterblichen aufgezwungen ward?«

Jofrids Brust hob sich in einem Seufzer, der tief wie ein

Schluchzen war. In ihr lebte eine Ahnung, die sie sich nicht klarzumachen vermochte, eine Ahnung, daß sie mit dem steinernen Mann kämpfen müsse, wenn sie glücklich werden sollte. Aber zu gleicher Zeit fühlte sie sich so hilflos schwach. Ihre Unbußfertigkeit und der Steinheld auf der Heide schienen ihr ein und dasselbe, und konnte sie jene nicht besiegen, so würde dieser in irgendeiner Weise Macht über sie erlangen.

Sah sie nun wieder zu der Hütte hin, wo die Tücher unter den Dachbalken schimmerten, wo die Spielleute Fröhlichkeit verbreiteten, und wo alles war, was sie liebte, dann fühlte sie, daß sie nicht in die Knechtschaft gehen konnte. Nicht einmal Tönne zuliebe. Sie sah sein blasses Antlitz in der Hütte und fragte sich mit zusammengekrampftem Herzen, ob er verdiene, daß sie ihm alles opfere.

Aber drinnen in der Hütte hatten sich die Leute zu einem Reigentanz aufgestellt. Sie ordneten sich in einer langen Reihe, faßten einander bei den Händen und stürzten, mit einem wilden, starken, jungen Gesellen an der Spitze, in rasender Eile vorwärts. Der Anführer zog sie durch die offne Tür hinaus auf die im Mondschein glitzernde Heide. Sie stürmten an Jofrid vorbei, keuchend und wild; strauchelten über Steine, sanken ins Heidekraut, zogen weite Kreise rings um die Hütte. Der letzte in der Reihe rief Jofrid an und streckte ihr die Hand entgegen. Sie faßte sie und lief mit.

Das war kein Tanz, nur ein wahnsinniges Hinstürmen. Doch Fröhlichkeit war darin, Lebenslust und Übermut. Immer kühner wurden die Schwenkungen, immer lauter tönten die Rufe, immer stürmischer ward das Lachen. Von Hünengrab zu Hünengrab, wie sie da über die Heide zerstreut lagen, schlang sich die Reihe der Tanzenden. Wer bei den heftigen Schwenkungen niederfiel, wurde wieder emporgerissen, der Langsame vorwärtsgezogen. Die Spielleute standen in der Haustür und lockten zu immer wilderem Taumel. Da war keine Zeit, zu ruhen, zu denken, sich vorzusehen. In immer tollerer Hast ging der Tanz über schwankes Moos und glatte Felsplatten.

Bei alledem empfand Jofrid immer deutlicher, daß sie die Freiheit behalten mußte, daß sie lieber sterben, als sie verlieren wollte. Sie merkte, daß sie Tönne nicht folgen konnte. Sie dachte daran, zu fliehen, fort in den Wald zu eilen und niemals wiederzukommen.

Alle Hügel hatten sie jetzt umkreist, bis auf den König Atles. Jofrid sah, daß es jetzt zu diesem hinaufging, und sie hielt die

Blicke scharf auf den mächtigen Mann geheftet. Da sah sie, wie sich seine Riesenarme nach den Hinstürmenden ausstreckten. Sie schrie laut auf; doch nur ein schallendes Gelächter antwortete ihr. Sie wollte stehenbleiben; aber eine starke Faust riß sie weiter. Sie sah ihn nach den Vorbeieilenden greifen, aber so hurtig waren sie, daß die schweren Arme keinen von ihnen erreichen konnten. Unfaßlich war ihr, daß niemand ihn sah. Todesangst kam über sie. Sie wußte, daß er sie erreichen werde. Auf sie hatte er gelauert, seit vielen Jahren. Mit den anderen trieb er nur sein Spiel.

Ihrer würde er sich nun endlich bemächtigen.

Jetzt kam an sie die Reihe, an König Atle vorbeizueilen. Sie sah, wie er sich erhob, sich dann zum Sprung duckte, um ernst zu machen und sie zu fangen. In dieser höchsten Not fühlte sie: wenn sie sich jetzt entschloß, am nächsten Morgen die schwere Wanderung anzutreten, hatte er nicht die Macht, sie zu packen. Aber sie konnte nicht. Sie kam zuletzt, und die Drehungen waren nun so heftig, daß sie mehr geschleppt und gezogen wurde, als daß sie selbst lief, und Mühe hatte, nicht zu Boden zu fallen. Doch obgleich sie in der rasendsten Eile dahinwirbelte, war der alte Kämpe noch rascher. Die schweren Arme senkten sich auf sie hinab, die steinernen Hände ergriffen sie, zogen sie an die mit silberblankem Harnisch bedeckte Brust. Immer schwerer legte sich die Todesangst auf sie; aber sie wußte noch bis zuletzt: nur weil sie den Steinkönig im eigenen Herzen nicht zu besiegen vermocht hatte, war König Atle Gewalt über sie gegeben.

Nun war es zu Ende mit Tanz und Fröhlichkeit. Jofrid lag im Sterben. Sie war in dem rasenden Lauf an den Königshügel geschleudert worden und hatte von seinen Steinen den Todesstoß empfangen.

Eine Herrenhofsage

I

Es war ein schöner Herbsttag Ende der dreißiger Jahre des neunzehnten Jahrhunderts. Zu jener Zeit stand in Upsala ein hohes, gelbes, einstöckiges Haus merkwürdig einsam draußen vor der Stadt auf einer kleinen Wiese. Es war eigentlich ein häßliches, wenig einladendes Haus, aber es wurde verschönt durch eine Fülle von wildem Wein, der daran hinaufwuchs und auf der Sonnenseite an der gelben Mauer so hoch hinaufkletterte, daß er um die drei Fenster im oberen Stockwerk einen dichten Rahmen bildete.

In einem Zimmer hinter einem dieser von Ranken umsponnenen Fenster saß ein Student und trank seinen Morgenkaffee. Es war ein großer, hübscher Mensch von feinem Aussehen. Sein lockiges Haar war von der Stirn keck zurückgestrichen, und eine Locke fiel ihm immer wieder auf die Stirne herein. Er trug einen bequemen losen Anzug, war aber doch ziemlich elegant.

In seinem Zimmer war es sehr hübsch; es gab da ein gutes Sofa und gepolsterte Stühle, einen großen Schreibtisch und prächtige Bücherbretter, aber fast keine Bücher.

Der junge Herr war mit seinem Kaffee noch nicht fertig, als ein Student bei ihm eintrat. Dieser war von ganz anderem Schlag, ein kleiner breitschultriger Mensch, untersetzt und kräftig, häßlich, mit einem großen Gesicht, dünnem Haar und grober Haut.

»Du, Hede«, sagte er, »ich komme, um ein ernstes Wort mit dir zu sprechen.«

»Ist dir etwas Unangenehmes passiert?«

»O nein, durchaus nicht«, sagte der andere. »Es handelt sich eher um dich.« Er schwieg eine Weile und sah vor sich hin. »Es ist verdammt widerwärtig, es zu sagen.«

»Dann schweige«, schlug Hede vor. Bei dem feierlichen Ernst des anderen war es ihm ganz lächerlich zumut geworden.

»Das kann ich eben nicht länger«, sagte der Gast. »Ich hätte schon lange sprechen sollen, aber es paßt sich so wenig für mich, verstehst du? Ich kann den Gedanken nicht loswerden, daß du im stillen sagen könntest: Sieh da, der Gustav Ålin, er ist der Sohn eines unserer Häusler und denkt nun, er sei so groß geworden, daß er mich hofmeistern könne.«

»Aber, liebster Ålin, glaube doch ja nicht, daß ich so etwas denken würde! Mein Großvater war doch auch ein Bauernsohn.«

»Ja, aber daran denkt jetzt niemand mehr«, sagte Ålin. Schwerfällig und unbeholfen saß er vor Hede und fiel mit jedem Augenblick mehr in seine bäuerische Manier zurück, gleich als ob ihm das aus seiner Verlegenheit helfen könnte.

»Siehst du, wenn ich bedenke, welch ein Unterschied zwischen deiner und meiner Familie ist, dann ist es mir, als sollte ich schweigen, wenn mir aber dann einfällt, daß es dein Vater war, der mir seinerzeit zum Studieren verhalf, dann fühle ich, daß ich reden muß.«

Mit einem schönen Ausdruck in den Augen betrachtete ihn Hede.

»Sprich nur«, sagte er, »damit du deine Sorge loswirst.«

»Ja, siehst du«, begann Ålin wieder, »ich habe gehört, daß du nichts arbeitest. Es heißt, du habest in den vier Semestern, die du nun auf der Universität bist, kaum ein Buch aufgemacht. Du tust nichts weiter, als den lieben langen Tag auf der Geige spielen, und das kommt mir gar nicht unglaublich vor, denn du tatest ja auch früher schon, als du noch auf der Schule in Falun warst, nichts anderes, obgleich du damals gezwungen warst, zu arbeiten.«

Hede richtete sich ein wenig steif auf in seinem Stuhl.

Ålin fühlte sich immer unglücklicher, aber mit zäher Entschlossenheit fuhr er fort: »Du denkst wahrscheinlich, wer einen Hof besitze wie Munkhyttan, der dürfe tun, was ihm beliebe, er dürfe arbeiten, wenn er wolle, und es lassen, wenn er wolle. Macht er ein Examen, ist es gut, macht er keins, ist es beinahe ebensogut; denn du willst ja jedenfalls doch nichts anderes werden als ein Gutsherr und dein ganzes Leben lang auf Munkhyttan verbringen. Ja, ich begreife recht wohl, daß du so denkst.«

Hede schwieg, und Ålin erschien er in diesem Augenblick von derselben Mauer von Vornehmheit umgeben, die in Ålins Augen seinen Vater, den Herrn Bergrat, und die Frau Bergrätin, seine Mutter, immer umgeben hatte.

»Aber, siehst du, Munkhyttan ist nicht mehr dasselbe Gut wie früher, wo die Eisengrube noch reiche Ausbeute gab«, fuhr er vorsichtig fort. »Das wußte der Herr Bergrat auch recht gut, und deshalb bestimmte er vor seinem Tod, daß du studieren solltest. Die Frau Bergrätin weiß es auch, die Ärmste, und das ganze Kirchspiel weiß es. Der einzige, der nichts davon weiß, bist du, Hede.«

»Meinst du, ich wüßte nicht, daß die Eisengrube erschöpft ist?« sagte Hede ein wenig gereizt.

»Ach nein«, sagte Ålin, »das weißt du natürlich, aber was du nicht weißt, ist, daß es mit eurem ganzen Besitztum vollständig aus ist. Denke selbst darüber nach, dann wirst du einsehen, daß man drüben im Westdalarne nicht vom Ackerbau allein leben kann. Ich begreife nicht, warum die Frau Bergrat dir das verheimlicht hat. Aber sie hat mit deinem Vater in Gütergemeinschaft gelebt, und deshalb braucht sie dich in nichts um Rat zu fragen. Daheim aber weiß jedermann, daß es ihr recht knapp geht. Es heißt, sie fahre herum, um Gelder aufzunehmen. Sie hat dich wohl mit ihren Sorgen nicht bekümmern wollen, sondern gedacht, sie wolle alles wie bisher im Gang erhalten, bis du dein Examen gemacht hättest, denn sie will das Gut nicht verkaufen, bis du ausstudiert und ein neues Heim hast.«

Hede sprang auf und ging ein paarmal im Zimmer auf und ab. Dann blieb er vor Ålin stehen.

»Aber Mensch! Was fällt dir denn ein! Du willst mir ja weismachen, daß wir nicht reich seien!«

»Ich weiß wohl, daß ihr bis vor kurzem für reich gehalten worden seid«, sagte Ålin. »Aber du begreifst doch wohl, daß es nicht reichen kann, wenn man nur immer ausgibt und nichts einnimmt. Als ihr die Grube hattet, da war es etwas anderes.«

Hede setzte sich wieder.

»Meine Mutter würde es mir doch gewiß mitgeteilt haben«, sagte er. »Ich bin dir dankbar, Ålin, aber du hast dich von einem leeren Gerede erschrecken lassen.«

»Ja, ich dachte es mir doch, daß du nichts wüßtest«, sagte Ålin eigensinnig. »Daheim auf Munkhyttan spart und arbeitet deine Mutter, um dir Geld nach Upsala schicken und es dir in den Ferien daheim angenehm und behaglich machen zu können. Indessen aber lebst du hier sorglos in den Tag hinein und tust nichts, weil du nicht weißt, daß Gefahr im Anzug ist. Ich konnte es nicht länger mit ansehen, wie ihr beide euch gegenseitig betrügt. Die gnädige Frau glaubt, du studierst, und du glaubst, sie sei reich. Nein, ich konnte es nicht länger mit ansehen, wie du dir deine Zukunft zerstörst, ohne daß ich etwas sagte.«

Hede schwieg eine Weile und überlegte. Dann stand er auf und reichte Ålin mit einem betrübten Lächeln die Hand.

»Ja, ich verstehe, daß du die Wahrheit gesprochen hast, wenn ich dir auch nicht glauben will. Ich danke dir.«

Freudestrahlend schüttelte ihm Ålin die Hand.

»O Hede, nichts ist verloren, wenn du nur arbeitest! Mit deinem Kopf kannst du mit sieben bis acht Semestern fertig werden.«

Hede richtete sich auf. »Sei ganz ruhig, Ålin«, sagte er, »ich werde jetzt sehr fleißig sein.«

Ålin stand auf und ging nach der Tür, aber sehr zögernd. Ehe er sie erreicht hatte, wandte er sich wieder um, indem er sagte: »Ich hatte auch noch ein anderes Anliegen.« Er wurde wieder unendlich verlegen. »Ich möchte dich bitten, mir deine Geige zu leihen, bis du mit dem Studium ordentlich im Zug bist.«

»Dir meine Geige zu leihen?«

»Ja, wickle sie in das seidene Tuch ein, lege sie in das Futteral und laß mich sie mitnehmen, sonst wird aus deinem Studieren doch nichts. Ehe ich zur Tür hinaus wäre, würdest du wieder zu spielen anfangen. Du bist nun so daran gewöhnt, daß du der Lust nicht widerstehen könntest, wenn du die Geige hier hättest. So etwas kann man nicht überwinden, wenn einem nicht jemand dazu hilft. Es raubt einem die Willenskraft.«

Hede wurde unwillig.

»Es ist ja Wahnsinn«, sagte er.

»O nein, es ist durchaus kein Wahnsinn. Du weißt wohl, daß du es von deinem Vater geerbt hast, das Musizieren liegt dir im Blut. Und seit du hier in Upsala dein eigener Herr bist, hast du nichts anderes getan. Du wohnst ja auch nur deshalb so weit hier draußen, um niemand durch dein Spiel zu stören. In dieser Sache kannst du dir nicht selbst helfen. Laß mich die Geige also mitnehmen!«

»Ja, früher konnte ich allerdings das Geigen nicht lassen«, meinte Hede. »Aber jetzt gilt es Munkhyttan, ich liebe meine Heimat mehr als meine Geige.«

Aber Ålin war ebenso eigensinnig und bat immer wieder um die Geige.

»Was würde es nützen?« sagte Hede. »Wenn ich spielen will, brauche ich nicht viele Schritte zu machen, um mir eine andere Geige zu borgen.«

»Das weiß ich wohl«, sagte Ålin, »aber ich glaube nicht, daß dir eine andere Geige so gefährlich ist. Die alte italienische Geige hier, sie ist die größte Gefahr für dich. Und außerdem möchte ich dir auch noch vorschlagen, dich während der ersten

Tage einschließen zu lassen. Nur bis du ordentlich im Zug bist.«

Ålin bat und bat, aber Hede wehrte sich dagegen. Auf etwas so Unvernünftiges wie Stubenarrest wollte er sich nicht einlassen. Da wurde Ålin feuerrot.

»Ich muß die Geige haben, sonst nützt alles nichts«, sagte er eifrig und erregt. »Ich hatte die Absicht, nichts davon zu sagen, aber ich weiß, daß es sich für dich um mehr handelt als nur um Munkhyttan. Im vorigen Frühjahr sah ich hier auf dem Promotionsball ein junges Mädchen, von dem man sagte, daß es mit dir verlobt sei. Nun, ich tanze ja nicht, aber ich hatte meine Freude daran, als ich sah, wie sie im Tanz dahinflog und strahlte und leuchtete wie eine Lilie des Feldes. Und als ich hörte, daß sie mit dir verlobt sei, tat sie mir leid.«

»Leid, warum?«

»Ach, ich wußte ja, daß nichts aus dir werden würde, wenn du so fortmachtest, wie du begonnen hattest. Und da habe ich geschworen, daß das Kind nicht sein ganzes Leben lang auf einen warten soll, der niemals kommt. Sie soll nicht übrigbleiben und hinwelken, während sie auf dich wartet. Ich will sie nicht in einigen Jahren mit spitzigen Zügen und tiefen Linien um den Mund wiederfinden.« Er unterbrach sich. Hedes Blick hatte merkwürdig forschend auf ihm geruht.

Aber Gunnar Hede hatte verstanden, daß Ålin seine Auserwählte liebte. Es rührte ihn tief, daß dieser unter solchen Verhältnissen ihn retten wollte, und unter dem Einfluß dieses Gefühls gab er nach und überließ dem Freund die Geige.

Als Ålin gegangen war, studierte Hede eine Stunde lang wie ein Verzweifelter, dann aber warf er das Buch weg. Ja, das verlohnte sich, das Studieren! In drei bis vier Jahren würde er fertig sein, aber wer konnte ihm dafür einstehen, daß das Gut währenddem nicht verkauft werden mußte!

Beinahe mit Schrecken empfand er, wie sehr er den alten Hof liebte. Es war wie ein Bann; jedes Zimmer, jeder Baum tauchte vor ihm auf. Nichts von allem konnte er entbehren, wenn er sich glücklich fühlen sollte.

Und da sollte er ruhig bei den Büchern sitzen, während er nahe daran war, ihm verloren zu gehen!

Mit jeder Minute wurde er unruhiger; er fühlte das Blut wie im Fieber an seine Schläfe pochen. Und dann war er ganz verzweifelt, daß er nicht nach der Geige greifen und sich zur Ruh spielen konnte.

»Lieber Gott!« sagte er. »Dieser Ålin macht mich schließlich noch verrückt. Zuerst bringt er mir eine solche Nachricht, und dann nimmt er mir meine Geige!

Ein Mensch wie ich muß in Freud und Leid einen Bogen zwischen den Fingern fühlen! Ich muß etwas tun, ich muß Geld schaffen, aber ich habe keinen Gedanken im Kopf; ohne Geige kann ich nicht denken!«

Hede war wütend darüber, daß er eingesperrt und auf seine Bücher angewiesen war. Es war ja Wahnsinn, ein langsames Studium fertigzumachen, während er doch Geld brauchte, Geld, Geld, Geld!

Das Gefühl, eingesperrt zu sein, wurde ihm unerträglich. Er war so böse auf Ålin, der diese Torheit ausgedacht hatte, daß er fürchtete, er werde sich an ihm vergreifen, wenn er wiederkam.

Ja freilich hätte er gespielt, wenn er die Geige gehabt hätte, aber das war es auch, was er brauchte! Sein Blut kochte ja vor lauter Erregung, so daß er wirklich nahe daran war, wahnsinnig zu werden ...

Gerade als Hede sich am allermeisten nach seiner Geige sehnte, kam ein herumziehender Spielmann vorbei und begann drunten im Hof zu geigen. Es war ein alter blinder Mann, und er spielte falsch und ausdruckslos, aber Hede wurde von den Geigentönen, die gerade in diesem Augenblick zu ihm drangen, so gerührt, daß er mit Tränen in den Augen und mit gefalteten Händen lauschte.

Im nächsten Augenblick riß er das Fenster auf und kletterte an dem Gitter des wilden Weins hinunter in den Hof. Er machte sich kein Gewissen daraus, daß er seine Arbeit im Stich ließ; es war ihm im Gegenteil, als sei die Geige nur deshalb gekommen, um ihn in seinem Unglück zu trösten.

Gewiß hatte Hede noch niemals so demütig um etwas gebeten, als wie er nun den greisen Blinden bat, er möge ihm seine Geige leihen. Er hielt die ganze Zeit seine Mütze in der Hand, obgleich der Mann stockblind war.

Der Alte schien nicht zu verstehen, was Hede wollte. Fragend wandte er sich an das Mädchen, das ihn führte. Hede verbeugte sich vor dem armen Kind und wiederholte sein Begehren. Sie sah ihn an, wie die zu tun pflegen, die Augen für zwei haben müssen. Der Blick kam so sicher aus den großen grauen Augen, daß Hede zu fühlen glaubte, wie er traf. Nun ruhte er auf seinem Hals und sah, daß er einen reinen Hemdkragen trug, nun sah er, daß der Rock gebürstet war, und nun, daß die Stiefel glänzend waren.

Noch nie war Hede einer solchen Prüfung unterworfen wordem. Er sah deutlich, daß diese Augen ihn nicht erhören würden.

Aber es kam nicht so. Das Mädchen hatte eine ganz eigene Art zu lächeln. Ihr Gesicht war so ernst, daß man den Eindruck bekam, dies sei das erste und einzige Mal in ihrem Leben, wo sie froh aussah. Und nun flog eines dieser seltsamen Lächeln über ihr Gesicht. Sie nahm die Geige aus den Händen des Alten und reichte sie Hede.

»Spielen Sie den Walzer aus dem ›Freischütz‹«, sagte sie.

Es kam Hede sonderbar vor, daß er gerade in diesem Augenblick einen Walzer spielen sollte, aber im Grunde war es ihm ganz gleich, was er spielte, wenn er nur einen Bogen in die Hand bekam.

Das war alles, wonach er sich sehnte. Und die Geige begann auch sogleich zu trösten. Sie sprach zu ihm mit schwachen, schrillen Tönen. »Ich bin eine Bettelmannsgeige«, sagte sie, »aber so wie ich bin, bin ich Trost und Hilfe eines braven Blinden. Ich bin das Licht und die Farbe und der Glanz seines Lebens. Ich bin es, die ihn über Armut, Alter und Blindheit trösten muß.«

Hede fühlte, wie die entsetzliche Mutlosigkeit, die alle seine Hoffnungen niedergedrückt hatte, von ihm zu weichen begann. »Du bist jung und stark«, sagte die Geige zu ihm. »Du kannst kämpfen und ringen. Du kannst das festhalten, was dir entfliehen will. Warum bist du mutlos und traurig?«

Mit gesenkten Augen hatte Hede bisher gespielt; nun warf er den Kopf zurück und betrachtete die, so ihn umgaben. Es war eine ordentliche Schar von Kindern und Vorübergehenden, die in den Hof hereingeströmt waren, um der Musik zuzuhören.

Aber sie waren nicht einzig und allein der Musik wegen gekommen; der Blinde und seine Begleiterin gehörten zu einer umherziehenden Truppe.

Gerade vor Hede stand ein Mann in Trikot und Goldflittern, die nackten Arme über der Brust gekreuzt. Er sah alt und abgeschafft aus, aber Hede erschien er mit seiner hochgewölbten Brust und seinem langen Schnurrbart wie ein wahrer Riese Goliath. Und daneben stand seine Frau, klein und dick und auch nicht besonders jung, aber strahlend glücklich über ihre Goldflitter und ihre wogenden Florröcke.

Während der ersten Takte standen die beiden still und zählten. Dann glitt ein huldreiches Lächeln über ihre Gesichter, sie reichten sich die Hände und begannen nun auf einem kleinen Flickenteppich zu tanzen.

Und Hede bemerkte, daß unter all diesen equilibristischen Kunststücken, die sie nun ausführten, die Frau beinahe still stand, während der Mann allein arbeitete. Er sprang über sie weg, wirbelte um sie herum und schlug Purzelbäume über sie. Die Frau aber tat fast nichts, als den Zuschauern Handküsse zuzuwerfen.

Eigentlich aber dachte Hede nicht viel an diese beiden. Sein Bogen flog nun über die Saiten. Er sagte ihm, daß im Kämpfen und Erobern ein Glück liege, ja, er wollte ihn beinahe glücklich preisen, daß für ihn alles auf dem Spiele stehe. Und Hede spielte sich selbst Mut und Hoffnung ins Herz und dachte nicht an die alten Seiltänzer.

Aber plötzlich merkte er, daß sie unruhig wurden. Sie hörten auf zu lächeln, sie warfen dem Publikum keine Handküsse mehr zu. Der Akrobat sprang falsch, und seine Frau wiegte sich im Walzertakt hin und her.

Hede spielte immer eifriger. Er gab den ›Freischütz‹-Walzer auf und jagte in einer alten Polka dahin, einer Polka, die alle Menschen toll machte, wenn sie einmal bei einer Festlichkeit gespielt wurde.

Die alten Seiltänzer verloren ganz und gar die Fassung, sie waren lauter atemlose Verwunderung. Und der Augenblick kam, wo sie nicht länger widerstehen konnten. Sie machten einen Sprung vorwärts, flogen einander in die Arme und begannen zu tanzen, mitten auf dem Flickenteppich.

Wie sie tanzten! Sie machten kleine trippelnde Schritte und wirbelten rund herum in kleinen drehenden Wendungen, sie traten kaum über den Teppich hinaus. Und ihre Gesichter strahlten vor Vergnügen und Entzücken. Jugendlust und Liebesrausch hatte die alten Menschen erfaßt.

Der ganze Haufen Zuschauer jubelte, als er sie so tanzen sah. Die kleine, ernste Blindenführerin lächelte mit dem ganzen Gesicht, aber Hede wurde über die Maßen erregt.

Sieh da, was seine Geige zustande brachte! Sie brachte die Leute ganz außer sich. Das war eine Macht, über die er gebieten konnte. Jeden Augenblick, sobald er nur wollte, konnte er sein Reich in Besitz nehmen.

Nur ein paar Jahre Studium im Ausland, bei einem großen

Meister! Dann könnte er in die weite Welt hinausziehen und sich Geld, Ehre und Ruhm erspielen!

Hede war es, als hätten diese Akrobaten hierher kommen müssen, um ihm das klarzumachen. Dies war sein Weg, der offen und hell vor ihm lag.

»Ich will, ich will ein Musiker werden«, sagte er zu sich selbst, »ich muß einer werden! Das ist etwas anderes als studieren. Mit meiner Geige kann ich die Menschen bezaubern, ich kann reich werden.«

Er hörte auf zu spielen. Gleich traten die Kunstreiter zu ihm und überhäuften ihn mit Lobreden.

Der Mann teilte ihm mit, daß er Blomgren heiße. Dies sei sein bürgerlicher Name; aber wenn er auftrete, dann habe er noch andere. Er und seine Frau seien alte Zirkusleute. Frau Blomgren sei die ehemalige Miß Viola und einst auf Pferden dahingeflogen. Und auch heute noch, obgleich sie den Zirkus verlassen hätten, seien sie Künstler, Künstler mit Leib und Seele. Das habe der Herr ja nun selbst gesehen. Deshalb hätten sie auch seinem Geigenspiel nicht widerstehen können.

Hede zog mehrere Stunden lang mit den Akrobaten umher. Er konnte sich nicht von der Geige trennen, und die Begeisterung der alten Künstler für ihren Beruf gefiel ihm.

Er wollte sich auch selbst prüfen.

»Ich will doch sehen, ob ich das Zeug zu einem Künstler in mir habe; ich will sehen, ob ich Begeisterung hervorrufen kann, und ob es mir gelingt, Kinder und Tagediebe dazu zu bringen, mir von Hof zu Hof zu folgen.«

Während sie durch die Straßen zogen, warf Herr Blomgren einen alten, abgetragenen Mantel über, während Frau Blomgren sich in einen braunen Radmantel hüllte, und so ausstaffiert gingen sie in eifrigem Gespräch neben Hede her.

Herr Blomgren sagte, er wolle nicht von all der Ehre sprechen, die er und Frau Blomgren in der Zeit geerntet hatten, als sie einem richtigen Zirkus angehörten. Allein der Direktor habe Frau Blomgren unter dem Vorwand, daß sie zu korpulent werde, verabschiedet. Er, Herr Blomgren, sei nicht verabschiedet worden, er habe seinen Abschied selbst verlangt. Denn das würde niemand von ihm geglaubt haben, daß er noch länger bei einem Direktor geblieben wäre, der seine Frau verabschiedet hatte.

Frau Blomgren liebe die Kunst, und um ihretwillen habe sich Herr Blomgren entschlossen, ein freier Künstler zu werden, damit auch sie ferner noch auftreten könne. Im Winter, wenn es zu Vorstellungen auf der Straße zu kalt sei, spielten sie in einem Zelt. Da habe man dann ein sehr reiches Repertoire. Man gebe Pantomimen, man zaubere und taschenspielere.

Der Zirkus habe sie ausgestoßen, sagte Herr Blomgren, aber nicht die Kunst. Sie dienten immer der Kunst, sie sei es wert, daß man ihr bis zum Tode getreu bleibe. Allezeit Künstler, allezeit! Das sei Herrn Blomgrens Grundsatz und ebenso auch der der Frau Blomgren.

Hede hörte schweigend zu. Seine Gedanken irrten unruhig von einem Plan zum andern. Manchmal treten Ereignisse ein, die den Eindruck von Symbolen machen, von Zeichen, die man deuten muß. Es war gewiß ein tieferer Sinn in dem, was ihm eben begegnete. Wenn er ihn nur richtig verstand, dann würde es ihm gewiß ein Fingerzeig zu einem guten Entschluß.

Da bat Herr Blomgren den Herrn Studenten, seine Aufmerksamkeit auf das Mädchen zu richten, das den Blinden führte. Ob er wohl schon solche Augen gesehen habe? Ob er nicht auch glaube, daß solche Augen etwas bedeuten müßten? Konnte man wohl solche Augen haben, ohne zu etwas Großem bestimmt zu sein?

Hede wandte sich um und sah das kleine blasse Mädchen an. Ja, es hatte Augen wie Sterne in einem traurigen, etwas mageren Gesichtchen.

»Der liebe Gott weiß immer, was er tut«, sagte Frau Blomgren, »und ich glaube bestimmt, daß er eine besondere Absicht dabei hat, wenn er einen Künstler wie Herrn Blomgren auf der Straße auftreten läßt. Aber was hat er wohl gedacht, als er diesem Mädchen diese Augen und dieses Lächeln gab?«

»Ich will Ihnen etwas sagen«, sagte Herr Blomgren. »Zur Kunst hat sie nicht die geringste Anlage. Und mit diesen Augen!«

In Hede stieg der Verdacht auf, daß diese Worte nicht für ihn, sondern für das junge Mädchen gemünzt seien. Sie ging dicht hinter ihnen und konnte jedes Wort verstehen.

»Sie ist erst dreizehn Jahre und durchaus nicht zu alt, um noch etwas zu lernen. Aber untauglich, untauglich! Ganz ohne Talent! Wenn Sie Ihre Zeit nicht verlieren wollen, dann lehren Sie sie nähen, Herr Student, aber lehren Sie sie nicht, auf dem Kopf zu stehen!«

»Das Lächeln, das sie hat, macht die Menschen förmlich vernarrt in sie«, fuhr Herr Blomgren fort. »Nur wegen des Lächelns bekommt das Kind beständig Anerbieten von allen möglichen Familien, die sie adoptieren wollen. Sie könnte in einem reichen Haus aufwachsen, wenn sie ihren Großvater verlassen wollte. Aber wozu braucht sie ein Lächeln, das die Menschen verrückt macht, wenn sie sich nie auf einem Pferd oder einem Trapez zeigen will?«

»Wir kennen andere Künstler«, begann nun Frau Blomgren, »die ein Kind von der Straße auflesen und zu diesem Beruf ausbilden für die Zeit, wo sie selbst nicht mehr auftreten können. Mehr als einem ist es schon gelungen, einen Stern heranzubilden, der ihnen später ungeheure Honorare eingetragen hat. Aber Herr Blomgren und ich haben nie an Honorare gedacht, wir hofften nur, Ingrid einmal durch einen Reifen fliegen zu sehen, während der ganze Zirkus von Beifallklatschen widerhallt. Das wäre gewesen, als ob man das ganze Leben noch einmal beginne.«

»Warum behalten wir ihren Großvater?« fügte Herr Blomgren hinzu. »Ist er etwa ein Künstler, der uns ansteht? Wir könnten ja ein früheres Mitglied der Hofkapelle mitnehmen, wenn wir wollten. Aber wir haben das Mädchen lieb und möchten es nicht missen, und so behalten wir den Alten um ihretwillen.«

»Ist es nicht abscheulich von ihr, daß sie uns nicht erlauben will, eine Künstlerin aus ihr zu machen?« sagte das Ehepaar.

Hede sah sich um. Auf dem Gesicht der Kleinen lag der Ausdruck geduldig getragenen Leidens. Er sah ihr an, daß sie wußte, welch unbegabtes Wesen und verächtliches Geschöpf man war, wenn man nicht auf dem Seil tanzen konnte.

Gerade da zogen sie wieder in ein Gehöft hinein, aber ehe sie ihre Vorstellungen begannen, setzte sich Hede auf einen umgestürzten Schubkarren und begann zu predigen. Und nun verteidigte er das arme kleine Mädchen, das seinen blinden Großvater führte. Er machte Herrn und Frau Blomgren Vorwürfe, daß sie sie dem großen grausamen Publikum aussetzen wollten, das sie wohl eine Zeitlang lieben und ihr Beifall klatschen würde, sie aber später, wenn sie alt und verbraucht war, auf den Straßen in Regen und Kälte herumziehen ließ. Nein, das sei der wahre Künstler, der einen anderen Menschen glücklich mache, und sie, Ingrid, solle ihre Augen und ihr Lächeln nur für einen haben, und für diesen einen solle sie es aufheben, und dieser eine würde sie nicht verlassen, sondern ihr eine sichere Heimat geben, solange er lebe.

Die Tränen traten Hede in die Augen, während er so sprach. Er redete mehr zu sich selbst als zu den andern. Plötzlich empfand er es als etwas Entsetzliches, wenn man in die Welt hinausgetrieben, wenn man von seinem stillen Leben in der Heimat losgerissen wird.

Da sah er, wie die großen Sternenaugen des Mädchens zu strahlen begannen. Es schien, als habe sie jedes seiner Worte verstanden. Es schien, als bekomme sie wieder das Recht, zu leben.

Herr Blomgren und seine Frau aber waren sehr ernst geworden. Sie drückten Hede die Hand und versprachen ihm, das Mädchen nie wieder zur Künstlerlaufbahn zwingen zu wollen. Sie sollte den Weg gehen dürfen, den sie selbst wünschte. Er habe sie gerührt, sie seien ein Künstlerpaar, Künstler mit Leib und Seele! Sie hätten wohl verstanden, was er gemeint, als er von Liebe und Treue gesprochen habe.

Hierauf trennte sich Hede von ihnen und ging nach Hause. Er versuchte es nicht mehr, seinem Abenteuer eine geheime Absicht zuzuschreiben. Schließlich hatte es keine andere Bedeutung gehabt, als daß das arme, kummervolle Kind davor bewahrt wurde, sich über seine Unbrauchbarkeit zu Tode zu grämen.

2

Gunnar Hedes Gut, Munkhyttan, lag in einem armen Kirchspiel weit drinnen in Westdalarne. Ein großes, dünn bevölkertes Kirchspiel war es, inmitten einer kargen und harten Natur; fast lauter steinige, bewaldete Hügel und kleine Teiche machten den größten Teil der Gegend aus. Und wenn die Menschen nicht das Recht gehabt hätten, im Land umherzuziehen und Hausierhandel zu treiben, hätten sie sich hier gar nicht ernähren können. Dafür war aber auch die ganze arme Gegend von lauter alten Sagen erfüllt, die von armen Bauernburschen und Bauernmädchen handelten, die mit einem Sack voll Trödelwaren auf dem Rücken ausgezogen und später in einer goldenen Kutsche, den Kutschkasten voll Geld, heimgekehrt waren.

Eine der allerbesten dieser Geschichten war die von Hedes Großvater. Er war der Sohn eines armen Spielmanns gewesen, der mit der Geige in der Hand aufgewachsen und mit siebzehn Jahren mit dem Kramsack auf dem Rücken ausgezogen war.

Aber wo er hinkam, hatte er beim Handel die Geige zu Hilfe gehabt, hatte abwechslungsweise den Leuten zum Tanz aufgespielt und ihnen seidene Tücher, Kämme und Nadeln verkauft. Aller Handel war unter Spiel und Scherz vor sich gegangen, und er war so gut ausgefallen, daß der Großvater schließlich Munkhyttan mitsamt der Grube und dem Hüttenwerk dem verarmten Baron, dem das Gut damals gehörte, abkaufen konnte.

So war es zugegangen, daß er ein Gutsherr und überdies der Mann der schönen Tochter des Barons geworden war.

Die »alte Herrschaft«, wie sie allgemein genannt wurde, hatte dann an nichts weiter gedacht, als ihr Besitztum zu verschönern und auszuschmücken. Sie war es gewesen, die das Hauptgebäude verlegt hatte, hinaus auf die reizende Insel, die nahe am Ufer in einem kleinen See lag, um den sich Acker und Grubendistrikte ausdehnten. Das obere Stockwerk war zu ihrer Zeit gebaut worden, denn sie wollte gerne Platz für recht viele Gäste haben, desgleichen auch die große Freitreppe mit den zwei Aufgängen. Die ganze, mit Fichten bewachsene Insel hatte sie mit Laubwald bepflanzt, sie hatte schmale, verschlungene Wege in den felsigen Boden gebrochen und kleine Aussichtspavillons gebaut, die über den See hinaushingen wie große Vogelnester. Die wunderschönen französischen Rosen, die die Terrasse bekränzten, die holländischen Möbel, die italienische Geige, alles hatte sie angeschafft, und sie war es auch gewesen, die ein Treibhaus angelegt und die Mauer errichtet hatte, die den Obstgarten vor dem Nordwind schützte.

Die alte Herrschaft waren heitere, freundliche Leute von der alten Art gewesen; die gnädige Frau hatte wohl ab und zu ein wenig vornehm getan, aber der alte Herr ganz und gar nicht. Inmitten all der Pracht, die ihn jetzt umgab, vergaß er nie, was er gewesen war, und in seinem Arbeitszimmer, wo er seine Geschäfte besorgte und wohin alle Leute kamen, hingen der Kramsack und die rotangestrichene, im Land verfertigte Geige, gerade über dem Pult des alten Herrn.

Sogar nach seinem Tode blieben der Sack und die Geige noch immer an dem alten Platz hängen. Und so oft der Sohn und der Enkel sie sahen, wurde ihr Herz von Dankbarkeit erfüllt. Diese ärmlichen Gegenstände waren ja das Werkzeug gewesen, das Munkhyttan geschaffen hatte, und Munkhyttan war das Beste auf der Welt.

Woher es nun aber auch kommen mochte – und es kam wohl am meisten daher, daß man ganz von selbst auf dem Hof ein gutes, freundliches und sorgenfreies Leben führte –, so hing das Geschlecht der Hede doch mit größerer Liebe an dem Hof, als es gut war. Und besonders war Gunnar Hede so mit dem Hof verwachsen, daß man von ihm sagte, es sei verkehrt, wenn man behaupte, es gehöre ihm ein Hof, es gebe im Gegenteil in Westdalarne einen alten Hof, dem Gunnar Hede gehöre.

Und wenn er sich nicht zum Sklaven eines alten baufälligen Herrenhauses, einiger Morgen Äcker und Waldboden und einer Anzahl Apfelbäume gemacht hätte, würde er seine Studien fortgesetzt haben, oder noch besser, er wäre ins Ausland gegangen und hätte Musik studiert, was allem Anschein nach sein rechter Beruf auf der Welt gewesen wäre. Aber als er sich, von Upsala zurückgekehrt, Klarheit über die Verhältnisse verschaffte und einsah, daß der Hof wirklich verkauft werden müsse, wenn er nicht bald eine Menge Geld verdiente, da gab er alle anderen Pläne auf und beschloß, als wandernder Krämer auszuziehen, wie sein Großvater seinerzeit getan hatte.

Seine Mutter und seine Braut beschworen ihn, doch lieber den Hof zu verkaufen, als sich auf diese Weise für ihn aufzuopfern, aber er war unbeweglich. Er zog Bauernkleider an, kaufte Waren und begann als Handelsmann durchs Land zu ziehen. Und er war überzeugt, er werde, wenn er nur ein paar Jahre Handel treibe, soviel verdienen, um die Schulden zu bezahlen und Munkhyttan zu retten.

Und soweit es den Hof betraf, hatte er Glück bei seinem Unternehmen, sich selbst aber brachte er in großes Unglück.

Nachdem er wohl ein Jahr mit dem Kramsack umhergezogen war, kam er auf den Gedanken, daß er auch versuchen könne, eine große Summe Geld auf einmal zu verdienen. So zog er denn weit nach Norden und kaufte eine große Herde Geißen, wohl ein paar hundert Stück. Und diese wollte er nun mit Hilfe eines Kameraden auf einen großen Jahrmarkt im Värmland treiben, denn dort kosteten Geißen noch einmal soviel als droben in dem nördlichen Teil des Landes. Wenn er alle seine Geißen verkaufte, konnte er also ein ausgezeichnetes Geschäft machen.

Man war erst im November, und es hatte noch nicht geschneit, als Hede und sein Kamerad mit ihrer Geißenschar abzogen. Am ersten Tag ging alles gut vonstatten, aber am zweiten Tag, als sie in den großen Zehnmeilenwald kamen, begann es zu schneien.

Ein gewaltiges Schneegestöber brach über ihnen los, und

schon nach ganz kurzer Zeit konnten die Tiere nur noch mühsam durch den Schnee vorwärts dringen. Ziegen sind zwar mutige, wetterfeste Tiere, und die Herde kämpfte sich lange durch, aber das Unwetter dauerte mehrere Tage und Nächte, und es ward eine grimmige Kälte.

Hede tat, was in seinen Kräften stand, um die Tiere zu retten. Aber seit Beginn des Schneefalls hatte er ihnen weder Futter noch Wasser verschaffen können. Und nachdem sie sich einen Tag lang durch den hohen Schnee hindurchgearbeitet hatten, begann sich die Haut von ihren Beinen abzuschälen. Das tat ihnen weh, und sie wollten nicht mehr vorwärts. Die erste Ziege, die sich am Wegrand niederwarf und nicht mehr aufstehen konnte, um mit den anderen weiterzugehen, hob er auf seine Schultern, um sie nicht zurückzulassen. Als aber dann noch eine und sogar eine dritte sich legte, konnte er nicht alle tragen. Es blieb ihm nichts übrig, als wegzusehen und weiterzugehen.

Wißt ihr, was ein zehn Meilen großer Wald bedeutet?

Meilen und meilenweit kein Hof, keine Hütte, nur Wald, nichts als Wald. Hochgewachsene Tannen mit harter, holziger Rinde und hochsitzenden Ästen, kein Jungwald mit weicher Rinde und weichen Zweigen, die die Tiere hätten fressen können! Wenn der Schnee nicht gekommen wäre, hätte Hede mit seiner Herde in wenigen Tagen durch den Wald gelangen können; nun konnten sie überhaupt nicht hindurchkommen. Alle Geißen gingen zugrunde, und auch die Menschen waren nahe daran, umzukommen.

Sie begegneten keinem Menschen in der ganzen Zeit; niemand half ihnen.

Hede versuchte, den Schnee wegzuräumen, damit die Geißen das Moos fressen könnten, aber der Schnee fiel so dicht, so dicht, und das Moos war an dem Boden festgefroren. Und wie hätte er auf diese Weise für zweihundert Tiere Futter schaffen können?

Er trug es mutig, bis die Tiere anfingen, Klagelaute auszustoßen. Am ersten Tage war es eine fröhliche, ausgelassene und ziemlich lärmende Schar gewesen. Er hatte große Mühe gehabt, aufzupassen, daß alle mitkamen und daß sie einander nicht totstießen. Aber dann war es, als sei ihnen klar geworden, daß es keine Rettung für sie gebe, und das veränderte sie völlig und machte sie ganz mutlos. Sie fingen alle an, ängstlich zu meckern und zu klagen, nicht schwach und pfeifend, wie es die Art der

Ziegen ist, sondern laut und immer lauter, je größer die Not wurde. Und als Hede dieses klägliche Schreien hörte, war es ihm, als müsse er wahnsinnig werden.

Sie waren in dem wilden, verlassenen Wald; es war keine Hilfe zu erlangen. Ein Tier nach dem andern sank am Weg nieder. Der Schnee fegte über ihnen zusammen und deckte sie zu. Und als Hede zurückschaute auf die Reihe kleiner Schneehügel am Wegrand, von denen jeder einen Tierkörper barg und aus denen Hörner und Hufe hervorstaken, da fing sein Verstand an, sich zu umnachten.

Er fuhr auf die Tiere los, die sich da zuschneien ließen, schwang seine Peitsche und schlug sie. Dies war ja das einzige Mittel, um sie zu retten; aber sie rührten sich nicht. Er nahm sie bei den Hörnern und schleppte sie weiter. Sie ließen sich ziehen, aber sie rührten keinen Fuß, um selbst zu gehen. Wenn er die Hörner losließ, leckten sie ihm die Hände, wie um ihn zu bitten, daß er ihnen noch weiter helfe. Sobald er zu ihnen trat, leckten sie ihm die Hände.

All dies wirkte so furchtbar auf ihn, daß er fühlte, er sei nahe daran, den Verstand zu verlieren.

Trotzdem wäre es vielleicht nicht so weit mit ihm gekommen, wenn er nicht, als im Wald alles vorbei war, hingegangen wäre und eine besucht hätte, die er innig lieb hatte. Es war nicht seine Mutter, sondern seine Braut. Er hielt es für seine Pflicht, sofort hinzureisen und ihr zu sagen, daß er viel Geld verloren habe und nun noch Jahre warten müsse, bis er heiraten könne. Aber er reiste doch ganz gewiß einzig und allein deshalb hin, um von ihr zu hören, daß sie ihn trotz all seinem Mißgeschick noch ebenso liebe wie vorher. Er glaubte, sie könne die Erinnerung an den Zehnmeilenwald verscheuchen.

Und das hätte sie vielleicht auch gekonnt, aber sie wollte nicht. Sie war schon sehr unzufrieden mit ihm, seitdem er mit dem Kramsack umherzog und aussah wie ein Bauer, und schon deshalb fand sie es schwer, ihn ebenso liebzuhaben wie früher. Und als sie nun hörte, daß er noch jahrelang so fortmachen müsse, sagte sie, daß sie nicht länger auf ihn warten könne. Und da verlor Hede seinen Verstand beinahe ganz.

Völlig irrsinnig wurde er aber doch nicht. Soviel Verstand hatte er noch, daß er seinen Handel auch ferner treiben konnte. Er machte sogar noch bessere Geschäfte als die anderen, denn es machte den Leuten Spaß, ihren Scherz mit ihm zu treiben, und so war er in den Bauernhäusern immer willkommen. Man neckte und plagte ihn zwar, aber es war in gewisser Weise gut für ihn, da er so gerne reich werden wollte.

Und nach Verfluß von ein paar Jahren hatte er auch wirklich so viel erworben, daß er hätte alle Schulden bezahlen und auf seinem Hof ein sorgenfreies Leben führen können. Aber dies begriff er nicht; stumpfsinnig und verrückt zog er von Hof zu Hof und hatte keine Vorstellung mehr davon, welchem Stand er eigentlich angehörte.

3

Weit droben im westlichen Värmland, ganz nahe an der Grenze von Dalarne, liegt ein Kirchspiel mit Namen Råglanda, das zwar einen großen Propstsitz, aber nur ein kleines, ärmliches Pfarrhaus hat. Aber so arm die Leute auch in dem kleinen Pfarrhaus waren, so hatten sie doch soviel Barmherzigkeit gehabt, ein Pflegekind anzunehmen. Es war ein kleines Mädchen, das Ingrid hieß, und als es ins Pfarrhaus kam, war es dreizehn Jahre alt.

Der Pfarrer hatte Ingrid zufälligerweise auf einem Jahrmarkt gesehen, wo sie weinend vor einem Seiltänzerzelt saß. Er war stehengeblieben und hatte sie gefragt, warum sie weine. Und da hatte sie ihm erzählt, daß ihr blinder Großvater gestorben sei und daß sie nun niemand mehr habe, der zu ihr gehöre. Nun ziehe sie mit einem Seiltänzerpaar umher, und dieses sei auch gut gegen sie, aber sie weine, weil sie so dumm sei; sie könne durchaus nicht seiltanzen lernen, und also nicht helfen, Geld zu verdienen.

Und es lag eine solch liebliche Trauer über dem Kinde, die dem Pfarrer das Herz wundersam bewegte.

Unwillkürlich sagte er zu sich selbst, daß er unmöglich ein solch zartes Wesen unter diesen herumziehenden Landstreichern zugrunde gehen lassen könne. Er ging also zu den Seiltänzern hinein, wo er Herrn und Frau Blomgren traf, und erbot sich, das Kind zu sich zu nehmen. Die alten Kunstreiter begannen zu weinen und sagten, sie hätten das Mädchen gerne behalten, obgleich es ganz und gar untauglich zur Kunst sei. Aber sie meinten freilich auch, das Kind werde in einem richtigen Heim und bei Menschen, die das ganze Jahr hindurch an einem festen Ort wohnten, glücklicher sein als bei ihnen, und deshalb wollten sie es dem Herrn Pfarrer überlassen, wenn er ihnen verspreche, es wie eines seiner eigenen Kinder zu halten.

Dies hatte er versprochen, und seitdem war Ingrid im Pfarrhaus. Sie war ein stilles, sanftes Kind, reich an warmer Liebe und zärtlicher Fürsorge für alle, die sie umgaben. Im Anfang liebten die Pflegeeltern sie innig; aber als sie älter wurde, bildete sich bei ihr ein starker Drang aus, Träumen und Phantasien nachzuhängen.

Das Reich der Träume und Gesichte erschloß sich vor ihr und übte eine starke Anziehungskraft auf sie aus. Mitten am Tage konnte sie die Arbeit ruhen lassen und in Träumerei versinken. Der Pfarrerin aber, die eine tüchtige, unermüdlich fleißige Frau war, gefiel dies ganz und gar nicht. Sie klagte über das Mädchen, schalt es faul und träge und quälte es mit Strenge, so daß es ganz verschüchtert und unglücklich wurde.

Als Ingrid das neunzehnte Jahr zurückgelegt hatte, fiel sie in eine schwere Krankheit. Maß wußte nicht recht, was ihr fehlte, denn dies alles trug sich vor vielen Jahren zu, wo es in Råglanda noch keinen Arzt gab. Aber es sah schlimm aus für das Mädchen. Man merkte bald, daß es todkrank war und wohl nicht wieder genesen würde. Sie selbst aber bat nur immerfort den lieben Gott, sie doch vom Leben zu befreien. Sie möchte so gerne sterben, sagte sie.

Da war es gerade, als ob der liebe Gott sie prüfen wolle, ob es ihr Ernst damit sei. Eines Nachts fühlte sie, wie sie am ganzen Körper kalt und steif wurde, und eine eigentümliche schlafähnliche Starre bemächtigte sich ihrer.

»Dies ist gewiß der Tod«, sagte sie zu sich selbst.

Das Merkwürdige aber war, daß sie das Bewußtsein nicht vollständig verlor. Sie wußte, sie lag wie tot da, wußte auch, daß man sie einhüllte und in einen Sarg legte; aber sie fühlte weder Furcht noch Grauen vor dem lebendig Begrabenwerden. Sie hatte nur den einzigen Gedanken, daß sie glücklich wäre, wenn sie sterben und dieses schwere Leben verlassen dürfte.

Das einzige, was sie fürchtete, war der Gedanke, man könnte entdecken, daß sie nur scheintot war, und daß man sie dann nicht begraben würde. Das Leben mußte ihr wirklich sehr bitter gewesen sein, daß sie so gar keine Todesangst empfand.

Aber niemand entdeckte, daß sie noch lebte. Sie wurde in die Kirche gefahren, auf den Kirchhof hinausgetragen und ins Grab versenkt.

Das Grab wurde jedoch nicht über ihr zugeworfen, denn dem Brauch von Råglanda gemäß war sie an einem Sonntagmorgen vor der Liturgie begraben worden. Nachdem der Sarg ins Grab versenkt war, ging das Trauergeleit wieder in die Kirche und ließ den Sarg in dem offenen Grab stehen. Erst wenn der Gottesdienst vorüber war, kam man zurück und half dem Totengräber, das Grab zuzuwerfen.

Die Scheintote wußte alles, was mit ihr vorging, aber sie fühlte kein Entsetzen. Sie wäre, und wenn sie es auch noch so gern getan hätte, nicht imstande gewesen, auch nur die geringste Bewegung zu machen, um zu zeigen, daß sie lebe, aber sie würde sich dennoch ganz ruhig verhalten haben, selbst wenn sie sich hätte rühren können. Die ganze Zeit über war sie nur froh, daß sie so gut wie tot war.

Man hätte auch kaum sagen können, daß sie lebe. Sie hatte weder Gefühl noch ihr gewöhnliches Bewußtsein. Nur der Teil ihrer Seele, der in den Nächten die Träume träumt, war noch lebendig in ihr.

Sie konnte nicht einmal so weit denken, daß sie begriffen hätte, wie entsetzlich es für sie sein würde, wenn sie erwachte, nachdem das Grab zugeworfen war. Sie hatte nicht mehr Gewalt über ihren Verstand als ein Träumender.

»Ich möchte wissen«, dachte sie, »ob es auf der weiten Welt etwas gibt, das die Lust in mir erwecken könnte, weiter zu leben.«

Sobald sie dies gedacht hatte, war es ihr, als würden der Sargdeckel und das Schweißtuch, das auf ihrem Gesicht lag, durchsichtig, und sie erblickte vor sich Geld und schöne Kleider und reiche Gärten mit köstlichen Früchten.

»Nein, aus all diesem mache ich mir gar nichts«, sagte sie und schloß die Augen vor all diesen Herrlichkeiten.

Als sie wieder aufschaute, war alles verschwunden; aber dafür sah sie ganz klar und deutlich einen kleinen Engel Gottes auf dem Grabesrand sitzen.

»Guten Tag, du kleiner Gottesengel«, sagte sie zu ihm.

»Guten Tag, Ingrid«, sagte der Engel. »Während du hier liegst und nichts zu tun hast, möchte ich gern von vergangenen Zeiten mit dir sprechen.«

Ingrid hörte deutlich jedes Wort, das der Engel sprach. Aber seine Stimme glich keiner, die sie früher schon gehört hatte. Sie klang vielmehr wie Saitenspiel, dessen Töne Worte waren. Sie klang nicht wie Gesang, sondern wie Geigenspiel oder Harfenton.

»Ingrid«, sagte der Engel, »erinnerst du dich noch, wie du, als dein Großvater noch lebte, einmal mit einem jungen Studenten zusammentrafst, der mit dir von Hof zu Hof zog und den ganzen Tag auf deines Großvaters Geige spielte?«

Das Antlitz der Scheintoten wurde von einem Lächeln erhellt.

»Meinst du, ich hätte das vergessen?« sagte sie. »Kein Tag ist seither vergangen, an dem ich nicht an ihn gedacht hätte.«

»Und auch keine Nacht, ohne daß du von ihm geträumt hättest?«

»Nein, keine Nacht verging, ohne daß ich von ihm träumte.«

»Und du willst sterben, obgleich du dich seiner so gut erinnerst?« fragte der Engel. »Dann kannst du ihn ja nie wiedersehen.«

Als der Engel dies gesagt hatte, war es der Scheintoten, als fühle sie die ganze Seligkeit der Liebe; aber selbst dies konnte sie nicht verlocken.

»Nein, nein«, sagte sie, »ich fürchte mich zu leben, ich will lieber sterben.«

Da winkte der Engel mit der Hand, und Ingrid sah eine große, öde Sandwüste vor sich, die ganz kahl und unfruchtbar, trocken und heiß war und sich nach allen Seiten in die Unendlichkeit erstreckte. Im Sande lag da und dort etwas, was auf den ersten Blick wie ein Felsblock aussah, aber als Ingrid näher hinschaute, waren es Tiere, ungeheure lebendige Fabeltiere mit mächtigen Pratzen und großen Rachen mit scharfen Zähnen, die da auf dem Sand lagen und auf Raub lauerten. Und zwischen diesen entsetzlichen Tieren kam der Student dahergegangen; sorglos schritt er dahin, ohne zu ahnen, daß die Gestalten um ihn her lebendig waren.

»Aber warne ihn doch, warne ihn!« sagte Ingrid zu dem Engel in unsäglicher Angst. »Sag ihm, daß sie lebendig sind, daß er sich in acht nehmen muß!«

»Mir ist es nicht erlaubt, ihn anzureden«, erwiderte der Engel mit seiner klaren Stimme, »du mußt ihn selbst warnen.«

Mit Entsetzen fühlte die Scheintote, daß sie gelähmt war und nicht hineilen konnte, um den Studenten zu retten. Sie versuchte einmal ums andere, sich zu erheben, aber umsonst, die Ohnmacht des Todes hielt sie gebannt. Aber da, endlich, endlich – fühlte sie, wie ihr Herz zu schlagen begann, wie das Blut durch die Adern strömte, wie die Starre des Todes in ihrem Körper sich löste. Sie stand auf und eilte ihm entgegen ...

4

Das ist ganz gewiß, die Sonne liebt die freien Plätze vor den kleinen Dorfkirchen. Ist es noch nie jemand aufgefallen, daß es nirgends soviel Sonnenschein gibt wie vor einem weißangestrichenen Kirchlein während des Gottesdienstes? Nirgends sonst sieht man so strahlende Lichtgarben, nirgends sonst ist die Luft so andächtig still. Die Sonne steht da förmlich auf der Wacht, daß die Leute nicht vor der Kirche stehenbleiben und den Dorfklatsch verhandeln. Alle sollen hübsch in der Kirche sitzen und der Predigt zuhören, deshalb sendet sie einen solchen Reichtum von Strahlen vor die Kirchenmauern.

Vielleicht ist es nicht ganz gewiß, daß die Sonne jeden Sonntag solchen Wachtdienst vor den kleinen Dorfkirchen versieht, aber soviel ist sicher, an jenem Vormittag, wo die Scheintote auf dem Kirchhof von Råglanda ins Grab gelegt worden war, verbreitete sie eine glühende Hitze auf dem kleinen Platz vor der Kirche, ja es schien, als wollten die Kieselsteine Feuer sprühen, so funkelnd lagen sie in den Wagengeleisen.

Das zertretene kurze Gras schrumpfte zusammen und sah trockenem Moos ähnlich, während die gelben Blüten des Löwenzahns, die den Rasen zierten, sich auf ihren langen Stielen ausbreiteten, so daß sie so groß wurden wie Astern.

Da kam ein Mann in der Tracht der Bauern von Dalarne des Wegs daher, einer von denen, die mit Messern und Scheren hausieren gingen. Er war in einen langen weißen Mantel aus Schafpelz gekleidet, und auf dem Rücken trug er einen großen schwarzen Ledersack. Mit dieser Ausrüstung war er schon mehrere Stunden lang gewandert, ohne daß es ihm zu warm geworden wäre; aber als er die Landstraße verließ und den Kirchplatz erreichte, dauerte es nicht eine Minute, bis er stille stehen und den Hut abnehmen mußte, um sich den Schweiß von der Stirne zu wischen.

Wie der Mann mit entblößtem Kopf dastand, sah er schön und klug aus. Seine Stirne war hoch und weiß mit einer tiefen Gedankenfalte zwischen den Augenbrauen und der Mund schön geformt mit schmalen Lippen. Sein Haar war in der Mitte gescheitelt; es war im Nacken kurz geschnitten und hing, an den Spitzen etwas gelockt, über die Ohren herab. Er war groß und kräftig, aber nicht grob, sondern in allen Teilen ebenmäßig gebaut. Aber es fiel auf, daß sein Blick unstet war, die Augäpfel rollten unruhig hin und her und zogen sich in die Höhlen zurück, wie um sich zu verbergen. Um den Mund hatte er einen verzerrten und irren Zug, etwas Albernes und Schlaffes, das nicht herpaßte, das nicht recht zu diesem Gesicht gehörte.

Er konnte auch nicht recht klug sein, wenn er sich am Sonntag mit dem schweren Sack abschleppte. Hätte er seinen vollen Verstand gehabt, würde er gewußt haben, daß es gar keinen Wert hatte, da er ja doch nichts verkaufen konnte. Von all den anderen Dalekarliern, die durch die Dörfer zogen, hätte auch nicht einer an einem Sonntag den Rücken unter dem Sack gekrümmt; da gingen sie wie andere Menschen frei und aufrecht ins Gotteshaus.

Aber dieser arme Mensch wußte wohl nicht einmal, daß es Sonntag war, bis er im Sonnenschein vor der Kirche stand und der Gesang zu ihm herausdrang. Aber so klug war er doch, um sofort zu verstehen, daß er an diesem Tag keinen Handel treiben könne. Und da bekam sein Gehirn eine beschwerliche Arbeit, denn es mußte überlegen, was er mit seinem freien Tag anfangen wolle.

Lange stand er da und starrte vor sich hin. Wenn alles im gewohnten Geleise ging, wurde es ihm nicht schwer, sich zurechtzufinden. Sein Zustand war nicht gar so schlimm; in der Woche konnte er ganz gut von Hof zu Hof ziehen, um seinen Handel zu treiben; aber er konnte sich nie an den Sonntag gewöhnen. Der aber kam über ihn wie ein großes, unvorhergesehenes Mißgeschick.

Seine Augen waren ganz starr, und die Muskeln auf der Stirne schwollen an.

Das erste, was drinnen in seinem Gehirn vorgeschlagen wurde, war, er solle in die Kirche gehen und dem Gesang zuhören. Aber der Vorschlag wurde nicht angenommen. Er hätte gern den Gesang gehört, aber er wagte nicht, in die Kirche zu treten. Vor den Menschen fürchtete er sich zwar nicht, aber in manchen Kirchen waren so sonderbare unheimliche Bilder, die Wesen vorstellten, an die er am liebsten nicht dachte.

Schließlich arbeitete er sich zu dem Gedanken durch, daß es, da dies eine Kirche war, doch wohl auch einen Kirchhof hier geben müsse. Und wenn er einen Kirchhof erreichen konnte, dann war er geborgen. Was es auch immer sein mochte, man konnte ihm nichts Besseres bieten. Sooft er auf seinen Wanderungen vom Wege aus einen Kirchhof erblickte, ging er hinein und setzte sich eine Weile dort nieder, mochte es auch mitten in der Arbeitswoche sein.

Als er nun in den Kirchhof hineingehen wollte, zeigte sich plötzlich eine neue Schwierigkeit. Der Begräbnisplatz von Råglanda liegt nämlich nicht dicht neben der Kirche, die auf einem Hügel steht, sondern auf einer Wiese, etwas hinter dem Gemeindehaus. Und er konnte die Kirchhofspforte nicht erreichen, ohne einen Weg entlang zu gehen, neben dem die Pferde der Kirchenbesucher angebunden standen.

Alle Pferde hatten die Köpfe tief in Heubündel und Futtersäcke vergraben und kauten, daß das Futter zwischen ihren Zähnen knirschte. Es war keine Rede davon, daß die Pferde dem jungen Mann ein Leid antun würden, aber er hatte seine eigenen Ansichten über die Gefahr, die ihm drohte, wenn er an solch einer langen Reihe von Tieren vorüberginge.

Zwei-, dreimal versuchte er vorwärtszugehen, aber der Mut gebrach ihm, so daß er wieder umdrehen mußte. Er fürchtete sich nicht, die Pferde könnten ihn beißen oder nach ihm ausschlagen, es war mehr als genug, daß sie so nahe waren und ihn sehen konnten; es war mehr als genug, daß sie mit ihren Halftern rasseln und mit den Hufen auf dem Boden scharren konnten.

Schließlich kam ein Augenblick, wo alle Pferde auf den Boden sahen und richtig um die Wette zu fressen schienen. Da begann er seine Wanderung an ihnen vorbei. Er zog den Pelz dicht um sich zusammen, damit er nicht flattern und ihn verraten könne, und ging auf den Zehen, so hübsch er vermochte. Sooft ein Pferd die Augen aufschlug und ihn ansah, blieb er sogleich stehen und knickste. Er wollte in dieser großen Gefahr gern recht höflich sein; aber die Tiere würden doch wohl auch so vernünftig sein, zu verstehen, daß er sich nicht tief verbeugen konnte, da er doch einen Sack voll Eisen auf dem Rücken trug. Es blieb ihm nichts übrig, als zu knicksen.

Er stieß einen tiefen Seufzer aus, denn es war doch etwas recht Schweres und Beschwerliches im Leben, wenn man sich wie er vor allen vierfüßigen Tieren fürchtete. Eigentlich fürchtete er sich zwar bloß vor Geißen; vor Pferden, Hunden und Katzen hätte er gar keine Angst gehabt, wenn er nur ganz sicher gewesen wäre, daß sie nicht eine Art verwandelter Geißen gewesen wären. Aber darüber war er nie so ganz sicher, und so war es im Grund genommen ebenso schlimm für ihn, wie wenn er sich vor allen Arten von vierfüßigen Tieren gefürchtet hätte.

Es nützte gar nichts, wenn er sich ins Gedächtnis rief, wie stark er sei, und daß diese kleinen Bauernpferde für gewöhnlich niemand etwas zuleid taten. An dergleichen kann der nicht denken, dem die Angst in der Seele wohnt. Die Angst ist eine drückende Last, und es ist schwer für den, bei dem sie sich festgesetzt hat.

Es war merkwürdig, daß er doch an der ganzen Pferdereihe vorüberkam. Das letzte Stück Weg legte er mit zwei langen Sätzen zurück, und als er den Kirchhof erreicht hatte, zog er das Gittertor hinter sich zu und drohte mit geballter Faust nach den Pferden.

»Ihr schlechten, erbärmlichen, verfluchten Geißböcke!«

Das tat er bei allen Tieren; er konnte es nicht lassen, alle miteinander Geißböcke zu schimpfen. Und das war sehr dumm von ihm, denn dies hatte ihm selbst den Namen verschafft, den er nicht leiden konnte. Wer ihm begegnete, rief ihm Geißbock nach. Aber er wollte nicht auf diese Weise angeredet werden. Er wollte mit seinem rechten Namen genannt sein; der aber war offenbar keinem Menschen in dieser Gegend bekannt.

Er blieb eine Weile an der Pforte stehen und freute sich, daß er den Pferden entkommen war, bald aber wanderte er weiter in den Kirchhof hinein. Vor jedem Kreuz und jedem Stein hielt er an und knickste. Aber nun tat er es nicht aus Angst, sondern vor Freude über das Wiedersehen mit diesen lieben, alten Bekannten. Er sah auf einmal ganz mild und freundlich aus. Das waren ja genau dieselben Kreuze und Steine, die er früher schon so oft gesehen hatte! Wie unverändert sie waren! Wie gut er sie wiedererkannte! Er mußte sie begrüßen!

Wie schön es auf dem Kirchhof war! Keine Tiere weideten hier, und keine Menschen trieben hier Narrenpossen. Es war ihm am liebsten, wenn es ringsum ganz still war wie eben jetzt, aber selbst wenn sich Menschen da aufhielten, störten sie ihn nicht. Er kannte ja wohl noch manche schöne Auen und Haine, die ihm noch besser gefielen, aber dort ließ man ihn nie in Frieden, und sie konnten in keiner Weise mit dem Kirchhof verglichen werden. Der Kirchhof war sogar besser als der Wald, denn im Wald war die Einsamkeit so groß, daß er sich vor ihr fürchtete. Hier aber war es so still wie in der Tiefe des Waldes, nur war er nicht allein; hier lagen schlafende Menschen unter jedem Stein und unter jedem Rasenhügel, genau soviel Gesellschaft als er brauchte, um sich nicht einsam und verlassen zu fühlen.

Sofort schlug er die Richtung nach dem offenen Grab ein.

Er ging dahin, teils weil dort ein paar Bäume standen, die

Schatten spendeten, teils auch, weil er sich nach Gesellschaft sehnte. Er glaubte vielleicht, der Tote, der erst vor kurzem in das Grab gelegt worden war, könne ein besserer Schutz gegen die Einsamkeit sein als die längst Entschlafenen.

Den Rücken gegen den großen Erdhaufen am Grabesrand gestemmt, ließ er sich beinahe auf die Knie nieder, dadurch gelang es ihm, seinen Kramsack so hoch hinaufzuschieben, daß er fest auf dem Haufen stand, sowie die schweren Lederriemen, die ihn festhielten, zu lösen. Es war ein großer Tag, ein Feiertag, und er warf auch den Pelz ab. Mit viel Behagen setzte er sich ins Gras, dem Grab so nahe, daß seine langen Beine mit den Kniestrümpfen und den dicken Schnürstiefeln über den Grabesrand hinunterhingen.

Zuerst saß er, die Augen starr auf den Sarg gerichtet, ziemlich lange still da. Wenn man solche Angst in sich trug wie er, konnte man niemals vorsichtig genug sein. Aber der Sarg bewegte sich wirklich gar nicht. Er konnte ihn unmöglich im Verdacht haben, daß irgendeine Falle darin verborgen sei.

Erst als er seiner Sache ganz sicher war, fuhr er mit der Hand in ein Seitenfach seines Kramsacks und zog eine Geige und einen Fiedelbogen heraus. Gleichzeitig nickte er dem Toten im Grab zu. Da er sich so ruhig verhielt, sollte er etwas Schönes zu hören bekommen.

Dies war etwas ganz Besonderes; es gab nicht viele, die ihn spielen hören durften. Auf den Höfen, wo sie die Hunde auf ihn hetzten und ihn Geißbock schimpften, bekam ihn niemand zu hören. Aber es kam vor, daß er in einem Haus vorspielte, wo man leise sprach und stille umherging und ihn nicht fragte, ob er Ziegenfelle kaufen wolle. An solchen Orten nahm er oft die Geige hervor und gab etwas zum besten. Und dies war eine große Auszeichnung, die größte, die er jemand zuteil werden lassen konnte.

Wie er nun so auf dem Grabesrand saß und spielte, klang es gar nicht übel. Er spielte nicht einen einzigen falschen Ton, und er spielte so leise und so zart, daß es kaum am nächsten Grab gehört werden konnte.

Aber das Merkwürdige an der Sache war, daß es gar nicht der Mann selber war, der spielen konnte, sondern vielmehr seine Geige, die sich an einige kleine Melodien erinnerte. Diese drangen aus ihr heraus, sobald er mit dem Bogen über die Saiten strich. Dies wäre vielleicht für jemand anderes nicht von so großer Bedeutung gewesen, aber für ihn, der nicht fähig war, sich an irgendeine Melodie zu erinnern, war es die allerkostbarste Gabe, daß er eine Geige besaß, die von selbst spielen konnte.

Während er spielte, zog ein strahlendes Lächeln über sein Gesicht, wie bei jemand, der ein Kind plaudern und erzählen hört.

Die Geige war es, die sprach und sprach, er hörte nur zu. Es war doch zu merkwürdig, daß diese schönen Dinge erklangen, sobald er den Bogen über die Saiten gleiten ließ. Die Geige besorgte das selbst; sie wußte, wie es klingen mußte, der junge Mann saß nur da und lauschte.

Aus der Geige wuchsen Melodien heraus, gerade wie Gras aus der Erde wächst. Niemand konnte verstehen, wie es zuging. Der liebe Gott hatte es so eingerichtet.

Der Dalekarlier hatte im Sinn, den ganzen Tag hier sitzen zu bleiben und die geliebten Töne aus der Geige herauswachsen zu lassen wie kleine weiße und bunte Blumen. Er wollte eine ganze Wiese voll Blumen spielen, ein ganzes langes Tal voll, eine große, weite Ebene.

Aber sie, die scheintot drunten im Sarg lag, hatte das Geigenspiel wohl gehört, und auf sie hatte es eine sonderbare Wirkung ausgeübt. Die Töne hatten sie zum Träumen gebracht, und von dem, was sie im Traum sah, wurde sie so erregt, daß ihr Herz zu klopfen, ihr Blut zu strömen begann – und sie erwachte.

Nun geschah es, daß sie alles, was sie erlebt hatte, solange sie scheintot war – die Gedanken, die sie da gehabt, und selbst den letzten Traum –, daß dies alles in dem Augenblick vergessen und verschwunden war, wo sie ihr gewöhnliches Bewußtsein wiedererlangte. Sie wußte nicht einmal, daß sie im Sarge lag, sondern meinte, sie liege noch immer daheim krank in ihrem Bett. Sie dachte nur, es sei recht sonderbar, daß sie noch lebe. Vor ganz kurzem, ehe sie eingeschlafen war, war sie ja mitten im Todeskampf gewesen! Es müßte ja schon längst aus mit ihr sein! Sie hatte Abschied genommen von den Pflegeeltern, den Geschwistern und den Dienstleuten. Der Propst selbst war dagewesen und hatte ihr das Abendmahl gegeben, denn ihr Pflegevater meinte, er habe die Kraft nicht dazu. Und vor mehreren Tagen schon hatte sie ihre Gedanken von allem Irdischen abgewandt. Es war unbegreiflich, daß sie nicht tot war.

Sie wunderte sich, daß in dem Zimmer eine solche Dunkelheit herrschte. Seit sie krank war, hatte jede Nacht ein Licht gebrannt. Und dann hatte man ihre Decke vom Bett hinabgleiten lassen. Lag sie nicht da und war eiskalt?

Sie richtete sich ein wenig auf, um die Decke über sich zu ziehen. Da stieß sie mit der Stirn an den Sargdeckel, und mit einem Schmerzensschrei sank sie wieder zurück.

Der Stoß war ziemlich heftig gewesen, und sie versank sogleich wieder in ihren starren Zustand. Sie lag ebenso unbeweglich wie zuvor, und es war, als sei das Leben aufs neue entflohen. Der junge Mann, der den Stoß und auch den Schrei hörte, legte augenblicklich die Geige weg und begann zu lauschen. Aber er hörte nichts mehr, gar nichts.

Nun starrte er wieder ebenso unverwandt auf den Sarg wie zu Anfang. Er nickte vor sich hin, als wolle er »ja« sagen zu dem, was er selbst dachte, nämlich, daß es auf der Erde nichts gebe, worauf man sich verlassen könne. Hier habe er nun den besten, schweigsamsten Kameraden gehabt; aber sei er denn nun nicht auch von diesem betrogen wordn? Immerfort betrachtete er den Sarg, als wolle er durch ihn hindurchsehen. Schließlich, als er sich fortgesetzt ruhig verhielt, nahm er wieder die Geige zur Hand und begann zu spielen.

Aber nun wollte die Geige nicht mehr. Wie weich und zärtlich er auch darüber hinstrich, es drangen keine Melodien mehr daraus hervor. Das war so traurig, daß er beinahe geweint hätte. Er hatte die Absicht gehabt, den ganzen Tag ruhig sitzen zu bleiben und seiner Geige zuzuhören, und nun wollte die nicht mehr.

Er konnte sich auch den Grund wohl denken. Die Geige war unruhig und fürchtete sich vor dem, was sich in dem Sarg da unten bewegte. Sie hatte all ihre Lieder vergessen und dachte nur noch darüber nach, was es wohl gewesen sein könnte, das an den Sargdeckel geklopft hatte. Denn so ist es ja, man vergißt alles, wenn man Angst hat.

Er fühlte, er mußte die Geige wieder beruhigen, wenn er noch mehr hören wollte.

Er hatte sich so glücklich gefühlt, glücklicher als seit Jahren. Wenn wirklich etwas Böses in dem Sarg war, wäre es dann nicht am besten, er ließe es aus dem Sarg heraus? Dann würde die Geige wieder froh werden, und es würden wieder schöne Blumen aus ihr hervorwachsen.

Entschlossen machte er seinen großen Sack auf und begann zwischen Messern, Sägen und Hämmern zu suchen, bis er einen Schraubenzieher fand. Im nächsten Augenblick war er drunten im Grabe, lag auf den Knien und begann den Sargdeckel loszuschrauben.

Er zog eine Schraube nach der andern heraus, bis er schließlich den Deckel nach der einen Wand des Grabes zurückschlagen konnte. Zugleich glitt auch das Schweißtuch von dem Gesicht der Scheintoten weg.

Sobald die frische Luft bis zu Ingrid drang, schlug sie die Augen auf. Und nun war es ja licht um sie her. Man mußte sie fortgebracht haben. Nun lag sie in einer gelben Kammer, die eine grüne Decke hatte und einen großen Kronleuchter an der Decke.

Die Kammer war klein, aber das Bett war noch kleiner. Warum hatte sie denn das Gefühl, als ob ihr Arme und Beine gefesselt wären? War es, weil sie sich in dem kleinen, engen Bette ruhig verhalten sollte?

Wie merkwürdig, daß man ihr ein Gesangbuch unter das Kinn gelegt hatte! Das tat man ja sonst nur bei Toten!

Zwischen den Fingern hatte sie einen kleinen Blumenstrauß. Ihre Pflegemutter hatte ein paar Zweiglein von ihrem blühenden Myrtenstock abgeschnitten und ihr zwischen die Hände gelegt. Ingrid verwunderte sich sehr. Was war ihrer Pflegemutter nur eingefallen?

Sie sah, daß man ihr ein Kopfkissen mit breiten Spitzen gegeben hatte, sowie ein feines Leintuch, das sie in weichen Falten umgab. Sie freute sich sehr darüber; sie mochte gerne etwas Feines. Aber noch lieber hätte sie eine warme Decke gehabt. Es konnte doch für eine Kranke nicht gut sein, wenn sie ohne Decke dalag!

Ingrid war im Begriff, die Hände vors Gesicht zu schlagen und in Tränen auszubrechen; sie fror gar so bitterlich.

Da fühlte sie plötzlich etwas Hartes und Kühles an ihrer Wange. Sie mußte lächeln; das alte, rote Holzpferdchen, die dreibeinige Kamilla, lag neben ihr auf dem Kopfkissen. Das Brüderchen, das nie einschlafen wollte, wenn es das Pferdchen nicht neben sich im Bett hatte, mußte es ihr hingelegt haben. Das war recht lieb von dem Brüderchen gewesen. Ingrid war dem Weinen noch näher, als sie begriff, daß das Brüderchen sie mit dem Pferdchen hatte trösten wollen. Aber sie brachte es nicht bis zum Weinen. Plötzlich ging ihr die Wahrheit auf. Das Brüderchen hatte ihr das hölzerne Pferd und die Mutter ihre weißen Myrtenblüten gegeben, und das Gesangbuch hatte man ihr unter das Kinn gelegt, weil man geglaubt hatte, sie sei tot.

Mit beiden Händen erfaßte Ingrid den Rand des Sargs und richtete sich auf. Das kleine, schmale Bett war ein Sarg, und das gelbe Stübchen war ein Grab. Das war alles miteinander sehr schwer zu verstehen. Sie konnte gar nicht begreifen, daß dies sie selbst betraf, daß sie es war, die in ein Leintuch gehüllt und ins Grab gelegt worden war. Sie lag wahrscheinlich doch daheim in ihrem Bett und sah oder träumte dies alles. Es würde sich wohl bald zeigen, daß dies nicht die Wirklichkeit sei, sondern daß alles war wie gewöhnlich.

Plötzlich fand sie eine Erklärung für alles.

»Ich habe oft so sonderbare Träume«, dachte sie. »Dies ist gewiß nur ein Gesicht.«

Und sie seufzte froh und erleichtert auf. Sie legte sich sogar wieder in den Sarg zurück, fest überzeugt, daß es ihr Bett sei; das war doch auch nicht so sehr breit.

Während dieser ganzen Zeit stand der Mann im Grab, gerade zu Ingrids Füßen. Er befand sich nur wenige Fuß von ihr entfernt, aber sie hatte ihn noch nicht gesehen.

Dies kam gewiß daher, daß er, sobald die Tote in dem Sarg die Augen aufschlug und sich zu rühren begann, sich in einer Ecke zusammenkauerte und sich zu verbergen suchte. Sie hätte ihn wahrscheinlich wohl gesehen, obgleich er den Sargdeckel wie einen Schild vor sich hielt, wenn nicht bis dahin gleichsam ein weißer Nebel vor ihren Augen gewesen wäre, so daß sie nur das Allernächste ganz deutlich sehen konnte. Sie hatte ja nicht einmal sehen können, daß die Wände um sie her aus Sand waren; die Sonne hatte sie für einen großen Kronleuchter und das Laubdach der Linde für eine Zimmerdecke gehalten.

Der arme junge Mann wartete und wartete, daß das, was sich in dem Sarge bewegte, endlich seines Wegs gehen würde. Er dachte nicht anders, als daß es dies von selbst tun werde. Es hatte ja geklopft, weil es heraus wollte. Lange stand er so, den Kopf hinter dem Sargdeckel, in der Erwartung, daß es gehen würde. Und als er glaubte, jetzt werde es fort sein, lugte er hervor. Aber da hatte es sich noch nicht gerührt, sondern lag noch immer auf seinem Lager aus Hobelspänen.

Das gefiel ihm gar nicht; er wollte, die Sache sollte bald ein Ende haben. Seine Geige hatte seit langer Zeit nicht mehr so schön gesprochen wie an diesem Tag; er sehnte sich danach, wieder in Ruhe bei ihr zu sitzen.

Ingrid, die beinahe wieder eingeschlummert war, hörte plötzlich, daß sie in der singenden Mundart von Dalarne angeredet wurde.

»Ich meine, nun wäre es Zeit, daß du aufstehst!«

Sobald er dies gesagt hatte, verbarg er den Kopf wieder. Er zitterte so über seine Keckheit, daß er den Sargdeckel beinahe hätte fallenlassen.

Aber der weiße Nebel, den Ingrid vor den Augen gehabt hatte, verschwand vollständig, als sie einen Menschen sprechen hörte. Sie sah einen Mann, der sich am Fußende des Sargs in einem Winkel zusammendrückte und einen Sargdeckel vor sich hinhielt, und augenblicklich wurde sie sich bewußt, daß sie sich nicht hinlegen dürfe und denken, es sei ein Traumgesicht. Hier war ganz gewiß eine Wirklichkeit, die sie sich klarmachen mußte. Ganz unwiderleglich schien es sich so zu verhalten, daß der Sarg ein Sarg und das Grab ein Grab war und daß sie selbst vor ein paar Minuten noch nichts anderes war als eine eingekleidete und begrabene Leiche.

Zum erstenmal ergriff sie richtiges Entsetzen vor dem, was ihr widerfahren war. Ach, wie schrecklich, wenn sie bedachte, daß sie in diesem Augenblick wirklich tot sein könnte! Sie hätte eine häßliche, der Verwesung anheimgefallene Leiche sein können! Sie war ins Grab gelegt worden, damit man Erde auf sie würfe, sie war nicht mehr wert als das Gras auf dem Felde; sie war ganz weggeworfen, Speise für die Würmer. Niemand weinte um sie, niemand!

In diesem großen Entsetzen sehnte sich Ingrid mit aller Macht nach der Gegenwart eines Menschen. Sie hatte den Geißbock auf den ersten Blick erkannt, sobald er den Kopf hervorgestreckt hatte. Er war ein alter Bekannter auf dem Pfarrhof, und sie fürchtete sich nicht ein bißchen vor ihm. Nun wollte sie ihn bei sich haben. Es war ihr ganz einerlei, daß er nur ein Narr war. Es war doch jedenfalls ein lebendiger Mensch. Sie wollte ihn so dicht bei sich haben, daß sie fühlen konnte, sie gehöre zu den Lebendigen und nicht zu den Toten.

»Ach, um Gottes willen, komm her zu mir!« sagte sie mit Tränen in der Stimme. Sie richtete sich im Sarg auf und streckte die Arme nach ihm aus.

Aber der Dalekarlier dachte nur an sich. Da sie ihn zu sich hinlocken wollte, beschloß er, ihr Bedingungen zu stellen.

»Ich komme, wenn du deiner Wege gehen willst«, sagte er.

Ingrid versuchte sogleich, ihm zu gehorchen, und wollte den Sarg verlassen, aber sie war so dicht in Bettücher eingehüllt, daß sie sich nur mit Mühe erheben konnte.

»Du mußt kommen und mir helfen«, sagte sie.

Einesteils war sie gezwungen, dies zu ihm zu sagen, anderenteils tat sie es auch, weil sie so große Angst hatte, sie sei dem Tod in Wahrheit noch nicht entronnen. Sie mußte in der Nähe eines lebendigen Menschen sein.

Er kam auch wirklich, indem er sich zwischen dem Sarg und der einen Seite des Grabes durchzwängte. Er neigte sich über sie, hob sie aus dem Grabe und setzte sie auf den grünen Rasen neben der offenen Grube.

Ingrid konnte nicht anders – sie schlang beide Arme um seinen Hals, lehnte ihren Kopf an seine Schulter und schluchzte. Später begriff sie gar nicht, wie sie es hatte tun können und daß sie keine Angst vor ihm gefühlt hatte. Es geschah teils aus Freude darüber, daß er ein Mensch war, ein lebendiger Mensch, teils aber auch aus Dankbarkeit, daß er sie gerettet hatte.

Lieber Gott, was wäre aus ihr geworden, wenn er nicht gewesen wäre! Er war es gewesen, der den Sargdeckel abgenommen, der sie dem Leben zurückgegeben hatte. Sie wußte ja nicht, wie alles zugegangen war, aber soviel war doch sicher, daß er den Sarg aufgemacht hatte. Was wäre aus ihr geworden, wenn er es nicht getan hätte! Dann wäre sie erwacht, eingesperrt in den schwarzen Sarg. Sie würde geklopft haben, gerufen. Aber wer hätte sie hören können, wenn sie sechs Fuß tief in der Erde lag? Ingrid wagte nicht, daran zu denken, sie zerfloß ganz in Dankbarkeit darüber, daß er sie gerettet hatte. Sie mußte jemand haben, dem sie danken konnte. Sie mußte ihren Kopf an eine menschliche Brust legen und weinen vor lauter Dankbarkeit.

Das Merkwürdigste von allem, was an diesem Tag geschah, war wohl, daß der Dalekarlier sie nicht zurückstieß. Aber er war sich nicht so ganz klar darüber, daß sie lebte. Er glaubte, sie sei tot, und wußte, daß es nicht ratsam sei, sich einem Toten zu widersetzen. Aber sobald es anging, machte er sich von ihr los und sprang in das Grab hinein. Er legte den Deckel wieder auf den Sarg, setzte die Schrauben ein und schraubte sie so fest wie vorher. Jetzt würde der Sarg wohl ganz stille bleiben und die Geige ihre Ruhe und Melodien wieder bekommen.

Mittlerweile saß Ingrid im Gras und versuchte zu überlegen. Sie schaute zur Kirche hinüber und gewahrte die Pferde und Wagen an dem Kirchberg. Nun begann ihr der Zusammenhang klar zu werden. Es war Sonntag, man hatte sie am Morgen begraben, und nun waren die Leute in der Kirche.

Ingrid erschrak heftig. Der Gottesdienst war vielleicht bald vorbei, und dann kamen die Leute heraus und sahen sie. Und sie hatte ja nichts, gar nichts anderes an als ein Leichentuch. Sie war ja beinahe nackend. Wie entsetzlich, wenn so viele Menschen aus der Kirche kamen und sie so sahen! Diesen Anblick würden sie nie wieder vergessen. Und sie müßte sich ihr ganzes Leben lang darüber schämen.

Wo sollte sie nur Kleider herbekommen? Einen Augenblick dachte sie daran, den Pelz des Dalekarliers überzuwerfen, aber es kam ihr vor, als würde sie dadurch anderen Menschen doch nicht viel ähnlicher.

Rasch wandte sie sich an den Verrückten, der noch mit dem Sargdeckel beschäftigt war.

Und in demselben Augenblick war sie schon neben dem großen ledernen Sack, der Waren für eine ganze Marktbude enthielt, und begann ihn zu öffnen.

»Ach komm und hilf mir!« rief sie.

Sie brauchte nicht vergebens zu bitten. Als der Dalekarlier sah, daß sie sich an seinem Sack zu schaffen machte, kam er schnell aus dem Grabe heraus.

»Bist du an meinem Sack, du?« fragte er drohend.

Ingrid merkte gar nicht, daß er in einem harten Ton mit ihr sprach; sie betrachtete ihn fortgesetzt als ihren besten Freund.

»Ach lieber, guter Mann«, sagte sie, »hilf mir, daß nicht die Leute hierherkommen und mich sehen! Nimm deine Waren heraus und verstecke sie an irgendeinem Ort, mich aber laß in deinen Sack kriechen und dann trage mich heim. Ach, tue es, bitte, bitte! Ich bin aus dem Pfarrhaus, und es ist nur eine kurze Strecke bis dorthin. Du weißt doch, wo es steht!«

Der Mann betrachtete sie mit einem vollständig ausdruckslosen Blick. Sie wußte nicht, ob er von dem, was sie sagte, ein einziges Wort verstand.

Sie wiederholte es, aber er machte keine Miene, ihr zu gehorchen.

Wieder begann sie Sachen aus dem Sack herauszunehmen. Da stampfe er auf den Boden und riß den Sack an sich.

Ach Gott, wie konnte Ingrid ihn nur dazu bringen, ihr zu gehorchen?

Neben ihr im Gras lag eine Geige und ein Fidelbogen. Sie hob sie auf, sie wußte selbst nicht warum. Sie war wahrscheinlich soviel mit Geigenspielern zusammengewesen, daß sie es nicht sehen konnte, wenn eine Geige auf dem Boden lag.

Sobald sie die Geige anrührte, ließ er den Sack los und entriß sie ihr.

Er war offenbar ganz außer sich, daß sie die Geige berührt hatte, und sah sehr böse aus.

Was in aller Welt konnte sie nur ausfindig machen, daß sie von hier wegkam, ehe die Leute die Kirche verließen?

Sie begann ihm alles mögliche zu versprechen, wie man es bei Kindern macht, wenn man sie artig haben möchte.

»Ich will Vater bitten, dir ein ganzes Dutzend Sensen abzukaufen, und wenn du auf den Pfarrhof kommst, will ich alle Hunde einsperren. Ich will Mutter bitten, dir eine gute Mahlzeit zu geben.«

Aber es war kein Anzeichen da, daß er nachgeben würde.

Da fiel ihr die Geige ein, und in ihrer Verzweiflung rief sie: »Wenn du mich ins Pfarrhaus trägst, will ich dir vorspielen!«

Da endlich flog ein Lächeln über sein Gesicht. Das war es wohl, was er haben wollte.

»Den ganzen Nachmittag werde ich dir vorspielen; ich spiele dir, so lange du willst.«

»Willst du die Geige neue Melodien lehren?« fragte er.

»Ja, das will ich sicherlich.«

Aber in demselben Augenblick wurde Ingrid überrascht und beschämt zugleich, denn er griff heftig nach dem Sack und zog ihn weg. Er schleppte ihn über die Gräber hin; und die Pfennigkräuter und Amberstöcke, die auf ihnen wuchsen, wurden zerdrückt wie unter einer Walze.

Er zog ihn zu einem Haufen von dürrem Laub und Reisig und verwelkten Blumensträußen, der neben der Kirchhofmauer lag. Hier nahm er alles heraus, was in dem Sack war, und versteckte es gut unter dem Reisig.

Als der Sack leer war, kam er zu Ingrid zurück.

»Nun kannst du hineinsteigen«, sagte er.

Ingrid stieg hinein und kauerte auf dem Holzboden nieder. Der Mann schnallte alle Riemen ebenso sorgfältig zu, wie wenn er mit seinen gewohnten Waren umherzog, dann duckte er sich nieder, daß er beinahe auf die Knie fiel, steckte die Arme durch die Tragriemen, schnallte zwei Riemen kreuzweis über die Brust und stand auf. Als er ein paar Schritte gegangen war, fing er an zu lachen. Er trug einen Sack auf dem Rücken, der so leicht war, daß er damit tanzen konnte.

Es war nicht mehr eine Viertelmeile von der Kirche bis zum Pfarrhaus. Der Dalekarlier konnte den Weg in zwanzig Minuten zurücklegen. Ingrid wünschte nichts weiter, als daß er so rasch wie möglich gehe, damit sie vor den Kirchgängern und dem Trauergeleite daheim ankomme. Sie konnte den Gedanken nicht ertragen, daß so viele Leute sie sehen würden. Es wäre am besten, wenn sie nach Hause käme, so lange niemand anders auf dem Hof war als ihre Pflegemutter und die Mägde.

Ingrid hatte das Sträußchen von dem Myrtenbäumchen ihrer Pflegemutter aus dem Sarg mitgenommen. Sie freute sich so über diese Gabe, daß sie sie einmal ums andere küßte. Es brachte sie dazu, freundlicher an die Pflegemutter zu denken als zuvor. Aber natürlich hätte sie ohnedies auch mit freundlichem Sinn an sie gedacht. Wer eben aus dem Grabe zurückkehrt, denkt mit freundlichem Sinn an alles, was lebt und sich auf der Oberfläche der Erde bewegt.

Nun begriff sie so gut, daß die Pfarrfrau ihre eigenen Kinder lieber hatte als die Pflegetochter. Und wenn die Pfarrleute arm waren und nicht einmal ein Kindermädchen halten konnten, kam es ihr jetzt ganz selbstverständlich vor, daß sie die kleinen Geschwister hüten mußte. Und wenn die Geschwister nicht gut gegen sie waren, so kam es daher, daß sie gewohnt waren, Ingrid für eine Magd zu halten. Es war nicht leicht für die Kleinen, immer daran zu denken, daß sie als ihre Schwester im Pfarrhaus aufgenommen worden war.

Und alles in allem genommen, kam alles miteinander von der Armut her. Wenn der Vater einmal ein anderes Amt bekäme, wenn er Propst würde, oder doch wenigstens Pfarrer in einem Kirchspiel, dann würde alles gut werden. Dann würde es wohl wieder werden wie in der ersten Zeit, wo sie von allen geliebt worden war. Ach, es würde gewiß alles wieder wie früher! Ingrid küßte ihre Blumen. Mutter hatte vielleicht gar nicht hart sein wollen. Die Armut nur war es, die sie so merkwürdig böse machte.

Aber nun sollte es ihr auch ganz einerlei sein, wie man künftig gegen sie sein würde. In Zukunft sollte sie nichts mehr betrüben, denn nun würde sie immer froh sein, daß sie noch lebte. Und wenn es ihr wieder einmal so recht schwer ums Herz wurde, dann wollte sie nur an die Myrten der Mutter und an die Kamilla des Brüderchens denken.

Es war schon Freude genug, daß sie hier lebendig dahingetragen wurde. Am Morgen hatte niemand geglaubt, daß sie jemals wieder über diese Wege und Hügel zurückkommen würde! Und der duftende Klee, und die Vöglein, und die schönen schattigen Bäume, all dies war zur Freude der Lebendigen da; all dies war nicht für sie dagewesen.

Aber wie gesagt, sie hatte nicht viel Zeit, darüber nachzudenken, denn in zwanzig Minuten war der Dalekarlier am Pfarrhof.

Niemand war daheim als die Pfarrerin und die Mägde, gerade wie Ingrid es sich gewünscht hatte. Die Pfarrfrau hatte den ganzen Vormittag viel zu tun gehabt, das Essen zum Leichenschmaus zu kochen. Nun erwartete sie die Gäste in kurzem, und es war alles so gut wie fertig. Sie war eben im Schlafzimmer und hatte ihr schwarzes Kleid angezogen.

Sie warf einen Blick auf den Weg nach der Kirche, aber es waren noch keine Wagen zu sehen. Da benützte sie die Zeit und ging nochmal in die Küche, um das Essen zu kosten.

Sie war ganz befriedigt, denn alles war wohlgeraten, und darüber muß man sich freuen, selbst wenn man in Trauer ist. In der Küche war nur eine Magd, und diese hatte die Pfarrerin aus ihrer eigenen Heimat mitgebracht, so daß sie nun dachte, mit ihr könne sie wohl vertraulich reden.

»Du, Lisa«, begann sie, »ich meine, mit solch einem Leichenschmaus kann jedermann zufrieden sein, wer es auch sein mag.«

»Ach, wenn sie doch auf die Erde herunterschauen und sehen könnte, welche Ehre Sie ihr antun!« sagte Lisa. »Das würde sie freuen.«

»Oh«, sagte die Pfarrerin, »über mich würde sie sich doch nie freuen.«

»Nun ist sie tot«, sagte das Mädchen, »und ich bin nicht die, die über jemand, der kaum begraben ist, etwas sagt.«

»Ich habe von meinem Mann ihretwegen oft harte Worte hören müssen«, sagte die Pflegemutter.

Die Pfarrerin hatte das Verlangen, mit jemand über die Verstorbene zu sprechen. Ihr Gewissen hatte ihr Vorwürfe gemacht, und deshalb hatte sie eine so großartige Leichenfeier veranstaltet. Sie meinte, die Gewissensbisse könnten wohl aufhören, da sie sich ja jetzt so viele Mühe mit dem Begräbnis gegeben habe, aber das geschah trotzdem nicht. Und ihrem Mann schlug sein Gewissen auch; er sagte, das junge Mädchen habe es nicht so gehabt wie eines ihrer eigenen Kinder, was sie doch versprochen hätten, als sie es adoptierten. Und er sagte, es wäre besser gewesen, wenn sie Ingrid gar nicht genommen hätten, da sie es doch nicht hätten vermeiden können, sie fühlen zu lassen, daß sie ihre eigenen Kinder lieber hatten als sie. Und nun mußte die Pflegemutter mit jemand über das Mädchen reden, um zu hören, ob die Leute dächten, sie habe es schlecht behandelt.

Sie sah, daß Lisa plötzlich sehr heftig in einem Kochtopf zu rühren begann, als werde es ihr schwer, ihren Zorn zu unterdrücken. Lisa war ein kluge Magd, die gut verstand, wie sie sich bei der Hausfrau wohl dran machen konnte.

»Man sollte doch meinen«, begann Lisa, »wenn man eine Mutter hat, die immer für einen sorgt und aufpaßt, daß man gesund und rein ist, so könnte man ihr wohl gehorsam sein und ihr Freude machen. Und wenn man in einem guten Pfarrhaus sein darf und zu etwas Besserem herangezogen wird, so sollte man versuchen, sich nützlich zu machen und nicht nur törichtes Zeug treiben und träumen. Ich möchte wohl wissen, wie es gegangen wäre, wenn Sie sich nicht um das arme Ding angenommen hätten. Sie wäre wahrscheinlich mit den Seiltänzern umhergezogen und hätte wie ein Landstreicher am Wege sterben müssen.«

Da trat ein Dalekarlier in den Hof, einer, der den Kramsack auf dem Rücken trug, obgleich es Sonntag war. Ganz ruhig kam er zu der offenen Küchentür herein und knickste, als er eintrat, obgleich niemand seinen Gruß erwiderte.

Die Hausfrau und die Magd sahen ihn zwar, aber als sie ihn erkannten, fanden sie es nicht der Mühe wert, ihr Gespräch zu unterbrechen.

Die Pfarrerin war sehr darauf aus, es fortzusetzen; sie merkte, daß sie gerade das zu hören bekommen würde, was ihr zur Erleichterung ihres Gewissens not tat.

»Es ist vielleicht ganz gut, daß sie fort ist«, sagte sie.

»Wissen Sie was, Frau Pfarrer«, sagte das Mädchen eifrig, »ich glaube, der Herr Pfarrer meint das auch, jedenfalls wird er es bald genug merken. Sie werden sehen, nun gibt es Frieden hier im Hause, und danach sehnt er sich sehr.«

»Ach ja«, sagte die Pflegemutter, »ich war ja gezwungen, etwas zurückzuhalten. Immer sollten Kleider für sie angeschafft werden, es war ganz schrecklich. Er hatte solche Angst, sie könne nicht ebensoviel bekommen wie die andern, daß sie manchmal sogar mehr bekam. Man brauchte so viel Stoff für sie, jetzt, wo sie erwachsen war.«

»Nun gibt die Frau Pfarrer wohl der Grete das Musselinkleid?«

»Ja, entweder der Grete, oder vielleicht behalte ich es auch selbst.«

»Sie hinterläßt nicht viel, die Ärmste.«

»Niemand verlangt eine Erbschaft von ihr«, sagte die Pflegemutter. »Ich wäre froh, wenn ich mich an ein einziges gutes Wort von ihr erinnern könnte.«

Dies war nur so eine Redensart, wie man sie führt, wenn einem das Gewissen schlägt und man sich verteidigen möchte. Die Pflegemutter meinte gar nicht, was sie sagte.

Der Dalekarlier betrug sich genau so, wie wenn er kam, um zu handeln. Zuerst sah er sich eine Weile in der Küche um, schob dann ganz langsam den Sack auf einen Tisch und schnallte die Trag- und Schnürriemen auf. Hierauf schaute er sich noch einmal um, ob nicht ein Hund oder eine Katze in der Nähe sei, richtete sich dann auf und öffnete die beiden Lederklappen, die mit unzähligen Schnallen und Knoten zugemacht waren.

»Er braucht sich heute keine Mühe zu machen, seinen Sack zu öffnen«, sagte Lisa. »Es ist Sonntag, und da weiß er wohl, daß wir nichts kaufen.«

Aber sie kümmerte sich nicht weiter darum, daß der Verrückte fortfuhr, die Riemen zu lösen. Sie wandte sich an die Pfarrerin. Das war eine gute Gelegenheit für sie, sich bei der Herrin in Gunst zu setzen.

»Ich weiß nicht einmal, ob sie gegen die Kinder gut war. Recht oft hörte ich die im Kinderzimmer weinen und jammern.«

»Wie sie gegen die Mutter war, so war sie wohl auch gegen die Kinder«, sagte die Pfarrerin, »aber nun weinen sie natürlich, daß sie tot ist.«

»Sie verstehen ihren eigenen Vorteil nicht«, sagte die Magd, »aber die Frau Pfarrer kann ganz sicher sein, in einem Monat weint keines von ihnen mehr um die Tote.«

In demselben Augenblick wandten sich beide vom Herde ab und dem Tische zu, wo der Dalekarlier stand und den großen Sack öffnete. Sie hatten einen sonderbaren Laut gehört, etwas, das einem Seufzer oder einem Schluchzen glich. Der Mann machte eben das innerste Fach auf, und aus dem Sack erhob sich die eben begrabene Pflegetochter, genau so, wie man sie in den Sarg gelegt hatte.

Und doch sah sie sich auch wieder nicht ähnlich. Sie sah jetzt gewissermaßen viel mehr wie tot aus, als da sie in den Sarg gebettet wurde. Da hatte sie noch fast dieselbe Farbe gehabt wie bei Lebzeiten, nun aber war das Gesicht aschfahl, die Lippen blauschwarz, und die Augen lagen tief in ihren Höhlen.

Sie sagte nichts, aber ihr Gesicht drückte die größte Verzweiflung aus, und das Myrtensträußchen, das sie von der Pflegemutter bekommen hatte, streckte sie dieser entgegen, flehend und abwehrend zugleich.

Das war kein Anblick, den Menschen aushalten konnten.

Die Pflegemutter fiel ohnmächtig zu Boden, die Magd blieb einen Augenblick wie gebannt stehen, starrte die Tochter und die Mutter an, schlug die Hände vors Gesicht und sprang in die Magdkammer neben der Küche und riegelte sich ein.

»Nein«, sagte sie, »mit mir hat sie nichts zu schaffen, da brauche ich nicht dabei zu sein.«

Aber Ingrid wandte sich zu dem Dalekarlier.

»Schließ mich wieder in deinen Sack hinein und trag mich fort von hier! Hörst du! Hörst du wohl! Trag mich fort von hier! Trag mich wieder dahin, wo du mich geholt hast!«

Zufällig warf der Dalekarlier jetzt einen Blick zum Fenster hinaus. Eine lange Reihe Wagen und Karren fuhr auf der Straße daher und bog in den Hof ein. Ach so! Na, ja, dann wollte er nicht dableiben. Das gefiel ihm gar nicht.

Ingrid kroch wieder in dem Sack zusammen; sie sprach kein Wort mehr, sie schluchzte nur.

Die Klappen und Deckel wurden geschlossen; sie wurde wieder auf den Rücken genommen und fortgetragen. Die Gäste, die zum Leichenschmaus kamen, lachten über den Geißbock, der davonlief und vor jedem Pferd, an dem er vorüberkam, knickste.

5

Mutter Anna Stina war eine alte Frau, die tief im Wald wohnte. Sie pflegte in das Pfarrhaus zur Aushilfe zu kommen. Wenn dort gebacken und gewaschen wurde, kam sie stets wie gerufen hinter den Hügeln hervor. Sie war aber auch eine gute und kluge Frau, und sie und die kleine Ingrid waren immer sehr gute Freunde gewesen. Sobald nun das Mädchen wieder irgendeines Gedankens fähig war, beschloß sie, bei ihr Hilfe zu suchen.

»Höre«, sagte sie zu dem Dalekarlier, »wenn du auf die Landstraße hinaus kommst, mußt du in den Wald einbiegen. Dann gehst du geradeaus, bis du an ein Gatter kommst, dort wendest du dich nach links. Dann gehst du wieder geradeaus, bis du an eine große Sandgrube kommst. Von dort aus siehst du ein kleines Häuschen vor dir liegen; dorthin sollst du mich bringen, und dort werde ich dir vorspielen.«

Der kurze, harte Ton, den sie annahm, während sie ihm dies befahl, tat ihr selbst in den Ohren weh. Aber sie konnte nicht anders, sie mußte so sprechen, wenn er ihr gehorchen sollte. Ach, sie war wohl gerade die rechte dazu, einem andern Menschen zu befehlen, sie, die nicht einmal das Recht hatte, zu leben!

Nein, von nun an würde sie nie wieder glauben können, daß sie ein Recht habe, zu leben! Darin lag ja das Schreckliche dieses Erlebnisses. Nun war sie sechs Jahre lang in dem Pfarrhaus gewesen und hatte sich nicht einmal so viel Liebe erwerben können, daß man sie dort ins Leben zurückwünschte. Wer aber von niemand geliebt wird, hat kein Recht zu leben.

Sie hätte freilich nicht sagen können, woher sie wußte, daß es sich wirklich so verhielt, aber sonnenklar war es ihr. Sie erkannte es daran, daß in dem Augenblick, wo sie hörte, daß man sie nicht liebe, eine eiserne Hand nach ihrem Herzen gefaßt und es zusammengedrückt hatte, wie um es zum Stillstehen zu zwingen. Ja, es war das Leben selbst, das vor ihr verschlossen wurde. Und gerade als sie sich vom Tode abwandte und die Lebenslust hoch und keck in sich aufflammen fühlte, gerade da wurde ihr das, was einem das Recht gibt zu leben, entrissen!

Das war schlimmer als ein Todesurteil, ja viel grausamer als ein gewöhnliches Todesurteil. Sie wußte wohl, womit es zu vergleichen war, mit einem Baum, der nicht auf die gewohnte Weise gefällt wird, indem man nur den Stamm absägt, sondern so, daß man ihm die Wurzeln abhaut, ihn selbst aber in der Erde stehen läßt, damit er nach und nach absterbe. Da steht dann der Baum und kann nicht begreifen, warum er weder Nahrung noch Saft mehr bekommt. Er kämpft und strebt, um zu leben, aber die Blätter werden immer kleiner, er treibt keine neuen Schößlinge mehr, die Rinde fällt ab. Und er muß sterben, weil er von seiner Lebensquelle abgeschnitten worden ist. So ist es, er muß sterben.

Endlich setzte der Dalekarlier den Sack auf den Stufen einer kleinen Hütte nieder, die mitten im wilden Wald stand.

Die Haustür war verschlossen, aber sobald Ingrid aus dem Sack heraus war, zog sie den Schlüssel unter der Türschwelle hervor, schloß auf und trat ein.

Sie kannte das Häuschen und alles, was sich darin befand, ganz genau. Es war nicht zum erstenmal, daß sie hierher kam, um Trost zu suchen, nicht zum erstenmal, daß sie zu der alten Mutter Stina kam und ihr sagte, sie könne es daheim nicht mehr aushalten, weil die Pflegemutter so hart gegen sie sei, und sie wolle nicht wieder zurück ins Pfarrhaus.

Aber jedesmal, wenn sie zu der Alten gekommen war, hatte diese ihr verständig zugesprochen und sie beruhigt. Sie hatte ihr dann einen schauderhaften Kaffee gekocht, der nicht aus einer einzigen Kaffeebohne, sondern nur aus gerösteten Erbsen und Zichorie bestand, der aber doch Ingrid immer neuen Mut einflößte. Und schließlich brachte Mutter Anna Stina sie so weit, daß sie über alles miteinander lachten und Ingrid so aufgeheitert wurde, daß sie durch den Wald und über die Hügel vergnügt nach Hause lief.

Diesmal jedoch hätte es Ingrid wohl schwerlich geholfen, selbst wenn Mutter Stina daheim gewesen wäre und ihren schauderhaften Kaffee gekocht hätte. Aber die Alte war drunten im Pfarrhaus bei Ingrids Leichenschmaus, denn die Pfarrerin hatte nicht versäumt, alle dazu einzuladen, die die Tochter liebgehabt hatten. Das kam wohl auch von den Gewissensbissen.

Aber in der Hütte der alten Anna war alles wie sonst. Und als Ingrid das Kanapee mit dem hölzernen Sitz und die Katze und die Kaffeemaschine sah, fühlte sie sich zwar keineswegs getröstet oder aufgeheitert, empfand aber doch, daß sie sich an einem Ort befand, wo sie ihrem Kummer freien Lauf lassen durfte.

Es war ihr eine Erleichterung, an nichts weiter denken zu müssen, sondern ungehindert weinen und klagen zu dürfen.

Sie eilte auf das Kanapee zu, warf sich auf den harten Sitz und weinte, wer weiß wie lange.

Unterdessen saß der Dalekarlier draußen auf der Staffel, denn er wollte der Katze wegen nicht gerne hineingehen. Er dachte, Ingrid werde herauskommen und ihm vorspielen. Die Geige hatte er schon lange herausgenommen. Da Ingrid aber nicht kam, fing er selbst an zu geigen.

Er spielte weich und leise, wie es seine Gewohnheit war; die Töne drangen kaum bis zu dem Mädchen in der Hütte.

Ingrid aber fühlte einen Fieberschauer nach dem andern durch ihren Körper rieseln. Geradeso war es gewesen, als sie krank wurde, deshalb glaubte sie, die Krankheit breche von neuem aus. Und es wäre wohl auch am besten für sie, wenn das Fieber sie wieder ergriffe und wirklich tötete.

Da drang das Geigenspiel zu ihr herein. Sie richtete sich auf und sah sich mit verwirrten Blicken um. Wer spielte da? War es ihr Student? War er jetzt endlich gekommen?

Aber bald wurde es ihr klar, daß es der Dalekarlier sein

mußte, und mit einem Seufzer legte sie sich wieder nieder. Sie konnte dem nicht folgen, was gespielt wurde. Aber sobald sie die Augen schloß, bekam die Geige die Stimme des Studenten. Ingrid verstand auch, was er sagte. Er sprach mit ihrer Pflegemutter und verteidigte sie; er sprach ebenso schön wie damals mit Herrn und Frau Blomgren. Ingrid brauche sehr viel Liebe, sagte er. Das sei es gewesen, was ihr gefehlt habe. Deshalb habe sie nicht immer ihre Arbeiten fertig gemacht, sondern sich durch Träume zerstreuen lassen. Aber niemand wisse, wie sie sich für den, der sie wirklich lieb hätte, aufopfern könnte. Für den würde sie Kummer und Krankheit und Verachtung und Armut ertragen. Für den würde sie stark sein wie ein Riese und geduldig wie ein Lamm.

Ingrid hörte ihn ganz deutlich sprechen, und es kam Ruhe über sie. Das war ja alles wahr. Wenn die Pflegemutter sie nur geliebt hätte, dann würde sie gesehen haben, wessen Ingrid fähig war. Da sie aber Ingrid nicht lieb hatte, war diese wie gelähmt gewesen. Ja gewiß, das war alles wahr.

Nun fühlte sie keine Fieberschauer mehr, sie hörte nur ruhig zu, was der Student sagte. Zwischendurch schlief sie wohl auch, denn sie glaubte einmal ums andere, sie liege im Grab, und immer war es der Student, der kam und sie aus dem Sarg hob. Sie lächelte und schalt ihn darüber.

»Nun wo ich träume, da kommst du immer«, sagte sie.

»Ja, immer bin ich es, der kommt und dir hilft, Ingrid«, erwiderte er. »Das weißt du recht gut. Ich hebe dich aus dem Grab heraus, ich trage dich auf meinen Schultern, ich spiele dich zur Ruhe. Immer bin ich es.«

Was sie aber stets wieder störte und aufweckte, war der Gedanke, daß sie aufstehen und dem Dalekarlier vorspielen müsse. Sie richtete sich mehrere Male auf, um es zu tun, hatte aber nicht die Kraft dazu.

Sobald sie auf das Sofa zurücksank, träumte sie, sie säße zusammengekauert in dem Sack, und der Student trage sie durch den Wald. Immer war er es.

»Aber du warst es nicht«, sagte sie zu ihm.

»Freilich war ich es«, entgegnete er und lächelte über ihren Widerspruch. »Du hast ja in all den Jahren täglich meiner gedacht, da wirst du doch begreifen, daß ich nicht anders konnte, als dich aus dieser Gefahr zu erretten.«

Das fand sie auch ganz selbstverständlich, und sie fing an einzusehen, daß er recht hatte und daß er es wirklich war.

In diesem Gedanken aber lag nun eine solche Seligkeit, daß sie von neuem erwachte. Und die Liebe durchzitterte ihr ganzes Wesen; es hätte nicht wirklicher sein können, wenn sie den Geliebten tatsächlich gesehen und gesprochen hätte.

»Warum kommt er denn nie im Leben?« sagte sie laut. »Warum kommt er immer nur in Träumen?«

Sie wagte nicht, sich zu rühren. Dann wäre das Liebesgefühl entflohen. Ihr war zumute, als habe sich ein scheuer Vogel auf ihre Schulter gesetzt, und sie fürchtete, ihn zu verscheuchen.

Wenn sie sich bewegte, würde der Vogel davonfliegen und der Kummer wieder Macht über sie bekommen.

Als sie endlich völlig erwachte, war es dämmerig in der Hütte. Sie mußte also den ganzen Nachmittag und Abend geschlafen haben. Denn um diese Jahreszeit trat die Dämmerung erst um zehn Uhr ein.

Das Geigenspiel hatte auch aufgehört, der Dalekarlier war wohl seiner Wege gegangen. Mutter Anna Stina war aber noch nicht heimgekehrt. Sie blieb gewiß die ganze Nacht fort.

Doch das beunruhigte Ingrid nicht. Sie sehnte sich nach nichts weiter, als sich wieder niederzulegen und weiterzuschlafen. Denn sie fürchtete sich vor dem Kummer und der Verzweiflung, die über sie hereinbrachen, sobald sie erwachte.

Aber da wurde sie etwas gewahr, das ihr zu denken gab. Wer hatte die Tür zugemacht? Wer hatte Mutter Stinas großes Tuch über sie gebreitet? Und wer hatte ein Stück trockenes Brot neben sie auf die Bank gelegt?

Hatte er all dies für sie getan, er, der »Ziegenbock«?

Einen Augenblick war es ihr, als sehe sie den Traum und das Leben nebeneinanderstehen und sich überbieten, sie zu trösten. Der Traum stand sonnig und lächelnd da und goß die Seligkeit der Liebe über sie aus, um sie zu erheitern. Aber auch das arme, rauhe, harte Leben kam mit einem kleinen Scherflein der Freundlichkeit, um ihr damit zu zeigen, es meine es nicht so böse mit ihr, wie es den Anschein habe.

6

Ingrid und Mutter Stina wanderten durch den dunklen Wald. Sie waren schon vier Tage unterwegs und hatten drei Nächte in Sennhütten geschlafen. Ingrid sah müde und erschöpft aus, ihr Gesicht hatte eine durchsichtige Blässe, ihre Augen waren eingesunken und glänzten fieberhaft. Die alte Anna Stina warf ab und zu verstohlen einen unruhigen Blick auf sie und bat Gott in ihrem Herzen, die Kräfte des Mädchens aufrecht zu erhalten, damit es nicht an einem Mooshügel niedersinken und sterben müsse. Bisweilen konnte die Alte sich auch nicht enthalten, einen scheuen Blick hinter sich zu werfen. Sie hatte ein unheimliches Gefühl, als ob der Sensenmann hinter ihnen her durch den Wald schleiche, um sich das Mädchen doch noch zu holen, das ihm durch das Wort Gottes und die heruntergeworfenen drei Hände voll Erde vermählt worden war. Mutter Anna Stina war klein und breit und hatte ein großes, viereckiges Gesicht, das aber so klug aussah, daß es beinahe schön war. Abergläubisch war sie nicht; sie wohnte ganz allein mitten im Wald und fürchtete sich weder vor Zauberern noch vor Gespenstern. Wie sie aber so neben Ingrid herging, fühlte sie, so sicher, als ob es ihr jemand gesagt hätte, daß sie neben einer ging, die nicht mehr zu dieser Welt gehörte. Dieses Gefühl hatte sie sofort beschlichen, als sie am Montagmorgen das Mädchen in ihrer Hütte fand.

Sie war am Sonntag nicht nach Hause gekommen, weil drunten im Pfarrhaus die Pfarrfrau plötzlich erkrankt war, und so war Mutter Anna Stina, die sich gut auf Krankenpflege verstand, dort geblieben, um bei ihr zu wachen. Die ganze Nacht hindurch hatte sie die Kranke davon phantasieren hören, daß Ingrid ihr erschienen sei; aber die Alte hatte es nicht geglaubt.

Und als sie endlich heimkam und das Mädchen in ihrem Stübchen fand, wollte sie sogleich wieder ins Pfarrhaus zurückkehren, um dort zu sagen, daß es kein Gespenst gewesen sei, was die Pfarrfrau gesehen hatte.

Als sie aber mit Ingrid darüber sprach, geriet diese in einen solchen Zustand, daß Mutter Anna Stina ihre Absicht nicht auszuführen wagte; es war, als wolle in Ingrid das Leben verlöschen, wie die Flamme eines Lichts, das bei einem Windstoß flackert und am Ausgehen ist. Sie hätte sterben können, so leicht wie ein gefangener Vogel. Der Tod schien nach dem Mädchen auf Raub auszugehen, darum kam alles darauf an, es zu behüten und vorsichtig zu behandeln, wenn man es am Leben erhalten wollte.

Die Alte wußte, wie gesagt, selbst kaum mehr recht, was sie von Ingrid glauben solle; ob sie nicht doch ein Gespenst sei, so wenig Leben schien noch in ihr zu sein. Sie gab es dann vollständig auf, sie zur Vernunft zu bringen, und willfahrte ihrem

Verlangen, niemand wissen zu lassen, daß sie noch lebe. Und dann sann die Alte darüber nach, was nun am besten zu tun wäre. Sie hatte eine Schwester, die auf einem großen Gute in Dalarne Haushälterin war, und beschloß daher, mit Ingrid zu dieser zu gehen und Schwester Stafva zu überreden, dem Mädchen einen Platz auf dem Gut zu verschaffen. Ingrid müsse sich dann damit begnügen, eine geringe Dienstmagd zu werden. Einen anderen Rat wisse sie nicht.

Und nun waren sie auf dem Weg nach diesem Herrenhof. Mutter Anna Stina kannte die Gegend so genau, daß sie nicht auf der Landstraße zu gehen brauchten, sondern einsame Waldpfade einschlagen konnten. Aber da war es ihnen auch schlecht gegangen. Ihre Schuhe waren niedergetreten und zerrissen, ihre Röcke beschmutzt und unten aufgestoßen. Ein kleiner boshafter Tannenzweig hatte einen langen Schlitz in Ingrids Jackenärmel gerissen.

Am Abend des vierten Tages kamen sie aus dem Wald heraus auf einen Hügel, von wo aus sie in ein tiefes Tal schauen konnten. Drunten im Tal breitete sich ein See aus, und nahe dem Strand lag eine hohe Insel, auf der ein weißes Herrschaftshaus aufragte. Als Mutter Anna Stina das Haus sah, sagte sie, es heiße Munkhyttan, und dort wohne ihre Schwester.

Da oben auf dem Hügel versuchten die beiden sich nun so hübsch als möglich zu machen. Sie knüpften ihre Kopftücher um, wischten ihre Schuhe mit Moos ab und wuschen sich in einem Waldbach. Und Mutter Anna Stina versuchte an Ingrids Ärmel eine Falte zu legen, damit man den Riß nicht sehen sollte.

Aber die Alte seufzte, als sie das Mädchen ansah, und der Mut wollte sie verlassen, und zwar nicht allein, weil Ingrid in den Kleidern, die sie ihr geliehen hatte und die ihr gar nicht paßten, so sonderbar aussah, sondern sie fürchtete, Schwester Stafva würde sie nie in ihren Dienst nehmen, denn sie sah entsetzlich schwach aus. Es wäre nicht viel anders gewesen, als wenn sie einen Windhauch hätte dingen wollen. Das Mädchen konnte nicht mehr leisten als ein kranker Schmetterling.

Sobald sie fertig waren, gingen sie den Berg hinunter und auf den See zu. Es war nur eine kurze Strecke, dann waren sie auf dem Boden des Herrenhofs.

Aber welch ein Herrschaftssitz war das!

Große, verwahrloste Äcker, von denen der Wald allmählich wieder Besitz ergriff, erstreckten sich ringsum. Die Brücke, die zu der Insel hinüberführte, war so morsch, daß sie meinten, sie werde kaum noch so lange halten, bis sie darübergegangen seien. Die Allee, die von der Brücke zum Wohnhaus führte, war mit Gras bewachsen wie ein Wall, und ein vom Sturm gefällter Baum lag quer über dem Weg.

Schön war es freilich auf der Insel, so schön, daß gut ein Schloß hätte darauf stehen können. Aber im Garten gab es nicht eine einzige gepflegte Blume, in dem weiten Park erstickten die Bäume, und große schwarze Schnecken krochen über die grünen, feuchten Pfade.

Anna Stina wurde unruhig, als sie sah, wie verfallen alles hier war, und sie murmelte vor sich hin: »Was ist das? Ist Schwester Stafva tot? Wie ist es möglich, daß sie es hier so aussehen läßt? Da sah es vor dreißig Jahren, als ich zuletzt hier war, ganz anders aus. Was in aller Welt fällt denn Stafva ein?«

Sie konnte gar nicht begreifen, daß an einem Ort, wo Stafva wohnte, eine solche Unordnung einreißen könnte.

Ingrid ging langsam und zögernd hinter Mutter Anna Stina her. In dem Augenblick, wo sie den Fuß auf die Brücke setzte, hatte sie gemerkt, daß nicht nur zwei, sondern drei darüber gingen.

Es war ihr jemand entgegengekommen, der sich dann aber wieder umwandte und mit ihr zurückging.

Ingrid hörte keine Schritte, aber der, der mit ihr ging, zeigte sich unklar dicht an ihrer Seite; sie konnte sehen, daß jemand da war.

Sie erschrak heftig und wollte Mutter Anna Stina bitten, wieder umzukehren; sie wollte ihr sagen, hier sei alles so verzaubert, daß sie nicht weiterzugehen wage. Aber ehe sie ein Wort hervorbrachte, kam der Fremde so dicht an sie heran, daß sie ihn erkennen konnte.

Und die Gestalt, die vorher nur ganz schattenhaft gewesen war, wurde nun klarer und klarer, und schließlich sah sie, daß er es war, er, der Student!

Nun war es nicht mehr gespensterhaft und unheimlich für sie, daß er da ging. Herrlich und feierlich war es, daß er ihr entgegengekommen war. Es war, als sei er es gewesen, der sie hierher geführt hatte und ihr dies nun zeigen wollte, indem er kam und sie begrüßte.

Er ging mit ihr über die Brücke, durch die Allee und sogar mit in das Haus hinein.

Ingrid konnte nicht widerstehen, sie mußte den Kopf immer wieder nach der linken Seite drehen. Da sah sie ja sein Gesicht dicht an ihrer linken Wange. Es war eigentlich nicht einmal ein Gesicht, sondern nur ein wundervolles Lächeln, das ihr zärtlich nahe kam. Wenn sie aber den Kopf wandte, um es deutlich zu sehen, dann war es nicht mehr da. Nein, das war nichts, das sich vollkommen deutlich sehen lassen konnte. Sobald sie jedoch wieder geradeaus schaute, schimmerte es aufs neue dicht neben ihr.

Er, der sie begleitete, sprach nicht. Er tat auch nichts, er lächelte nur; aber das war ihr genug. Ja, es war ihr mehr als genug, denn er zeigte ihr, daß es auf der Welt jemand gab, der sie mit inniger Liebe festhielt.

Sie fühlte seine Nähe als etwas so Wirkliches, daß sie fest überzeugt war, er beschütze sie und wache über ihr. Und vor diesem seligen Bewußtsein wich all die Verzweiflung, die die harten Worte ihrer Pflegemutter in ihr erweckt hatten.

Ingrid fühlte sich dem Leben von neuem zurückgegeben. Wenn jemand sie liebte, hatte sie wieder ein Recht, zu leben.

Und daher kam es, daß sie mit einem zarten Rot auf den Wangen und mit strahlendem Glanz in den Augen in die Küche von Munkhyttan eintrat; zart und gebrechlich und durchsichtig, aber so schön wie eine eben erblühte Rose.

Sie ging noch immer wie im Traum und wußte nicht recht, wo sie war, aber was sie am meisten wunderte und sie beinahe aus diesem traumartigen Zustand aufweckte, war, daß drüben am Herd eine zweite Mutter Anna Stina stand. Sie stand dort, klein und breit mit großem, viereckigem Gesicht, gerade wie die andere. Aber warum war diese so fein in einer weißen Haube mit einer großen Schleife unter dem Kinn und in einem schwarzen Bombasinkleid? Ingrid war es so zum Schwindeln wirr im Kopf, daß sie eine ganze Weile brauchte, bis ihr klar wurde, daß dies Jungfer Stafva sein mußte.

Sie fühlte, wie Mutter Anna Stina unruhige Blicke auf sie richtete, und versuchte, sich zusammenzunehmen und guten Tag zu sagen, aber sie konnte und konnte an nichts anderes denken, als daß *er* zu ihr gekommen sei.

Hinter der Küche war ein winzig kleines Kämmerchen mit blaugewürfelten Bezügen auf den Möbeln. Hier wurden sie hineingeführt, und Jungfer Stafva gab ihnen Kaffee und etwas zu essen.

Mutter Anna Stina rückte auch gleich mit ihrem Anliegen heraus. Sie redete sehr lange, sagte, sie wisse, in welchem Ansehen ihre Schwester bei der Frau Bergrat stehe, die daher die Wahl der Dienerschaft ganz der Jungfer Stafva überlasse.

Jungfer Stafva erwiderte nichts darauf, sie warf nur Ingrid einen Blick zu, der so viel sagte, als daß ihr diese Sache nicht anvertraut worden wäre, wenn sie Leute gewählt hätte, die Ingrid geglichen hätten.

Dann rühmte Mutter Anna Stina Ingrid und sagte, diese sei ein brauchbares Mädchen. Bis jetzt habe sie in einem Pfarrhaus gedient, nun aber, wo sie erwachsen sei, möchte sie gern etwas Ordentliches lernen, und da habe Mutter Anna Stina gedacht, sie wolle sie zu jemand bringen, bei dem sie mehr lernen könnte, als bei irgend jemand anderem, den sie kenne.

Auch darauf erwiderte Mutter Stafva kein Wort. Aber ihre Blicke verhehlten ihre Verwunderung darüber nicht, daß ein Mädchen, das in einem Pfarrhaus gedient haben sollte, keine eigenen Kleider hatte, sondern solche von Mutter Anna Stina hatte entlehnen müssen.

Da erzählte die Alte, wie sie selbst allein im Wald gesessen habe, von allen den Ihrigen ganz verlassen. Und wie da dieses Mädchen an manchem Abend oder früh am Morgen zu ihr herausgelaufen sei, um nach ihr zu sehen. Deshalb habe sie nun geglaubt und gehofft, daß sie ihr einmal zu einem guten Plätzchen verhelfen könne.

Nun sprach Jungfer Stafva und sagte, es sei recht schade, daß sie einen so weiten Weg gemacht hätten, um einen Dienst zu suchen. Wenn das Mädchen brav wäre, könnte es sicher auf einem Gut in ihrem Heimatsbezirk eine Stelle finden.

»Hier hast du nun dein Leben lang in größter Bequemlichkeit und im Überfluß verbracht, Stafva, während ich mich in bitterer Armut durchgekämpft habe. Aber bis auf den heutigen Tag habe ich dich noch nie um etwas gebeten. Und nun willst du mich wie eine Bettlerin fortgehen lassen, der man zu essen gibt, aber weiter nichts.«

Jungfer Stafva lächelte ein wenig, dann sagte sie: »Schwester Anna Stina, warum sagst du mir nicht die Wahrheit? Ich bin auch aus Råglanda, und ich möchte wohl wissen, in welcher Bauernstube dort solche Augen und ein solches Gesicht wüchsen?«

Sie deutete auf Ingrid und fuhr fort: »Ich verstehe recht gut, daß du einer helfen möchtest, die so aussieht, aber ich verstehe nicht, wie du glauben kannst, deine Schwester Stafva sei so schwach im Kopf geworden, daß du sie betrügen könntest?«

Mutter Anna Stina erschrak so, daß sie kein Wort mehr hervorbrachte. Ingrid aber beschloß, sich der Alten anzuvertrauen, und fing sogleich an, mit leiser, schöner Stimme ihre Geschichte zu erzählen.

Und kaum hatte Ingrid mit ein paar Worten berichtet, wie sie im Grab gelegen und wie da der Dalekarlier gekommen sei und sie gerettet habe, als Jungfer Stafva ganz rot wurde und sich schnell vorbeugte, um es zu verbergen. Es dauerte nur einen Augenblick, aber es mußte etwas Gutes bedeutet haben, denn sie sah nun ganz freundlich aus.

Sie begann auch gleich, umständlich nach allem zu fragen, und vor allem wollte sie wissen, ob Ingrid sich vor dem Irrsinnigen gefürchtet habe.

Ach nein, sagte Ingrid, er tue keinem Menschen etwas zuleide. Er sei auch gar nicht verrückt, er könne ja kaufen und verkaufen, er sei nur verschüchtert.

Am schwersten aber wurde es Ingrid, das zu erzählen, was sie die Pflegemutter hatte sagen hören; aber sie berichtete es aufrichtig, wenn auch mit schluchzender Stimme.

Da stand Jungfer Stafva auf, trat zu ihr, schob ihr das Kopftuch zurück und sah ihr tief in die Augen. Dann streichelte sie ihr die Wange und sagte: »Überspringen Sie das nur, Kleine, das brauche ich nicht zu wissen. Aber nun müssen meine Schwester und Fräulein Ingrid entschuldigen«, fügte sie hinzu, »ich muß der gnädigen Frau den Kaffee bringen. Ich komme aber gleich wieder und höre dann die Fortsetzung.«

Als sie wieder zurückkam, sagte sie, sie habe der Bergrätin von dem jungen Mädchen erzählt, das im Grab gelegen habe. Nun möchte ihre Frau Ingrid gerne sehen.

Sie wurden die Treppe hinaufgeführt ins obere Stockwerk und in den kleinen Salon der Frau Bergrat.

Mutter Anna Stina blieb in dem feinen Zimmer an der Tür stehen, Ingrid aber war gar nicht schüchtern, sie ging gleich auf die alte Dame zu und gab ihr die Hand. Sie war vor anderen, die viel weniger vornehm aussahen, oft recht verlegen gewesen, aber hier fühlte sie sich gar nicht bedrückt. Sie empfand nur ein unendliches Glück, daß sie hierher gekommen war.

»Das ist also die Kleine, die begraben gewesen ist?« fragte die Bergrätin und nickte ihr freundlich zu. »Wenn es dir nicht zu viel ist, dann erzähle mir deine Geschichte, mein Kind. Ich lebe hier so einsam, daß ich nichts sehe und höre.«

Und Ingrid fing von neuem an zu erzählen. Aber sie war noch

nicht weit gekommen, als sie unterbrochen wurde. Die gnädige Frau machte es gerade wie Jungfer Stafva. Sie stand auf, schob Ingrid das Kopftuch zurück und sah ihr in die Augen.

»Ja, ja«, sagte sie, mit sich selbst sprechend, »ich kann es verstehen. Ich begreife, daß er diesen Augen gehorchen mußte.«

Zum erstenmal in ihrem Leben wurde Ingrid wegen ihres Mutes gelobt. Die Bergrätin meinte, sie sei sehr mutig gewesen, daß sie gewagt habe, sich einem Verrückten anzuvertrauen.

Sie habe allerdings ein wenig Angst gehabt, erwiderte Ingrid, aber noch mehr habe sie sich davor gefürchtet, daß die Menschen sehen könnten, wie sie damals aussah. Und er tue ja niemand etwas zuleide, er sei fast ganz richtig, und er sei sehr gut.

Nun wollte die gnädige Frau wissen, wie er heiße, aber das wußte Ingrid nicht. Sie hatte nie einen andern Namen gehört als »Geißbock«.

Mehrere Male fragte die Bergrätin, wie er sich betrage, wenn er seine Waren anbiete, und ob sie nicht über ihn gelacht habe und gedacht, er sehe abschreckend aus, der – »Geißbock«.

Es klang ganz sonderbar, die gnädige Frau das Wort Geißbock aussprechen zu hören. Sie sagte es mit unendlicher Bitterkeit, und doch wiederholte sie es einmal ums andere.

Nein, sagte Ingrid, er sei ihr gar nicht abschreckend vorgekommen. Und sie lache nicht über solche Unglücklichen.

Die Bergrätin sah immer freundlicher aus, je länger sie mit Ingrid sprach.

»Es scheint, daß du dich auf irrsinnige Leute verstehst, mein Kind«, sagte sie. »Das ist eine große Gabe, die meisten fürchten sich vor solchen armen Menschen.«

Sie hatte Ingrids Erzählung bis zum Schluß zugehört und saß nun nachdenklich da.

»Da du nun kein anderes Heim hast, mein Kind«, sagte sie schließlich, »so biete ich dir an, bei mir zu bleiben. Ich alte Frau wohne hier ganz allein; du kannst mir Gesellschaft leisten, und ich werde dafür sorgen, daß du alles erhältst, was du brauchst. Was sagst du dazu, mein Kind? Es kann eine Zeit kommen«, fuhr die gnädige Frau fort, »da wir deine Eltern benachrichtigen müssen, daß du noch lebst, aber vorläufig soll es bleiben, wie es ist, damit du Zeit hast, dich zu beruhigen. Und du darfst mich Tante nennen, aber wie soll ich dich nennen, meine Liebe?«

»Ingrid, Ingrid Berg.«

»Ingrid«, wiederholte die Bergrätin nachdenklich. »Ich

möchte dich lieber anders nennen. Als du mit deinen Sternenaugen eintratst, dachte ich gleich, du müßtest Mignon heißen.«

Als dem Mädchen nun klar wurde, daß es hier eine wirkliche Heimat finden sollte, war es ihr eine neue Bekräftigung dafür, daß sie auf übernatürliche Weise hierhergeführt worden war. Und sie flüsterte einen Dank ihrem unsichtbaren Beschützer zu, noch ehe sie der Bergrätin, Jungfer Stafva und Mutter Anna Stina dankte.

Ingrid schlief in einem Himmelbett, schaukelte sich auf anderthalb Ellen hohen Federkissen, hatte daumenbreite Hohlsäume am Bettuch und eine seidene Decke, die mit schwedischen Kronen und französischen Lilien bestickt war. Das Bett war sehr breit, so breit, daß sie liegen konnte, wie es ihr behagte, der Länge oder der Quere nach, und es war so hoch, daß sie zwei Stufen hinaufsteigen mußte, um hineinzukommen. Oben am Betthimmel schwebte ein Amor und ließ bunte Gardinen über sie herabwallen, und unten auf den Bettpfosten saßen andere Amoretten und hielten den Stoff in Bogen in die Höhe. In dem Zimmer, wo das Bett stand, war auch eine alte geschweifte, mit Zitronenholz eingelegte Kommode, und aus dieser durfte Ingrid weißes, duftendes Linnen herausnehmen, soviel ihr behagte. Außerdem war ein Schrank da voll schöner bunter Kleider aus Seide und Musselin, die nur zu warten schienen, welches von ihnen sie anzuziehen beliebe.

Wenn sie am Morgen erwachte, stand neben ihr ein Kaffeebrett, das von Silber und altem ostindischen Porzellan schimmerte. Und jeden Morgen bissen ihre kleinen weißen Zähne in feines Weizenbrot und herrliches Mandelbackwerk. Jeden Tag kleidete sie sich in ein leichtes Musselingewand mit kreuzweis gebundenem Spitzentuch. Ihr Haar wurde im Nacken hoch aufgesteckt, und um die Stirne und an den Schläfen trug sie kleine Korkzieherlöckchen.

An der Wand zwischen den Fenstern hing ein Spiegel mit einem schmalen Glas in breitem Goldrahmen; da konnte sie sich besehen, ihrem Bilde zunicken und fragen: »Bist du das? Bist du es wirklich? Wie bist du hierhergekommen?«

Tagsüber, wenn Ingrid das Zimmer mit dem Himmelbett verlassen hatte, pflegte sie in dem schönen Salon zu sitzen und zu sticken oder auf Seide zu malen, und wenn sie dessen müde wurde, spielte sie auf der Gitarre und sang kleine Lieder dazu, oder sie unterhielt sich mit der Bergrätin, die sie Französisch lehrte und sich ein Vergnügen daraus machte, sie zur feinen Dame auszubilden.

Aber ein verzaubertes Schloß war es doch, in das sie gekommen war. Es wurde ihr schwer, sich von diesem Gedanken loszumachen. Sie hatte ihn von dem ersten Augenblick an gehabt, und er überkam sie immer aufs neue.

Kein Mensch kam herein, keiner zog hinaus. In dem großen Haus wurden nur ein paar Zimmer bewohnt. Die anderen betrat niemand. Niemand ging in den Garten, niemand pflegte ihn. Auf dem ganzen Hof gab es nur einen Knecht und einen alten Mann, der Holz hackte. Und Jungfer Stafva hatte nur zwei Mägde, die ihr in der Küche und bei der Milchwirtschaft halfen.

Aber es gab stets feine Gerichte auf dem Tisch, und die gnädige Frau und Ingrid waren immer bedient und angekleidet wie feine vornehme Damen.

Und wenn auch sonst nichts auf dem alten Herrschaftssitz gedieh, so war es doch jedenfalls ein Ort mit fruchtbarem Boden für Träume. Und wenn auch niemand Blumen und Kräuter hier pflegte, so sorgte doch Ingrid treulich für ihre Traumrosen. Diese wuchsen um sie her, sobald sie nur eine einsame Stunde hatte. Da war es ihr, als bildeten rote Traumrosen einen Thronhimmel über ihr.

Rings um die Insel herum, wo die Bäume sich über das Wasser beugten, so daß ihre langen Zweige tief zwischen das Schilfrohr hinabhingen, wo Büsche und hohe Bäume standen, die hier ganz besonders üppig emporwuchsen, führte ein Fußpfad, den Ingrid besonders liebte. Hier erschien ihr alles so wunderbar: die Bäume, deren Stämme mit eingeschnittenen Buchstaben bedeckt waren, die alten Bänke und Ruheplätze, sowie ein paar morsche Gartenhäuschen, die dem Einstürzen nahe schienen, so daß sie sie nicht zu betreten wagte.

Wie merkwürdig war es doch, sich zu denken, daß es hier einst Menschen gegeben haben sollte, Menschen, die gelebt, geschwärmt und geliebt hatten, und daß hier nicht immer ein verzaubertes Schloß gewesen war!

Hier am See war die Verzauberung am stärksten. Hier kam jenes Antlitz mit dem Lächeln zu ihr. Hier konnte sie ihm, dem Studenten, danken, daß er sie hierher geleitet hatte, wo sie so glücklich war, wo man sie liebhatte und sie vergessen machte, wie hart andere sie behandelt hatten.

Wenn er es nicht so eingerichtet hätte, würde man ihr sicherlich nicht erlaubt haben, hierzubleiben; das wäre unmöglich gewesen.

Sie wußte, daß er es sein mußte. Noch niemals hatte sie solche wilden Gedanken gehabt; sie hatte immer an ihn gedacht, aber nie hatte sie gefühlt, daß er ihr nahe sei und sie beschütze.

Eines nur hätte sie gerne gewußt. Wann er selbst kommen würde? Denn kommen mußte er ja einmal. Es war nicht unmöglich, daß er hierherkam. In diesen Alleen hatte er einen Teil seiner Seele zurückgelassen.

Der Sommer verging und der Herbst auch. Weihnachten rückte heran.

»Fräulein Ingrid«, sagte Jungfer Stafva eines Tages, etwas geheimnisvoll, »ich glaube, Sie sollten wissen, daß der junge Herr, dem dieses Gut gehört, zu Weihnachten nach Hause kommt. Wenigstens pflegte er zu kommen«, fügte sie mit einem Seufzer hinzu.

»Die gnädige Frau hat doch niemals erwähnt, daß sie einen Sohn hat«, sagte Ingrid.

Aber eigentlich war sie nicht überrascht. Die Antwort, das habe ich schon lange gewußt, lag ihr auf der Zunge.

»Bis jetzt hat ihn niemand vor Fräulein Ingrid erwähnt«, sagte Jungfer Stafva, »weil die gnädige Frau uns verboten hat, von ihm zu sprechen.«

Und mehr wollte Jungfer Stafva auch nicht sagen.

Und Ingrid wagte nicht weiter zu fragen, denn sie scheute sich davor, etwas Bestimmtes zu erfahren. Sie hatte ihre Erwartungen so hoch gespannt, daß sie selbst fürchtete, sie könnten versagen. Es wäre vielleicht gut, wenn sie die Wahrheit erführe; aber diese konnte auch bitter sein und ihre schönsten Träume zerstören.

Nach dieser Unterredung aber war er Tag und Nacht um sie. Sie hatte kaum Zeit, mit anderen zu sprechen, so unausgesetzt mußte sie mit ihm zusammen sein.

Eines Tages sah sie, daß in der Allee der Schnee weggefegt war. Da erschrak sie beinahe. Kam er nun vielleicht?

Am nächsten Tag saß die Bergrätin vom frühen Morgen an am Fenster und schaute auf den Weg hinaus. Ingrid hatte sich etwas tiefer ins Zimmer gesetzt. Ihre Unruhe war so groß, daß sie nicht am Fenster zu sitzen wagte.

»Weißt du, wen ich heute erwarte, Ingrid?« fragte die Bergrätin plötzlich.

Das Mädchen nickte, sie traute ihrer Stimme nicht, um zu antworten.

»Hat Jungfer Stafva dir auch gesagt, daß mein Sohn sonderbar ist?«

Ingrid schüttelte den Kopf.

»Er ist sehr sonderbar ... er ...Ich kann nicht darüber sprechen, ich kann nicht ... Du mußt es selbst sehen ...«

Das klang herzzerreißend. Ingrid wurde es ganz unheimlich zumute. Was war es nur, das hier auf dem Hof alles so sonderbar machte? War es etwas Entsetzliches, von dem sie nichts wußte? Waren Mutter und Sohn entzweit? Was war es, was war es?

In dem einen Augenblick war sie überglücklich, in dem nächsten wie vom Fieber geschüttelt vor Angst und Zweifel. Sie mußte die ganze lange Reihe der Erscheinungen herbeirufen, um wieder zu fühlen, daß er, der Student, es sein mußte, der kam.

Sie konnte durchaus nicht sagen, warum sie so sicher glaubte, daß gerade er der Sohn des Hauses sein müsse. Er konnte ja ebensogut auch ein ganz anderer sein. Ach, wie schwer war es, daß sie nie seinen Namen gehört hatte!

Das wurde ein langer Tag. In einer einzigen stillen Erwartung saßen die beiden bis zum Abend.

Da kam der Knecht mit einer Fuhre Weihnachtsholz angefahren; das Pferd blieb auf dem Hof stehen, während das Holz abgeladen wurde.

»Ingrid«, rief die gnädige Frau mit heftigem, befehlendem Ton, »lauf hinunter und sage Anders, daß er das Pferd augenblicklich in den Stall führen soll! Schnell, schnell!«

Das Mädchen eilte die Treppen hinunter und trat auf die Veranda. Aber dort angekommen, vergaß sie, dem Knecht zu rufen. Gerade hinter der Holzlast tauchte ein großer Mann in einem Schafpelz, einen großen Sack auf dem Rücken, auf. Sie hätte nicht zu sehen brauchen, wie er dastand und knickste und knickste, um ihn wiederzuerkennen.

Aber, aber – sie legte die Hand an die Stirn und atmete schwer. Wie sollte sie das jemals verstehen lernen? Hatte die gnädige Frau sie um dieses Menschen willen heruntergeschickt? Und warum führte der Knecht das Pferd in so großer Eile weg? Warum nahm er die Mütze ab ung grüßte? Was ging der Verrückte die Leute auf dem Hofe an?

Dann brach die Wahrheit plötzlich über Ingrid herein, so

schlagend, so vernichtend, daß sie hätte laut aufschreien können. Nicht der Geliebte hatte über ihr gewacht, nein, dieser Verrückte war es gewesen. Und weil sie so gut von ihm gesprochen hatte, deshalb hatte sie hierbleiben dürfen. Weil seine Mutter eine gute Tat vollenden wollte, die er angefangen hatte!

Der »Geißbock« – das war der junge Herr!

Aber zu ihr würde niemand kommen. Niemand hatte sie geleitet, niemand sie erwartet. Träume, Hirngespinste, Augentäuschungen waren es gewesen!

Ach, wie bitter war das! Wenn sie ihn doch nur niemals erwartet hätte!

In der Nacht jedoch, als Ingrid in dem Himmelbett unter den bunten Vorhängen des Baldachins lag, träumte sie einmal ums andere, daß sie den Studenten hereinkommen sähe.

»Du warst es nicht, der kam«, sagte sie dann.

»Doch, ich war es«, erwiderte er.

Und im Traum glaubte sie ihm.

7

An einem Tag in der Woche nach Weihnachten saß Ingrid mit ihrem Stickrahmen am Fenster des kleinen Salons. Die gnädige Frau hatte auf dem Sofa Platz genommen und strickte, wie jetzt alle Tage. Tiefe Stille herrschte im Zimmer.

Der junge Hede war nun schon eine Woche zu Hause; aber während dieser ganzen Zeit war Ingrid nicht ein einziges Mal mit ihm zusammengetroffen. Auch daheim lebte er wie ein Bauer, schlief in der Knechtstube und aß in der Küche. Zu seiner Mutter kam er nie.

Ingrid fühlte wohl, daß sowohl die Bergrätin als auch Jungfer Stafva von ihr erwarteten, sie werde etwas für Hede tun oder ihn wenigstens bewegen, daheim auf Munkhyttan zu bleiben. Und sie grämte sich, daß es ihr nicht möglich war, diese Wünsche zu erfüllen. Sie war ganz verzweifelt über sich selbst und über die Machtlosigkeit, die sich ihrer bemächtigt hatte, seit ihre Hoffnungen zerstört worden waren.

Heute morgen nun war Jungfer Stafva hereingekommen und hatte erzählt, daß der junge Herr packe und wieder fortwolle. Nun bleibe er nicht einmal solange wie sonst bei seinen Weihnachtsbesuchen, hatte sie mit einem verzweifelten Blick auf Ingrid hinzugefügt.

Ingrid begriff sehr gut, was die beiden von ihr erwarteten, aber sie war nicht fähig, etwas zu tun. Sie stickte und flickte, ohne ein Wort zu sagen.

Jungfer Stafva ging, und die vorige Stille herrschte wieder im Zimmer. Ingrid vergaß ganz, daß sie nicht allein war, und plötzlich überkam sie eine Art Traumzustand, in dem sich all ihre traurigen Gedanken zu einem Phantasiebild gestalteten.

Im Geist sah sie sich durch das ganze große Wohnhaus wandern. Sie kam durch eine Menge Säle und Zimmer. Überall waren die Möbel mit grauleinenen Überzügen bedeckt, die Bilder und Kronleuchter mit Flor behängt, und auf den Fußböden lag dicker Staub, der aufwirbelte, wenn sie durch die Zimmer schritt. Zuletzt aber kam sie in ein Gemach, wo sie noch nie gewesen war; es war ein ganz kleines Stübchen, dessen Wände und Decke schwarz waren. Als sie jedoch genauer hinsah, entdeckte sie, daß es nicht schwarz gemalt und auch nicht mit schwarzem Stoff ausgeschlagen war, sondern daß es so dunkel aussah, weil an der Decke und an den Wänden eine Fledermaus neben der anderen hing; das ganze Zimmer war nichts anderes als ein riesiges Fledermausnest. An einem Fenster fehlte eine Scheibe, so daß man verstehen konnte, wie die Tiere in einer solch unglaublichen Menge hereingekommen waren, daß sie das ganze Zimmer bedeckten. Im starren Winterschlaf hingen sie da; nicht eine rührte sich, als Ingrid eintrat.

Sie selbst aber wurde von furchtbarem Entsetzen erfaßt; sie zitterte und bebte am ganzen Körper. Diese Masse von Tieren, die sie so deutlich da hängen sah, war fürchterlich. Alle hatten die schwarzen Flügel wie Mäntel um sich geschlagen, alle hingen, nur mit einer langen Kralle festgehakt, in bleiernem Schlaf an den Wänden.

Sie sah es so deutlich, daß sie sich fragte, ob denn Jungfer Stafva auch wisse, daß ein ganzes Zimmer von den Fledermäusen in Beschlag genommen war.

Und im Geiste ging sie nun zu Jungfer Stafva und fragte diese, ob sie auch schon in dem kleinen Zimmer gewesen sei und all die Tiere gesehen habe.

»Natürlich habe ich sie gesehen«, antwortete Jungfer Stafva, »das ist ihre Stube. Sie wissen doch wohl, Fräulein Ingrid, daß es hierzulande nicht einen Herrenhof gibt, wo nicht ein Zimmer den Fledermäusen überlassen wird?«

»Das habe ich noch nie gehört«, sagte Ingrid.

»Ja, wenn Sie einmal so lange auf der Welt sind wie ich, dann werden Sie einsehen, daß ich die Wahrheit gesprochen habe«, sagte Jungfer Stafva.

»Ich begreife nicht, wie man so etwas erträgt«, sagte Ingrid.

»Wir müssen es ertragen«, sagte Jungfer Stafva, »diese Fledermäuse sind die Vögel der Frau Sorge, und sie hat uns befohlen, sie bei uns aufzunehmen.«

Ingrid sah, daß Jungfer Stafva nicht weiter über die Sache reden wollte, und setzte sich wieder an ihre Stickerei; immerfort aber mußte sie darüber nachdenken, wer diese Frau Sorge sein könne, die eine so große Macht hier hatte, daß sie Jungfer Stafva zwang, den Fledermäusen ein ganzes Zimmer zu überlassen.

Wie sie nun so tief in diese Gedanken versunken war, sah sie einen schwarzen, von schwarzen Pferden gezogenen Schlitten vor der Freitreppe anfahren.

Sie sah Jungfer Stafva heraustreten und sich tief verneigen. Aus dem Schlitten stieg eine alte Dame in einem langen schwarzen Samtmantel mit vielen kurzen Kragen übereinander. Sie war buckelig, und das Gehen wurde ihr schwer; kaum konnte sie die Füße so hoch heben, um die Stufen emporzusteigen.

»Ingrid«, sagte nun die Frau Bergrätin und sah von ihrem Strickzeug auf. »Ich glaube, ich höre Frau Sorge kommen. Es muß ihre Glocke sein, die klingelte. Hast du bemerkt, daß ihre Pferde nie ein Schellengeläute haben, sondern nur eine kleine Glocke? Aber man hört sie, man hörte sie. Geh nun auf den Flur und begrüße Frau Sorge.«

Als Ingrid in den Flur hinauskam, stand Frau Sorge auf der Veranda und sprach mit Jungfer Stafva; keines von ihnen hörte sie kommen.

Mit Verwunderung sah Ingrid, daß die buckelige alte Dame unter ihren vielen Kragen etwas versteckt hatte, das einem Trauerflor ähnlich sah. Es war sehr gut zusammengerafft und verdeckt, und erst nach längerem Hinschauen entdeckte das junge Mädchen, daß es zwei große Fledermausflügel waren, die sie auf diese Weise zu verstecken suchte. Da wurde Ingrid noch neugieriger auf Frau Sorge als vorher, und sie versuchte, ihr ins Gesicht zu sehen, aber es war ihr nicht möglich, weil Frau Sorge in den Hof hinausschaute. Als sie jedoch gleich darauf die Hand nach Jungfer Stafva ausstreckte, sah Ingrid doch, daß der eine Finger daran viel länger war als die anderen und daß er an der Spitze eine große gebogene Kralle hatte. »Auf dem Hofe ist alles unverändert?« fragte sie.

»Ja, gnädige Frau Sorge«, antwortete Jungfer Stafva.

»Ihr habt keine Blumen gepflanzt und keine Bäume versetzt? Ihr habt die Brücke nicht hergestellt und das Unkraut in der Allee nicht entfernt?«

»Nein, gnädige Frau!«

»Es ist ganz, wie es sein soll«, sagte die gnädige Frau. »Ihr habt doch auch nicht gewagt, nach neuen Erzadern zu suchen oder den Wald umzuhauen, der in die Äcker hineinwächst?«

»Nein, gnädige Frau!«

»Und nicht die Brunnen gereinigt?«

»Nein, nicht die Brunnen gereinigt.«

»Dies ist ein guter Platz«, sagte Frau Sorge, »hier geht es mir gut. In einigen Jahren wird es hier so aussehen, daß meine Vögel im ganzen Haus wohnen können. Ihr seid recht gut gegen meine Vögel, Jungfer Stafva.«

Jungfer Stafva knickste untertänig bei diesem Lob.

»Wie steht es sonst auf dem Hof?« fragte Frau Sorge. »Wie habt ihr Weihnachten gefeiert?«

»Wir haben Weihnachten gefeiert wie sonst«, sagte Jungfer Stafva. »Die gnädige Frau sitzt drin und strickt tagaus, tagein, denkt an nichts als an ihren Sohn und weiß nicht, daß es Festzeit ist. Den heiligen Abend haben wir vorbeigehen lassen wie jeden anderen Tag; keine Geschenke, keine Lichter.«

»Keinen Baum, kein Weihnachtsmahl?«

»Und auch keinen Kirchgang, gnädige Frau, nicht einmal Kerzen an den Fenstern am Weihnachtsmorgen.«

»Warum sollte die Frau Bergrat Gottes Sohn feiern, wenn Gott ihren Sohn nicht gesund machen will?« sagte Frau Sorge.

»Nein, warum sollte sie?«

»Ich denke, ihr habt ihn jetzt wieder zu Hause. Vielleicht geht es ihm besser?«

»Nein, es geht ihm nicht besser; er ist noch ebenso verschüchtert.«

»Lebt er noch immer wie ein Bauer? Geht er nicht in die Zimmer hinein?«

»Wir können ihn nicht dazu bewegen, die Zimmer zu betreten; wie die gnädige Frau weiß, fürchtet er sich vor der Frau Bergrat.«

»Er ißt in der Küche und schläft in der Knechtstube?«

»Ja, gnädige Frau Sorge.«

»Und ihr wißt nichts, gar nichts, was ihn gesund machen könnte?«

»Wir wissen nichts, wir verstehen nichts.«

Frau Sorge schwieg einen Augenblick; als sie wieder zu sprechen begann, hatte ihre Stimme einen scharfen und harten Ton.

»Das alles mag ja recht gut und schön sein, Jungfer Stafva, aber ich bin doch nicht recht zufrieden mit euch.«

Zugleich wandte sie sich um und sah Ingrid scharf an.

Ingrid zuckte zusammen. Frau Sorge hatte ein kleines, runzliges Gesicht, das unten so zusammengedrückt war, daß der Unterkiefer kaum sichtbar wurde. Ihre Zähne glichen den Spitzen einer Säge, und auf der Oberlippe hatte sie dichtes Haar. Die Augenbrauen bestanden aus einem einzigen Haarbüschel. Ihre Haut war ganz braun. Ingrid fragte sich, ob denn Jungfer Stafva nicht sehen könne, was sie sah. Frau Sorge war kein Mensch; sie war nur ein Tier!

Als Frau Sorge Ingrid sah, öffnete sie die Lippen, so daß die Zähne hervorschimmerten.

»Als dieses Mädchen hierherkam«, sagte sie zu Jungfer Stafva, »da glaubtet ihr, sie sei euch von Gott gesandt. Ihr glaubtet, in ihren Augen lesen zu können, daß Gott sie gesandt habe, um ihn zu retten. Sie hatte die Gabe, mit Irrsinnigen umzugehen. Nun, wie ist es gegangen?«

»Gar nicht ist es gegangen. Sie hat nichts getan.«

»Nein, dafür habe ich gesorgt«, sagte Frau Sorge. »Mein Verdienst ist es, daß ihr nicht gesagt wurde, warum sie hier bleiben durfte. Hätte sie es gewußt, dann hätte sie sich nicht mit so rosigen Hoffnungen getragen, den hier zu sehen, den sie liebt. Hätte sie sich keine Hoffnungen gemacht, wäre sie nicht so entsetzlich enttäuscht worden. Hätte die Enttäuschung sie nicht gelähmt, dann hätte sie vielleicht doch etwas für den Verrückten tun können. Aber nun hat sie ihn gar nicht angesehen. Sie haßt ihn, weil er nicht der ist, der er sein sollte. Das ist mein Werk, Jungfer Stafva, mein Werk.«

»Die gnädige Frau versteht ihre Sache«, sagte Jungfer Stafva.

Frau Sorge zog ihr Spitzentaschentuch hervor und wischte sich die rotumränderten Augen. Dies schien eine Bewegung der Freude zu sein.

»Oh, sie braucht sich gar nicht zu verstellen, Jungfer Stafva«, sagte Frau Sorge. »Es gefällt ihr ja doch nicht, daß ich das Zimmer für meine Vögel genommen habe, und es gefällt ihr auch nicht, daß bald das ganze Haus mir gehören wird. Das weiß ich recht gut; Sie und Ihre Frau hatten die Absicht, mich zu betrügen. Aber das ist nun vorbei!«

»Ja«, sagte Jungfer Stafva, »die gnädige Frau kann ganz ruhig sein. Das ist vorbei. Der junge Herr geht heute fort. Er hat schon gepackt, und dann wissen wir, daß er nicht länger bleiben wird. Alles, was die gnädige Frau und ich den ganzen Herbst geträumt haben, ist vorbei. Nichts ist geschehen. Wir glaubten, sie würde ihn wenigstens so weit bringen, daß er daheim bliebe, aber trotz allem Guten, das wir ihr erwiesen haben, hat sie nichts für uns getan.«

»Ja, sie ist eine schlechte Hilfe gewesen«, sagte Frau Sorge. »Aber jedenfalls muß sie jetzt fort. Und darüber will ich selbst mit der gnädigen Frau sprechen.«

Frau Sorge begann sich auf ihren wackeligen Beinen die Treppe nach dem oberen Stockwerk hinaufzuschleppen. Bei jeder Stufe hob sie die Flügel ein wenig, als ob ihr das eine Hilfe wäre. Sie wäre offenbar viel lieber geflogen.

Ingrid folgte ihr. Auf ganz merkwürdige Weise fühlte sie sich angezogen und bedrückt. Und wenn es das schönste Weib der Erde gewesen wäre, so hätte sie keine solch unwiderstehliche Lust verspüren können, ihm zu folgen.

Als Ingrid in den kleinen Salon trat, saß Frau Sorge schon neben der Bergrätin auf dem Sofa und flüsterte vertraulich mit ihr, als ob sie ganz gute Freunde wären.

»Du wirst wohl selbst einsehen, daß du sie nicht länger hierbehalten kannst«, sagte Frau Sorge eindringlich. »Du, die nicht eine einzige Blume in ihrem Garten blühen sehen kann, wirst auch kein junges Mädchen hier im Haus haben mögen. Etwas Freude und Munterkeit bringt es doch immer mit sich, aber das ist doch nichts für dich!«

»Nein, ich habe gerade auch darüber nachgedacht.«

»Verschaff ihr eine Stelle als Gesellschafterin, aber behalte sie nicht hier.«

Hierauf stand Frau Sorge auf, um sich zu verabschieden.

»Also das war es, was ich mit dir besprechen wollte«, sagte sie. »Wie geht es dir sonst?«

»Messer und scharfe Klingen wühlen den ganzen Tag in meinem Herzen«, antwortete die Bergrätin. »Ich lebe nur in ihm, so lange er zu Hause ist. Es ist schlimmer als gewöhnlich, viel schlimmer diesmal. Lange kann ich es nicht mehr so aushalten ...«

Ingrid sprang auf, die Glocke der Bergrätin klingelte. Sie hatte so lebhaft phantasiert, daß sie ganz verwundert war, als sie die gnädige Frau allein fand und den schwarzen Schlitten nicht unten vor der Tür sah.

Die gnädige Frau hatte Jungfer Stafva geklingelt, aber diese kam nicht. Da bat sie Ingrid, hinunter in deren Zimmer zu gehen und sie zu rufen.

Ingrid ging, aber das blaue Stübchen war leer. Nun wollte das junge Mädchen in die Küche gehen, um zu fragen, wo Jungfer Stafva sei, aber noch ehe sie die Tür öffnete, hörte sie Hede sprechen. Sie blieb stehen, sie konnte sich nicht überwinden, ihn zu sehen.

Sie versuchte aber doch, sich zu überwinden. Er konnte doch nichts dafür, daß er nicht der war, den sie erwartet hatte. Sie müßte versuchen, etwas für ihn zu tun. Sie müßte ihn überreden, zu Hause zu bleiben. Früher hatte sie doch keinen solchen Widerwillen gegen ihn empfunden. Er war ja gar nicht so gefährlich.

Sie bückte sich und schaute durchs Schlüsselloch.

Hede saß am Tisch und aß. Es war hier wie überall. Die Mägde trieben allerlei Kurzweil mit ihm, um sich an seinen sonderbaren Reden zu ergötzen.

Sie fragten ihn, wen er heiraten wolle.

Hede lächelte, er liebte es sehr, nach dergleichen gefragt zu werden.

»Sie heißt Grablilie, weißt du das nicht?« sagte er.

Nein, die Magd wußte nicht, daß die Braut einen so schönen Namen hatte.

»Na, wo ist sie denn zu Hause?«

»Sie hat kein Heim, und sie hat auch keinen Hof«, sagte Hede. »Sie ist in meinem Sack zu Hause.«

Die Magd sagte, es sei ja ein gutes Heim, und fragte dann nach ihren Eltern.

»Sie hat nicht Vater und nicht Mutter«, versicherte Hede. »Sie ist so schön wie eine Blume, sie ist in einem Garten aufgewachsen.«

All dies sagte er mit annähernder Klarheit; aber dann versuchte er zu beschreiben, wie hold seine Braut sei, und da wollte es nicht mehr gehen. Er sagte eine Menge Worte; diese waren aber so sonderbar durcheinander gemischt, daß man seinem Gedankengang nicht mehr folgen konnte, obgleich ihm dieses Sprechen offenbar großes Vergnügen machte; er saß strahlend da und sah ganz vergnügt aus.

Ingrid stürzte fort. Sie konnte das nicht mit ansehen, und sie konnte auch nichts für ihn tun. Sie fürchtete sich vor ihm, er war ihr widerwärtig.

Aber sie war kaum auf der Treppe, da fühlte sie auch schon Gewissensbisse. Hier hatte sie soviel Gutes genossen, und sie selbst wollte nichts dafür tun.

Um ihren Widerwillen zu überwinden, versuchte sie in Gedanken, Hede in einen vornehmen Herrn zu verwandeln. Wie hatte er wohl früher in feinen Kleidern mit zurückgestrichenem Haar ausgesehen? Sie schloß einen Augenblick die Augen und dachte nach. Nein, es war nicht möglich, sie konnte ihn sich nicht anders vorstellen, als er war.

Plötzlich sah sie die Umrisse eines geliebten Gesichts neben sich. Wunderbar deutlich tauchte es an ihrer linken Seite auf.

Aber diesmal lächelte das Gesicht nicht. Die Lippen bebten wie im Schmerz, und ein unaussprechliches Leid drückte sich in den scharfen Linien um den Mund aus.

Ingrid blieb mitten auf der Treppe stehen und starrte auf die Erscheinung. Sie war da, schwebend und leicht, ebenso wenig zu fassen und festzuhalten wie ein Sonnenstrahl, der durch das geschliffene Glas eines Kronleuchters fällt, aber ebenso sichtbar, ebenso wirklich. Sie dachte an das Phantasiebild, das sie vorhin gehabt hatte; aber dies war anders. Dies war Wirklichkeit.

Als sie das Gesicht eine Weile betrachtet hatte, begannen die Lippen sich zu bewegen; sie sprachen, aber sie hörte keinen Laut. Da versuchte Ingrid, zu sehen, was sie sagten, sie versuchte, die Worte von den Lippen abzulesen, wie die Taubstummen es machen, und es gelang ihr.

»Laß mich nicht gehen!« sagten die Lippen. »Laß mich nicht gehen!«

Und mit welcher Angst dies gesagt wurde! Wäre ihr jemand zu Füßen gefallen und hätte um sein Leben gefleht, es hätte sie nicht tiefer erschüttern können! Sie zitterte vor Aufregung. Das war herzzerreißender als alles, was sie je in ihrem Leben gehört hatte. Sie hätte nie geglaubt, daß jemand mit solch entsetzlicher Angst bitten könne.

Wieder und wieder flehten die Lippen: »Laß mich nicht gehen!« Und jedesmal wurde die Angst größer und größer.

Ingrid verstand es nicht, blieb aber von unbeschreiblichem Mitleid ergriffen auf der Treppe stehen.

Sie fühlte, daß es sich für den, der so bat, um mehr handeln müsse als um das Leben; der Rettung der Seele mußte es gelten.

Jetzt bewegten sich die Lippen nicht mehr; sie standen halboffen in schlaffer Verzweiflung.

Als sie diesen Ausdruck von Schlaffheit annahmen, stieß Ingrid einen Schrei aus und taumelte ein paar Stufen hinunter. Sie hatte das Gesicht des Verrückten erkannt, so wie sie es eben gesehen hatte.

»Nein, nein, nein!« rief sie. »Das kann nicht sein! Es darf nicht, es kann nicht sein! Es ist unmöglich, daß er es ist!«

Da war das Gesicht verschwunden.

Wohl eine Stunde lang saß Ingrid auf der kalten Treppe und weinte in hilfloser Verzweiflung. Aber schließlich erwachte doch die Hoffnung wieder in ihr, helle, trostbringende Hoffnung. Sie bekam wieder Mut, den Kopf aufzurichten.

Alles, was geschehen war, schien darauf hinzudeuten, daß es in ihrer Macht liege, ihn zu retten. Um seinetwillen war sie hierhergeführt worden. Ihr sollte das große, große Glück zuteil werden, ihn zu retten.

Drinnen im kleinen Salon sprach die gnädige Frau mit Jungfer Stafva. Es klang zum Herzzerbrechen, wie sie die Haushälterin anflehte, doch den Sohn zu überreden, noch einige Tage dazubleiben.

Aber Jungfer Stafva sträubte sich.

»Bitten kann man ihn, soviel man will«, sagte sie, »aber die gnädige Frau weiß doch, daß ihn niemand zum Bleiben bewegen kann, wenn er nicht will.«

»Wir haben ja Geld genug. Er braucht ja gar nicht mehr fortzugehen. Können Sie ihm das nicht sagen, Jungfer Stafva?«

Da trat Ingrid ein; lautlos hatte sie die Tür geöffnet, und mit leichtem, schwebendem Gang glitt sie leise durchs Zimmer. Ihre Augen strahlten, als sähen sie etwas Herrliches, weit in der Ferne.

Als die Frau Bergrat sie sah, runzelte sie ein wenig die Stirne. Die Lust, nun auch ihrerseits grausam zu sein und auch Schmerz zu bereiten, ergriff sie.

»Ingrid«, sagte sie, »komm her, ich muß wegen deiner Zukunft mit dir sprechen.«

»Wegen meiner Zukunft«, erwiderte Ingrid und strich sich über die Stirne. »Meine Zukunft ist ja schon bestimmt«, fuhr sie mit einem leichten Märtyrerlächeln fort.

Und ohne noch ein Wort hinzuzufügen, verließ sie das Zimmer.

Die Bergrätin und Jungfer Stafva sahen sich erstaunt an. Sie begannen zu beratschlagen, wohin das Mädchen geschickt werden könnte.

Als aber Jungfer Stafva in ihr Zimmer hinunterkam, saß Ingrid drin. Sie sang kleine Lieder und klimperte dabei auf der Gitarre. Und ihr gegenüber saß Hede und hörte zu, das ganze Gesicht wie von Sonnenschein verklärt.

8

Von dem Augenblick an, wo Ingrid in dem Verrückten den Studenten erkannt hatte, dachte sie an nichts anderes, als ihn zu heilen. Aber das war eine schwere Arbeit, und sie hatte durchaus keine Ahnung, wie sie es angreifen sollte.

Im Anfang überlegte sie nur, wie sie ihn zum Bleiben bewegen könnte. Und dies gelang ihr leicht genug. Nur um sie jeden Tag eine kleine Weile Geige oder Gitarre spielen zu hören, saß er nun vom Morgen bis zum Abend geduldig in Jungfer Stafvas Zimmer und wartete auf sie.

Es kam Ingrid vor, als wäre es schon ein großer Erfolg, wenn sie ihn nur dazu bringen könnte, auch in die anderen Zimmer zu gehen. Aber das wagte er durchaus nicht. Sie machte den Versuch, selbst im Zimmer zu bleiben, und sagte, sie werde ihm nicht vorspielen, wenn er nicht hereinkomme. Nachdem sie aber zwei Tage nicht herausgekommen war, begann er einzupacken, um seiner Wege zu gehen, und da mußte sie nachgeben.

Er hatte eine große Vorliebe für sie und zeichnete sie vor allen anderen aus, aber von seiner Angst konnte er ihr nichts zum Opfer bringen.

Sie bat ihn, den Pelz abzulegen und einen gewöhnlichen Rock anzuziehen. Er ging auch sogleich darauf ein, hatte aber am nächsten Tag doch wieder den Pelz an. Alsdann versteckte sie diesen; da erschien er im Pelz des Knechts, und da war es immerhin noch besser, wenn er seinen eigenen trug.

Er war fortgesetzt gleich furchtsam und ängstlich darauf bedacht, daß ihm niemand zu nahe kam. Nicht einmal Ingrid durfte dicht neben ihm sitzen.

Eines Tages bat sie ihn, er möge ihr etwas versprechen. Er solle es aufgeben, sich vor der Katze zu verbeugen. Um so etwas Schweres, wie sich nicht vor einem Pferd oder einem Hund zu verbeugen, wolle sie ihn gar nicht bitten, aber vor einer kleinen Katze könne man sich doch unmöglich fürchten.

»Doch«, sagte er, »die Katze ist ein Ziegenbock.«

»Nein, sie kann doch weder ein Bock noch eine Ziege sein«, erwiderte Ingrid. »Sie hat ja keine Hörner.«

Darüber freute er sich sehr. Es war, als habe er nun endlich herausgefunden, woran er die Ziegen von anderen Tieren unterscheiden könne.

Am nächsten Morgen lief ihm Jungfer Stafvas Katze in den Weg.

»Der Ziegenbock hat keine Hörner«, sagte er und lachte ganz stolz.

Er ging an ihr vorüber und setzte sich aufs Sofa, um Ingrids Spiel zuzuhören. Aber nach einer kleinen Weile wurde er unruhig, er stand auf, ging zur Katze hin und verneigte sich.

Ingrid war ganz verzweifelt. Sie faßte ihn am Arm und schüttelte ihn. Da lief er sogleich zur Tür hinaus und ließ sich erst am nächsten Tag wieder blicken.

»Kind, Kind!« sagte die gnädige Frau, »du machst es gerade wie ich, versuchst es wie ich. Du wirst ihn schließlich auch scheu machen, daß er sich nicht mehr in deine Nähe traut. Laß ihn lieber in Frieden. Wir sind schon froh, daß es so ist wie jetzt, wenn er nur daheim bleibt.«

Nein, es ließ sich nichts weiter tun; Ingrid rang vergebens die Hände in heißem Schmerz, daß der feine, liebenswürdige Mensch in diesem Irrsinnigen untergegangen sein sollte.

Aber das eine nur hätte sie gerne gewußt, ob sie zu nichts weiter hierhergeführt worden sei, als ihm die Melodien ihres Großvaters vorzuspielen? Sollte es so das ganze Leben lang fortgehen? Würde es niemals anders werden?

Bisweilen erzählte sie ihm auch Geschichten. Und mitten in einer solchen Geschichte wurde manchmal der Ausdruck seines Gesichts ganz klar, und er konnte etwas merkwürdig Feines und Schönes sagen, worauf ein kluger Mensch niemals gekommen wäre. Mehr aber bedurfte es auch nicht, um Ingrids Mut neu zu beleben, und bald waren sie wieder mitten in den endlosen Versuchen ...

Es war gegen Abend, und der Mond war eben am Aufgehen. Auf der Erde lag weißer Schnee, auf dem See graues, schimmerndes Eis. Die Bäume standen schwarzbraun da, und der Himmel war nach dem Sonnenuntergang glühend rot.

Ingrid war auf dem Weg hinab zum See, um Schlittschuh zu laufen. Sie benützte einen schmalen Fußpfad, der in den Schnee getreten war. Gunnar Hede ging hinter ihr. Es war etwas in seiner Haltung, das an einen Hund erinnerte, der seinem Herrn nachläuft.

Ingrid sah müde aus. Ihre Augen hatten keinen Glanz, und ihr Gesicht war sehr blaß.

Während sie so dahinschritt, stieg der Gedanke in ihr auf, ob der Tag, der nun verschwand, wohl mit sich selbst zufrieden sei? Hatte er wohl in jubelnder Freude den großen, glühendroten Sonnenuntergang dort im Westen angezündet?

Sie selbst fühlte nur zu gut, daß sie keine Freudenfeuer hätte anzünden können, weder über diesen Tag noch über einen der anderen. Ein ganzer Monat war nun verflossen, seit sie Gunnar Hede wiedererkannt hatte, aber nichts war seitdem gewonnen worden.

Und gerade heute hatte große Angst sie erfaßt. Es war ihr, als verspiele sie allmählich bei alldem ihre Liebe. Sie war nahe daran, den Studenten zu vergessen, weil sie immer nur an den Kranken dachte. Alles, was an der Liebe leicht und schön und freudig war, verschwand, nichts blieb zurück als schwerer, schwerer Ernst.

Sie war ganz verzweifelt, während sie zum See hinabging. Sie fühlte, daß sie nicht verstand, was eigentlich getan werden könnte, fühlte, daß sie jeden weiteren Versuch aufgeben müsse. Ach, lieber Gott, da ging er nun hinter ihr her, äußerlich stark und frisch, und doch so hilflos, so krank und unheilbar!

Nun waren sie am See, und Ingrid zog die Schlittschuhe an. Sie wollte haben, er solle auch laufen, und schnallte auch ihm die Schlittschuhe an, aber er fiel hin, sobald er aufs Eis kam. Er kroch wieder ans Land und setzte sich auf einen Stein, sie aber fuhr davon.

Dem Stein, auf dem Hede saß, gerade gegenüber lag ein kleines mit Birken und Espen bewachsenes Eiland; hinter diesem strahlte der Abendhimmel noch immer in leuchtender Glut, und die feinen, leichten, kahlen Kronen der Bäume hoben sich von diesem Rot in solch wunderbarer Schönheit ab, daß es unmöglich war, diese Pracht nicht zu sehen.

Es ist ja meistens so, daß das, woran man einen Ort wiedererkennt, ein einzelner Zug ist, denn selbst was man am besten kennt, ist einem nicht von allen Seiten gleich vertraut. Und Munkhyttan erkannte man besonders an der kleinen Insel. Hätte man auch das Gut in vielen Jahren nicht gesehen, so würde man es dort sofort an dem Eiland wiedererkannt haben, das nun seine dunklen Baumkronen dem Sonnenuntergang entgegenstreckte.

Hede saß ganz still da und betrachtete die Insel, das feine

Geäst der Bäume und das graue Eis, das sich nach allen Seiten ausbreitete.

Das war ihm von jeher der vertrauteste Anblick gewesen. Auf dem ganzen Gut gab es nichts, was er besser gekannt hätte. Denn, wie gesagt, diese kleine Insel war es immer gewesen, die seine Blicke auf sich gezogen hatte. Und er betrachtete nun die Insel unverwandt, ohne etwas dabei zu denken, wie es einem bei dem, was man sehr gut kennt, zu gehen pflegt. Lange, lange saß er da und starrte hinüber, nichts störte ihn, kein Mensch, kein Windhauch, nichts Fremdes. Ingrid sah er nicht, sie war weit auf den See hinausgelaufen.

Da überkam Hede eine solche Ruhe und Stille, wie man sie nur in solchen heimatlichen Umgebungen fühlen kann. Von der kleinen Insel strömte ihm Sicherheit und Friede entgegen. Sie schläferte die ewige Unruhe, die ihn quälte, ein.

Hede glaubte sich stets von Feinden umgeben und war nur immer darauf bedacht, sich zu verteidigen. Seit Jahren hatte er die Ruhe nicht gekannt, die es ihm möglich machte, sich selbst zu vergessen; aber nun kam sie über ihn.

Während Gunnar Hede so am Ufer saß, ohne an etwas Bestimmtes zu denken, machte er unwillkürlich eine mechanische Bewegung, wie man sie wohl macht, wenn man sich in gewohnten Verhältnissen befindet. Das blanke Eis lag vor ihm, er hatte die Schlittschuhe an, da stand er auf und begann auf den See hinauszulaufen. Und er dachte ebensowenig an das, was er tat, als man beim Essen daran denkt, wie man Gabel und Löffel hält.

Er glitt hinaus auf die Eisfläche; es war die herrlichste Eisbahn, die man sich denken konnte, und er war schon weit vom Ufer entfernt, ehe er merkte, was er getan hatte.

»Ein vortreffliches Eis«, dachte er dann, »warum bin ich eigentlich heute nicht schon früher hergekommen? Gestern war ich dafür um so länger hier«, tröstete er sich. »Ich darf jetzt keinen Tag mehr versäumen, so lange ich Ferien habe.«

Vielleicht, weil Hede jetzt etwas unternahm, das er getan hatte, ehe er krank geworden war, erwachte dadurch etwas von seinem früheren Ich in ihm. Gedanken und Vorstellungen, die im Zusammenhang mit seinem früheren Leben standen, tauchten in seinem Bewußtsein auf. Gleichzeitig aber sanken alle jene Gedanken, die mit seiner Krankheit zusammenhingen, in Vergessenheit.

Wie gewöhnlich, wenn er Schlittschuh lief, fuhr er in einem

großen Bogen hinaus auf den See, um an einer scharfen Landspitze vorbeisehen zu können. Er tat es unbewußt, als er aber um den Vorsprung herumgefahren war, wußte er, daß er diese Richtung eingeschlagen hatte, um zu sehen, ob im Zimmer seiner Mutter Licht sei.

»Nun meint sie, es sei Zeit, daß ich nach Hause komme, aber sie muß noch ein wenig warten; das Eis ist zu gut.« Hauptsächlich waren es unbestimmte Gefühle der Freude über die körperliche Bewegung und über den schönen Abend, die in ihm erwachten. An einem solchen Mondscheinabend, ja gerade da mußte man Schlittschuh laufen. Er liebte diesen milden Übergang zur Nacht. Noch war es licht, aber die Abendstille ruhte schon über der Flur. Das Allerbeste bei Tag und Nacht!

Draußen auf dem See lief noch jemand Schlittschuh. Es war ein junges Mädchen. Er wußte nicht, ob er sie kannte, und steuerte auf sie zu, um es herauszufinden. Nein, es war keine Bekannte, aber er konnte es doch nicht unterlassen, im Vorbeifahren ein paar Worte über das schöne Eis zu ihr zu sagen.

Die Fremde war wohl ein Fräulein aus der Stadt und gewiß nicht gewohnt, so ohne weiteres angeredet zu werden, denn sie sah ganz erschreckt aus, als er die paar Worte zu ihr sagte. Aber er war auch höchst merkwürdig angezogen. Er trug ja vollständige Bauerntracht! Nun, verscheuchen wollte er sie nicht! Er drehte deshalb um und lief weiter hinaus auf den See. Das Eis war groß genug für sie beide.

Aber Ingrid hatte vor Überraschung beinahe laut aufgeschrien. Er kam dahergelaufen, sicher und elegant, die Arme über der Brust gekreuzt, die Hutkrempe aufgebogen, das Haar zurückgeworfen, so daß es nicht über die Ohren herunterhing! Er hatte mit der Stimme eines gebildeten Mannes gesprochen, fast ohne den Dialekt der Bauern in Dalarne!

Sie gönnte sich keine Zeit zum Erstaunen, so schnell als möglich ging es dem Ufer zu.

Atemlos stürzte sie in die Küche und wußte nicht, wie sie ihre Nachricht rasch und deutlich genug sagen sollte.

»Jungfer Stafva, der junge Herr ist heimgekommen!«

Die Küche war leer, weder die Jungfer noch die Mägde waren da. Auch in der Stube der Jungfer war kein Mensch. Ingrid stürmte durchs ganze Haus, geriet in Zimmer, die sie noch nie betreten hatte, und rief immerfort: »Jungfer Stafva, Jungfer Stafva! Der junge Herr ist heimgekommen!«

Sie war ganz außer sich und rief es immer noch, als oben im

Zimmer schon zwei Mägde, Jungfer Stafva und selbst die Bergrätin sich um sie drängten.

Und keines mißverstand sie; alle vier standen da, ebenso überwältigt, wie sie selbst, mit bebenden Lippen und zitternden Händen.

In großer Aufregung wandte sich Ingrid von einer zur andern. Sie wollte ja Erklärungen geben, Befehle erteilen, aber wovon, wozu? Ach, daß sie so die Besinnung verlieren konnte! Verwirrt sah sie die Bergrätin an. Was war es, was wollte ich?

Mit leiser, zitternder Stimme erteilte die alte Dame einige Befehle; beinahe flüsternd sagte sie: »Licht und ein Feuer im Zimmer des jungen Herrn! Die Kleider des jungen Herrn sollen bereitgelegt werden.«

Es war weder Zeit noch Ort für Jungfer Stafva, um sich wichtig zu machen, aber es lag doch eine gewisse Überlegenheit in ihrer Stimme, als sie erwiderte: »Im Zimmer des jungen Herrn ist immer geheizt. Die Kleider des jungen Herrn liegen immer für ihn bereit.«

»Geh du in dein Zimmer, Ingrid«, sagte die gnädige Frau. Das junge Mädchen tat jedoch gerade das Gegenteil. Sie ging in den Salon, stellte sich ans Fenster, schluchzte und zitterte, wußte aber gar nicht, daß sie nicht ruhig und still war.

Ungeduldig wischte sie sich die Tränen aus den Augen, um die Schneefläche übersehen zu können, die sich vor dem Hause ausbreitete. Wenn sie nur nicht weinte, konnte ihr bei dem hellen Mondschein nichts entgehen. Nun kam er.

»Da, da!« schrie sie der gnädigen Frau zu. »Er geht schnell! Er läuft! Kommen Sie doch her und sehen Sie selbst!«

Die Bergrätin saß still vor dem Feuer und bewegte sich nicht. Sie strengte sich an, zu hören, wie die andern zu sehen; sie bat Ingrid, ruhig zu sein, damit sie hören könne, wie er gehe.

Ja, ja, sie wollte ganz still sein. Die gnädige Frau sollte hören können, wie er ging. Sie hielt sich krampfhaft am Fensterrahmen fest, als ob das ihr helfen könnte.

»Du mußt still sein«, flüsterte sie, »damit die gnädige Frau hören kann, wie er geht.«

Die gnädige Frau saß vorgebeugt und lauschte mit ganzer Seele. Hörte sie schon seinen Schritt auf dem Hof? Nun erwartete sie wohl, er werde nach der Küche abbiegen? Ingrid sah, daß die gnädige Frau nichts anderes zu glauben wagte. Hörte sie nun, daß die Vortreppe knarrte? Hörte sie, mit welcher Geschwindigkeit er die Treppe zum Wohnstock heraufkam? Zwei, drei Stufen auf einmal! Hatte seine Mutter das gehört? Das war nicht mehr der schleppende Bauernschritt, wie da, wo er ausging.

Es war beinahe nicht auszuhalten, ihn auf die Salontür zukommen zu hören. Wäre er in diesem Augenblick hereingekommen, hätten sicherlich alle beide aufgeschrien.

Aber er bog ab und ging durch den Gang nach seinen eigenen Zimmern.

Die Bergrätin sank in den Stuhl zurück, und ihre Augen schlossen sich. Ingrid dachte, die gnädige Frau wäre in diesem Augenblick gewiß gerne gestorben.

Ohne die Augen aufzuschlagen, streckte sie die Hand aus. Ingrid glitt zu ihr hin und ergriff sie, und die alte Dame zog Ingrid an sich.

»Mignon, Mignon«, sagte sie, »es war doch der richtige Name.«

»Nein«, fuhr sie fort. »Jetzt dürfen wir nicht weinen. Jetzt dürfen wir nicht davon sprechen. Nimm einen Schemel und setze dich hierher ans Feuer. Wir müssen uns beruhigen, mein liebes Kind. Wir wollen von etwas anderem sprechen, denn wir müssen ganz ruhig sein, wenn er kommt.«

Eine halbe Stunde später trat Hede ein; da stand Tee auf dem Tisch, und der Kronleuchter war angezündet. Er hatte sich wirklich umgekleidet, jede Spur von dem Bauern war verschwunden. Ingrid und die Bergrätin drückten sich heftig die Hände. Sie hatten sich darauf vorbereitet, ihn kommen zu sehen.

Es sei ganz unmöglich, vorher zu wissen, was er tun oder sagen werde, meinte die gnädige Frau. Er sei von jeher unberechenbar gewesen. Aber sie beide müßten jedenfalls ganz ruhig sein.

Ingrid war auch wirklich ruhig geworden. Ein großes, großes Glücksgefühl war über sie gekommen, und das stillte ihre Unruhe. Ihr war zumute wie einem, der auf dem Wege zur Seligkeit des Himmels ist. Sorglos ruhte sie in Engelsarmen, die sie hinauftrugen, hinauf!

Aber Hede konnte man keine Verwirrung anmerken.

»Ich komme nur herein«, sagte er, »um zu sagen, daß ich heftige Kopfschmerzen habe und deshalb gleich zu Bett gehen will. Ich hatte sie schon auf dem Eis.«

Die Bergrätin erwiderte nichts darauf. Was er sagte, klang so einfach, aber das hatte sie nicht ahnen können. Sie brauchte einen Augenblick, um sich klar zu machen, daß er nichts von seiner Krankheit wußte, sondern irgendwo in der Vergangenheit lebte.

»Vielleicht könnte ich vorher doch eine Tasse Tee trinken«, sagte er, über das Schweigen verwundert.

Die Bergrätin trat an den Tisch. Er sah sie an.

»Hast du geweint, Mutter, du bist so still?«

»Wir sprachen eben von einer traurigen Geschichte, ich und meine junge Freundin hier«, sagte die gnädige Frau und deutete auf Ingrid.

»Ach, entschuldige«, sagte er. »Ich sah nicht, daß Besuch da ist.«

Das junge Mädchen trat in den hellen Lichtschein, so schön, wie jemand aussehen mag, der weiß, daß sich im nächsten Augenblick die Pforten des Himmels vor ihm öffnen werden.

Hede grüßte etwas steif. Offenbar wußte er nicht, wen er vor sich hatte. Die Bergrätin stellte vor.

Er sah Ingrid flüchtig an.

»Ich habe Fräulein Berg vorhin auf dem Eis gesehen«, sagte er.

Er wußte nichts von ihr, hatte noch nie mit ihr gesprochen.

9

Nun kam eine kurze, glückliche Zeit. Gunnar Hede war zwar keineswegs gesund, aber die Seinigen waren glücklich genug, zu glauben, er sei auf dem Weg, es zu werden. Er hatte das Gedächtnis zum großen Teil verloren, wußte von langen Zeitabschnitten in seinem Leben gar nichts, konnte nicht Geige spielen, seine Kenntnisse waren fast ganz entschwunden, und selbst sein Denkvermögen war so schwach, daß er weder gern las noch schrieb. Aber viel besser als vorher ging es ihm doch. Er war nicht mehr in beständiger Angst, er liebte seine Mutter, er hatte die Gewohnheiten und das Wesen eines gebildeten Mannes wieder angenommen. Da ist es begreiflich, daß die Bergrätin und ihr ganzes Haus glückselig waren.

Hede war in strahlender Laune, den ganzen Tag voller Jubel und Freude, er grübelte nie, glitt hinweg über alles, was er nicht begriff, sprach nie von etwas, was eine Gedankenarbeit erforderte, unterhielt sich aber munter und lebhaft. Am vergnügtesten war er, wenn sein Körper in Bewegung war. Er nahm Ingrid zum Schlittenfahren und Schlittschuhlaufen mit; er sprach dann nicht viel mit ihr, aber sie freute sich, daß sie dabei sein durfte. Er war freundlich gegen Ingrid wie gegen alle andern, aber er war nicht ein bißchen verliebt in sie.

Sehr oft dachte er an seine Braut und verwunderte sich, daß sie ihm weder schrieb noch sonst von sich hören ließ. Aber nach einer kleinen Weile glitt auch dieser Kummer von ihm ab; er verjagte immer schnell alle betrübten Gedanken.

Ingrid aber sah wohl ein, daß er auf diese Weise niemals gesund werden würde. Er müßte einmal zum Denken gezwungen werden, zum Hineinsehen in sich selbst, wozu er jetzt nicht den Mut hatte. Aber sie wagte es nicht, ihn dazu zu zwingen, weder sie noch sonst jemand. Wenn er sie ein wenig liebgewänne, ja dann, dann würde sie es vielleicht wagen, dachte sie.

Es war ihr, als ob sie zunächst nur alle miteinander ein wenig Glück brauchten.

Gerade zu dieser Zeit starb im Pfarrhaus zu Råglanda, wo Ingrid erzogen worden war, ein kleines Kind; und da mußte der Totengräber ein Grab richten.

Der Mann grub dicht neben der Stelle, wo er im vorhergehenden Sommer das Grab für Ingrid aufgeworfen hatte. Und als er einige Fuß tief gegraben hatte, wurde eine Ecke ihres Sarges frei.

Der Totengräber konnte ein Lächeln nicht unterdrücken. Er hatte natürlich auch gehört, daß die Tote, die in dem Sarg lag, wiedergekommen sei. Sie sollte schon am Begräbnistag den Sargdeckel abgeschraubt haben, aus dem Grab herausgestiegen sein und sich im Pfarrhaus gezeigt haben. Nun, die Pfarrerin war nicht eben beliebt, und den Leuten in der Gemeinde mochte es schon gefallen haben, daß sie so etwas von ihr erzählen konnten.

Der Totengräber dachte, wenn die Leute nur wüßten, wie wohlverwahrt die Toten drunten in der Erde liegen, und wie fest die Sargdeckel ...

Er mußte mitten in seinem Gedankengang abbrechen. An der Ecke des Sargs, die hervorsah, lag der Deckel ein wenig schief, und eine Schraube war nicht eingeschraubt. Er sagte nichts, er dachte auch nichts, aber er hörte auf zu graben und pfiff die ganze Reveille des Värmländer Regiments durch; denn er war Soldat gewesen.

Dann aber dachte er, es wäre am besten, wenn er die Sache ordentlich untersuchte. Es ging nicht an für einen Totengräber, sich allerlei Gedanken über die Toten zu machen, die dann immer wiederkehren und in dunklen Herbstnächten Macht über ihn gewinnen könnten.

Er grub daher hastig weiter, dann schlug er mit der Schaufel auf den Sarg.

Und der Sarg antwortete ganz deutlich, er sei leer, leer, leer.

Eine halbe Stunde später stand der Totengräber im Pfarrhaus. Das blieb ein Staunen und Fragen! Soviel wurde nun allen klar, daß das Mädchen in dem Sack des Dalekarliers gewesen war. Aber was war seither aus ihr geworden?

Mutter Anna Stina stand am Backofen und besorgte das Kuchenbacken, denn es mußte ja nun zu dem neuen Leichenschmaus gebacken werden. Lange hörte sie dem Gerede zu, ohne ein Wort zu sagen. Sie gab nur acht, daß die Kuchen nicht verbrannten, zog die Backbleche alle Augenblicke heraus und schob sie wieder hinein, so daß es geradezu lebensgefährlich war, der langen Backschaufel zu nahe zu kommen. Plötzlich band sie die Küchenschürze ab, wischte sich den Ruß und Schweiß notdürftig vom Gesicht und stand in der Studierstube bei dem Pfarrer, fast ehe sie selbst wußte, wie es zuging.

Nach all diesem war es gerade nicht verwunderlich, daß eines Tages im März ein kleiner roter, mit grünen Tulipanen bemalter Pfarrschlitten mit einem roten Pferdchen bespannt vor Munkhyttan hielt.

Ingrid sollte nun natürlich mit nach Hause zur Mutter. Der Pfarrer war gekommen, um sie zu holen. Er sagte nicht viel darüber, wie glücklich sie seien, daß sie noch lebe oder ähnliches, aber man konnte ihm ansehen, wie überaus froh er war. Er hatte es sich nie verzeihen können, daß sie nicht gut genug gegen die Pflegetochter gewesen waren, und nun strahlte er vor Glück, noch einmal von vorn anfangen zu dürfen und es diesmal besser zu machen.

Über Ingrids Flucht wurde kein Wort gesprochen. Es hat ja keinen Wert, solche Dinge wieder aufzurühren und sich solange nachher noch damit zu quälen. Aber Ingrid merkte wohl, daß die Pfarrerin eine schwere Zeit gehabt hatte und von Gewissensbissen geplagt worden war, sowie daß man sie nun im Pfarrhaus gerne haben wollte, um das Geschehene wieder gutzumachen. Sie begriff, daß sie beinahe gezwungen war, mitzufahren, um zu zeigen, daß sie den Pflegeeltern nichts nachtrage.

Allen erschien es ganz natürlich, daß sie auf acht oder vierzehn Tage mitginge. Und warum sollte sie nicht? Sie konnte nicht vorschützen, man habe sie da, wo sie jetzt sei, durchaus nötig. Sie konnte wohl ein paar Wochen weg sein, ohne daß Hede darunter litt. Das war schwer für sie, aber es war wohl am besten, sie reiste, wenn alle es für das richtige hielten.

Vielleicht hatte sie im stillen doch gehofft, man würde sie bitten, dazubleiben. Als sie sich in den Schlitten setzte, meinte sie, die Bergrätin oder Jungfer Stafva müßten sie herausholen und wieder hineintragen. Sie konnte es nicht fassen, daß sie nun wirklich durch die Allee fuhr, daß sie in den Wald einbog, und daß Munkhyttan hinter ihr verschwand.

Wenn es nun aber so zusammenhing, daß man sie aus lauter Güte nicht zurückhalten wollte? Sie glaubten vielleicht, die Jugend und Lebenslust sehne sich fort von der Einsamkeit auf Munkhyttan. Sie dachten vielleicht, sie sei es müde, die Hüterin eines Irrsinnigen zu sein. Sie hob die Hand und hätte beinahe in die Zügel gegriffen, um das Pferd anzuhalten. Jetzt erst, wo sie schon eine Meile vom Hof entfernt war, fiel ihr ein, daß dies der Grund sein könnte, warum man sie fortgelassen hatte. Ach, sie wäre so gern umgekehrt und hätte gefragt!

Es war ihr gerade, als irre sie im wilden Wald umher, wo nichts sie umgab als das tiefe Schweigen. Kein Mensch gab ihr Antwort oder einen Rat. Ach, von den Tannen und Fichten, dem Eichhorn und der Bergeule erhielt sie ebensoviel Antwort als von den Menschen!

Es war ihr ganz gleichgültig, wie es ihr nun daheim im Pfarrhaus ging. Sie war überzeugt, daß es ihr gut gehen werde, aber es war ihr, wie gesagt, einerlei.

Es wäre ihr auch einerlei gewesen, wenn sie in ein Schloß mit einem verzauberten Garten gekommen wäre. Es ist kein Bett so weich, daß es den, der Heimweh hat, Ruhe finden läßt.

Im Anfang bat sie jeden Tag, so bescheiden, wie sie konnte, man solle sie zurückreisen lassen, nachdem sie nun die große Freude gehabt habe, Mutter und Geschwister wiederzusehen. Aber da hieß es, die Wege seien nicht zum Durchkommen, sie müsse warten, bis der Frost aus der Erde heraus sei; ihr Leben hänge doch nicht davon ab, daß sie nach Munkhyttan zurückkomme.

Ingrid konnte nur schwer verstehen, warum es die Leute ärgerte, wenn sie sagte, sie wolle nach Munkhyttan zurückkehren. Dies war aber wirklich so bei Vater und Mutter und bei allen anderen im Dorf. Offenbar durfte man sich, wenn man in Råglanda war, nicht fortsehnen.

Sie sah bald ein, daß es am besten war, wenn sie gar nicht mehr von ihrer Reise sprach, denn sobald sie davon anfing, gab es unendlich viele Hindernisse. Nicht genug, daß die Wege noch immer unergründlich waren, nein, man errichtete auch Zäune und Mauern und Wallgräben um sie her. Sie sollte strikken und weben und die Frühbeete anpflanzen. Und sie würde doch auch nicht vor der großen Geburtstagsfeier in der Propstei abreisen wollen? Und sie könnte doch auch nicht fort wollen, ehe Karin Landberg Hochzeit gehabt habe.

Es blieb ihr nichts anderes übrig, als die Hände zum Frühlingshimmel aufzuheben und ihn anzuflehen, er möge sich mit seiner Arbeit beeilen. Nur um Sonnenschein und Wärme konnte sie bitten, nur die milde Sonne anflehen, den großen Grenzwald recht fleißig anzuscheinen, durchdringende kleine Strahlen zwischen die Fichten zu werfen und den Schnee unter ihnen zu schmelzen. Liebe, liebe Sonne! Es war ganz einerlei, ob der Schnee im Tale schmolz, wenn nur die Berge frei und die Waldwege gangbar wurden! Wenn nur die Sennerinnen in ihre Hütten hinaufzogen, wenn nur die Sümpfe austrockneten und der Weg benützt werden konnte, der halb so weit war als die Landstraße!

Ingrid wußte, wer nicht auf einen Wagen warten oder um Fahrgeld betteln würde, wenn nur erst die Waldwege gangbar waren! Sie wußte, wer dann in einer hellen Nacht aus dem Pfarrhaus weggehen würde, wußte, wer das tun würde, ohne einen einzigen Menschen um Erlaubnis zu bitten!

Ingrid glaubte, sie habe auch früher sehnsüchtig dem Frühjahr entgegengesehen. Das tun ja alle Menschen. Aber nun wußte sie, daß sie sich noch nie wirklich danach gesehnt hatte. Ach nein, ach nein, sie hatte nicht gewußt, was Sehnsucht ist!

Früher hatte sie sich auf grüne Blätter und Anemonen und Drosselgesang und auf den Kuckucksruf gefreut. Aber das war nur Kinderei, nichts anderes. Wer nur an das dachte, was schön war, sehnt sich nicht nach dem Frühling. Die erste Erdscholle, die aus der Erde hervorschaut, müßte man aufheben und küssen! Das erste noch zusammengerollte Blatt der Brennessel müßte man pflücken, nur, um sich damit in die Haut einzubrennen, daß der Frühling nun da sei.

Alle Menschen waren überaus herzlich gegen sie. Aber obgleich Ingrid nichts sagte, waren sie doch fest überzeugt, daß sie beständig an ihre Abreise denke.

»Ich kann nicht begreifen, warum du wieder nach dem Herrenhof willst und den Verrückten hüten«, sagte Karin Landberg eines Tages. Es war, als habe sie Ingrids Gedanken gelesen.

»Ach, das hat sie sich nun aus dem Sinn geschlagen«, fiel die Pflegemutter ein, noch ehe das Mädchen antworten konnte.

Als Karin gegangen war, sagte die Pfarrfrau: »Die Leute verwundern sich darüber, daß du wieder von uns fort willst.« Ingrid schwieg.

»Die Leute sagen, du habest dich in Hede verliebt, seit es ihm besser gehe.«

»Ach nein, nicht erst seit es ihm besser geht«, erwiderte Ingrid, die beinahe lachen mußte.

»Jedenfalls kann er aber nicht so sein, daß man ihn heiraten könnte«, sagte die Pflegemutter. »Vater und ich haben schon darüber gesprochen, und wir sind der Ansicht, daß es besser für dich ist, wenn du hier bleibst.«

»Es ist sehr gut von euch, daß ihr mich behalten wollt«, sagte Ingrid; und sie war wirklich gerührt, daß die Pflegeeltern es so gut mit ihr meinten.

Aber sie trauten ihr doch nicht, wie gehorsam sie sich auch zeigte. Ingrid konnte nicht verstehen, welches Vöglein ihre Sehnsucht verriet. Nun hatte die Pflegemutter ihr ja mit klaren Worten gesagt, daß sie nicht mehr auf das Gut zurückkehren dürfe; aber selbst damit gab sie sich noch nicht zufrieden.

»Wenn sie dich brauchten, könnten sie dir ja schreiben«, sagte sie.

Wieder mußte Ingrid beinahe lachen. Das wäre das Allerwunderbarste, wenn aus einem verzauberten Schloß ein Brief käme! Sie hätte gerne gewußt, ob die Pflegemutter glaube, der Bergkönig habe an das von ihm entführte Mädchen geschrieben, als es von dem Besuch bei seiner Mutter nicht zurückkehrte.

Hätte die Pflegemutter aber nur gewußt, wie viele Botschaften sie erhielt, da wäre sie ganz verwirrt geworden.

Es kamen Botschaften bei Nacht in Träumen, und es kamen Botschaften bei Tag als Erscheinungen. Er ließ Ingrid wissen, daß er sie brauche. Er sei so krank, ach, so krank!

Sie wußte, daß er auf dem Wege war, wieder wahnsinnig zu werden, und daß sie zu ihm kommen mußte. Wenn ihr jemand dies mitgeteilt hätte, würde sie nur geantwortet haben, daß sie es schon wisse.

Die großen Sternenaugen nahmen einen immer abwesenderen Ausdruck an. Wer diesen Blick beständig sah, konnte unmöglich glauben, daß Ingrid ruhig und sittsam zu Hause sitzenbleiben würde. Es ist ja auch nicht gerade schwer, einem Menschen anzusehen, ob er sich behaglich fühlt oder ob er sich fortsehnt. Es braucht nur ein kleiner Strahl des Glücks aus den Augen zu dringen, wenn er von der Arbeit kommt oder sich am Feuer niederläßt. Aber aus Ingrids Augen drang kein Freudenstrahl, außer wenn sie den angeschwollenen Gebirgsbach sah, der überschäumend den Wald herunterkam; er war es ja, der den Weg für sie bahnte.

Eines Tages war Ingrid mit Karin Landberg allein, und da erzählte sie dieser von ihrem Leben auf Munkhyttan. Karin erschrak heftig. Wie hatte Ingrid das aushalten können?

Karin Landberg war, wie schon gesagt, im Begriff sich zu verheiraten, und sie war nun auf dem Punkt angekommen, daß sie von nichts anderem reden konnte als von ihrem Liebsten. Sie wußte nichts, was sie nicht von ihm gehört hatte, und sie konnte nichts tun, ohne ihn vorher zu fragen.

Da fiel ihr ein, daß Olof in Beziehung auf diese Geschichte eine Bemerkung gemacht hatte, die sie vielleicht benützen konnte, um Ingrid abzuschrecken, im Fall diese wirklich den Verrückten lieb gewonnen hätte.

Sie begann ihr daher vorzustellen, wie verrückt dieser Gunnar Hede in Wirklichkeit sei. Olof habe ihr erzählt, daß er, als er im Herbst auf dem Jahrmarkt gewesen sei, ein paar Herren getroffen habe, die gesagt hätten, der »Geißbock« sei gewiß nicht verrückt. Er tue bloß so, um die Käufer anzulocken. Olof aber habe behauptet, er sei wirklich geistig gestört. Und um es zu beweisen, sei er auf den Viehmarkt gegangen und habe eine elende kleine Ziege gekauft. Ja, da habe man es gleich sehen können! Olof hatte nichts weiter zu tun brauchen, als die Ziege vor sich auf den Tisch zu stellen, wo Hede seine Messer ausgelegt hatte, als dieser auch schon von seinem Sack und seinen Waren weg auf und davon lief. Und alle hätten furchtbar gelacht, als sie sahen, welche Angst ihn erfaßte. Und es sei daher ganz unmöglich, daß Ingrid einen liebhaben könne, der so verrückt sei.

Es war vielleicht unvorsichtig von Karin, daß sie Ingrid nicht ein einzigesmal anschaute, während sie diese Geschichte erzählte. Wenn sie gesehen hätte, wie die andere die Stirne runzelte, wäre es ihr vielleicht eine Warnung gewesen.

»Und du willst einen Mann heiraten, der so etwas getan hat?« sagte Ingrid. »Ich glaube, da wäre es noch besser, den ›Geißbock‹ selbst zu heiraten.«

Dies wurde von Ingrid in vollem Ernst gesagt, und es war sehr sonderbar, daß sie, die sonst so mild war, etwas so hart sagen konnte, daß es Karin ordentlich ins Herz schnitt. Mehrere Tage nachher war sie noch ganz ängstlich, Olof sei am Ende doch nicht so, wie sie wünschte. Der Gedanke verbitterte Karin förmlich das Leben, bis sie sich entschloß, Olof alles zu erzählen, der dann so lieb und gut war, daß es sie ganz beruhigte.

Im Värmland auf den Frühling zu warten, ist nichts Leichtes. Man kann einen sonnigen und warmen Abend haben und doch am nächsten Morgen die Felder weiß von Schnee finden. Stachelbeerbüsche und Rasenflächen können grün werden, aber der Birkenwald bleibt kahl und will einfach nicht ausschlagen.

Zu Pfingsten war es Frühling im Tal, aber Ingrids Gebete hatten doch nicht geholfen. Nicht eine einzige Sennerin war in den Wald hinaufgezogen, kein Sumpf war ausgetrocknet, es war unmöglich, auf den Waldwegen durchzukommen.

Am Pfingstfest war Ingrid mit ihrer Pflegemutter in der Kirche. Des hohen Festtags wegen waren sie im Wagen hingefahren.

Früher war es Ingrids größte Freude gewesen, in vollem Galopp auf dem Kirchplatz anzukommen, wo alle, die auf der Mauer und am Wege standen, den Hut abnahmen und grüßten, und die, die mitten auf der Straße waren, mit großen Sätzen zur Seite sprangen, als seien sie ganz entsetzt.

Jetzt aber freute sie sich über nichts mehr. Die Sehnsucht nimmt der Rose den Duft und dem Mond den Glanz, heißt es im Sprichwort.

Aber sie freute sich doch über das, was sie in der Kirche hörte. Es tat ihr wohl, als sie vernahm, wie die Jünger durch ein Wunder der Freude getröstet wurden. Sie fühlte sich beglückt, daß Jesus die trösten will, die sich in Sehnsucht nach ihm verzehren.

Während nun Ingrid und all die andern in der Kirche saßen, kam ein Mann in der Tracht der Bauern aus Dalarne des Weges daher. Er ging im Pelz und hatte den schweren Kramsack auf dem Rücken wie einer, der den Winter nicht vom Sommer und den Sonntag nicht vom Werktag unterscheiden kann. Er ging nicht in die Kirche, sondern schlich in großer Angst an den Pferden, die an der Hecke standen, vorbei und in den Kirchhof hinein.

Hier setzte er sich auf ein Grab und dachte an all die Toten, die noch schliefen, sowie an seine Tote, die wieder zum Leben erwacht war. Er saß noch da, als die Leute aus der Kirche kamen.

Karin Landbergs Olof war einer der ersten, der heraustrat, und als er seinen Blick über den Kirchhof hinschweifen ließ, entdeckte er den Dalekarlier. Es wäre schwer zu entscheiden, ob es Neugierde oder etwas anderes war, was ihn trieb, aber er ging hin, um mit dem Mann zu reden. Er wollte sehen, ob es möglich sei, daß er, der geheilt sein sollte, wieder wahnsinnig geworden war.

Und es war möglich. Er erzählte dem jungen Bräutigam sogleich, daß er hier sitze, um auf eine zu warten, die Grablilie heiße. Sie werde kommen und ihm vorspielen. Sie könne so spielen, daß die Sonne tanze und die Sterne sich im Kreise drehten.

Da sagte Karin Landbergs Olof zu ihm, daß die, die er erwarte, drüben auf dem Kirchplatz stehe. Er brauche nur aufzustehen, dann könne er sie sehen. Sie werde sich gewiß freuen, wenn sie ihn wiederfinde.

Die Pfarrerin und Ingrid wollten eben einsteigen, als ein großer Bauer aus Dalarne auf sie zustürzte. Er lief in aller Eile trotz all der Pferde, vor denen er sich verneigen mußte, und er winkte dem jungen Mädchen eifrig mit der Hand.

Und sobald Ingrid ihn sah, blieb sie ganz still stehen. Sie hätte selbst nicht sagen können, ob die Freude, ihn wiederzusehen, größer sei, oder der Schmerz darüber, daß er von neuem wahnsinnig geworden war; sie vergaß nun alles andere auf der Welt.

Und ihre Augen fingen an zu strahlen. In diesem Augenblick sah sie sicherlich nichts von dem armen elenden Menschen, sie fühlte gewiß nichts anderes als die Nähe der edlen Seele, nach der sie sich krankgesehnt hatte.

Der Platz um sie her war voller Kirchgänger, und alle sahen Ingrid unverwandt an. Keiner konnte seine Augen von ihrem Gesicht abwenden. Sie rührte sich nicht, um ihm entgegenzugehen, sie blieb nur stehen und erwartete ihn. Aber alle, die sahen, wie sie vor Glück strahlte, hätten beinahe geglaubt, es sei ein großer schöner Mensch, und nicht ein armer Verrückter, der auf sie zukam.

Die Leute sagten später, es habe beinahe ausgesehen, als sei ein Band vorhanden zwischen seiner und ihrer Seele, ein geheimes Band, das so tief unter dem Bewußtsein verborgen liegen müsse, daß kein Menschenverstand bis dahin dringen könne.

Aber als Hede nur noch ein paar Schritte von Ingrid entfernt war, umfaßte ihre Pflegemutter sie mit raschem Griff, hob sie auf und setzte sie in den Wagen. Sie wünschte hier auf dem Kirchplatz im Beisein so vieler Menschen kein Wiedersehen zwischen den beiden. Und sobald sie im Wagen saßen, trieb der Kutscher die Pferde an und fuhr im Galopp davon.

Ein paar gräßliche, wilde Schreie tönten ihnen nach.

Die Pfarrerin dankte Gott, daß sie das Mädchen neben sich im Wagen hatte.

Der Nachmittag war noch nicht weit vorgeschritten, als ein Bauer im Pfarrhaus erschien, der den Pfarrer zu sprechen verlangte. Er kam, um sich wegen des verrückten Dalekarliers Rat zu erholen; dieser sei wieder tobsüchtig geworden, so daß man ihn habe binden müssen. Was würde nun der Herr Pfarrer raten? Was sollte man mit ihm anfangen?

Der Pfarrer konnte ihnen nur raten, den Kranken nach Hause zu schaffen. Er sagte dem Bauern, wer er sei und wo er wohne.

Später am Abend erzählte er Ingrid, wie sich alles verhielt. Er hielt es für das beste, ihr die Wahrheit zu sagen, dann würde sie wohl zur Vernunft kommen.

Aber als die Nacht anbrach, sah Ingrid ein, daß sie keine Zeit mehr habe, noch länger auf den Frühling zu warten. Und so machte sich das arme Kind auf den Weg, um auf der Landstraße nach Munkhyttan zu wandern. Sie hoffte, auch auf diesem Weg ihr Ziel zu erreichen, obgleich es noch einmal so weit war wie der Pfad durch den Wald.

10

Es war am Nachmittag des Pfingstmontags. Ingrid wanderte auf der Landstraße dahin. Die Gegend war anmutig; niedrige Berge und kleine Birkengehölze fanden sich zwischen den Äckern oder auch mitten darin. Ebereschen und Ahlkirschen waren in voller Blüte, an den Espen schimmerten zarte, klebrige Blättchen, in den Gräben an der Landstraße rieselte klares Wasser, und die frischgewaschenen Steine auf dem Boden glitzerten und glänzten.

Ingrid dachte mit tiefem Leid an den, der von neuem wahnsinnig geworden war. Sie grübelte darüber nach, ob sie etwas für ihn tun könne, fragte sich, ob es wohl etwas nützen würde, daß sie auf diese Weise von zu Hause weggegangen war.

Sie war hungrig und müde, ihre Schuhe fingen schon an zu

zerreißen. Sie dachte, es wäre wohl am besten, wenn sie wieder umkehrte, sie würde ja doch nie ihr Ziel erreichen.

Je länger sie ging, desto betrübter wurde sie. Unwillkürlich drängte sich ihr der Gedanke immer wieder auf, daß es nicht viel helfen würde, wenn sie jetzt käme, jetzt wo er den Verstand wieder ganz verloren hatte. Jetzt war es sicher zu spät und vollständig hoffnungslos, noch etwas zu versuchen.

Aber sobald sie an Umkehren dachte, tauchte Hedes Gesicht dicht neben ihrer Wange auf, wie sie es so oft schon gesehen hatte. Da regte sich die Hoffnung wieder in ihr; sie glaubte, er rufe sie, und eine große Zuversicht und Gewißheit, daß sie ihm doch noch helfen könne, stieg in ihrem Herzen auf.

Gerade als Ingrid den Kopf aufrichtete und etwas weniger betrübt aussah, kam ihr ein sonderbarer Aufzug entgegen.

Ein kleines Pferd zog einen Karren, auf dem Karren saß eine dicke Madam und daneben ging ein magerer alter Mann mit einem langen Schnurrbart.

Hier draußen auf dem Lande, wo sich niemand auf Kunst verstand, legten Herr und Frau Blomgren es immer darauf an, wie einfache Bürgersleute auszusehen. Der Karren, mit dem sie umherzogen, war sorgfältig überspannt, niemand konnte ahnen, daß er nichts anderes enthielt als Feuerkörper, Zauberapparate und Marionettenpuppen.

Niemand konnte wissen, daß die dicke Alte, die hoch oben auf der Ladung saß und wie eine behäbige Bürgersfrau aussah, die frühere Miß Viola war, die einst durch die Lüfte flog, oder daß der Mann, der daneben herging und den Eindruck eines verabschiedeten Soldaten machte, derselbe Herr Blomgren war, der die Einförmigkeit des Wanderns manchmal dadurch unterbrach, daß er eine Volte über das Pferd schlug, oder die Zeisige und Drosseln, die in den Bäumen am Wege sangen, durch Bauchrednerkünste so neckte, daß sie ganz rasend wurden.

Das Pferd war ein ganz kleines Geschöpf, das früher ein Karussell gedreht hatte und nun nie weitergehen wollte, wenn es keine Musik hörte. Deshalb saß Frau Blomgren meistens auf dem Karren und blies auf der Mundharmonika. Sobald sie aber jemand begegneten, steckte sie sie in die Tasche, damit niemand auf den Gedanken käme, sie gehörten zu der Sorte von Künstlern, vor denen niemand im Dorf Respekt hat. Auf diese Weise kamen sie nicht besonders rasch vorwärts, sie hatten aber auch keine Eile.

Ihr blinder Geigenspieler mußte ein Stück hinter ihnen wandern, damit er nicht verrate, daß er auch zur Gesellschaft gehöre. Dieser Blinde hatte als Führer einen kleinen Hund; es war ihm verboten worden, sich von einem Kind führen zu lassen. Dies hätte Herrn und Frau Blomgren beständig an ein kleines Mädchen erinnert, das Ingrid hieß, und das wäre ihnen zu schmerzlich gewesen.

Jetzt, wo es Frühling wurde, zogen sie alle aufs Land hinaus. Denn, mochten auch Herrn und Frau Blomgrens Verdienste in den Städten noch so gut sein, um diese Jahreszeit *mußten* sie hinaus aufs Land. Sie waren eben Künstler, Herr und Frau Blomgren!

Sie erkannten Ingrid nicht wieder, und diese ging zuerst an ihnen vorüber, ohne zu grüßen, denn sie hatte Eile und fürchtete, aufgehalten zu werden. Aber sogleich schlug ihr das Gewissen, daß dies häßlich und herzlos von ihr sei, und sie wandte wieder um.

Wenn Ingrid imstande gewesen wäre, sich über irgend etwas zu freuen, so hätte sie es beim Anblick der Freude dieser beiden alten Leute über das Zusammentreffen tun müssen. Und dann entspann sich eine lange Unterhaltung im schrecklichsten Rotwelsch. Einmal ums andere wandte das Pferdchen den Kopf, um zu sehen, ob an dem Karussell etwas zerbrochen sei.

Merkwürdigerweise war Ingrid die, die am meisten sprach. Die Alten sahen natürlich sogleich, daß sie geweint hatte, und sie wurden so betrübt darüber, daß sie ihnen notgedrungen alles, was sie erlebt hatte, erzählen mußte.

Aber es war ihr eine Linderung, diesen Leuten alles erzählen zu dürfen, denn sie hatten ihre eigene Art, alles aufzufassen. Sie klatschten in die Hände, als sie hörten, wie Ingrid aus dem Grabe herauskam, und als sie erzählte, wie furchtbar sie die Pfarrerin durch ihr Erscheinen erschreckt hatte.

Sie liebkosten und lobten sie, daß sie aus dem Pfarrhaus entflohen war. Nichts erschien ihnen schwer und traurig, alles war leicht und hoffnungsvoll.

Es fehlte ihnen geradezu jeglicher Maßstab für die Wirklichkeit, und deshalb empfanden sie deren Härte in keiner Weise. Alles, was sie hörten, verglichen sie mit Puppentheaterstücken und Pantomimen. Etwas Kummer und Elend kam ja auch in den Pantomimen vor; aber das geschah nur, um die Wirkung zu erhöhen. Und selbstverständlich mußte alles gut ausgehen; in den Pantomimen ging immer alles gut aus.

Es lag etwas Ansteckendes in dieser Hoffnungsfreudigkeit.

Ingrid wußte zwar, daß Herr und Frau Blomgren durchaus nicht verstanden, wie unglücklich sie sich fühlte, doch es war eine Aufmunterung, sie so sprechen zu hören.

Und sie bekam auch wirklich Hilfe von ihnen. Sie erzählten ihr, sie hätten erst vorhin in einem Wirtshaus in Torsaker zu Mittag gegessen, und als sie eben vom Tisch aufstanden, seien ein paar Bauern mit einem Verrückten angefahren gekommen. Frau Blomgren könne keinen Wahnsinnigen sehen, deshalb habe sie gleich abreisen wollen, und Herr Blomgren habe ihrem Wunsch willfahrt. Aber am Ende sei dieser arme Mensch wirklich Ingrids Verrückter gewesen!

Und kaum hatten sie dies gesagt, als auch Ingrid sagte, dies sei sehr wahrscheinlich, und sie wollte die alten Leute nun schnell verlassen. Aber da fragte Herr Blomgren seine Gattin in seiner feierlichen Weise, ob sie nicht einzig und allein des Frühlings wegen draußen seien, und ob es nicht ganz gleichgültig für sie sei, wohin sie führen. Und Frau Blomgren fragte ihrerseits nicht minder pathetisch, ob er glaube, sie werde ihre geliebte Ingrid verlassen, ehe diese den Hafen ihres Glücks erreicht habe?

Also mußte das Karussellpferd umdrehen, und die Unterhaltung wurde nun viel schwieriger, weil die Mundharmonika wieder gespielt werden mußte. Sobald Frau Blomgren etwas sagen wollte, mußte sie das Instrument Herrn Blomgren übergeben, und wenn Herr Blomgren sprechen wollte, reichte er es wieder seiner Frau. Und das kleine Pferd hielt jedesmal an, so oft die Harmonika von Mund zu Mund ging.

Aber während der ganzen Zeit versuchten die guten Leute nur, Ingrid zu trösten. Sie kramten alle Märchen aus, die je auf ihrem Puppentheater aufgeführt worden waren. Sie trösteten sie mit dem Dornröschen, sie trösteten sie mit dem Aschenbrödel. Sie trösteten sie mit allen Märchen der Welt.

Herr und Frau Blomgren betrachteten Ingrid unverwandt, als sie sahen, daß ihre Augen allmählich zu glänzen begannen.

»Künstleraugen!« sagten sie und nickten einander vergnügt zu. »Was haben wir gesagt? Künstleraugen!«

Auf unerklärliche Weise hatten sie es so aufgefaßt, als sei Ingrid eine der Ihrigen geworden, eine, die zu der Kunst gehöre und die nun in einem Drama mitspiele. Und das war ein Triumph auf ihre alten Tage.

Weiter ging es, so schnell wie möglich. Das alte Paar hatte nur die eine Sorge, daß Ingrids Verrückter nicht mehr in dem Wirtshaus sein könnte.

Die beiden Bauern aus Råglanda, die mit dem Tobsüchtigen gekommen waren, hatten ihn in eines der Gastzimmer geführt und eingeschlossen, während sie auf frische Pferde warteten. Als sie ihn verließen, waren ihm die Hände fest auf den Rücken gebunden; aber wie er es nun auch angefangen haben mochte, jedenfalls war es ihm geglückt, seine Hände aus den Fesseln zu ziehen, und als die Männer wieder hineinkamen, um ihn zu holen, stand er frei und ledig da, hatte in heller Tobsucht einen Stuhl als Waffe ergriffen, um auf jeden loszuschlagen, der ihm nahe käme. Die Bauern hatten nichts anderes tun können, als flüchten und die Tür wieder hinter sich zu verriegeln.

Nun warteten sie, daß der Wirt und seine Knechte nach Hause kommen sollten, damit sie stark genug wären, um ihn wieder zu fesseln.

Trotz alledem erlosch die Hoffnung, die die alten Freunde in Ingrid erweckt hatten, doch nicht ganz. Sie begriff zwar wohl, daß es mit Gunnar Hede schlimmer stand als je zuvor, aber sie hatte es nicht anders erwartet. Sie hoffte noch immer. Nicht die Märchen der alten Leute waren es, sondern ihre große Liebe, die ihr neuen Mut einflößte.

Sie bat die Bauern, sie zu Hede hineinzulassen, indem sie ihnen sagte, daß sie ihn kenne und daß er ihr nichts zuleid tun werde. Aber die Bauern erwiderten, daß sie nicht auch verrückt seien. Der da drinnen würde jeden sofort totschlagen, der zu ihm hineinkäme, ohne sich verteidigen zu können.

Lange saß Ingrid schweigend und nachdenklich da. Sie dachte daran, wie wunderbar es doch sei, daß sie gerade heute mit Herrn und Frau Blomgren zusammengetroffen war. Das mußte doch gewiß eine besondere Bedeutung haben. Sie wäre ihnen sicherlich nicht begegnet, wenn es nicht etwas Besonderes zu bedeuten hätte.

Und Ingrid sann darüber nach, auf welche Weise Hede das erstemal gesund geworden war. Konnte sie ihn jetzt nicht vielleicht auch dazu bringen, etwas zu tun, das ihn an frühere Tage erinnern und von seinen Wahnvorstellungen abziehen könnte? Sie grübelte und grübelte ...

Herr und Frau Blomgren saßen auf einer Bank vor dem Wirtshaus und sahen unglücklicher aus, als man hätte für möglich halten sollen. Sie waren dem Weinen nahe.

Da kam Ingrid, ihr »Kind«, lächelte sie an, wie nur sie lächeln konnte, streichelte ihnen die alten runzeligen Wangen und bat sie, ihr doch die große Freude zu machen und sie eine von den Vorstellungen sehen zu lassen, bei denen sie früher jeden Tag selbst dabei gewesen war. Das würde ihr ein gar großer Trost sein.

Zuerst schlugen sie es ihr ab, denn sie waren ja gar nicht in ihrer richtigen Künsterlaune, aber nachdem Ingrid sie noch ein paarmal angelächelt hatte, konnten sie nicht länger widerstehen. Sie gingen zu ihrer Ladung und packten die Trikotanzüge aus.

Als sie fertig waren und den Blinden herbeigerufen hatten, wählte Ingrid den Ort zu der Vorstellung aus. Sie wollte nicht, daß sie auf dem Platz vor dem Wirtshaus auftraten, sondern führte sie in den Garten des Wirts. Denn bei dem Wirtshaus war ein Garten. Allerdings bestand er hauptsächlich aus Gemüsebeeten, wo noch nichts aufgegangen war, aber da und dort stand ein blühender Apfelbaum. Und Ingrid sagte zu Herrn und Frau Blomgren, sie möchte sie am liebsten unter einem blühenden Apfelbaum auftreten sehen.

Ein paar Knechte und Mägde liefen eilends herbei, als sie die Geige hörten, so daß sogar ein kleiner Zuschauerkreis da war. Aber es widerstrebte Herrn und Frau Blomgren doch, aufzutreten. Ingrid begehre zuviel von ihnen, sagten sie. Sie seien wirklich zu betrübt.

Auch sei es ein Unglück, daß Ingrid sie auf die Gartenseite geführt habe. Sie habe gewiß nicht daran gedacht, daß die Gastzimmer auf dieser Seite seien. Frau Blomgren wäre beinahe davongelaufen, als sie hörte, wie in einem der Gastzimmer ein Fenster heftig aufgerissen wurde. Wenn nun der Verrückte die Musik hörte, und wenn er zum Fenster hinaussprang und zu ihnen herkam!

Aber Frau Blomgren beruhigte sich, als sie sah, wer am Fenster stand. Es war ein junger Mann von angenehmem Äußeren. Er war in Hemdärmeln, sonst aber ganz ordentlich gekleidet. Sein Blick war ruhig, die Lippen lächelten, und mit der Hand strich er sich das Haar aus der Stirne.

Herr Blomgren arbeitete und war von der Vorstellung so hingenommen, daß er nichts bemerkte; Frau Blomgren aber, die nichts zu tun hatte, als nach allen Seiten Kußhände zu werfen, konnte auf alles acht geben.

Es war doch merkwürdig, wie das Kind plötzlich strahlte. Ihre Augen glänzten wie nie zuvor, und ihr Gesicht war so weiß geworden, daß es förmlich leuchtete. Und all dieser Strahlenglanz war auf den gerichtet, der dort drüben am Fenster stand.

Er besann sich nicht lange; er stieg auf das Fensterbrett und sprang zu ihnen heraus. Und er trat zu dem Blinden und bat ihn um seine Geige.

Und Ingrid nahm rasch die Geige aus der Hand des Blinden und reichte sie dem Fremden.

»Spielen Sie den Walzer aus dem ›Freischütz‹«, sagte sie.

Da begann der Fremde zu spielen, und Ingrid lächelte, aber sie sah dabei so überirdisch aus, daß Frau Blomgren glaubte, das Mädchen könne sich in einen Sonnenstrahl auflösen und davonfliegen.

Sobald jedoch Frau Blomgren den Fremden spielen hörte, erkannte sie ihn wieder.

»Ach so«, sagte sie zu sich selbst, »hängt es so zusammen? Ist er es? Deshalb wollte sie uns alte Menschen auftreten sehen!«

Gunnar Hede, der in seinem Zimmer so tobsüchtig war, daß er am liebsten jemand totgeschlagen hätte, hörte plötzlich Geigenspiel. Und dies führte ihn in eine Begebenheit seines früheren Lebens zurück.

Zuerst konnte er nicht verstehen, wo seine eigene Geige sein könnte, aber dann fiel ihm ein, daß Ålin sie mitgenommen hatte; es blieb ihm also nichts anderes übrig, als zu versuchen, ob ihm der Blinde draußen die seinige leihen würde, damit er sich zur Ruhe spielen könnte. Er fühlte sich furchtbar aufgeregt.

Und sobald er die Geige des Blinden in der Hand hatte, begann er zu spielen. Es fiel ihm gar nicht ein, daß er nicht spielen könne, er hatte keine Ahnung davon, daß er seit mehreren Jahren nichts mehr als ein paar kleine, armselige Melodien hatte spielen können.

Er dachte nicht anders, als daß er in Upsala vor dem mit wildem Wein bewachsenen Hause stehe. Und er erwartete, daß die Kunstreiter anfangen würden zu tanzen, gerade wie damals.

Er gab sich Mühe, feuriger zu spielen, um sie zum Tanzen zu zwingen, aber seine Finger waren steif und unbeholfen, und der Bogen wollte ihm nicht recht gehorchen. Er strengte sich so an, daß ihm die Schweißtropfen auf die Stirne traten. Schließlich fand er doch die richtige Melodie, die, nach der sie das letztemal getanzt hatten. Er spielte sie so rührend, so verlockend, wahrhaft hinreißend.

Aber die alten Akrobaten fingen nicht an zu tanzen. Es war lange her, seitdem sie mit dem Studenten in Upsala zusammengetroffen waren. Sie erinnerten sich nicht mehr, wie begeistert sie damals gewesen waren. Sie hatten keine Ahnung, was er von ihnen erwartete.

Gunnar Hede sah Ingrid an, um eine Erklärung zu bekommen, warum die Kunstreiter nicht tanzten; als er aber ihre Augen so überirdisch strahlen sah, war er so überrascht, daß er aufhörte zu spielen.

Einen Augenblick sah er sich im Kreise um, alle sahen ihn mit solch verwunderten, unruhigen Blicken an.

Es war ihm unmöglich, zu spielen, während die Leute ihn so anstarrten. Da ging er einfach weg. Weiter drin im Garten sah er einige blühende Apfelbäume; dorthin ging er.

Er sah wohl ein, daß nichts mit der Vorstellung, die er eben gehabt hatte, übereinstimmte. Ålin hatte ihn nicht eingeschlossen und er war nicht in Upsala. Der Garten hier war größer, und das Haus war nicht mit rotem Weinlaub bedeckt. Nein, dies konnte nicht Upsala sein.

Aber er kümmerte sich nicht weiter darum, wo er sei. Es war ihm, als habe er seit Jahrhunderten nicht mehr gespielt, und nun habe er endlich wieder eine Geige bekommen. Nun wollte er spielen.

Er legte die Geige an die Wange und fing an. Aber wieder wurde er durch die steifen Bewegungen der Finger gehindert. Er konnte nur die allereinfachsten Melodien spielen. »Es wird mit nichts weiter übrig bleiben, als wieder ganz von vorne anzufangen«, sagte er.

Und er lächelte und spielte ein kleines Menuett. Das war das erste Stück, was er gelernt hatte. Sein Vater hatte es ihm vorgespielt, und er hatte es nach dem Gehör nachgespielt. Plötzlich sah er den ganzen Vorgang vor sich. Und er hörte auch die Worte: »Der kleine Prinz wollt' tanzen, doch er brach den kleinen Fuß.«

Hierauf versuchte er es mit mehreren leichten Tänzen. Diese hatte er als Schuljunge gespielt, als er aufgefordert worden war, in ein Mädchenpensionat zu kommen und die Tanzübungen der Schülerinnen zu begleiten. Er sah die kleinen Mädchen hüpfen und sich im Kreise drehen und hörte die Tanzlehrerin den Takt dazu mit dem Fuß treten.

Dann wurde er kühner. Er spielte die erste Stimme eines Violinquartetts von Mozart. Er hatte es als Gymnasiast in Falun gelernt. Und das war so zugegangen: Einige alte Herren hatten das Quartett zu einem Konzert eingeübt. Aber die erste Violine war krank geworden, und man hatte ihm die Stimme übertragen, trotz seiner Jugend. Er war nicht wenig stolz darauf gewesen.

Während er so die kindlichen Übungen spielte, dachte Gunnar Hede eigentlich an nichts weiter, als seine Finger gelenkig zu machen. Bald jedoch fühlte er, daß etwas Merkwürdiges mit ihm vorging.

Er hatte das deutliche Gefühl, daß in seinem Gehirn eine große Dunkelheit herrschte, die seine Vergangenheit verbarg. Sobald er sich an eine Sache zu erinnern versuchte, war es ihm, als mache er den Versuch, etwas in einem dunklen Zimmer zu finden. Aber wenn er spielte, wich die Dunkelheit teilweise zurück. Ohne daß er daran gedacht hatte, war die Dunkelheit nun so weit zurückgewichen, daß er sich an seine Kinderjahre und Schulzeit erinnern konnte.

Da beschloß er, sich von der Geige leiten zu lassen; vielleicht konnte sie alles Dunkel vertreiben.

Und so geschah es; mit jedem Stück, das er spielte, wich die dunkle Decke etwas weiter zurück.

Die Geige führte ihn vorwärts von einem Jahr zum andern; sie weckte Erinnerungen an Studien, an Freunde und an Vergnügungen.

Wie eine Mauer stand die Dunkelheit vor ihm; aber wenn er, mit der Geige bewaffnet, auf sie zuging, wich sie Schritt für Schritt zurück. Bisweilen sah er rückwärts, wie um zu sehen, ob sie sich nicht hinter ihm wieder schlösse. Aber hinter ihm war heller Tag.

Jetzt kam die Geige an eine Reihe Duette für Klavier und Violine. Von jedem spielte er nur ein paar Takte. Aber die Dunkelheit wich ein großes Stück zurück; er erinnerte sich seiner Braut und an die Zeit, wo er verlobt war.

Gerne hätte er hier verweilt, aber es mußte noch viel Dunkelheit weggespielt werden; er hatte keine Zeit zum Verweilen.

Er glitt in ein geistliches Lied hinein; dies hatte er einmal gehört, als er betrübt gewesen war. Er entsann sich, daß er in einer Dorfkirche saß, als er es hörte; aber warum war er betrübt gewesen? Weil er als armer Hausierer durchs Land zog. Das war ein hartes Leben und es war eine bittere Erinnerung.

Wie ein Wirbelwind flog der Bogen über die Saiten und riß wieder ein großes Stück Dunkelheit hinweg. Nun sah er den Zehnmeilenwald, die verschneiten Tiere, die sonderbaren Figuren, die das Schneetreiben aus ihnen gemacht hatte. Er erinnerte sich an die Reise zu seiner Braut, erinnerte sich, wie sie die Verlobung aufhob. Alles tauchte klar vor ihm auf.

Eigentlich fühlte er weder Schmerz noch Freude bei dem, was vor ihm auftauchte. Das wichtigste war, daß er sich überhaupt an etwas erinnern konnte. Das allein war eine unendliche Befriedigung.

Dann aber hörte der Bogen von selbst auf zu spielen; er wollte Hede nicht weiterführen. Und doch war da noch mehr, viel mehr, an das er sich erinnern mußte. Noch immer stand das Dunkel wie eine undurchdringliche Mauer vor ihm.

Er zwang den Bogen zum Weiterspielen. Da spielte dieser zwei kleine unbedeutende Melodien, die allerärmlichsten, die Hede je gehört hatte.

Wie hatte sein Bogen so etwas lernen können?

Vor diesen Melodien wich das Dunkel nicht einen Schritt zurück, sie lehrten ihn soviel wie nichts. Aber von ihnen ging eine Angst aus, wie er seines Wissens noch nie eine empfunden hatte. Eine unbegreifliche, fürchterliche Angst, das wahnsinnige Grauen der Verdammten.

Er hörte auf zu spielen, er konnte es nicht mehr ertragen. Was war doch in diesen Melodien? Was war es?

Vor ihnen wich das Dunkel nicht zurück, und das Schreckliche war, daß es ihm vorkam, als ob die Dunkelheit wieder auf ihn zuschwebe und ihn zu verschlingen drohe, sobald er sie nicht mit der Geige zurückdrängte.

Bisher hatte er mit halbgeschlossenen Augen gespielt, jetzt schlug er sie auf und sah hinein in die wirkliche Welt. Da fiel sein Blick auf Ingrid, die während der ganzen Zeit neben ihm gestanden und ihm zugehört hatte.

Und er fragte sie – nicht in der Hoffnung auf eine Antwort, sondern nur um das Dunkel einen Augenblick zurückhalten zu können –: »Wann habe ich das zuletzt gespielt?«

Ingrid zitterte. Ihr Entschluß war gefaßt. Wie es auch gehen mochte, er sollte die Wahrheit erfahren. Wie es auch gehen mochte, sie würde sie ihm sagen.

Sie war bange, aber mutig war sie auch und sich vollständig klar darüber, was sie wollte. Jetzt sollte er ihr nicht ausweichen, jetzt durfte er nicht von ihr weggleiten. Aber trotz all ihres Mutes wagte sie es doch nicht, ihm geradeheraus zu sagen, daß dies die Melodien seien, die er gespielt hatte, solange er irrsinnig gewesen war; sie umging also die Frage. »Du hast sie im Winter daheim auf Munkhyttan gespielt«, sagte sie.

Hede war es, als sei er ganz von Geheimnissen umgeben. Warum sagte das junge Mädchen »du« zu ihm? Sie war kein Bauernmädchen: ihr Haar war nach Art der vornehmen Damen hoch aufgesteckt, mit kleinen Löckchen an den Schläfen. Ihr Kleid war zwar aus selbstgewebtem Stoff, aber sie trug ein feines Spitzentuch um den Hals. Sie hatte eine weiße Haut und kleine Hände. Dies feine Gesicht mit den großen träumerischen Augen konnte keinem Bauernmädchen gehören. Hedes Erinnerung konnte ihm durchaus keinen Aufschluß über sie geben. Warum sagte sie »du «zu ihm? Woher wußte sie, daß er dies zu Hause gespielt hatte?

»Wie heißt du?« fragte er. »Wer bist du?«

»Ich bin Ingrid, die du vor vielen Jahren in Upsala gesehen und getröstet hast, weil sie nicht seiltanzen lernen konnte.«

Dies ging zurück zu der Vergangenheit, die sich für Hede schon gelichtet hatte. Er erinnerte sich ihrer wohl.

»Wie groß und schön du geworden bist, Ingrid!« sagte er. »Und wie vornehm du aussiehst! Welch eine prächtige Brosche du hast!«

Er hatte die Brosche schon eine ganze Weile angesehen. Es war ihm, als müsse er sie kennen; sie war einer Brosche aus Perlen und Emaille, die seiner Mutter gehörte, zum Verwechseln ähnlich.

Das Mädchen erwiderte auch sogleich: »Die Brosche habe ich von deiner Mutter bekommen. Du hast sie gewiß früher schon gesehen.«

Jetzt legte Gunnar Hede die Geige weg; er trat auf Ingrid zu und fragte sie in heftiger Erregung: »Wie kommst du dazu, ihre Brosche zu tragen? Warum weiß ich nicht, daß du meine Mutter kennst?«

Ingrid erschrak und wurde totenblaß vor Entsetzen. Sie wußte schon, wie die nächste Frage lauten würde.

»Ich weiß nichts, Ingrid. Ich weiß nicht, warum ich hier bin. Ich weiß nicht, warum du hier bist. Warum weiß ich es nicht?«

»Ach, frag mich nicht!«

Sie wich ein paar Schritte zurück und streckte die Hände aus, wie um sich zu schützen.

»Willst du es nicht sagen?«

»Frag nicht, frag nicht!«

Er erfaßte ihr Handgelenk mit hartem Griff, wie um die Wahrheit herauszupressen.

»Sag es nur. Ich bin doch völlig bei Sinnen! Warum kann ich mich an so vieles nicht erinnern?«

Sie bemerkte etwas Drohendes und Wildes in seinen Augen. Er wußte nun schon, was sie ihm zu sagen hatte. Aber jetzt kam es ihr ganz unmöglich vor, einem Menschen zu sagen, daß er wahnsinnig gewesen sei. Es war schwerer, als sie geglaubt hatte. Unmöglich war es, unmöglich!

»Sag es!« herrschte er sie an.

Aber sie hörte seiner Stimme an, daß er es nicht hören wollte. Er wäre imstande, sie totzuschlagen, wenn sie es sagte.

Da nahm sie ihre ganze Liebe zusammen, sah Gunnar Hede gerade in die Augen und sagte: »Du bist nicht ganz bei Verstand gewesen!«

»Wirklich? Wie lange denn?«

»Ich weiß es nicht genau. Vielleicht drei, vier Jahre ...«

»Bin ich ganz verrückt gewesen?«

»Nein, nein. Du hast eingekauft und verkauft und bist auf den Jahrmärkten gewesen.«

»In welcher Weise war ich denn verrückt?«

»Du hast dich gefürchtet.«

»Vor wem habe ich mich gefürchtet?«

»Vor Tieren ...«

»Vor Geißen vielleicht?«

»Ja, am meisten vor Geißen.«

Noch immer hielt Hede Ingrids Handgelenk fest umspannt. Nun schleuderte er ihre Hand weg, er schleuderte sie förmlich weg. In rasendem Zorn wandte er sich von ihr ab, als hätte sie ihm auf hinterlistige Weise eine böswillige Verleumdung mitgeteilt.

Aber dies Gefühl wich einem andern, das ihn noch mehr erregte. Vor seinen Augen sah er, so deutlich als wäre es ein gemaltes Bild, einen großen Bauern aus Dalarne, gebeugt unter der Last eines ungeheuren Sacks. Er ist im Begriff in ein Bauernhaus einzutreten, aber ein elender kleiner Hund fährt auf ihn los. Der Mann bleibt stehen, knickst und knickst und wagt nicht hineinzugehen, bis der Bauer lachend aus dem Haus herauskommt und den Hund fortjagt.

Als Gunnar Hede all dies sah, ergriff ihn die entsetzliche Angst aufs neue.

Vor dieser Angst verschwand das Bild, aber nun kamen Stimmen. Sie schreien und rufen um ihn her. Sie lachen, und Schimpfworte regnen auf ihn herab. Am lautesten und häßlichsten schreien schrille Kinderstimmen. Ein Wort ist es, ein Name, der immer wiederkehrt, der gebrüllt, gerufen, geflüstert wird und ihm in den Ohren gellt. »Geißbock, Geißbock!«

Und all dies galt ihm, ihm, Gunnar Hede! So hatte er gelebt! Mit vollem Bewußtsein fühlte er jetzt dieselbe unsägliche Angst, unter der er gelitten hatte, solange er wahnsinnig war. Aber nun war es nicht die Angst vor etwas von außen her; nun hatte er Angst vor sich selbst.

»Das war ich! Das war ich!« stöhnte er und rang die Hände.

Im nächsten Augenblick lag er vor einer kleinen Bank auf den Knien, legte den Kopf darauf und weinte, weinte ... »Das war ich«, klagte er schluchzend. »Das war ich!«

Woher sollte er den Mut nehmen, das zu ertragen? Ein verlachter, verspotteter Verrückter!

»Ach, laß mich wieder wahnsinnig werden!« rief er und schlug mit der Faust auf die Bank. »Das ist mehr, als ein Mensch ertragen kann!«

Er hielt einen Augenblick den Atem an. Das Dunkel kam wieder heran wie ein herbeigerufener Retter. Wie ein Nebel wallte es ihm entgegen. Seine Lippen verzerrten sich zu einem Lächeln. Er fühlte, wie seine Züge schlaff wurden und sein Blick wieder den Ausdruck des Irrsinns annahm.

Aber dies war besser; das andere war nicht zu ertragen. Ein verlachter, verspotteter Verrückter, auf den man mit Fingern deutete! Nein, da war es besser, es wirklich zu sein, ohne es zu wissen. Warum sollte er zurück ins Leben? Jedermann würde ihn verabscheuen!

Die ersten leichten, flatternden Nebelschleier des Dunkels legten sich um ihn.

Ingrid stand neben ihm, hörte und sah seine Angst und dachte nicht anders, als daß bald alles aufs neue verloren sein würde.

Sie sah deutlich, daß der Wahnsinn ihn wieder zu ergreifen drohte.

Und ihr war so angst, so angst, ihr ganzer Mut war dahin.

Aber ehe er seinen Verstand wieder verlor und so verschüchtert wurde, daß auch sie ihm nicht mehr nahekommen durfte, wollte sie wenigstens Abschied von ihm nehmen, von ihm und all ihrem Glück.

Gunnar Hede fühlte, wie Ingrid sich neben ihm auf die Knie niederließ, den Arm um seinen Hals legte, ihre Wange an die seine drückte und ihn küßte.

Sie hielt sich nicht für zu gut, ihm nahe zu kommen, ihm, dem Verrückten! Sie hielt sich nicht für zu gut, ihn zu küssen!

Ein schwaches Zischen erklang aus dem Dunkel heraus; die leichten Nebelschleier wichen zurück, und da schienen es Schlangenhäupter zu sein, die auf ihn gerichtet waren und die nun vor Wut zischten, daß sie ihn nicht hatten beißen können.

»Nimm es nicht so schwer«, sagte Ingrid. »Nimm es nicht so schwer. Niemand denkt mehr an das Vergangene, wenn du nur gesund bist.«

»Ich will wieder wahnsinnig werden!« stöhnte er. »Ich kann es nicht aushalten! Ich kann den Gedanken, wie ich gewesen bin, nicht ertragen!«

»Doch, du kannst es«, sagte Ingrid!

»Nein, niemand kann das vergessen«, jammerte er. »Ich war zu schrecklich. Niemand kann mich liebhaben.«

»Ich habe dich lieb«, sagte sie.

Zweifelnd schaute er auf.

»Du hast mich geküßt, damit ich nicht wieder wahnsinnig werden sollte. Du hast Mitleid mit mir.«

»Ich will dich gern noch einmal küssen«, sagte sie.

»Ja, das sagst du nur, weil du weißt, daß ich es hören will.«

»Willst du hören, daß dich jemand liebhat?«

»Ob ich es hören will? Lieber Gott, ob ich es hören will? Ach, du Kind!« sagte er und riß sich von ihr los. »Wie soll ich das Leben ertragen, da ich doch weiß, daß jeder Mensch, der mich sieht, sogleich denken wird: Der ist verrückt gewesen. Er hat sich vor Hunden und Katzen verbeugt.«

Und dann brach es von neuem los; er lag wieder am Boden, das Gesicht in die Hände vergraben und weinte laut. »Es wäre besser, ich würde wieder wahnsinnig. Ich höre, wie sie hinter mir herschreien, und ich sehe mich selbst. Und dies ist Angst, Angst, Angst ...«

Nun aber riß Ingrid die Geduld.

»Ja, das ist recht, werde nur wieder verrückt!« rief sie. »Es ist ja so echt männlich, wieder verrückt werden zu wollen, um von einem bißchen Angst befreit zu werden!« Sie biß sich auf die Lippen und kämpfte mit dem Weinen, und da sie die Worte nicht schnell genug herausbrachte, ergriff sie ihn an den Armen und schüttelte ihn.

Sie war erbittert, außer sich vor Zorn, weil er ihr aufs neue entfliehen, weil er nicht ringen und kämpfen wollte.

»Was kümmerst du dich um mich, was kümmerst du dich um

deine Mutter! Werde nur wieder verrückt, dann bekommst du Ruhe!« Sie schüttelte ihn noch einmal.

»Um der Angst zu entgehen, sagst du. Aber hat sie nicht auch Angst gehabt, sie, die ihr ganzes Leben lang auf dich gewartet hat, ohne daß du kamst! Wenn du außer für dich selbst auch noch für jemand anders ein Herz hättest, könntest du den Kampf mit deiner Krankheit wohl aufnehmen und gesund werden. Aber du hast kein Herz für andere!

In Gesichten und Träumen kannst du so schön und rührend um Hilfe flehen, in Wirklichkeit aber willst du keine Hilfe haben. Da bildest du dir ein, dein Leiden sei das schwerste auf Erden. Aber es gibt noch andere, die es schwerer gehabt haben als du.«

Endlich schlug Gunnar die Augen auf und sah ihr voll und aufmerksam ins Gesicht. Sie war in diesem Augenblick nichts weniger als schön. Die Tränen strömten ihr die Wangen herab, und ihr Mund bebte, während sie sich Mühe gab, vor Schluchzen die Worte herauszubringen.

Ihn aber deuchte es schön, als er sie so aufgeregt sah. Eine merkwürdige Ruhe überkam ihn und eine große demütige Dankbarkeit. Etwas Großes und Herrliches hatte sich genaht, gerade in seiner tiefsten Erniedrigung. Das mußte eine große Liebe sein, eine große Liebe!

Er klagte über sein Elend, und da stand auch schon die Liebe vor seiner Tür und klopfte an. Und es war nicht nur so, daß er bloß geduldet werden sollte, wenn er wieder zum Leben zurückkehrte, nicht nur so, daß die Leute es zur Not lassen konnten, ihn auszulachen.

Hier war wirklich ein Mädchen, das ihn liebte, das sich nach ihm sehnte. Sie sprach harte Worte zu ihm, aber er hörte die Liebe in jedem einzelnen Wort beben. Ihm war, als biete sie ihm Throne und Königreiche.

Dieses Mädchen erzählte ihm, daß er ihr, während er wahnsinnig gewesen war, das Leben gerettet habe. Er habe sie vom Tode erweckt, habe sie geführt, sie beschützt. Aber das genügte ihr nicht. Sie wollte ihn selbst besitzen.

Als sie ihn küßte, hatte er gefühlt, wie sich ein lindernder Balsam auf seine kranke Seele legte, aber er wagte noch immer nicht zu glauben, daß es die Liebe sei, die sie dazu getrieben hatte. Als er jedoch ihren Zorn und ihre Tränen sah, konnte er nicht länger zweifeln. Er wurde geliebt, er, der arme elende Mensch, er, der jedermann zum Spott gewesen war!

Und vor der großen innigen Glückseligkeit, die dieses Bewußtsein in Hede erweckte, entwich das letzte Dunkel in seiner Seele. Es glitt zur Seite wie ein schwerer Vorhang, und deutlich sah er das Reich des Entsetzens vor sich, das er durchwandert hatte. Aber mittendrin fand er auch Ingrid, da hob er sie aus dem Grab, da spielte er ihr vor der Waldhütte vor, da arbeitete sie mit ihm, um ihn zu heilen.

Aber nicht nur die Erinnerung an sie kehrte zurück; gleichzeitig erwachten auch die Gefühle, die sie ihm früher eingeflößt hatte. Er fühlte sich durchströmt von Liebe, und er fühlte dieselbe brennende Sehnsucht, die sich seiner auf dem Kirchplatz von Råglanda bemächtigt hatte, als sie ihm da entrissen worden war.

In dem Reich des Schreckens, in der großen Wüste war ihm doch eine Blume erblüht, die ihn mit ihrem Duft und ihrer Schönheit getröstet hatte. Und nun erkannte er, daß die Liebe beständig in ihm lebendig geblieben war. Die wilde Pflanze der Wüste hatte sich in den Garten des Lebens versetzen lassen, sie hatte Wurzel geschlagen und wuchs und gedieh. Und als er dies fühlte, wußte er, daß er gerettet sei, daß das Dunkel von einem Stärkeren überwunden worden war.

Ingrid war verstummt. Sie fühlte sich müde wie nach einer schweren Arbeit, aber sie war auch ruhig, denn sie fühlte, daß sie das Rechte getroffen hatte. Sie wußte, daß sie gesiegt hatte.

Endlich brach Hede das Schweigen.

»Ich verspreche dir, daß ich aushalten werde«, sagte er.

»Ich danke dir«, erwiderte sie.

Sonst wurde nichts gesprochen.

Hede war es, als könne er ihr niemals sagen, wie sehr er sie liebe. Worte konnten es nicht sagen, aber er konnte es beweisen mit Taten an jedem Tag und zu jeder Stunde, das ganze Leben hindurch.

Zeittafel

1858	Selma Lagerlöf wird in Mårbacka/Värmland geboren
1862	Kinderlähmung
1866	Lektüre des Indianerromans ›Oceola‹
1874	Erstes Gedicht
1881	Sjöbergs Mädchenlyzeum im Stockholm
1882–85	Lehrerinnenseminar in Stockholm
1888	Mårbacka wird verkauft
1890	1. Preis beim Preisausschreiben der Zeitschrift ›Idun‹
1891	›Gösta Berling‹
1895–96	Reise nach Italien
ab 1897	freie Schriftstellerin
1899	›Die Königinnen von Kungahälla‹
1899–1900	Reise nach Palästina
1901/2	›Jerusalem‹
1904	›Herrn Arnes Schatz‹
	›Christuslegenden‹
1905	Reise nach England
1906/7	›Wunderbare Reise des kleinen Nils Holgersson mit den Wildgänsen‹
1907	Dr. h.c. Uppsala
1908	›Ein Stück Lebensgeschichte‹
ab 1909	Wieder in Mårbacka
1909	Nobelpreis
1909/11	Erscheinen der ›Gesammelten Werke‹ in 10 Bänden
1913	›Das Mädchen vom Moorhof‹
1914	Mitglied der Schwedischen Akademie
1922	›Mårbacka‹ – Erinnerungen
1925	›Die Löwenskölds‹
1930	›Aus meinen Kindertagen‹
1932	Dr. h.c. Kiel
1940	Selma Lagerlöf stirbt in Mårbacka

Bibliographische Hinweise

Die Jahreszahlen beziehen sich auf die schwedische Erstveröffentlichung

Das Heinzelmännchen von Töreby (1921) · Der Wechselbalg (1915) · Der Spielmann (1908) · Die Prinzessin von Babylonien (1921) · Die Silbergrube (1908)
DIE KÖNIGINNEN VON KUNGAHÄLLA · Wo einst das große Kungahälla stand (1899) · Die Waldkönigin (1899) · Sigrid Storråda (1899) · Astrid (1899) · Margareta Fredkulla (1899) · Die Königin auf der Ragnhildsinsel (1899)
Reors Geschichte (1894) · Das Wasser in der Kirchenbucht (1915) · Mamsell Friederike (1894) · Eine Geschichte aus Halstanäs (1899) · Der dienstbare Geist (1915) · Die Rache bleibt nicht aus (1897) · Peter Nord und Frau Fastenzeit (1894) · Das Hünengrab (1894) · Eine Herrenhofsage (1899)